Extreme Music of the World Vol.13

Naoaki Tamura

前書き

1980年代にVenomから始まり、Hellhammer/Celtic FrostやBathory、Sodom（初期）等のサタニック・スラッシュメタルがブラックメタルの礎を築いた。すでにVenomが『Black Metal』のタイトルでアルバムをリリースしていたので、「ブラックメタル」という言葉は存在していた。ただし、ジャンルとしての「ブラックメタル」はまだ存在していなかった。先述のバンド達が特異な存在として一部マニア層から絶大な支持を得ていたに過ぎなかった。しかし、アンダーグラウンドのパワーは絶大である。ノルウェーのMayhem、スウェーデンのMorbidやMefisto、フィンランドのBeheritやArchgoat、イタリアのMortuary Drape、ギリシャのRotting Christ、チェコのMaster's HammerやRoot、ハンガリーのTormentor、アメリカのVon、カナダのBlasphemy、ブラジルのMystifier、コロンビアのParabellumやInquisition、日本のSabbat等のサタニックで暗黒なバンドが1980年代中盤から後半にかけて世界中から登場する。

本格的なブラックメタルが確立したのは1990年である。Mayhemによるコープス・ペイントを施した過激なライヴがノルウェーのアンダーグラウンド・シーンを一気にブラックメタルに染め、瞬く間に世界中へ広まっていった。ノルウェーをトップに、隣国のスウェーデンやフィンランド、そしてヨーロッパ全域から北米、中南米、アジアまで、1990年代初頭には中東とアフリカ地域以外から、数多くのブラックメタルが登場する。そして、ノルウェーのインナー・サークルによる教会放火や殺人事件がセンセーショナルに報じられたことで、ブラックメタルの存在が一気に注目を集めた。この頃はまだ事件性のみ着目され、ブラックメタルの音楽性がまともに語られるのは、熱心なファン間のみであった。さらに、インナー・サークルの中心人物であったMayhemのEuronymousが閉鎖的にアンダーグラウンド主義であったことから、ブラックメタルがオーバーグラウンドへと浮上することはなかった。しかしEuronymousの死後、1990年代後半にはメジャー化するバンドが出現することで一般メタル・ファン層にもブラックメタルの認知度が高まっていく。さらに2000年代になると、ブラックメタルの音楽性が急速に拡大。多くの細分化されたジャンルを生み出していく。往々にしてアンダーグラウンドの音楽は、ジャンル隔てなく様々な音楽性が異種交配し、それにより新たなジャンルが生まれるケースが多い。ブラックメタルもまたアンダーグラウンドな音楽であるが故に、多彩な音楽性を貪欲に取り込むことで、多くのサブジャンルが誕生した。その中でも、本格的にブラックメタルが確立された1990年代初頭の音楽スタイルから影響を受け、継承していったのが「プリミティヴ・ブラックメタル」という分野である。

「プリミティヴ」とは「原始的」の意味。つまり、極力装飾品のない剥き出し状態の音を発するのが「プリミティヴ・ブラックメタル」であると定義できる。ただし1990年代初頭から、アンビエントやインダストリアルに寄ったり、シンフォニック要素が大きかったり、フォークやトラッドを取り入れたりしたバンドも少なからず存在していた。すなわち、1990年代初頭のブラックメタルの中でも、1980年代のサタニック・スラッシュメタルの影響下にある原始的なスタイルが「プリミティヴ・ブラックメタル」であると言える。あくまでも1990年代の音にこだわるために、意識的に音質を落としたプロダクションにしたり、Lo-Fiな音像にしたりするバンドが多いのも特徴である。

音楽ジャンル区分はあくまでも指標のようなもの。「プリミティヴ・ブラックメタル」もまた、明確な線引きをすることは困難を極める。本書では「真性」「原始的」をキーワードとして「プリミティヴ・ブラックメタル」を選出した。バンド名だけで見れば、今は大御所として大成したバンドもおり、「一体彼らのどこがプリミティヴなのか？」と思われる事もあろう。そういったバンドも最初期の音源は実にプリミティヴだったりする。そもそも、このフレーズ自体が後世になってから言われ始め、当時、必ずしも当事者たちが自らを「プリミティヴ・ブラックメタルだ」と自認していた訳ではなかったのである。どのバンドをプリミティヴ・ブラックメタルと認定するかは、そう単純な話ではない。

また一般的には、そのバンドが他ジャンルのメロディック・ブラックメタルや、DSBM、アンビエント・ブラックメタル、ベスチャル・ブラックメタルなどと認識されていたとしても、その中にプリミティヴ要素がある程度見いだされる場合、積極的に取り上げる事にした。

ブラックメタル・サブジャンル間の相互影響は甚大で、バンドによって幾つもの様相を帯びることがある。サブジャンルの間にはっきりとした境界線がある訳ではなく、それはグレースケール状である。したがって一部の有識者やマニアからは、本書でプリミティヴ・ブラックメタルとして取り上げる事に疑問を呈されるバンドもいるはずだ。その点については、筆者の恣意的な感覚にある程度、委ねられている事を予めご理解頂いた上で、読み進めて頂ければ幸いだ。

目次

165 East Europe

211 North America

North Europe

ノルウェー

1990年代のブラックメタルはノルウェーが一大勢力を誇り、質量ともに世界一のシーンを築き上げてきた。1980年代のノルウェーのアンダーグラウンド・シーンは非常に小さかったが、1984年に結成されたMayhemがいた。Mayhemの中心人物Euronymousは世界でも有数のネットワーク力を持ち、ドイツのAssassinのメンバーとCheker Patrolを結成したり、コロンビアのParabellumやReencarnaciónからの影響を公言し、日本のSighともコンタクトを取っていた。スウェーデンのMorbidに在籍したDeadをMayhemへ誘ったのもそのネットワーク力の賜物であろう。そして、Deadが加入したMayhemが1990年にコープスペイントを施し自傷行為等の過激なライヴを行うことで、2ndウェーヴと言われる1990年代以降ブラックメタルが誕生した。デスメタル・バンドのOld Funeralで活動していたOlve（Abbath）とHarald（Demonaz）はImmortalを、同じくOld Funeralに参加していたVarg VikernesはBurzumを、Thou Shalt SufferはEmperorへと発展。さらにPeacevilleからアルバムをリリースしていたデスメタル・バンドDarkthroneがブラックメタルへと転向したことはシーンに大きな刺激を与えた。

1991年にDeadが自殺。そしてEuronymousはインナー・サークルを形成。彼の方針によりデスメタルでさえコマーシャルな音楽として忌み嫌い、フィンランド勢と対立するなど排他的なシーンへと変貌。さらに教会放火を繰り返し（1992年にVargが教会放火容疑で逮捕されるが証拠不十分ですぐに釈放）、リレハンメル・オリンピック公園で同性愛者男性を殺害する事件（犯人はEmperorのFaust）を起こす。そして1993年8月10日にVargがEuronymousを殺害してしまい、インナー・サークルは空中分解となる。

その状況下でもオスロからSatyriconやDødheimsgard、Dimmu Borgir、ベルゲンからGorgoroth等のいわゆる第2世代と言えるバンドが誕生し、ノルウェーのブラックメタル・シーンはさらに層が厚くなっていく。Euronymous殺害事件後、殺人や放火、傷害等でインナー・サークル・メンバーが続々逮捕され、シーンは崩壊に向かうかと思われた。しかしDimmu BorgirやSatyriconと商業的に成功するバンドも出現し、Mayhemもすぐに Hellhammerを中心として復活するなど、ノルウェーのシーンは以前にも増して活性化される。

さらに、ThornsやMysticumらによるインダストリアル、元EmperorのMortiisによるアンビエント、さらにはUlverによるフォークからトリップホップと言った、ジャンルレスで幅広い音楽性との融合を早くから行っていたバンドが多いのも特徴である。

2000年以降のブラックメタル・シーンの中心はフィンランドやフランス勢にその座を譲っているが、ノルウェー勢がもたらした衝動と躍進があってこそ現在のブラックメタル・シーンが存在しているのである。

スウェーデン

隣国ノルウェーは名実ともにブラックメタル世界トップクラスの大国であるが、スウェーデンもまたブラックメタル・シーンへ早くから反応しノルウェーに次ぐ巨大なシーンを形成していった。1980年代にはBathoryという、後にブラックメタルへ多大な影響を与えた存在がすでに活動していたこともあるが、ノルウェーでMayhemがブラックメタルを確立させた1990年には早くもMardukが結成されている（当初はほぼデスメタルに近いサウンドだったが）。また1989年からデスメタル・バンドとして活動を始めたDissectionの存在も重要で、彼等はブラックメタルに割と近いアプローチも取っており、シーンへも大きな影響を及ぼした。例えばNaglfarやNecrophobicの様にブラックメタルとデスメタルの境界線が曖昧なバンドが多く出現したのも、1990年代前半のノルウェーとは大きく異なる点であった（スウェーデンがデスメタル大国であり、MorbidやGrotesque等の暗黒要素の強いバンドが多く存在していたこともその要因にある）。Mardukはやがてファストでストロングなブラックメタルとなることで成功を収め、SetherialやFuneral Mist等の系譜を産み出していき、Dissection的なメロディックなスタイルはDark FuneralやThy Primordial、Watain、Sorhin等へ受け継がれる。スウェディッシュ・ブラックメタルと言えばブリザードの如く、コールドなメロディを吹き荒らしながらファストな要素も多いスタイルを指すことが多いが、それはこの時期のスウェーデン産ブラックメタル・シーンの中心を担ったバンドの特徴を指すものであった。しかしながらより地下シーンではArckanumやThornium、Throne of Ahaz、The Blackと言ったプリミティヴ要素の非常に強いバンドも登場したり、Abruptumの様な突然変異的なアヴァンギャルド/ノイズ・ブラックメタルも出現し、1990年代後半にはスウェーデンはノルウェーに次ぐ層の厚さを誇るシーンへと成長していた。

2000年代になると、ShiningやSilencerと言ったデプレッシヴ/スイサイダル・ブラックメタルの第一人者的存在のバンドが出現。MardukやDark Funeral、Watain等が第一線で活躍する一方で、CraftやArmagedda、Ofermod、Ondskapt、Pest等のプリミティヴなブラックメタルも多く台頭している。そんな中で1997年にDissectionのJon Nödtveidtがアルジェリア人移民男性殺害事件の殺人幇助により逮捕され、服役後にDissectionを再始動させるも、2006年に拳銃自殺によりこの世を去る（彼は1995年に悪魔崇拝団体のMisanthropic Luciferian Orderへ加入し、「サタニストとして人生を全うした」という意味の言葉も残していた）という事件も起こる。

しかし現在に至るまでスウェーデンからは絶え間なく多くのブラックメタルが出現し、その浄化作用によりフランスやフィンランドと並び、ブラックメタル大国の地位をゆるぎないものとしている。

フィンランド

今や世界一のメタル大国となっているフィンランドであるが、1980 年代は決して大きなシーンではなかった。同じ北欧でも、スウェーデンやデンマークと比べて有名なバンドはあまり出てきておらず、スラッシュメタルに関しても Stone や Airdash が若干知られる程度であった。エクストリーム・シーンは、スウェーデンと同じくスラッシュメタルよりもハードコアが中心であった。しかしながら、1980 年代末頃からのデスメタルに関しては、隣国スウェーデンに次いで北欧では多くのバンドを産み出しており、その状況の中でブラックメタルもノルウェーに次ぎスウェーデン、ギリシャとともに早くからシーンを形成していた。

そのフィンランドの中で最も早くからブラックメタルへ接近したサウンドを提示したのが、1989 年に結成された Beherit であり Archgoat であった。彼等の音楽性は、特に Beherit はノルウェーを含む後のブラックメタルへ多大なる影響を与える。さらに続くようにして、1990 年には Impaled Nazarene や Barathrum が結成される。特に Impaled Nazarene はパンク / ハードコアの要素も取り入れ、自ら「Industrial Cyber Punk Sado Metal」と称し、特異なスタイルを確立させることで人気を博すようになる。さらに Diaboli（前身バンドの Sigillum Diaboli が結成されたのが 1992 年)、Mythos、Thy Serpent（Children of Bodom の Alexi Laiho が在籍していたことでも知られる）等が活動を始めることでフィンランドのブラックメタル・シーンは勢力を拡大していく。またこの時期のフィンランド・シーンはノルウェーのブラックメタル勢と不仲だったことも有名で、Mayhem の Euronymous は度々フィンランドのバンド達から脅迫を受けていたらしいし、Impaled Nazarene の 1st アルバム『Tol Cormpt Norz Norz Norz...』には「ノルウェーからのオーダーは一切受け付けない」とのメッセージを載せたりしていた。実際に事件まで発展してはいなかったが、Euronymous 存命時には様々な対立があった。

さらに 1994 年には Horna が結成。彼等自身もシーンの中核を成すようなバンドへと成長していくが、1990 年代末期には Horna から Sargeist や Satanic Warmaster が派生。さらにこの時期に、元々パワー・エレクトロニクス / ハーシュノイズ・シーンで有名だった Mikko Aspa がプリミティヴ・ブラックメタルの Clandestine Blaze を始動させている。大御所であった Beherit や Archgoat は一時解散状態となっていたが、Impaled Nazarene は精力的に活動を続けることでシーンの牽引役となる。さらに 2000 年代以降も Goatmoon や Behexen、Baptism、Azaghal、Impious Havoc 等々の優良なプリミティヴ・ブラックメタルが登場。1990 年代以上に活況を呈するシーンへと成長。特に Satanic Warmaster や Sargeist の影響を受けた、メロウ・プリミティヴ・ブラックメタルが多く存在するのが特徴である。

デンマーク

北欧国であるが、ノルウェー、スウェーデン、フィンランドに比べると、ブラックメタル・シーンは小さい。1990 年代中盤には Blodarv や Skjold、Ad Noctum、Angantyr が活動を始めているが、いずれも 1990 年代にはアルバムをリリースしていない。デンマークのバンドが本格的にその姿を現すのは 2000 年代以降である。しかも、強烈に病んだサウンドで衝撃を与えた Sortsind を始め、フューネラル・ドゥームメタルの要素も強い Nortt、スイサイダル・ブラックメタルの Make a Change...Kill Yourself と言った、重要デプレッシヴ・ブラックメタルを輩出しているシーンとなっている。

アイスランド

人口が少ないためか、メタル・シーン自体がほぼなかった。1990 年代になってから、現在はアトモスフェリック / ポストメタルとして名を馳せている Sólstafir が出現。2000 年代以降も Season of Mist からアルバムをリリースしている Auðn や、現在はノルウェーへ活動の拠点を移している Fortið と言ったペイガン / アトモスフェリック・ブラックメタルが注目を浴びた。プリミティヴなブラックメタルは Svartidauði ぐらいしか特筆すべきバンドはいない。またドゥーム / アンビエント・ブラックメタルの Dysthymia が中国の Pest Productions からアルバムをリリースして話題となった。

プリミティヴ・ブラックメタルの創始者かつ帝王にして町会議員

Darkthrone

出身地 ノルウェー・コルボン　**結成年** 1987 年
中心メンバー Fenriz / Nocturno Culto
関連バンド Dødheimsgard、Satyricon、Isengard、Neptune Towers

1986 年にオスロの近くにあるコルボンにて Gylve Nagell と Anders Risberget にて結成されたスラッシュ / デスメタル・バンド Black Death が Darkthrone の前身である。Ivar Enger と Dag Nilsen が加わり 1987 年に Darkthrone へ改名。デモ『Land of Frost』制作後 Anders が脱退し、1988 年に Ted Skjellum が加入。さらにデモ 3 本を制作した後に Peaceville Records と契約し、1st アルバム『Soulside Journey』を 1991 年にリリース。さらに 2nd アルバムの制作を行っていたが、Mayhem の影響を受けブラックメタル・バンドへと転向。ノルウェーではトップクラスであったデスメタル・バンドが、ブラックメタルへと転向したことは大きな衝撃を与えた。

そして Dag は脱退するが Gylve は Fenriz、Ted は Nocturno Culto、Ivar は Zephyrous へと改名し、1992 年に『A Blaze in the Northern Sky』、1993 年に『Under a Funeral Moon』、Zephyrous が脱退し、1994 年に『Transilvanian Hunger』をリリース。この 3 アルバムは「Peaceville 三部作」として今なおプリミティヴ・ブラックメタルの金字塔として語られている。さらに Moonfog Productions と契約し、1995 年に『Panzerfaust』、1996 年に『Total Death』がリリースされるが、Nocturno Culto が脱退を表明し、活動休止となる。

しかし 1998 年には再び Fenriz と Nocturno Culto により活動が再開。1999 年に『Ravishing Grimness』、2001 年に『Plaguewielder』、2003 年に『Hate Them』、2004 年に『Sardonic Wrath』をリリース。さらに Peaceville へ復帰し、2006 年に『The Cult Is Alive』がリリース。ハードコア / クラストを吸収したサウンド・スタイルへと変化していった。2007 年『F.O.A.D.』、2008 年『Dark Thrones and Black Flags』、2010 年『Circle the Wagons』とその傾向を強めていく。2013 年『The Underground Resistance』では正統メタル要素も強めたサウンドとなっているが、2016 年の『Arctic Thunder』と 2019 年『Old Star』ではブラックメタルへ回帰したサウンドとなっている。

2016 年には Fenriz が知人に頼まれ、コルボンの町議会議員に立候補したところ、代理議員に当選してしまうという珍事件も起きた。

Darkthrone

Norway

A Blaze in the Northern Sky 1992

Peaceville Records

元々デスメタルとして制作されていたが、ブラックメタルへと転向し、Fenrizの自宅の一室を改造したスタジオでレコーディングし直した2ndアルバム。ベーシストのDag Nilsenはブラックメタル転向により脱退したが、本作レコーディングにはセッション参加している。ファズが効きまくっていて何を弾いているのか分からないほどのギター・リフ、FenrizのビシビシーうD-Beatをベースにしたドラミング、そしてNocturno Cultoの荒れ狂った絶叫ヴォイスと、いきなり究極のアンダーグラウンド･ブラックメタルを提示した。ノルウェーのブラックメタル･シーンの中でもその暗黒さと地下臭さは突出しており、サウンドの隅々から発せられる狂気は衝撃的である。

Darkthrone

Norway

Under a Funeral Moon 1993

Peaceville Records

前作同様Fenrizの自宅でレコーディングされた3rdアルバム。前作も相当低音質であったが、本作はさらに音質が劣化。フェイドアウトもせずにいきなりブツ切りのように終わる1曲目から真骨頂を如何なく見せつける。Nocturno Cultoの絶叫ヴォイスは相変わらずだが、ノイジーすぎてよく分からなかったギター・リフがややシンプルになると同時に、不気味な冷気をじんわりと滲ませてくる。さらにドラムとベースが奥へ引っ込んだ分、ヴォーカルの異様な狂気が際立っており、これぞ地下世界のブラックメタルと言える究極のスタイルを確立した。「プリミティヴ･ブラックメタルとは何？」と言われれば、迷いなくこの作品を推したい。本作を最後にギタリストのZephyrousが脱退。バンドはFenrizとNocturno Cultoの2人で活動を続けていく。

Darkthrone

Norway

Transilvanian Hunger 1994

Peaceville Records

2ndアルバムからこの4thアルバムまでがいわゆる「Peaceville三部作」と言われ、Darkthroneの代表作として挙げられる。前作での薄っぺらな音像から、厚みの出てきたサウンドとなり、聴き易さも三部作の中で一番であろう。ジリジリと突き刺す様な冷気を含んだリフからはこれまで以上にメロディが強調されてはいるが、FenrizのD-Beatドラムが走りまくるファスト・パートの割合も高くNocturno Cultoのヴォーカルには畏怖の念すら感じさせる。聴き易くなったとは言え、荒涼とした暗黒さに覆い尽くされた極北地下サウンドである。当然ながらメジャー性は皆無で、オーバーグラウンドな要素は一切ない、真のプリミティヴさが宿っている。前作がプリミティヴ・ブラックメタルの象徴だとしたら、本作は入口にある踏み絵的な意味で推したい。

Darkthrone

Norway

Panzerfaust 1995

Moonfog Productions

Peaceville RecordsからSatyriconのSatyrによるMoonfog Productionsへ移籍しての5thアルバム。1曲目こそ前作の1曲目「Transilvanian Hunger」の流れを汲んだ荒涼としコールドなメロディが強調された曲だが、以降はミドルテンポの割合が多くCeltic Frostを彷彿させるシンプルなリフによる曲が主体。Nocturno Cultoも絶叫スタイルではなくガナったスタイルとなったこともあり、全体的に陰湿なフィーリングの作品となった。Peaceville三部作に比べると評価も人気も低い作品ではあるが、Darkthroneらしさは十分に発揮された良作である。BurzumのVarg VikernesがGreifi Grishnackhの名で6曲目「Quintessence」の歌詞を提供している。

Darkthrone

Norway

Total Death 1996

Moonfog Productions

1996 年にリリースされた 6th アルバム。正直地味な印象が強い作品で、一般的にも Darkthrone としては決して評価は高くない。ただし、Celtic Frost に共振するドゥーミーな要素も強かった前作に比べ、ミドル・テンポの割合が高いとは言えストレートな印象……というか Bathory（『Blood Fire Death』に近いか）に割と寄せてきた感がある。もちろん 2nd アルバム以降貫かれているアンダーグラウンド精神はここでも強く感じさせる。Emperor の Ihsahn、Ulver の Garm、Satyricon の Satyr、Aura Noir/Ved Buens Ende の Carl-Michael Eide が歌詞を提供している。また CD と LP ではジャケットが異なっていた。本作を以って Darkthrone は一旦活動休止となる。

Darkthrone

Norway

Ravishing Grimness 1999

Moonfog Productions

Nocturno Culto と Fenriz により再び活動が再開され、1999 年にリリースされた 7th アルバム。今作もまたミドル・テンポの曲主体で、ザラついた感触の殺傷性の高いリフが耳に刺さる。リフの鋭さでは過去最高と言える。Nocturno Culto のガナり声ヴォーカルは、もはや円熟味のようなものすら感じさせる域に達してきた。5th アルバム『Panzerfaust』以降の流れを汲んだ作風であるが、より淡々とした冷徹さを感じさせ、初期の衝撃性ではなくジワジワと忍び寄る恐怖を感じさせる。その凄味を感じられるか、単に冷淡と感じるかによってこの作品の好みが分かれると思う。11 年にはジャケット・アート新装して Peaceville Records より再発盤（コメンタリー CD 付き）がリリースされている。

Darkthrone

Norway

Plaguewielder 2001

Moonfog Productions

2001 年リリースの 8th アルバム。やはり今作も前作の流れを汲んだサウンドで、ジリジリと突き刺す様なリフが本作でも充分に威力を発揮している。またもやミドル・テンポ主体となり、それ故の冷徹な不気味さと恐怖がじっくりと浸食してくる。つまりは衝撃性は薄いが、聴き込むほどにその凄味が徐々に姿を現してくる。前作よりも何気にサウンド・バランスが向上してきており、その点では聴き易さもあるが当然入門編には不向きな代物ではあるし、プリミティヴなブラックメタルという確個たる信念は一貫している。Aura Noir や Dødheimsgard の Apollyon、Audiopain の Sverre Dæhli がそれぞれヴォーカルでゲスト参加している。

Darkthrone

Norway

Hate Them 2003

Moonfog Productions

またもや Moonfog Productions 移籍以降のスタイルを継承した 9th アルバム。ここに来てよりストロングな印象を与えるサウンドとなってきている。同時に 26 時間でレコーディングとミックスを終わらせたと言うだけあって、ラフで豪快なイメージの作品となった。鋭く切り込みつつも Celtic Frost 直系とも言えるシンプルで野太いリフのキレも、文句なしに素晴らしい。ファスト・パートも増え、ミドル・パートとのバランス感覚も絶妙だ。前作までの冷徹さに固執したスタイルから、ある種の情念を感じさせるサウンドとなっている。Peaceville 三部作とはまた違う Darkthrone らしさが存分に発揮された。イントロとアウトロは Red Harvest の Lars Sørensen が手掛けている。

Darkthrone

Norway

Sardonic Wrath

2004

Moonfog Productions

2004 年に亡くなった Bathory の Quorthon に捧げられた 10th アルバム。ラフで、ある種の豪傑さ、そして円熟味を感じさせる前作を継承した作品だ。シンプルでノイジーかつ力強いリフとガナり立てるヴォーカル、ビシビシと叩き込んでくるドラムと、彼等らしさは本作においても十分に発揮。前作と並んで勢いと渋さが同居する中期 Darkthrone の旨みを存分に感じさせる傑作。執拗なまでに変化をせず、頑なにスタイルを守り続けたことにより、彼等から影響を受けた後続バンドにはなかなか真似のできない円熟したプリミティヴさを濃縮してきた。次作 2006 年『The Cult is Alive』で元々内包されていたハードコアの要素を一気に全面に押し出すスタイルへと変化していく。

Darkthrone

Norway

Under Beskyt'telse av Mørke

2005

Disign Warks

2005 年に日本で行われた、ニューヨークを拠点に活動し、多くのブラックメタル・アーティストのフォトグラフを手掛けてきた Peter Beste の写真展会場でアナログ盤 666 枚限定発売された EP。『Under a Funeral Moon』のリハーサル音源を 3 曲収録。リハーサルなのでアルバム以上に Raw な仕上がりとなっている。「Unholy Black Metal」など相当ヨレヨレな演奏ではあるが「Under a Funeral Moon」はアルバム以上に勢いがあったりするし「Crossing the Triangle of Flames」はヴォーカルなしのインスト・バージョンだったりと興味深い音源である。完全に Darkthrone マニア限定ではあるが、当時のアンダーグラウンドに固執した彼等の息使いが鮮明に聴こえてくるような錯覚に陥る。

Darkthrone

Norway

Arctic Thunder

2016

Peaceville Records

2016 年発表 15th アルバム。2006 年発表『The Cult is Alive』以降のパンク・ハードコア路線、そして正統メタル・エレメントを塗したスタイルから、久々にブラックメタル要素を強めたサウンドとなった。ブラックメタルと言っても 1990 年以降のスタイルではなく、Hellhammer や初期 Celtic Frost、Bathory を彷彿させる 1980 年代に帰した音である。初期ノルウェージャン・ブラックメタル特有の寒々しいリフもあるが、Witchfinder General や Paul Chain から Cathedral に通じるドゥーミーな要素や、Angel Witch から Satan's Host 等の 1980 年代暗黒メタルを影が見え隠れする。これまでの彼等のサウンド変遷全てを内包しながら、原点回帰を果たしている。

Darkthrone

Norway

Old Star

2019

Peaceville Records

前作『Arctic Thunder』(2016 年)でのブラックメタル回帰路線を継承した 2019 年発表 16th アルバム。さらにヘヴィさに重心を置いたリフにより、よりドゥーミーな感触を強く感じさせるが、Hellhammer や初期 Bathory と言った 1980 年代の 1st ウェーヴ・オブ・ブラックメタルをベースにしたスタイルは変わっていない。1980 年代正統メタル的なメロディや、ほぼドゥームメタルと言えるヘヴィなリフ、そしてドラマティックな展開と、真正なプリミティヴ・ブラックメタルとは違うアプローチも随所に配置されている。しかしながら全体を覆う地下臭さと暗黒カルトな空気、そして Nocturno Culto による邪悪なヴォーカルにより Darkthrone 流プリミティヴさが如何なく発揮されている。ジャケット・アートは Arckanum や Svartsyn の作品を手掛けた Chadwick St. John によるもの。

ブラックメタルの大御所であり、現在のブラックメタルへ計り知れないほどの影響を与えたDarkthroneを1987年結成時から牽引してきたFenriz。彼、およびDarkthroneがメディアに姿を現すことはほとんどなく、よってインタビューが載ることは非常に珍しい。このインタビューは「少しだけなら」とFenrizが応じてくれたものである。
協力：川嶋未来（Sigh）

Q：Darkthroneはデスメタルバンドとしてスタートしていますが、ブラックメタルへと転向したきっかけは？
A：それは一部のジャーナリストによる偽のバイオグラフィだ。Spotifyにバイオグラフィを提出しようかと思ったが、そこにはバイオグラフィのスペースがない。
1988年初頭から1989年初頭までの3本のデモを聴いた人は誰でも、1stデモは若干デスメタルであり、2ndデモではほんのわずかにデスメタルであり、3rdデモの『Thulcandra』では、ほとんどデスメタルではなく、ドゥームやスラッシュメタルだと言う。
1989年初頭から3rdデモをTed（Ted Skjellum = Nocturno Culto）に歌ってもらって、それからデスメタルを演奏してそのスタイルを完全にマスターしようとした。しかし我々はすでにデスメタルを聴くことにうんざりしていた。にも関わらずまだデスメタルを作り続けていた。それは我々にとって単なる手工業だった。
最終的に、我々はデスメタル・シーン全体に飽き飽きし、91年の初めには、プリミティヴなプレイへと変わっていった。私がコレクションしているレコードの様なレトロな音であるブラックメタル・サウンドやMotörheadの様なものにね。

Q：いわゆるプリミティヴなブラックメタルと言われるバンドへDarkthroneは多大な影響を与えたと思いますが、そのことに関してはどう考えていますか？
A：それは良くも悪くも当然のことだ。
Q：90年代前半頃のDarkthroneはメディアと距離を置いていたようにも思いますが、実際はどうだったのでしょうか？
A：92年から97年の1990年代半ばのことだ。あの頃はメディアには出ていない。バンドが解散の危機的状況だったし、多くのバンドとの活動やフルタイムの仕事もあった。
1987年から1990年にはものすごくたくさんの手紙を書き、インタビュー、そしてテープトレードも行ったけどね。
自分はもっと他のことに集中したかった。
Q：インナー・サークルとの関係はどうでしたか？
A：まあ、我々のうち10～15人くらいがインナー・サークルに参加していたかな。でも自分はそれがどれだけ騒がれていたことなのか分からない。
Euronymousが1991年9月から1992年12月に店を開いていた時よりずっと前からブラックメタルは存在していた。それは覚えておく必要があることだ。
インナー・サークル自体はEuronymousの店や内輪で起こったことからさらに大きくなってしまったけどね。
Q：Darkthroneはライヴを行なっていませんが、なぜでしょう？
A：なんでライヴをやらないかについて、1冊の本どころか、シリーズで書くことだってできるね。
なぜ興味のないものにエネルギーを浪費しなければなら

ないのか。
自分はずっとアルバムを制作することが興味の対象で、それは3歳の頃からずっとだ。
Q：『Total Death』を最後に一旦 Darkthrone は活動を休止しますが、その理由は？
また、しばらくしてまた活動を再開しますが、何かきっかけがあったのでしょうか？
A：ああ、1992年の夏に『Under a Funeral Moon』をレコーディングした後も、1993年後半頃まで保留になった。
『Transilvanian Hunger』の曲のインスピレーションを得て、数週間後にアルバムとなるまで同じスタイルを続けていた。
その後、『Total Death』の後に停滞してしまった。
バンドを再び始動させることに弾みをつけたのは Ted だった。
Q：『The Cult is Alive』からサウンドの方向性が変わってきていると思いますが、そのことについてはどう考えていますか？
A：いや、1989年や1991年、そして多くのアルバムで時々変更されてきたと思う。
『Ravishing Grimness』や『Plaguewielder』、『Hate Them』『Sardonic Wrath』等、兄弟的なアルバムがいくつかある。
『The Underground Resistance』は全4作アルバムのエコーであり、より内向きとなった『Arctic Thunder』へのリンクとなった。
我々は1988年にたくさんのスタイルをミックスし始めた。
1988年の「Snowfall」（1988年デモ『A New Dimension』収録曲）から多くのスタイルが混在しながらも、連綿と続いている結果が「Arctic Thunder」の曲だ。
今はもっとスローなヘヴィメタルとスローなスラッシュメタルをプレイしている。少なくともそれが私が作りたいものであり、「Arctic Thunder」で実現させた。
Q：音楽的にあなたに最も影響を与えたバンドをいくつか挙げてください。

A：Black Sabbath の『Mob Rules』、Celtic Frost、Metallica、Trouble や多くの NWOBHM バンド等々だね。
Q：町会議員の仕事は大変ですか？　忙しいですか？
A：いや、そんなことはない。今は潜伏していたことが入り乱れて複雑な状況なので、もうじき辞める。
私は必要以上にストレスの多い状況に自分自身の身を置くことは拒否したいので、将来的に全ての物事をよりイージーにする必要がある。
Q：最後に日本のファンへ向けてメッセージをお願いします。
A：泰葉（注）の「Flyday Chinatown」、この曲は地獄の法則だ。

注：泰葉は初代林家三平の娘で、シンガーソングライター。「Flyday Chinatown」は1981年にリリースされた彼女のデビュー・シングル。

Ildjarn

出身地 ノルウェー・テレマルク　**結成年** 1991 年
中心メンバー Ildjarn
関連バンド Thou Shalt Suffer、Emperor

Ildjarn がシーンに登場したのは Emperor の前身となった Thou Shalt Suffer から。Ildjarn は Vidar の名で加入し、1991 年の EP『Open the Mysteries of Your Creation』と同年のデモ『Into the Woods of Belial』へ参加。ちなみに Thou Shalt Suffer は後に Ihsahn の Ygg と Samoth となる Samot、そして後にプロデューサーとして名を馳せる Thorbjørn Akkerhaugen がメンバーであり、音楽性はまだデスメタルであった。

Thou Shalt Suffer はすぐに Emperor へと改名し、ブラックメタルへと転向。Ildjarn は初期 Emperor へライヴ・サポートメンバーとして関わっていたが、彼はソロ活動を開始。デモを４本制作した後、1995 年に自身のレーベル Norse League Productions から 1st アルバム『Ildjarn』をリリースする。

93 年と 94 年のデモを収録した『Det Frysende Nordariket』のリリースを挟み、1996 年に 2nd アルバム『Landscapes』をリリース。この作品は完全なアンビエント作となった。しかし 1996 年には再び Lo-Fi なブラックメタルとなった 3rd アルバム『Strength and Anger』と 4th アルバム『Forest Poetry』を続けてリリース。1st から２年でアルバム４枚と多作振りも発揮していたが、Ildjarn としては実質この時期で活動を止めている。

この時期に彼は Nidhogg との Ildjarn-Nidhogg で 1994 年に EP『Norse』と 1996 年に EP『Svartfråd』をリリース、さらに Nidhogg らと Sort Vokter として 1996 年にアルバム『Folkloric Necro Metal』をリリースした。Ildjarn としては過去音源を収録したアルバム『Nocturnal Visions』を 2004 年に Northern Heritage Records からリリース。その後も Northern Heritage や Season of Mist からコンピレーションが何枚かリリースされている。彼の純粋な新録音源としては Ildjarn-Nidhogg 名義で 2002 年にリリースされたアルバム『Hardangervidda』と EP『Hardangervidda Part 2』が最後となっており、この２作はブラックメタルやアンビエントではなく、環境音楽に近いサウンドとなっていた。

なお、彼は狂信的な自然崇拝者としても有名で、動物を生贄にすると言う発言をしていた Deicide のストックホルム公演会場が爆破された事件は、Ildjarn が主導して行ったとの噂もあった（真偽の程は定かではない）。

Ildjarn

Norway

Ildjarn　1995

Norse League Productions

750枚限定でリリースされた1stアルバム。ディストーションのほぼ掛かっていない（様に聴こえる）単調なリフがひたすら掻き鳴らされ、４つ打ち中心のドラムがひたすらシャカシャカと叩き込まれるLo-Fiな究極のブラックメタル。楽曲という概念すら吹き飛ぶほどひたすら同じリフとリズムが繰り返されたり、突如ブツ切れで終わったり、曲による差があまり感じられずいつの間にか何曲も進行しているといった具合で、呆気に取られることもしばしば。途中ギターだけによるアンビエント風ノイズのような曲とインダストリアル風とも言える変化球も一瞬聴こえるが、基本はひたすらミニマルにRaw過ぎるブラックメタルが展開する。聴き進めていくうちに陶酔感を感じさせる。長らくマニアが血眼になって探していた逸品だったが、2013年にSeason of Mistからアートワークが変わって再発された。

Ildjarn

Norway

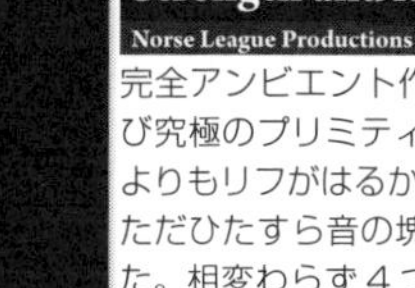

Strength and Anger　1996

Norse League Productions

完全アンビエント作であった『Landscapes』（1996年リリース）を挟んで再び究極のプリミティヴ・ブラックメタルへと戻った3rdアルバム。1stアルバムよりもリフがはるかにノイジーになり、もはや何を弾いているかの次元ではなく、ただひたすら音の塊が放たれている感じ。タイトル通り憎悪に満ちた作風となった。相変わらず４つ打ちドラムが単調に同じリズムを繰り返し、邪悪と言うよりも嫌忌感に取り憑かれたようなヴォーカルが、得体の知れない凄味に拍車をかける。1stアルバムのLo-Fiなミニマリズムにノイズ音化した喧騒さが加わった感じか？　プリミティヴであることを突き詰め過ぎると、陶酔感が生まれるという境地を本作でも生み出している。2004年に日本のWolfsgrayから、さらに13年にSeason of Mistからアートワークが変わって再発されている。

Ildjarn

Norway

Forest Poetry　1996

Norse League Productions

前作『Strength and Anger』とほぼ同じ時期にリリースされた4thアルバム。こちらは日本のWolfsgrayから、フィンランドのNorthern Heritage RecordsとSeason of Mistからはそれぞれジャケット・アートが変更され再発されているので、比較的耳にしたプリミティヴ・ブラックメタル・マニアも多いかと思う。ギター・リフが1stアルバムの頃の薄っぺらい音だったり、前作のノイズにまみれていたり、ひび割れし過ぎてよく聴き取れず、曲によって微妙に変えてきている。ベース音がだいぶ効いており、怨念に溢れた様なガナり声と合わせて不気味さがさらに増した感じだ。ただしシャカシャカの４つうちドラムが妙な酩酊感を生んだり、曲の途中突然終わる不愛想さも変わらずだったりとIldjarnらしさは全開である。

Ildjarn

Norway

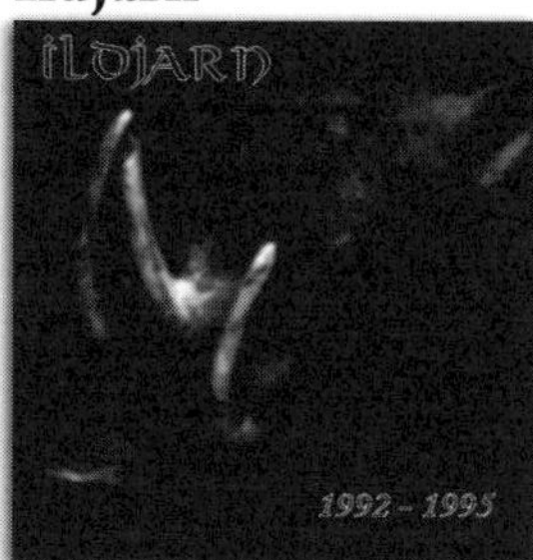

1992-1995　2002

Northern Heritage Records

1993年のデモ『Ildjarn』と1994年のデモ『Minnesjord』そして1st『Ildjarn』、3rd『Strength And Anger』、4th『Forest Poetry』のアルバムからの選曲に未発表音源も加えて、Northern Heritage Recordsから2002年にリリースされたコンピレーション。デモ音源に関しては1995年にNorse League Productionsから『Det Frysende Nordariket』としてリリースされていたが、アルバムからの曲も加えた当コンピレーションがIldjarnを手っ取り早く知るには最適（とは言えすでに入手困難な状況であるが）。デモ『Ildjarn』にはEmperorのIhsahnが参加しているが、ミニマルなリフとリズムに彼の絶叫しまくるヴォーカルが融合し、凄まじい邪悪さを放っている。

アンティクライスト標榜、数々の事件を引き起こした狂人

Gorgoroth

出身地 ノルウェー・ベルゲン　**結成年** 1992 年

中心メンバー Infernus

関連バンド Emperor、Satyricon、1349、Aeternus、Obtained Enslavement、Trelldom、Borknagar、Orcustus、Dissection

Gorgoroth が Infernus により結成されたのが 1992 年。ノルウェーでは Satyricon らと共にブラックメタル第二世代に当たる。そして Gorgoroth は Infernus のバンドであり、メンバーの入れ変わりが非常に激しいバンドである。

1993 年にはデモ『A Sorcery Written in Blood』を制作、さらに Emperor の Samoth が参加し、アルバムをレコーディング。1994年にフランスのEmbassy Productionsから1stアルバム『Pentagram』がリリースされる。彼等はすぐに 2nd アルバムのレコーディングに取り掛かるが、Samoth が放火罪により逮捕され、脱退。Satyricon の Frost（ドラム）と Trelldom の Storm（ベース）が加入し、レコーディングを再開するが、ドラムが Borknagar の Grim に、ヴォーカルがObtained EnslavementのPestに代わる等、Infernus以外はメンバーが全て入れ代わり、2nd アルバム『Antichrist』が Malicious Records から 1996 年にリリースされる。

そして 1997 年に 3rd アルバム『Under the Sign of Hell』をリリースするが、引き続きメンバー・チェンジが続くが、Nuclear Blast と契約して 4th アルバム『Destroyer, or About How to Philosophize with the Hammer』を 1998 年にリリース。さらにヴォーカルが Trelldom の Gaahl へ、ベースが King ov Hell へ代わり、2000 年に 5th アルバム『Incipit Satan』、2003 年に 6th アルバム『Twilight of the Idols - In Conspiracy with Satan』、2006 年に 7th アルバム『Ad Majorem Sathanas Gloriam』がリリースされる。その間、2002 年 2 月に Gaahl が男性へ監禁暴行事件を起こす。2004 年にはポーランドで行われたスタジオ・ライヴでのパフォーマンスが宗教への冒涜として現地の法律に抵触し、ポーランドでの活動が禁止される（これが原因で Nuclear Blast との契約も解除される）と言った事件も起こる。 さらに 2007 年には Gaahl と King が Infernus を解雇しようとして法廷での闘争にまで発展。その状況下でも Pest が復帰し、元 Obituary の Bøddel（ベース）と元 Dissection の Tomas Asklund（ドラム）が加入して、2009 年に 8th アルバム『Quantos Possunt Ad Satanitatem Trahunt』を、ヴォーカルが Atterigner に代わって 2015 年に 9th アルバム『Instinctus Bestialis』をリリース。2018 年 11 月に来日公演も行っている。

Gorgoroth

Norway

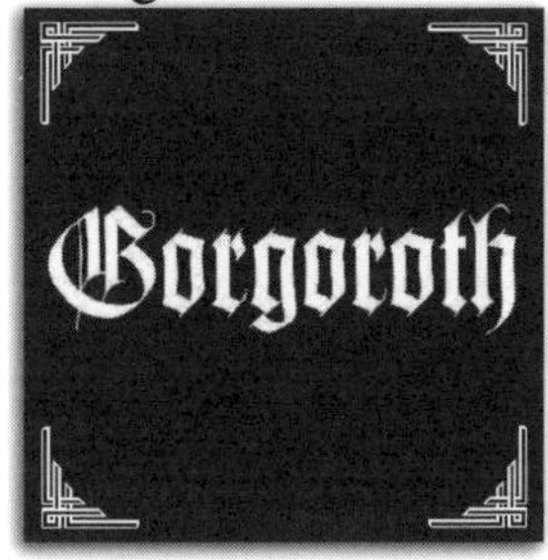

Pentagram 1994

Embassy Productions

中心人物であるギターの Infernus とヴォーカルの Hat、ドラムの Goat、そして Emperor の Samoth がベースで参加して制作された 1st アルバム。荒涼としたメロディも含まれたノイジーなリフとファスト / スロー・テンポを組み合わせた曲構成、さらに当時のノルウェージャン・ブラックメタル作品の多くを手掛けていた Pytten によるプロデュースもあって 1st アルバムにしては相当レベルが高い。しかし最も特筆すべき点は Hat のヴォーカル。彼の粘着質な発狂ヴォイスがとんでもなく邪悪である。オリジナルはフランスの Embassy Productions という極端に流通の悪い所からリリースされたので、ブートレグまで出回っていたが、後に Season of Mist（2005 年）と Regain Records（2011 年）から再発されている。

Gorgoroth

Norway

Antichrist 1996

Malicious Records

Infernus がベースも兼任し、ヴォーカルが Hat と Obtained Enslavement でも活動していた Pest が分け合い、ドラムに Satyricon の Frost が加入して作られ、名門 Malicious Records からリリースされた 2nd アルバム。前作よりも展開構築力がアップし、クオリティを上げてきた。一方で、耳障りの悪いノイジーさから滲み出すコールドな音色のリフや、Hat と彼に負けない凶悪さを吐き出す Pest のヴォーカル、Raw な音作りと言ったプリミティヴで真性なブラックメタルとしての要素もきちんと押さえている。さらに、Frost による怒涛のドラミングが凄まじさに拍車を掛けている。Satyricon や Dødheimsgard と並んでブラックメタル第 2 世代の代表格となったことを証明した。イントロ含めて 6 曲しかなく、フルサイズとしては短すぎるのだけが唯一惜しい。

Gorgoroth

Norway

Under the Sign of Hell 1997

Malicious Records

ベースが Aeternus の Ares に、ドラムが Borknagar の Grim（1999 年にオーバードーズで亡くなってしまう）にメンバーが代わっての 3rd アルバム。これは紛れもなく、プリミティヴで真性なブラックメタルの最高峰に位置する名作である。出だしのバシバシと引っ叩いたかの様なドラムの音が実に印象的である。冷え切ったメロディを滲ませるギター・リフや、Pest の前作以上に荒れ狂いとてつもない邪悪さを撒き散らすヴォーカル、そしてファストに暴走する曲からドラマティックさや勇壮さも押し出された曲まで、よく練られた曲構成もまた見事。クオリティが高くとも、Raw な凶々しさを非常に強く感じさせる桃源郷の様な作品。1st と 2nd 同様 Season of Mist と Regain Records から再発されているが、この 3rd はさらに Soulseller Records からも再発されている。

Gorgoroth

Norway

Destroyer, or About How to Philosophize with the Hammer 1998

Nuclear Blast

Nuclear Blast へ移籍し、リリースされた 4th アルバム。94 年から 98 年にレコーディングされた音源の寄せ集めなので、曲によってメンバーがバラバラである。とは言え、音作りに統一感があるので、アルバムと見ても何の遜色もない。これまでヴォーカルですらなかなか固定されていないが、1 曲目のみ新加入となった Trelldom の Gaahl がその邪悪なヴォーカルを披露。Pest や Hat と言った歴代の強烈な声に劣らない狂人ヴォイスである。全体的には前作までのコールドなメロディが抑え目となって、タイトル通り破壊的要素の強いサウンドとなった。Nuclear Blast の所属になろうが、アンダーグラウンド性を一切失っていない辺りはさすがである。ラストは Darkthrone トリビュート・アルバム『Darkthrone, Holy Darkthrone』（1998 年）に収録された音源。

プリミティヴだけでなくブラックメタルの模範を示した頂点的存在

Mayhem

出身地 ノルウェー・オスロ　**結成年** 1984年

中心メンバー Euronymous → Hellhammer

関連バンド Arcturus、The Kovenant、Shining、Tormentor、Sunn O)))、Aura Noir、Skitliv、Morbid、Burzum、Thorns

Mayhemが結成されたのは1984年。Destructor（後のEuronymous）（ヴォーカル/ギター）、Necrobutcher（ベース）、Manheim（ドラム）のトリオであり、バンド名はVenomの曲「Mayhem with Mercy」から取られた。1986年にデモ『Pure Fucking Armageddon』を制作。EuronymousとNecrobutcherはドイツのAssassinのメンバーとChecker Patrolを結成したりしていた。一方Mayhemには専任ヴォーカリストとしてMessiahが加入するが翌1987年には脱退、そしてManiacが加入し、EP『Deathcrush』がリリースされる。しかし程なくしてManiacとManheimが脱退。後任にデスメタル・バンドVomitのKittil Kittilsen（ヴォーカル）とTorben Grue（ドラム）が加入するが、すぐに脱退。Euronymousが予て注目していたMortemのHellhammer（ドラム）とMorbidのDead（ヴォーカル）が1988年に加入。これによりMayhem黄金期が完成する。

彼等は「Freezing Moon」と「Carnage」の2曲をレコーディングしていたが、1991年にDeadが自殺。さらにNecrobutcherも脱退。後任にOccultusが加入するがすぐに脱退し、BurzumのVarg Vikernesがベーシストとして加入。さらにハンガリーのTormentorで活動していたAttila Csihar(ヴォーカル)、ThornsのBlackthorn(ギター）が参加する。バンドはアルバムのレコーディングを行うが、1993年8月にVargがEuronymousを刺殺してしまう。これによりバンドは解散状態となるが、1994年に1stアルバム『De Mysteriis Dom Sathanas』がリリースされた。

一度解散状態となったものの、Hellhammerを中心にManiac、Necrobutcher、Aura NoirのBlasphemer（ギター）により1994年に活動を再開。1997年にEP『Wolf's Lair Abyss』をリリース。さらにSeason of Mistと契約し、2000年に2ndアルバム『Grand Declaration of War』をリリースする。2004年にManiacが脱退し、Attila Csiharが復帰。同年2004年に3rdアルバム『Chimera』、2007年に4thアルバム『Ordo Ad Chao』をリリース。2008年にBlasphemerが脱退するが、TelochとGhulのギタリスト2人が加入し、2014年に5thアルバム『Esoteric Warfare』をリリース。さらにCentury Mediaに移籍し、2019年に6thアルバム『Daemon』をリリースした。

Mayhem

Norway

Deathcrush 1987

Posercorpse Music

元々デモとしてレコーディングされていたものを、EP として Deatklike Silence Productions の前身となった Posercorpse Music からリリースした EP。レコーディング・メンバーは Euronymous（ギター）、Necrobutcher（ベース）、Manheim（ドラム）、そしてヴォーカル・パートは当時加入したばかりの Maniac と前任の Messiah が分け合っている。まだ Venom や初期 Sodom、初期 Bathory からの影響が強いサウンド･スタイルながら､Euronymous のノイジー過ぎるギター音や、Maniac と Messiah による狂気を感じさせるヴォーカルは、当時としては驚異的であった。後の Mayhem の下地としては十分過ぎるほどの地下狂気サウンドである。1993 年に Deathlike Silence から再発されたが、オリジナル盤は激レアである。

Mayhem

Norway

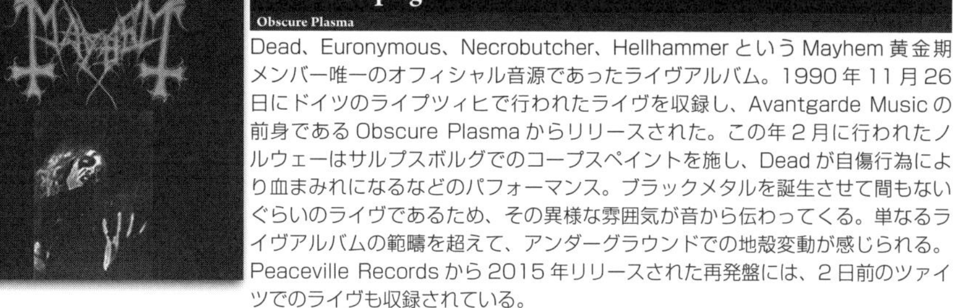

Live in Leipzig 1993

Obscure Plasma

Dead、Euronymous、Necrobutcher、Hellhammer という Mayhem 黄金期メンバー唯一のオフィシャル音源であったライヴアルバム。1990 年 11 月 26 日にドイツのライプツィヒで行われたライヴを収録し、Avantgarde Music の前身である Obscure Plasma からリリースされた。この年 2 月に行われたノルウェーはサルプスボルグでのコープスペイントを施し、Dead が自傷行為により血まみれになるなどのパフォーマンス。ブラックメタルを誕生させて間もないぐらいのライヴであるため、その異様な雰囲気が音から伝わってくる。単なるライヴアルバムの範疇を超えて、アンダーグラウンドでの地殻変動が感じられる。Peaceville Records から 2015 年リリースされた再発盤には、2 日前のツァイツでのライヴも収録されている。

Mayhem

Norway

De Mysteriis Dom Sathanas 1994

Deathlike Silence Productions

フルレンスとしては 1st アルバムとなる本作こそ、全ブラックメタルを代表する作品であることは今更言うまでもない。当初は Euronymous の遺作となったという本作の背景への注目度ばかりが先行していたが、今となってはこの作品の「音楽性」も高く評価されている。Euronymous による Celtic Frost や Bathory 直系のリフをベースに凍てついたメロディが随所で滲み出るギター、Hellhammer の怒涛の如く叩き込まれるドラム、そして Attila Csihar から発せられる怨念と憎悪が渦巻くヴォーカル、その全てがブラックメタルの模範となるべき要素を満たしている。ベースは Burzum の Varg Vikernes が弾いており、事件後に差し変える予定もあったようだが、実際にはクレジットが外されただけで、そのまま使用されている。

Mayhem

Norway

Wolf's Lair Abyss 1997

Misanthropy Records

Hellhammer により再始動となった Mayhem の復活 1 作目の EP。当初は Burzum の作品を出すために設立された Misanthropy Records からリリースされた。Hellhammer の壮絶なドラミングには圧巻させられるのみであるし、Maniac の喚き散らすヴォーカルからは Attila とは違ったストレートな狂気がダイレクトに訴えかけてくる。Blasphemer のギターもストイックなまでにノイジーなリフを奏でており、圧倒的名作である前作よりも凄味という点では上を行っている。本作を Mayhem の最高傑作とする向きも多いようだが、その評価は正しいと言わざるを得ない。Ulver の Garm がプロデュースからミキシング、マスタリングまで全面的に関わっており、ジャケットのデザインは Sunn O)))の Stephen O'Malley が手掛けている。

Mayhem

Norway

Life Eternal

2008

Saturnus Productions

Attila Csiharが所有していた『De Mysteriis Dom Sathanas』のラフミックス・バージョンで「Cursed in Eternity」「Pagan Fears」「Freezing Moon」「Funeral Fog」「Life Eternal」の5曲を収録。Hellhammerのドラムが相当奥に引っ込んでいるのは残念だが、Euronymousのギターがアルバム・バージョンよりもクリアに聴こえたりと、アルバムに慣れた耳からすれば斬新な部分も多い。当然ながら、ベース・パートはBurzumのVarg Vikernes。ブックレットにはEuronymousとVarg、Blackthorn、Metalion（Slayer Magazine）が一緒に食事をしている写真等も掲載されており、資料的価値も非常に高い。

Mayhem

Norway

De Mysteriis Dom Sathanas Alive

2017

Daymare Recordings

2015年12月18日、スウェーデンのノルヒェーピングで行われた『De Mysteriis Dom Sathanas』の再現ライヴを収録したCDとDVD。元々2016年に自主制作の形でリリースされたが、2017年にDaymare Recordingsから日本盤もリリースされた。当然、曲は全て『De Mysteriis Dom Sathanas』で曲順もアルバム通り。Hellhammerの驚異的に的確なドラミングに、Attila Csiharの呪術的に唸りながら不穏感を煽る独特のヴォーカルと、Mayhemの強みを遺憾なく発揮。非常に忠実に楽曲を再現しているが、ギターが2本になったことでさらに音の厚みも出ている。DVDは同内容ライヴの映像だが、『De Mysteriis Dom Sathanas』のジャケット・アートに登場する古城のセットや、司祭の様なAttilaの佇まい、そして儀式的な雰囲気の中で進行していく様子が確認出来る。

Mayhem

Norway

Live in Zeitz

2016

Peaceville Records

元々Mayhemマニアには有名なブートレグとして出回っていた音源で、Peaceville Recordsから2015年にリリースされた『Live in Leipzig』再発盤のボーナスディスクとして収録。その後、単独でもオフィシャル・リリースとなった1990年11月24日ドイツのツァイツでのライヴ音源。元はブートレグとは言え音質はそこそこ良好で、もちろんオーバーダブ等一切なしなので臨場感は生半可ではない。当然2日後に行われた『Live in Leipzig』と曲が被っているが、こちらにおけるDeadの壮絶な狂気ヴォーカルや、時折聴き取りにくさはあるとは言え、Euronymousのギターもただならぬ雰囲気を醸し出している。ブラックメタル最初期のプリミティヴな空間が実によく記された貴重な逸品である。

Mayhem

Norway

Live in Sarpsborg

2017

Peaceville Records

Euronymousが撮影したと言われるDeadの自殺現場写真を使用して、コロンビアのMasacre/TyphonのメンバーだったMauricio Montoyaによるレーベル Warmaster RecordsからリリースされたMayhemの最も有名なブートレグ『The Dawn of the Black Hearts』の音源が、2017年にPeaceville Recordsよりオフィシャル・リリースされたもの。コープスペイントをしたDeadが自らナイフで体中を傷つけたりと、常識を超えた強烈なパフォーマンスによりブラックメタルを誕生させた瞬間である1990年2月28日、ノルウェーのサルプスボルグでのライヴ。音質は決して良好という訳ではないが、ブラックメタル生誕の瞬間の異様な空気が捉えている。

Mayhem

Norway

Live in Jessheim

2017

Peaceville Records

Euronymous（ギター）、Necrobutcher（ベース）、Dead（ヴォーカル）、Hellhammer（ドラム）により 2nd ウェーヴ・オブ・ブラック・メタルを確立させた時期としては『Live in Leipzig』や『Live in Sarpsborg』よりも早い 1990 年 2 月 3 日にノルウェー、ジェスハイムで行われたライヴを収録。元々はブートレグ（Blue Vinyl）で出回っていたが、Peaceville が 2017 年に Green Vinyl でオフィシャル・リリース。その後 2019 年に CD+DVD でもリリースされた。当然ながらオーバダブ一切なしの生音で、録音状態も悪いが、この時期の異様な熱気と不穏さが直接的に伝わってくる。DVD も同内容のライヴであるが画質は悪い。しかしながらこの時期の映像が見られるのは貴重である。

Mayhem

Norway

Henhouse Recordings

2019

Peaceville Records

1989 年のリーハーサル音源を収録。Dead、Hellhammer が加入し、いわゆる黄金期 Mayhem と言われたライナップとなった直後ぐらいの時期である。ほとんど EP『Deathcrush』の曲だが、すでにこの時期に「Freezing Moon」が曲として出来上がっていたことが確認できる。元々は Peaceville から 2018 年にリリースされたこの時期の発掘音源 / ライヴ音源による LP Box『Cursed in Eternity』に収録されていたが、2019 年に LP 単体でリリース。その後 CD+DVD もリリースされた。DVD も『Cursed in Eternity』に入っていた同リハーサルの映像。もちろん映像も画質も悪いが、後の Mayhem の、そしてブラックメタルの姿がすでに完成されていたことが分かる。

Mayhem

Norway

Freezing Moon

1996

Black Metal Records

「Freezing Moon」と「Carnage」の 2 曲を収録したハーフ・オフィシャルのピクチャー 12" 盤。この 2 曲は『De Mysteriis Dom Sathanas』にも収録された曲であるが、こちらは Dead、Euronymous、Necrobutcher、Hellhammer によるスタジオ・トラック（このメンバー時のスタジオ音源はこの 2 曲しか残されていない）。オリジナルは 1991 年にリリースされたオムニバス『CBR Projections of a Stained Mind』に収録されていた。『De Mysteriis Dom Sathanas』のバージョンよりも楽器群が後ろに引っ込んでおり、エコーがかかった Dead のヴォーカルも、Attila とは異なった邪悪さを発している。音が Raw でラフなので、当時のアンダーグラウンドさが生々しく伝わってくる。

Mayhem

Norway

Out from the Dark

1996

Black Metal Records

こちらも Black Metal Records（後に Supernal Music に買収される）からリリースされたハーフ・オフィシャルのピクチャー LP。Dead と Hellhammer が加入した直後時期である 1989 年のリハーサル音源で、全 7 曲中「Funeral Fog」「Freezing Moon」「Buried by Time and Dust」は後に『De Mysteriis Dom Sathanas』に収録される曲。リハーサル音源なので演奏が粗く音質も悪いが、Dead の狂気を発するヴォーカルと Hellhammer の怒涛のドラミングは明らかに Mayhem のレベルを大きく引き上げており、ブラックメタル・オリジネイター誕生の瞬間が克明に記録されている。2019 年に Peaceville から再発盤がリリースされている。

ブラックメタルへ多大な影響を与えたハンガリーのカルト・バンドTormentorで活動し、Mayhemの『De Mysteriis Dom Sathanas』にヴォーカリストとして参加。そして現在Mayhemのフロントマンとして活躍するAttila Csihar。Tormentor、Mayhem、そして彼の参加したバンドについてインタビューした。

Q: 音楽を始めたきっかけは？
A:14歳の時、1985年に音楽を始めたんだ。翌年の1986年にハンガリーで最初の粗暴なバンドであったTormentorのメンバーとして最初のライブを行った。そして、AORTAという音楽コンクールのロック&ヘヴィメタル部門に合格した。これによって我々は注目されるようになった。
Q: あなたが影響を受けたアーティストは？
A:たくさんあるよ。最初に好きになったアルバムはAC/DCの『Highway to Hell』だ。その後、Judas Priestの『British Steel』とIron Maidenの『The Number of the Beast』。その頃はまだ子供の頃だったな。
12歳の時にSex PistolsやGBH、The Exploitedを知った。そして、その後に聴いたVenomの『Black Metal』が自分に大きな影響を与えた。Destructionの『Sentence of Death』とSodomの『In the Sign of Evil』も同時に影響を受けたよ。
我々がTormentorを始めた頃はBathoryをカバーしていた。
それから数年後には、Skinny PuppyやCurrent 93、Diamanda Galas、Coil、Death等を聴き始めた。Alien Sex Fiendの東京でのライブ・ビデオは大きなインスピレーションを与えてくれた。あとはThe Meteors、Front Line Assmenby、Dead Can Danceなどだね。これらのバンドは1980年代の私に大きな影響を与えたよ。
Q:Tormentorへ加入した経緯を教えてください。
A:高校でTamas Budayに出会った。そして次に、水球のチームの友人を介してAttila Szigetiに会った。その時の私は、毎週末レーシング・スポーツをしていて、ハンガリー代表チームにも入ったんだ。
Q: あなたがTormentorへ加入した時期のハンガリーの音楽シーンはどのようなものだったのでしょうか？
A:今とはとても違っていたよ。でも我々はすぐにハンガリーで悪名高くなった。Tormentorは1986年から1990年の間に少なくとも50回以上ライブをやっている。最終的には平均500～700人の観客がいたけど、時には1000～2000人の前でプレイしたこともあった。最高の気分だったよ。
Q:Mayhemへ加入する経緯を教えてください。
A:1991年から1992年の間にEuronymousから連絡があった。彼はテープ・トレードでTormentorの音を聴いていた。ノルウェーのアンダーグラウンド・シーンで非常に有名だったんだ。TormentorはDeadとEuronymousのお気に入りのバンドだった。そしてDeadが自殺したので、Euronymousは私をバンドへ招いた。
Q: あなたが加入した頃のMayhemはどのような状況だったのでしょうか？
A:最初の年はEuronymousと手紙でやり取りをしていた。そしてたくさんの曲が送られてきたし、私も彼に送っていた。Plasma Pool（注1）の曲も送ったよ。EuronymousがB、彼のレーベルからTormentorをリリースしたかったということは興味深いことだ。Varg VikernesはPlasma Poolのことが本当に好きだった。
全てが素晴らしくエキサイティングだったよ。
Q:Euronymousの刺殺事件はどのように知ったのでしょうか？
また、一度Mayhemから離れることになった理由は？
A:私は正式にMayhemを脱退したことはない。Euronymousの事件は、ハンガリーの音楽雑誌のニュースで読んだという友人から聞いて知った。信じられなかったので、『Metallica hungarica』という雑誌を購入した。
事件のことは、ニュースの所に小さな文字でたったの2行で書かれていた……。それでもまだ受け入れることができなかった。そしてショックを受けた。
1993年9月のことだった。Euronymousから連絡がなかったのは、夏だからだと思っていた。私もリラックスしたりヴァケーションを過ごしたりしていた。でもEuronymousは死んでいたんだ。VargとSnorre（Blackthorn）は刑務所行きとなった。Hellhammerは私の連絡先が分からなくなり、私も彼の連絡先が分からなかった。そうして完全に連絡が途絶えてしまった。彼等はMayhemを再開させたが、そこに私が加わらなかったのは、お互い連絡を取ることができなかったからだ。
Q:Mayhemを離れている間にAborymやKeep of Kalessinへ加入した経緯は？
A:1998年にイタリア人のLuigi Coppoという男が、ハンガリーで私に連絡をしてきてAborymを紹介してくれた。Luigiはイタリアで以前の私のバンドであったPlasma Poolの作品をリリースしていた。Aborymのメンバーは若くて熱狂的で、MayhemとPlasma Poolの両方がとても好きだった。私は彼等のデビュー・アルバム『Kali Yuga Bizarre』にゲスト参加した。その後、AborymからヴォーカリストのYorgaが脱退してしまったので、フルタイムのメンバーとして参加してくれないかと頼まれたんだ。素晴らしいバンドだし、我々は何とかしてクロスオーバーしたインダストリアル・ブラックメタル・バンドに変えようと思った。MayhemとPlasma Poolをミックスさせたようなアイデアが本当に気に入った。アルバムの『Fire Walk with Us』と『With No Human Intervention』は大成功し、伝説的な作品となった。レーベルに問題があったのは残念だったけどね。それはメンバー間の関係にも影響を与えたので、最終的には分裂してしまった。ベーシストはバンドに本当に情熱を注いでいたので、残りのメンバー全員がバンドを離れざるを得なかった。大きな可能性のあるバンドだっただけに、本当に悲しいことだった。

その間に私はKeep of Kalessinに参加しないかと頼まれていた。Keep of Kalessinは純粋なノルウェーのブラックメタル・バンドだった。 Obsidian ClawとFrostと一緒に『Reclaim』という素晴らしいEPを作った。

Q:2004年にあなたはMayhemに復帰しますが、その経緯は？

A: イタリアのAvantgarde MusicからMayhemでアルバムを作らないかという提案を受けたからだよ。

Q:Mayhemへ復帰した時期にあなたはSunn O))) にも参加しますよね？

A:Sunn O))) の2002年アルバム『White 2』の「Decay 2 (The Symptomps of Kaly Yuga)」に参加した。今までで最高のレコーディングの一つだと思う。私はサンスクリット語 (注2) で歌ったんだ。

それから2003年の最初のヨーロッパ・ツアーに参加してくれないかと頼まれた。リンツ (オーストリア) での最初のライヴは、観客が7人しかいなかったのを覚えているよ（笑）。

でもその後バンドは大成功を収め、何百もの素晴らしいライヴを行うことができた。Sunn O))) としての最初のジャパン・ツアーは人生の中でも最高の思い出の一つだよ。

Q: あなたのプロジェクトであるVoid ov Voicesについて教えてください。

A:Void ov Voicesは、2007年に始めた私のソロ・プロジェクトだ。私のアイデアは、いくつかの楽器を介し、私の声を楽器として取り入れることだけだ。また、ライブで演奏することを想定した作品をリリースすることはしない。そのような考えでどこまで行けるか試したかった。幸運にもヨーロッパ全域でプレイすることができた。Ulver や Diamanda Galas、Bohren und der Club of Ghore、Merzbow、灰野敬二、Paul Booth、Martin Eder、Lustmord、Nurse with Wound、Jarboe、Vampilliaなど、素晴らしいアーティストと共演できた。日本の親愛なる友人であるVampilliaはジャパン・ツアーに招待してくれた。また、アメリカやオーストラリア、タスマニア、エジプト、イスラエルなど、世界中の美しく雄大な場所でプレイすることができた。 Void ov Voicesは非常にリチュアルなダーク・アンビエント・ミュージックだ。完全にスピリチュアルで瞑想的だ。いくつかのリリースを考えているが､多くのライブ･レコーディング素材があるんだ。実際に今までのリリース物は、Vampilliaとのジャパン・ツアーで販売した限定100枚のCDだけだ。このCDはロンドンのLimelightとElectroworkzという有名なクラブでプレイしたライブを収録した。

Q: 日本の印象はどうですか？

A: 日本は世界中で最も気に入っている所の一つだよ！美しい国である日本でプレイするのが大好きだ。日本人の伝統と文化を本当に愛していて尊敬しているよ。日本にはたくさんの親しい友人がいるし、決して忘れることなく永遠に愛するつもりだよ。

Q: 日本のエクストリーム・シーンをどう思いますか？

A: いつでも素晴らしいね。初めて日本でプレイしたのはSunn O))) だったが、その後、MayhemやVoid ov Voicesでも何度かツアーをしている。日本のファンは本当に敬意を払ってくれるし献身的だ。それとは別に、とてもクールでクレイジーだ。私の関わっているTormentorやPlasma Pool、Hiedelem、PI314、Bernhard Gander、そしてExtreme Philharmonics、Speed Injection、Electhroneなど他のバンドと一緒に行きたいと思っている。コロナ・ウィルスの狂気がすぐに止むことを望んでいるよ。それまではSaturnus Productions（www.saturnusproductions.com）というレーベルを運営しているので、過去数十年新旧全てのプロジェクトの未発表音源をたくさんリリースする予定だ。また、CBD(カンナビジオール:医療用マリファナ・ブランド)と特別なアルコール酒ブランドを始めているんだ。とても忙しいよ。

興味深い質問をありがとう！

Arrigato Nipon and campai!!!

（注1）Attila CsiharがTotmentor解散後の1991年に始動したEBM/ダーク･アンビエント･プロジェクト。

（注2）インド、南アジア、東南アジア地域で用いられていた古代語。

Burzum

出身地 ノルウェー・ベルゲン　**結成年** 1991年
中心メンバー Varg Vikernes（Count Grishnackh）
関連バンド Mayhem、Old Funeral

学校を中退したVargは1987年にKalashnikovを一人で始めるが、すぐにUruk-Haiへと改名。彼がシーンへ姿を現したのは後にImmortalを結成するOlve（Abbath）とHarald（Demonaz）らによるデスメタル・バンドOld Funeralに1989年に加入してから。1991年7" EP『Devoured Carcass』にVargはChristianの名で参加している。さらにOlveとHaraldと共にSatanelを結成するが数週間で解散。彼はUruk-Haiを本格化させるためBurzumと改名。Mayhemに感化され、ブラックメタルとなった。デモを3本制作した後1992年にEuronymousのDeathlike Silence Productionsから1stアルバム『Burzum』をリリースする。

1992年には早くも2ndアルバム、EmperorのSamothが参加したEP、そして3rdアルバムのレコーディングを行う。一方Vargは教会への放火を繰り返し、1993年には放火容疑で逮捕される（証拠不十分ですぐに釈放）。さらにMayhemへベーシストとして加入していた。しかし出来上がっていた作品が一向にリリースされなかったのでBurzumはDeathlike Silenceから離脱。EP『Aske』は1993年にDeathlike Silenceからリリースされたが、2ndアルバム『Det Som Engang Var』は自身のCymophane Recordsから1993年に、3rdアルバム『Hvis Lyset Tar Oss』はMisanthropy Recordsから1994年にリリースされた。一方でVargはBurzumの4thアルバムのレコーディングも1993年に行っていた。

1993年8月10日、Vargはインナー・サークル内での対立や金銭問題等で関係が悪化したEuronymousを刺殺してしまう。ノルウェーでは最高刑である懲役21年の判決が下るが、その直後に4thアルバム『Filosofem』がリリースされた。さらに刑務所内で1997年に『Dauði Baldrs』、1999年に『Hliðskjálf』のアンビエント・アルバムを制作している。服役当初は極右思想の執筆活動やインターネット上でナショナリズム団体を設立。さらに2003年10月に脱獄を図っている。 2009年に仮釈放となり、Burzumを再開。2010年にリリースしたアルバム『Belus』はかつてのサウンドへ回帰した。そして2011年に『Fallen』と再録アルバム『From the Depths of Darkness』、2012年に『Umskiptar』、アンビエント寄りとなった『Sôl Austan, Mâni Vestan』（2013年）と『The Ways of Yore』（2014年）のアルバム、ファンタジー・ゲームのサントラとして『Thulêan Mysteries』（2020年）をリリースする。

Burzum

Norway

Burzum 1992

Deathlike Silence Productions

Mayhem の Euronymous が運営した Deathlike Silence Productions からリリースされた 1st アルバム。ギター・リフはまだ Bathory 等の 1980 年代暗黒スラッシュメタルからの影響が強いが、悲痛に聞こえる泣き叫ぶかのように喚く Varg Vikernes（ここでは Count Grishnackh の名）のヴォーカルにただならぬ危険なオーラを感じさせる。全体的にはオールドスクールなブラックメタルであるが、４曲目「Channelling the Power of Souls into a New God」における不穏で物悲しいアンビエントや、ラスト「Dungeons of Darkness 」でのノイズ・アンビエントは後の Burzum の方向性を示唆しているとも言える。５曲目「War」には Euronymous がゲスト参加している。

Burzum

Norway

Aske 1993

Deathlike Silence Productions

Varg Vikernes が自ら放火し、全焼させたという教会の焼け跡をジャケットにしてしまった 1993 年にリリースされた EP。当時 Varg は放火の容疑で一度逮捕されており、それを皮肉ってライター付きも発売された。前作に比べリフの音がジリジリとした鋭い音となり、Varg の沈鬱な発狂ボーカルと相まってよりブラックメタルの怖気が浮き彫りとなった。ベース・パートは Emperor の Samoth が参加し、弾いている。1995 年には Misanthropy Records から、さらに 2010 年には Byelobog Productions から 1st アルバム『Burzum』とのカップリングで再発されている。なお「A Lost Forgotten Sad Spirit」は 1st アルバムとこの EP 両方に収録されていたため、再発カップリング盤では『Aske』の流れという形で収録されている。

Burzum

Norway

Det Som Engang Var 1993

Cymophane Records

1993 年にリリースされた 2nd アルバム。リリース順だと EP『Aske』の後だが、実は『Aske』よりも前の 1992 年４月にレコーディングされていた。Euronymous の Deathlike Silence Productions から一向にリリースされないことから、Varg は自ら Cymophane Records を設立してリリースしたという経緯。そして Burzum の個性を完全確立させた作品でもある。ジリジリと擦り込む様なノイジーなリフに、あまりにも悲痛な Varg の叫びにより陰湿で病的な危うさを感じさせるブラックメタルが完成された。不穏さを異様に煽るアンビエントな「Han Som Reiste」と、それに続く荒涼とした寒々しいメロディがひたすら吐き出されるインスト曲「Naar Himmelen Klarner」も作品中で重要な作用を施している。

Burzum

Norway

Hvis Lyset Tar Oss 1994

Misanthropy Records

Varg Vikernes が Euronymous を刺殺する直前ぐらいにリリースされた 3rd アルバム。前作で確立された陰鬱な Burzum サウンドがさらに深化し、強烈な絶望感に襲われる陰湿な狂気が渦巻く Burzum 最高傑作と言える作品となった。執拗に繰り返すノイジーなリフと悲痛な絶叫、そして厭世感を煽るアンビエントなキーボードが全体を覆い尽くし、精神を少しずつ削ぎ落していく様な漠然としたヤバさが襲い掛かる。長尺曲４曲構成でラストは延々とシンセが鳴り響くアンビエント曲。実際には 1992 年にはレコーディングが終わっていた作品だが、これが 1992 年に創られたかと思うと驚異である。ジャケット・アートはノルウェーの画家 Theodor Kittelsen の作品を使用。このジャケット・アートと音の世界観のマッチングもまた絶妙である。

Burzum

Norway

Filosofem

1996

Misanthropy Records

Euronymous 殺害事件前、Deathlike Silence から離脱したぐらいの時期である 1993 年にレコーディングされていた 4th アルバム。Varg に実刑判決が下され、服役の身となってから 1 年程経った 1996 年にリリースされた。ノーマル・ヴォイスやトラッド的手法のギター、アトモスフェリックなシンセを導入し、実験的な要素も散見される。前作のラスト曲を継承したかのようなアンビエント曲も収録されている。しかしながら基本的には Varg の悲痛な叫びと、ジリジリと体に擦り込むようなリフによるブラックメタル。これまでの鬱屈した病的なメロディも健在である。本作収録の「Dunkelheit」は、当時のブラックメタルとしては珍しい PV（イメージ映像のようなものだが）が制作された。ジャケット・アートは前作同様、Theodor Kittelsen の絵画作を使用。

悪名高いインナー・サークルと初期ノルウェー・ブラックメタル

ブラックメタル発祥の地はノルウェーであり、インナー・サークルによる数々の事件がブラックメタルという存在を世に広く知らしめることとなった。その発端は 1993 年 3 月に発刊された『Kerrang!』誌で、放火容疑により逮捕された Burzum の Count Grishnackh（Varg Vikernes）が表紙を飾り、ノルウェーのブラックメタル・シーンの凶行が報じられたことによる。それまでブラックメタルはごく一部のファンにしか知られていないに過ぎなかった。

ノルウェージャン・ブラックメタルの始祖は Mayhem であり、Euronymous により結成されたのは 1984 年。そして 1988 年に Dead と Hellhammer が加入。Dead がコープスペイントを施し、自傷行為を行った 1990 年のライヴが衝撃を与え、ブラックメタルが誕生する。1991 年にはデスメタルであった Amputation が Immortal へ改名、Emperor や Burzum が活動を始める。さらに Peaceville からアルバムをリリースしてノルウェー・デスメタルの代表的存在であった Darkthrone がブラックメタルへ転向。ノルウェーのアンダーグラウンド・シーンは一気にブラックメタル化していった。しかし 1991 年 4 月 8 日に Dead が自宅でショットガンで頭を打ち抜いて自殺。第一発見者は Euronymous で、彼はすぐに自殺現場を写真に撮り（この写真は Mayhem で最も有名なブートレグ『The Dawn of the Black Hearts』にも使用された）、頭蓋骨の破片をネックレスにしたという話もある。

Euronymous はオスロに「Helvete」というレコード店を運営していた。そこはブラックメタル・バンドの溜まり場となっていき、インナー・サークルが出来上がっていく。さらに Euronymous は Deathlike Silence Productions を設立。Mayhem の他に Burzum や Enslaved、スウェーデンの Abruptum や Merciless、日本の Sigh の作品がリリースされた。

インナー・サークルは次第に過激行為に出るようになる。その口火を切ったのは Varg。1992 年 6 月にベルゲンにある有名なファントフト・スターヴ教会を放火（焼失後の写真が Burzum『Aske』のジャケットに使用された）、そして逮捕される（他にも複数の教会放火を行っていた）。結局、証拠不十分で釈放されたが、ノルウェー国内では大々的に報道され、マスコミの徹底マークにあった「Helvete」は閉店を余儀なくされてしまう。

一方、インナー・サークルは最も過激な行為を行った者が求心力を増すという風潮になっており、凶行はさらに過激化する。デスメタルを「Life Metal」として忌み嫌い、Paradise Lost のツアーバスを横転させたり、Therion の Christofer Johnsson の自宅を放火しようとした。また、フィンランドのブラックメタル・シーンとも犬猿の仲となり、Euronymous は度々脅迫を受けていたらしい。そして 8 月 21 日に Emperor の Faust がリレハンメル・オリンピック公園でゲイの男性を刺殺してしまう。

教会放火により Varg は発言力を増しており、Burzum のロイヤリティが支払われていなかった等の金銭関係、ノルウェーのシーンに目を付けた Earache が Mayhem と Burzum に契約を持ち掛けたところ、Varg が受けようとしていた（Euronymous は先述の通りアンチ・デスメタルを徹底したかった）イデオロギー的な違い、さらには女性関係もあり、Euronymous と Varg の対立は深まってくる。そして 1993 年 8 月 10 日、Varg は当時 Mayhem のメンバーであった Thorns の Blackthorn の運転する車で Euronymous の自宅へ向かい、ナイフで 23 か所刺し、死に至らしめる。

これにより Varg は 8 月 19 日に逮捕される。同時に彼の自宅から大量の爆発物（Varg によれば反ファシスト団体の本拠地を爆破するためだったとのこと）が発見されている。さらに共犯として Blackthorn、殺人で Faust、放火で Samoth（Emperor）、窃盗で Tchort（Emperor）が続々逮捕され、インナー・サークルは事実上空中分解となった。

中心人物の Euronymous が亡くなり、Varg Vikernes や Samoth 等の中心人物の逮捕によりノルウェーのブラックメタル・シーンは瓦解したように思えた。しかし、第二世代と言える Gorgoroth や Satyricon、Dimmu Borgir らがシーンを活性化させ、これらのバンドは商業的にも成功を収めて、ブラックメタルの一般的な認知度向上に寄与した。Euronymous によるアンダーグラウンドへの偏執がなくなったことも大きな要因と言える。さらに Mayhem は Hellhammer を中心にすぐに復活。Emperor も Samoth が 16 か月の刑期を終えてから活動を再開した。

Carpathian Forest

出身地 ノルウェー・サンドネス　**結成年** 1992 年
中心メンバー Nattefrost
関連バンド Nattefrost、Svarttjern、Emperor、Green Carnation、In the Woods...

ノルウェージャン・ブラックメタルでも初期の頃から活動していた Carpathian Forest だが、その歴史は 1990 年に Lord Karnstein と Lord Nosferatu により、ノルウェー南部の小都市サンネスで結成された Enthrone に遡る。彼等は 1991 年にデモ『Black Winds』を制作しており、すでに Bathory や Hellhammer 等からの影響下にあるサウンドとなっていた。

1992 年に Enthrone は Damnatus（ベース）と Lord Blackmangler（ドラム）を加え、Carpathian Forest と改名。デモを 3 本制作するが、この時期には Damnatus と Lord Blackmangler は脱退しており、1995 年に Avantgarde Music からリリースされた EP『Through Chasm, Caves and Titan Woods』は Nordavind（Lord Karnstein から改名）と Nattefrost（Lord Nosferatu から改名）の 2 人で制作された。さらに彼等は 1998 年に 1st アルバム『Black Shining Leather』をリリース。そして、Borknagar や Solefald で活動していた Lazare がドラムとして加入するが、すぐに脱退。続いて元 Emperor で Green Carnation や Blood Red Throne でも活動していた Tchort（ベース / ギター）と、Green Carnation や In the Woods... でも活動していた Kobro（ドラム）が加入。2000 年に 2nd アルバム『Strange Old Brew』をリリースする。さらに Vrangsinn（ベース / キーボード）が加入し、2001 年に 3rd アルバム『Morbid Fascination of Death』をリリースするが、Nordavind が脱退。しかし、Season of Mist へと移籍し、2003 年に 4th アルバム『Defending the Throne of Evil』をリリース。さらに Blood Pervertor が加入。一方、Nattefrost は 2004 年に『Blood & Vomit』と 2005 年に『Terrorist（Nekronaut Pt. I)』の 2 枚のソロ・アルバムをリリース。

2006 年に 5th アルバム『Fuck You All!!!! Caput tuum in Ano Est』をリリースするが、2014 年に Nattefrost 以外のメンバー全員が脱退し、しばらく沈黙状態となってしまう。しかし 2017 年には Svarttjern の Erik Gamle（ギター）と Malphas（ギター）、Audun（ドラム）、Visegard の Slakt（ベース）が加入し、本格的に活動を再開。2018 年に Indie Recordings から 7" EP『Likeim』をリリースした。2019 年には Slakt が脱退するが、Vrangsinn が復帰している。

Carpathian Forest

Norway

Through Chasm, Caves and Titan Woods 1995

Avantgarde Music

1995 年にリリースされた EP で、Nattefrost と Nordavind の 2 人に、リズム・パートは Sea of Dreams と言うノルウェーのパワーメタル・バンドの John M. Harr と Svein H. Kleppe がヘルプ参加して制作された。初期 Sodom や Celtic Frost、Bathory と言った 1980 年代のアンダーグラウンドな暗黒スラッシュメタルからの影響が強いサウンドがベースであるが、Nattefrost の噛みつくかの様な邪悪なヴォーカルや、不穏さを演出するキーボードがブラックメタルの凶々しさを抉り出している。ラストのアンビエント風の悲観的で、ゆったりと流れる曲における Nattefrost の病的な絶叫には恐怖を感じさせる。ジャケット・アートはノルウェーの画家 Theodor Kittelsen。

Carpathian Forest

Norway

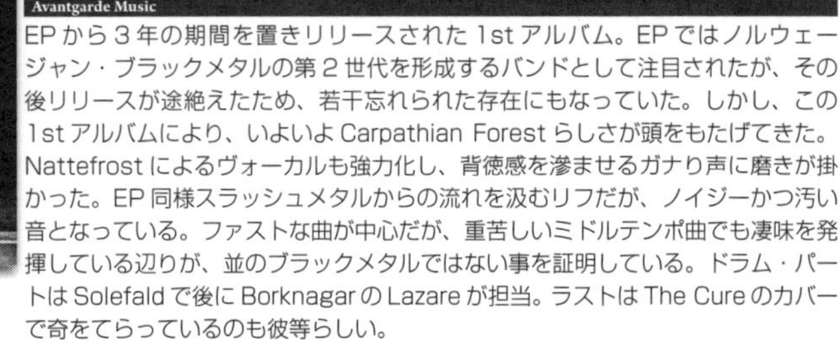

Black Shining Leather 1998

Avantgarde Music

EP から 3 年の期間を置きリリースされた 1st アルバム。EP ではノルウェージャン・ブラックメタルの第 2 世代を形成するバンドとして注目されたが、その後リリースが途絶えたため、若干忘れられた存在にもなっていた。しかし、この 1st アルバムにより、いよいよ Carpathian Forest らしさが頭をもたげてきた。Nattefrost によるヴォーカルも強力化し、背徳感を滲ませるガナり声に磨きが掛かった。EP 同様スラッシュメタルからの流れを汲むリフだが、ノイジーかつ汚い音となっている。ファストな曲が中心だが、重苦しいミドルテンポ曲でも凄味を発揮している辺りが、並のブラックメタルではない事を証明している。ドラム・パートは Solefald で後に Borknagar の Lazare が担当。ラストは The Cure のカバーで奇をてらっているのも彼等らしい。

Carpathian Forest

Norway

Strange Old Brew 2000

Avantgarde Music

Nattefrost と Nordavind の 2 人に、元 Emperor/Green Carnation の Tchort と In the Woods.../Green Carnation の Kobro がセッション参加し、リズムを固めた 2nd アルバム。前作までのキーボードによる荘厳さがなくなり、よりストレートに邪悪さを撒き散らす背徳サウンドとなった。リフはやはりスラッシュメタルからの影響が強いものの、割と汚く掻き鳴らされており、Nattefrost の退廃的な喚き声も凄味を増してきている。10 曲目にはドイツのホラー / エログロ映画『Nekromantik』のテーマが使用され、ラストで日本のスカトロ AV の音声（これがかなりディープ）を流したりと、邪悪で背徳なサウンドとしては最高級である。

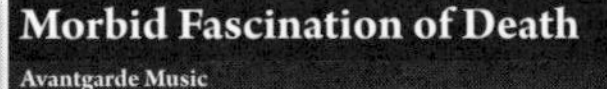

Carpathian Forest

Norway

Morbid Fascination of Death 2001

Avantgarde Music

前作でセッション参加していた Tchort と Kobro、そして Hatepulse 等で活動していた Vrangsinn が正式メンバーとなっての 3rd アルバム。これまで通り 1980 年代暗黒スラッシュメタルからの影響が大きいリフが主体の、原始的ブラックメタルがベース。そこに邪悪な Nattefrost のヴォーカルが乗るスタイルは継承されている。前作での背徳感が若干薄れた感はあるが、メンバーが固まったことが影響しているのか、しっかりとまとまったサウンドとなった感がある。相変わらずファストな曲での爆発力には凄味があるし、ミドル・テンポの曲でもオールドスクールなリフがしっかりと牽引して、語弊があるかもしれないが味わい深いものを醸し出している。途中にサックスを導入したりと実験的なこともやっているが、それが大勢に影響が出る程の突飛さを感じさせない所もまた彼等らしい。

Carpathian Forest

Norway

Defending the Throne of Evil

2003

Season of Mist

バンド中心の片翼であった Nordavind が脱退したものの、前作に続き Tchort と Kobro、Vrangsinn がメンバーとして参加し、制作された 4th アルバム。Nordavind がいなくなったとは言え、オールドスクールなブラックメタルをベースとしたサウンドは変わらず。演奏がとてもタイトになり、ストロングさに磨きが掛かっているが、特徴的なのはこれまで以上にキーボードを被せて邪悪な雰囲気を創り出している点。不穏で妖しい空気を垂れ流すことで、作品全体の邪悪さを引き立てている。もちろん Nattefrost の噛みつく様なガナり声の強烈さや、汚い音色のリフと言った彼等ならではの邪悪さの表現力も非常に高いが、それとは異質のキーボードによる妖気の様な邪悪さとの融合を絶妙にこなしている辺りに、非凡さを感じる。

Carpathian Forest

Norway

Fuck You All!!!! Caput Tuum in Ano Est

2006

Season of Mist

前作のメンバーに、Kobro も在籍するメロディック・デスメタル Chain Collector のメンバーでもある Blood Pervertor が加わっての 5th アルバム。前作での妖気を発するキーボードは大幅に薄れ、彼等特有のシンプルなオールドスクールなブラックメタル色を再び全面に押し出した。そして特筆すべきは Nattefrost のヴォーカル。これまでも壮絶な邪悪さを撒き散らす強烈なヴォーカルを聴かせていたが、本作ではそれをさらに上回る絶叫や呻き声、そしてドスの効いたガナり声まで、全身全霊でイカれた邪悪ヴォイスをこれでもかと言わんばかりに吐き出している。Nattefrost のヴォーカルの凄味と言う点では本作が一番であろう。サウンド・プロダクションはとても良いが、メジャー性を一切感じさせない所はやはり Nattefrost の禍々しい声に依る所が大きい。

Nattefrost

Norway

Blood & Vomit

2004

Season of Mist

Carpathian Forest を率いる Nattefrost の 1st ソロアルバム。ジャケット・アートやアルバム・タイトルから一目瞭然の極悪で凶悪で背徳さに溢れまくり、なおかつハイレベルな強烈なサウンドを吐き出す。Carpathian Forest のオールドスクールさを引き継いでいるが、こちらの方が冒涜的なムードが色濃く流れる。騒々しく汚いリフに爆走するファスト・パートが主体、そして Nattefrost の邪悪極まりない強烈なヴォーカルがやたらテンション高く襲い掛かる。ゲロ吐きや小便音の汚物 SE も背徳感を何気に煽る。凶悪なブラックメタルの旨みを全て持ち合わせたかの様だ。Carpathian Forest で長年タッグを組んでいた Nordavind や当時メンバーだった Vrangsinn がゲスト参加。

Nattefrost

Norway

Terrorist (Nekronaut Pt. I)

2005

Season of Mist

前作から 1 年後に早くもリリースされた 2nd ソロアルバム。この時期の Nattefrost は Carpathian Forest よりもソロ活動の方に重点を置いていた感がある。前作の路線は引き継ぎつつも Raw な音作りとなり、プリミティヴな印象が強くなった。もちろん排泄物系 SE と言った汚さや冒涜精神も満載であるが、よりオールドスクールなスタイルへと重心を置いたサウンドとなった印象。Nattefrost のヴォーカルも相変わらず、凶悪である。本作にも Nordavind と Vrangsinn が参加しているが、さらに Taake の Hoest、Aura Noir/Ved Buens Ende の Carl-Michael Eide、Gehenna の Sanrabb と Dirge Rep、Orcustus の Taipan がゲスト参加している。

Tsjuder

出身地 ノルウェー・オスロ　結成年 1993 年
中心メンバー Nag / Draugluin
関連バンド Isvind、Krypt、Tyrann、Ragnarok

Tsjuder とは、1987 年のノルウェーの映画『Veiviseren』のリメイク版『Pathfinder』に出てくるロシア北部の神話上の部族が由来。「シューダー」と発音される。

後に Isvind に加入し、正統メタル・バンドの Krypt で活動する Nag（ヴォーカル、ベース）と、スラッシュメタル・バンドの Hjallarhorn のメンバーでもあった Berserk（ギター）によって、1993 年にオスロで Ichor と言うバンドの発展形として Tsjuder は結成された。さらに、1995 年に Draugluin（ギター）と Torvus（ドラム）が加入。同年に『Div Gammelt Stasj』と『Ved Ferdens Ende』のデモを制作。Berserk が脱退するが、1996 年にデモ『Possessed』を制作する。しかし、バンドは Torvus を解雇。1997 年にアメリカ人ギタリストの Diabolus Mort と、後に Krypt のメンバーとなる Desecrator（ドラム）が加入して 7 インチ EP『Throne of the Goat』を Solistitium Records からリリースする。Diabolus Mort と Desecrator はこの EP のみで脱退し、後に Gehenna や Forlorn のメンバーとなり 2018 年に亡くなってしまう Blod（ドラム）と、Isvind で活動していた Arak Draconiiz（ギター）が加入。1999 年にデモ『Atum Nocturnem』を制作するが、Blod が 2000 年に予定されていたツアーに参加できなくなったため、AntiChristian（ドラム）が加入。2000 年に Drakkar Productions から 1st アルバム『Kill for Satan』をリリースする。さらに Arak Draconiiz と AntiChristian が脱退するが、Ragnarok の Jontho（ドラム）が加入し、2002 年に『Demonic Possession』をリリース。Jontho はこのアルバムのみで脱退するが、AntiChristian が復帰。さらに Season of Mist と契約し、2004 年に 3rd アルバム『Desert Northern Hell』をリリース。2005 年にはヨーロッパ・ツアーを行うが、2006 年に解散となってしまう。

Nag は、Tsjuder の元メンバーである Desecrator と Krypt を結成し、Draugluin は Antichristian と 1349 の Seidemann と共にブラック / スラッシュメタル・バンドの Tyrann を再開させていたが、2010 年に Tsjuder は再結成される。Nag と Draugluin、Antichristian の 3 人により、2011 年の Wacken Open Air に出演。そして同年に 4th アルバム『Legion Helvete』、2015 年に 5th アルバム『Antiliv』を Season of Mist からリリースする。しかしながら、2020 年に Antichristian が再度脱退している。

Tsjuder

Norway

Kill for Satan 2000

Drakkar Productions

Isvind のメンバーでもあった Nag や後に Tyrann でも活動する Draugluin らにより 1993 年から活動するバンドの 1st アルバム。ギターは Isvind の Arak Draconiiz で、ドラムは後に Grimfist や Sturmgeist 等で活動する Antichristian。ファスト･パートと邪悪さを前面に出し切ったガナりまくるヴォーカルによる攻撃的なスタイルであるが、コールドに突き刺す様なメロディを携えつつ、ブラックメタル特有の荒涼とした退廃的な空気も絶妙に溶け込ませて猛進する。大半を占めるファスト・パートにおける爆発力は凄まじいものがあり、極悪で邪悪で荒れ狂ったブラックメタルの理想形と言える。2011 年には Drakkar Productions からリマスター / 新ジャケットで、さらに 2016 年には Season of Mist から再発盤がリリースされる。

Tsjuder

Norway

Demonic Possession 2002

Drakkar Productions

Arak Draconiiz と Antichristian が脱退し、Ragnarok のドラム Jontho が加入しての 2nd アルバム。前作での猛烈に荒れ狂うブラックメタルをそのまま踏襲。さらに熾烈さを強めてきた作品で、クオリティも前作より上げてきている。相変わらず邪悪かつ禍々しさを、これでもかと言わんばかりに撒き散らしながら喚き叫びまくるヴォーカル、そしてコールドなメロディを随所で発するギターリフにより、ブラックメタルでしか成し得ない、攻撃的でありながら退廃的な暗黒さもしっかりと固持。ブリザードの如く吹き荒れる冷気を伴ったブルータルさがさらに強力化している。本作も 2005 年に Drakkar Productions から、2016 年には Season of Mist から再発盤がリリースされている。

Tsjuder

Norway

Desert Northern Hell 2004

Season of Mist

AntiChristian が復帰し、Season of Mist へ移籍しての 3rd アルバム。冒頭から猛烈なブラスト・パートによりハイテンションに突き進み、強烈なインパクトを与える。コールドなリフによるオーセンティックなノルウェージャン・ブラックメタル・スタイルながら、Immortal や 1349、Marduk に匹敵するブルータリティをまとい、一気にレベルを上げてきた作品となった。サウンド・プロダクションも各パートの分離がはっきりしており、それがブルータルさを鮮明にしている。猛烈な勢いで猪突するフルブラスト・パートが大半を占めるが、ミドル・パートを随所に取り入れて、ファスト一辺倒ではない、楽曲構成力の高さも見せつける。ブラックメタルの破壊力を存分に発揮したファスト・ブラックメタルの名作。Bathory の「Sacrifice」のカバーも彼等らしさで消化している。

Tsjuder

Norway

Antiliv 2015

Season of Mist

2010 年に復活してから 2 作目となる 5th アルバム。本作でもドラムは AntiChristian が叩いている。ブラスト・パートの割合は若干減っているが、それでもファストな場面での破壊力は Marduk に肉薄するほどの凄まじさを提示する。冷え切ったメロディによるトレモロ･リフや､邪気を撒き散らすヴォーカルと、ノルウェージャン・ブラックメタルらしさを存分に発揮。ミドル・パートがこれまで以上に増えてきているが、ブラックメタルらしいドス黒さがその分増幅されている。Andy LaRocque（KIng Diamond）がミックスとマスタリングを手掛けているため、メジャー寄りのサウンド・プロダクションとなっている。そのおかげでブルータリティとイーブルさが容易に伝わってくる。

ノルウェーのブラックメタルとして評価の高いTsjuder。比較的ブルータルな類いで、ルックスにもインパクトがあったので、本書の編集者がインタビューを試みた。

Q：日本人にとっては「Tsjuder」という言葉は珍しく見えます。『パスファインダー』という映画から来ているのですよね？　元々フィンランドの部族という意味だと見ました。90年代にノルウェーとフィンランドのブラックメタルの間に抗争があったのは有名な話です。ノルウェーでフィンランドと関係する名前のバンド名を掲げることで誤解を受けたりしなかったのでしょうか？　サーミ人とかと関係あるのでしょうかね？

A：「Tsjuder」はノルウェー、スウェーデン、フィンランド、ロシアにまたがって暮らしていた部族のことなんだよ。北部ノルウェーでは恐ろしい奴らとして知られている。だから誤解されたってことはないな。本当はその映画から直接取ってきたって訳じゃないんだが、もしかしたら潜在的に我々に影響を与えているかもしれないね。この名前にしたのは、この部族がとても過激なことで知られていたから。我々のブルータルなバンド名にピッタリだと思った。

Q：自分たちの音楽を「チェーンソー・ブラックメタル」と言っていますね。音楽を作る上での目的は何でしょうか？　なぜ「マシンガン」とか「ドリル」「5G」など他にスピーディーさを表す言葉ではなく、「チェーンソー」なのでしょうか？

A：うちらは自分たちの音楽を「ブラックメタル」以外で呼んだことはないんだよな。たまに「RAWでブルータルなブラックメタル」と表現することはあるが。「チェーンソー」に擬えたのは、EnthronedのNornagestが『Atum Nocturnem』を聴いた時だな。「オマエラまじチェーンソーみたいなブラックメタル演ってるな！」と言ってきたんだよ。その言い方が格好いいと思ったし、気に入ったからTシャツにそのフレーズをプリントしたんだよ。それが由来だ。Tsjuderはブラックメタルだ！

Q：ブラックメタルではデスメタルに比べて「ブルータル」という言葉を使うことが稀です。デスメタルでは「ブルータル・デスメタル」というジャンルが存在するぐらいです。ブラックメタルもブルータリティを追求するべきでしょうか？　Tsjuder以外に最もブルータルで速いブラックメタルは誰でしょうか？　どのバンドをライバルだと認めますでしょう？

A：さっきの質問でも言ったけど、うちらは自分たちの音楽の事を「ブラックメタル」だと定義している。そしてRAWでブルータルである事を主張している。というのはこのブラックメタルではマジで呆れるほど弱々しい奴らが蔓延っているから、そういうのとは一線を画したいと思っているのだ。ブラックメタル自体、何かを追求するべきものだと思っている訳でもないのだよ。ブルータルじゃないなら、ブラックメタルじゃないんだから。人によって何をブルータルと見なすかは異なるかもしれないけどね。ライバルと見なしているバンドはいないが、リスペクトしているバンドはいるよ。あんまり多くないけど、例えば1349、Marduk、Urgehal、Taakeとかだな。

Q：Tsjuderをブラックメタルのサブジャンルに入れるとしたらどれでしょうか？　プリミティヴ・ブラックメタル、RAWブラックメタル、ピュア・ブラックメタル、トゥルー・ブラックメタル、ファスト・ブラックメタルetc...

A：Tsjuderはブラックメタル以外の何者でもないよ。

Q：他のインタビューでDarkthrone、Gorgoroth、Mayhemの様な既に我々でも知っているようなバンドから影響を受けたと見ました。初期のノルウェーのシーンでもっと世界的に無名だけど凄いバンドなどいなかったのでしょうか？

A：もちろん沢山いたよ。今となっちゃ全部思い出せるか分からないけど、トロンハイムのManesの2つのデモにはとてつもない影響を受けたね。今でもよく聴いてるぐらいだ。ヘーネフォスのKvistも格好良かったね。Fimbulwinterもほんと良かったね。世界中とテープトレードしてて、山程のデモテープとか録音されたテープを持ってたな。色んなバンドに影響を受けたと思うんだけど、バンド単位じゃなくて、色んなバンドの色んなリフに影響を受けたと言った方がいいかもしれない。

Q：バンドのコンセプトを反キリスト教にしていますよね。でも多くの日本人にとっては反キリスト主義というのは、あまりピンと来ません。日本ではキリスト教は別に存在感がないので。別に全員が確信的な無神論者という訳でもなく、宗教を意識する事もないのです。もしあなた達の主張を推し進めていくと、最終的には日本みたいな無宗教国家になるのでしょうか？　でもそうすると日本では信じられる価値や生きる目標が分からなくなって、無気力になり、最終的に鬱で自殺してしまう人もい

るのです。

A：歌詞では色んな事について歌っているつもりだけど本来、ノルウェーは異教を信じていたところに、キリスト教が押し付けられたんだよ。今でもノルウェーの社会には大きな影響を与え続けている。キリスト教さえなければ、ノルウェーはもっと素晴らしい国だったはず。今でもあまりにも馬鹿げた奴らがいるしな。でも他の宗教でますます力を持ってきているのがおり、より深刻な「脅威」になってきているのも事実。

Q：実の兄弟のビヨーン・アイナール・ローモーレンがプロのスキーヤーなのですよね？　彼はブラックメタルは聴くのでしょうか？

A：ヤツは葛西紀明とかと同じスキージャンプの選手だったんだよ。ブラックメタルは聴かないけど、競技で負けた時にフラストレーションを発散する為にTsjuder を聴いてたらしいよ。

Q：Anti-Christian が Tsjuder を脱退してしまいました。彼は実に速く叩くドラマーでした。オスロで彼の代わりとなる人を簡単に見つけられるものなのでしょうか？

A：ドラマーはいつでもどこでも不足気味。オスロでもそう。まだこの後、どうするか決まった訳じゃないが、ノルウェー国外から招聘することになるかもしれない。

Q：南米にまでツアーされていますよね？　アジアツアーの可能性はないのでしょうか？　Gorgoroth、Nordjevel、Taake など多くのノルウェーのバンドが来日しています。『デスメタルチャイナ』という本を最近出版しましたが、中国の DSBM シーンは凄まじいです。

A：実はコロナが始まる直前に日本でのライブの話も浮上していたんだよね。結局、どうなるか全く分からなくなった。いつか行ければいいと思ってるが。

邪悪なコールドネスを撒き散らし、実験的要素も盛り込み、来日も

Taake

出身地 ノルウェー・ベルゲン　**結成年** 1995 年

中心メンバー Hoest

関連バンド Deathcult、Gorgoroth

1993 年に Hoest（当時は Ulvhedin Hoest と名乗っていた）と Svartulv によりベルゲンで結成された Thule が Taake の起源である。彼等は 1993 年と 1994 年に 2 本のデモを制作。そして 1995 年にバンド名をノルウェー語で「霧」を意味する Taake へ変える。

彼等は 1995 年にデモを制作し、1996 年に 7" EP『Koldbrann I Jesu Marg』をリリース。しかしこの EP を最後に Svartulv が脱退。Wounded Love Records から 1999 年にリリースした 1st アルバム『Nattestid Ser Porten Vid』は、Hoest と後に Frostmoon でも活動する Frostein S. Arctander がセッション参加して制作された。2000 年には Deathanie（ベース、キーボード）が、2002 年には C. Corax（ギター）が加わり、2nd アルバム『Over Bjoergvin Graater Himmerik』をリリース。さらに Amok の Mord（ドラム）と Amok や Aeternus で活動していた Radek Nemec（ベース）が加入している。

2005 年には Dark Essence Records から 3rd アルバム『Hordalands Doedskvad』をリリース。しかし 2004 年には C. Corax が脱退しており、2006 年には Mord が、2007 年には Radek Nemec が脱退。2007 年にリリースされた EP『Nekro』は Hoest 一人で制作された。以降、Taake は Hoest 一人で活動していく。また Hoest は Deathcult も始動させ、2007 年には 1st アルバム『Cult of the Dragon』、2017 年には 2nd アルバム『Cult of the Goat』をリリースしている。一方、Taake は 2008 年に 4th アルバム『Taake』を Svartekunst Produksjoner からリリース。さらに 2011 年に EP『Kveld』を、同年に 5th アルバム『Noregs Vaapen』をリリース。5th アルバムはこれまでノルウェージャン然としたサウンドから、ややエクストリームな音へと変化している。

そして 2013 年には Marduk をヘッドライナーとした「Serpent Sermon Tour 2013 in Japan」で来日公演も行い、その後 2014 年に EP『Kulde』と 6th アルバム『Stridens Hus』、2017 年に EP『Baktanker』と 7th アルバム『Kong Vinter』をリリース。2018 年と 2019 年に来日公演を行い、さらに Hoest は 2018 年に Gorgoroth のライヴ・メンバーとしても来日している。

Taake

Norway

Nattestid Ser Porten Vid

1999

Wounded Love Records

Darkthrone が掲げた「True Norwegian Black Metal」を堂々標榜する Taake の 1st アルバム。Hoest（この頃は Høst と名乗っていた）による邪悪さをたっぷり吹き込み喚き散らすヴォーカル、そしてガシャガシャしたノイジーなリフと、そこから溢れ出す凍度の高い叙情的なメロディがいかにもノルウェージャン・ブラックメタルと言ったサウンドを紡ぎ出す。メロウな要素が強いが、ヴォーカルの凶悪さによりブラックメタルのプリミティヴさが一層強調されている。各パート音の分離とバランスが良く、聴き易さを感じさせながらブラックメタルとしての凶々しさが最大限に引き出されている。Grieghallen Studio でのレコーディングで Pytten のプロデュースという、ノルウェージャン・ブラックメタル名作製造黄金パターンを踏襲しているためであろう。

Taake

Norway

Over Bjoergvin Graater Himmerik

2002

Wounded Love Records

このジャケットにカタルシスを感じたのなら、確実に外すことがない。2002 年にリリースされた本作はステレオタイプの「北欧のブラックメタル」を完璧に提示したと言える。前作よりサウンド・プロダクションが向上し、特にギター・リフが鋭く突き刺す様な音になり、殺傷力が増すことで冷えきったメロディがより鮮明となってきた。そして何より高音で喚き散らすヴォーカルとしては最高級の凄まじさを誇る Høst が発する邪悪さと喧噪さが、ブラックメタルとしてのステイタスを最上のものにしている。音は良くなったが、Raw さを失っていない所でもブラックメタルとしての本質をきちんと押さえている。なお本作はメンバーとしてベース / ピアノを担当する Deathanie（女性）とギタリストの C. Corax、Trelldom にも参加した Mutt がセッション参加し、バンド体制を取っている。

Taake

Norway

Helnorsk svartmetall

2004

Perverted Taste

2004 年にリリースされた初期音源集。1996 年発表 7" EP『Koldbrann i Jesu Marg』、1995 年デモ『Manndaudsvinter』、Hoest と Svartulv による Taake の前身バンド Thule の 1994 年デモ『Omfavnet av Svarte Vinger』と 1993 年デモ『Der Vinterstormene Raste』を収録。7" EP になるとコールドなメロディが薄っすら姿を現しているが、それ以前はヒビ割れしたノイジーなリフをひたすら掻き鳴らすプリミティヴな地下ブラックメタル。前身バンドの Thule からすでに完全なるブラックメタル・スタイル確立していたが、後の Taake よりもはるかに原始的なサウンドであった。

Taake

Norway

Hordalands Doedskvad

2005

Dark Essence Records

ベースが Aeternus/Amok の Radek Nemec とドラムが Amok 他の Mord に替わっての 3rd アルバム。さらにメロウな要素が押し出されるとともに、相変わらず Hoest の喚き散らすヴォーカルによりブラックメタル然としている。楽曲のクオリティも相当程度上がり、質量ともに圧倒的層の厚さがあるノルウェー勢の中でも、トップクラスのレベルを誇っていると言ってもいい。メロディ重視派にはツボにはまる所も多いが、ブラックメタルとしての核心である凶々しさや邪悪さと言った要素も同時に最高峰レベルを保っている。Carpathian Forest の現 / 元メンバーである Nattefrost と Nordavind がゲスト参加。本作のプロデュースは引き続き Pytten が行っている。

Taake

Norway

Taake　2008

Svartekunst Produksjoner

再び Hoest が独りで作り上げた作品となった 4th アルバム。これまでの冷えきったメロディによる高品質なブラックメタルに変わりはないのだが、一聴して感じることはファスト・パートに依っていたこれまでの作風から、スロー・テンポの展開が増えたこと。そしてギター・リフもザラついた感触となり、メロディも叙情的というよりは鬱屈した感覚が強まった。前作路線を推し進めるとオーバーグラウンドなサウンドとなっていたかもしれないが、ここにきてアンダーグラウンド性を押し出してきた。もちろんクオリティは凡百のバンドには及ばないレベルではあるし、サウンド・プロダクションも申し分なく良好ではあるのだが、聴き易さという点では減退したと言える。しかしこの非メジャーな精神を貫いたことで、プリミティヴなブラックメタルとしての真骨頂も感じさせる。

Taake

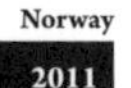

Norway

Noregs Vaapen　2011

Svartekunst Produksjoner

前作の陰鬱な雰囲気が強かった作風から、一転して激性を強めた 5th アルバム。当然最大の特色であるコールドなメロディや、Hoest の壮絶に喚き散らすヴォーカルはきちんと継承されているが、本作においては殺伐とした無機質な恐怖心を強く感じさせる。これぞノルウェージャン・ブラック・メタルと言えるスタイルからエクストリームさが押し出されている。バンジョーを用いたり、スラッシュメタルに近いリフがあったりと、これまでの Taake にはない要素も多いが、ブラックメタル然とした核の部分は一切失われていない。Mayhem の Attila Csihar、Darkthrone の Nocturno Culto、Immortal の Demonaz、Helheim の V'gandr がゲスト参加。LP のみ Emperor のカバーが収録されているが、そこには Enslaved の Ivar Bjørnson が参加している。

Taake

Norway

Stridens Hus　2014

Dark Essence Records

変化を見せた前作から 3 年経った 2014 年にリリースされた 6th アルバム。エクストリームな感触となった前作に比べ、4th アルバムでの傷憎的でコールドなサウンドに寄ったサウンドに。ザラついたリフの感触は前々作に近い。前半はミドル・テンポ中心のドラマティックさにも重心を置いた曲が続くが、後半にはファスト・パートで冷気と邪気を撒き散らし、いかにもノルウェージャン・ブラックメタルと言える Taake らしいスタイルを見せる。Gorgoroth の Infernus、前作に続き Helheim の V'gandr がゲスト参加。Vulture Industries の Bjørnar Nilsen がプロデュース / ミキシング、Enslaved/Audrey Horne の Herbrand Larsen がマスタリングを担当。

Taake

Norway

Kong Vinter　2017

Dark Essence Records

前作からまた 3 年後となった 2017 年にリリースされた 7th アルバム。本作も Hoest がヴォーカル、全てのパートをこなしている。ジャケット・アート通りのコールドなブラック・メタル・スタイルを突き進め、さらに音作りもラフになっており、一層プリミティヴ感が増してきた。冷え切ったメロディを滲ませながら刺々しいリフの感触や、邪悪さと悲壮感を発するヴォーカルはブラックメタルそのものである。しかし一方で、1970 年代のハードロックやブルースロック的な要素が見え隠れするリフやリズムを擁した曲も目立つ。これを個性的と取るか、相容れないものと取るかで本作の評価は大きく分かれる。Zero Dimensional からの日本盤にはノルウェーのニューウェイブ･バンドDe Pressのカバーが収録されている。

界隈でも最高速の激烈ブラストビートで、ブルータリティ炸裂

1349

出身地 ノルウェー・オスロ　結成年 1997年

中心メンバー Ravn、Seidemann、Frost

関連バンド Satyricon、Gorgoroth、Pantheon I、Den Saakaldte

1349の前身は1994年から始動していたAlvheimというバンド。そのメンバーだったRavn(ヴォーカル、ドラム)とTjalve (ギター)、Seidemann (ベース)、Balfori (ギター) により1997年に1349は結成された。バンド名はヨーロッパでペストが大流行し、多大な死者を出した1349年から取られた。彼等は1998年にデモを制作するが、その直後にBalforiが脱退。1999年に3人で2ndデモを制作する。その後、FuneralのArchaon(ギター)が加入。そしてRavnがヴォーカルに専念し、SatyriconのFrostがセッション参加してレコーディングされたEP『1349』が2001年にリリース。この時すでにFrostが正式加入し、1stアルバムのレコーディングも終えていた。しかしレーベル契約がなかったため、Candlelight Recordsから『Liberation』がリリースされたのは2003年になってからであった。アンダーグラウンドでは圧倒的知名度のあったCandlelightからのリリースで、SatyriconのFrostが在籍しているということもあり、1349は知名度を上げていく。バンドは2004年に2ndアルバム『Beyond the Apocalypse』、2005年に3rdアルバム『Hellfire』をリリース。2006年にはTjalveが脱退するが、Sahgと共にCeltic Frostのサポートとして北米ツアーに参加する等、ライヴ活動も精力的に行っていた。

2009年には4人編成のままレコーディングされ、Celtic FrostのTom G. Warriorがプロデュース/ゲスト参加した4thアルバム『Revelations of the Black Flame』をリリース。しかしこの作品はドゥーミーな展開主体のスタイルになり、アンビエント等の実験的要素も取り入れたサウンドへと変化したことで賛否両論を巻き起こす。さらにバンドはCandlelightを離れ、ノルウェーのIndie Recordingsと契約。間髪入れず2010年には5thアルバム『Demonoir』がリリースされたが、この作品は再び1349らしさを取り戻したサウンドとなった。2011年にはCandlelightからライヴDVD『Hellvetia Fire』をリリース。さらに2012年にはLoud Parkで日本でもライヴも行い、2014年に6thアルバム『Massive Cauldron of Chaos』をリリース。2017年には新たにSeason of Mistと契約し、同年Arcturusと共に来日公演も行った。そして2019年に7thアルバム『The Infernal Pathway』をリリースする。

1349

Norway

1349(EP)

2001

Holycaust Records

日本の Sabbat や Metalucifer もリリースしていた US のカルト・レーベル Holycaust Records からの 4 曲入り EP。まだこの作品では Frost はセッション参加であった。シャリシャリした感触のリフと厚みのない音作りで、後の 1349 とは比べものにならない程チープな音質によるプリミティヴなサウンド。さすがに Frost のドラミングは群を抜いているが、ギターやヴォーカルに掻き消されてしまっている個所も多い。Raw な音質のおかげで Ravn のヴォーカルは騒々しく、直接的に狂気を感じさせる。4 曲目は Celtic Frost の「The Usurper」のカバー。この曲のみライヴ音源であるが、この Raw な音感触が Celtic Frost らしさを絶妙に引き出している。Nocturnal Breed/ 元 Gehenna の Destroyer がゲスト参加（プロデュースにも参加）。

1349

Norway

Liberation

2003

Candlelight Records

Satyricon の超絶ドラマー Frost が正式に加わっての 1st アルバム。カタカタ言う感じでハイパーに叩き込む Frost のドラムに耳が行きがちだが、ノイジーな中にも冷えたメロディが含蓄されたギター・リフに、喧噪的に喚く強烈なヴォーカルによる、いかにもブラックメタル然とした要素が強力に押し出されている。然程音に厚みがない分、プリミティヴな感触が色濃く出ており、演っていることは相当高いレベルなのだが、音作りが著しく粗いために余計凶々しさが際立っている。何だかんだ言って Frost の鬼神の如く叩きまくるドラムによる凄味が、本作の最大要素となってはいるが、Ravn のブチ切れそうなヴォーカルも相当なもの。プリミティヴ・ブラックメタルとしては最高級の出来を誇る。

1349

Norway

Beyond the Apocalypse

2004

Candlelight Records

前作に続き Ravn がプロデュースしているが、TNT の Ronni Le Tekrø をエクスクルーシブ・プロデューサーに迎えて制作された 2nd アルバム。ということで前作よりも相当音の厚みが出てきて、熾烈さが増した作品となっている。Frost の人知を超えた怒涛のドラミングがさらに押し出されているが、リフもスラッシュ・メタルに近い強靭さを見せつけているので、よりブルータルな感覚が強まっている。Ravn のテンションが異様に高く、邪悪な空気を猛烈にまき散らす喚き声がブラックメタルとしての暴虐性を最大限に引き出している。メジャー級の音では決してなく、プリミティヴなブラックメタルとしてのアンダーグラウンド性を保ちながら力業とセンスの絶妙なバランス加減で、ネクストレベルへと引き上げようとする意志が伝わってくる。ジャケットは写真家の Peter Beste によるもの。

1349

Norway

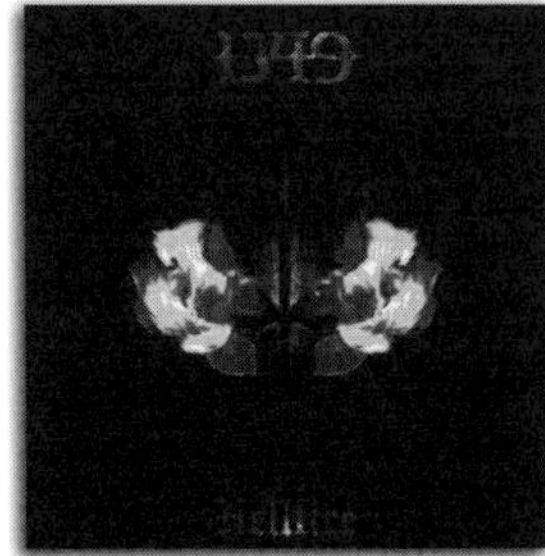

Hellfire

2005

Candlelight Records

「Hellfire」と呟いて Frost の怒涛ドラムと突き刺す様なリフによるオープニングが痺れる 3rd アルバム。これまで通りファストな凶悪ブラックメタルがベースにありながら、ラストの長尺曲におけるドラマ性の導入や荘厳さを醸し出すメロディを紡ぎ出すリフ等、ファストでプリミティヴさに固執した、これまでとは違ったアプローチもある。とは言えやはり Frost の猛烈なドラミングを基軸としたファスト・パートにおける爆発力は圧巻であるし、何よりも Ravn のヴォーカルがこれまで以上に鬼気迫る狂いっぷりを見せつけており、ブラックメタル以外の何物でもないスタイルを確実に維持している。プリミティヴな真正性に溢れながら、奥行の広さも垣間見せている。

1349

Norway

Revelations of the Black Flame　2009

Candlelight Records

ギターの片翼 Tjalve が脱退し、４人編成となっての 4th アルバム。冒頭の狂った叫びからゾクゾクとさせる期待感を抱かせるが、その後「ゴウォー」となり響く SE を経て、聴こえてきたのがインダストリアルなドラムと重苦しく混沌としたギター。その後もあの 1349? と思えるほどノイズやアンビエント、ゴシック等を取り入れながら実験的な展開が続く。ほぼ全員が期待していたであろう、ファストで邪悪で真性なブラックメタルの要素は極めて稀薄なサウンドとなった。本作をプロデュースしたのは Tom G. Warrior……。本作がなぜ度を超えた実験性を帯びたのかはそのことに集約されている。Celtic Frost で言うところの『Into the Pandemonium』的な性質であるが、前作からのあまりのギャップに誰もがついて行けなかった。

1349

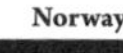
Norway

Demonoir　2010

Indie Recordings

実験的な作品となった前作から「らしさ」をだいぶ取り戻した 5th アルバム。ファストでブラックメタル然とした要素が多いが、前作での混沌とした重さやアンビエント風な要素も随所で挟み込まれており、3rd アルバムまでの 1349 が 70%、前作の方向性が 30% と言った感じか。Frost のドラミングが相変わらず凄味を十分に発揮しているが、一方で Ravn のヴォーカルに関しては呻いたり叫んだり悶えたり、表現力が増してきている。彼等が身に付けた先進性と、本来の真正さとのバランス感覚を意識した作風であることが伝わってくる。限定デジパック盤 CD には Morbid Angel、Exodus、Bauhaus のカバーを収録したボーナス・ディスクが付いているが、この選曲が本作本編の性質を現している。

1349

Norway

Massive Cauldron of Chaos　2014

Indie Recordings

前作でも残された実験要素を一切排して、再びプリミティヴ純度の高いサウンドを取り戻した 6th アルバム。Frost の猛然と突き進みながら、正確無比な怒涛のドラミングが先導するファスト・パート主体の 1349 らしさが全体を支配する。3rd アルバムまでのトレモロ・リフが中心ではなく、スラッシュメタルに近い強靭なギター・リフが目立つので、よりストロングに直球で攻め込む印象が強くなった。Ravn のヴォーカルも当初の喚き散らすスタイルから、表現力を示そうとする 4th アルバム以降のスタイルを保ちつつも凄味を充分感じさせ、ブラックメタルとしての熾烈さを堪能できる。ギター・リフによるブルータルな印象を強く受けるが、デスメタルに寄ることなく、ブラックメタル然としたサウンドに仕上げてきている辺りが絶妙。

1349

Norway

The Infernal Pathway　2019

Season of Mist

前作から５年経過したが、メンバーも代わらずに 2019 年にリリースされた 7th アルバム。前作で取り戻したストレートなブラックメタル・スタイルを継承。相変わらず Frost のドラミングは圧巻であるし、Ravn のヴォーカルは凶悪かつ攻撃的なスタイルで攻めまくる 1349 らしさが全編でみなぎっている。怒涛のファスト・パートが主体ながらミドル・パートでの緩急差を付けた曲展開も見事。全体的に前作よりもブラックメタルらしいイーヴルさがより押し出されている。Nocturnal Breed/ 元 Gehenna の Destroyer が歌詞を提供。限定 BOX 仕様の CD には先に 10" でリリースされていた『Dødskamp』のノルウェー語バージョンが、さらに日本盤にはライヴ１曲が追加収録された。

Ancient

Norway

Svartalvheim　1994

Listenable Records

Ancient と言えば、メジャー級のメロディックでシンフォニックなブラックメタルとしての認識が強いであろうが、この 1st アルバムはプリミティヴなブラックメタル然としていた。この作品に関してはシンフォニックな要素はほぼ無し。メロウではあるが寒々しさをノイジーさに浸み込ませたリフにより、後のメロディック・デスメタルに近いスタイルとは一線を画す。Immortal の 1st アルバムと並んで「火吹きジャケ」では最も有名と言えるが、そのイメージに近い邪悪でコールドな 1990 年代初期ブラックメタル・スタイルを端的に示したサウンドである。その「火吹きジャケ」はオリジナル盤だけで、後に Listenable Records よりジャケット・アートが変わった再発盤がリリースされる。

Ancient

Norway

Trolltaar　1995

Damnation Records

前作に続き Aphazel と Grimm の 2 人で制作された 3 曲入り EP。シンフォニックなアレンジやメロディを強く押し出した部分も多くなり、後のスタイルへの布石的要素も随所で感じさせてはいる。しかし Grimm の冷酷なヴォーカルと暗黒さが浸み込んだノイジーなリフにより、まだプリミティヴなブラックメタルとしての様相を呈している。前作 1st アルバムよりも凝った展開が見られ、静と動の要素が少し不思議な感触で絡み合いながら、悲哀感を伴ったメロディにより暗黒メランコリックな印象も受ける。本作を以って Grimm は脱退。後に Sinergy を結成する女性ヴォーカリストの Kimberly Goss らが加わり、Metal Blade Records 所属となって完全にメジャー・クラスのサウンドへ変貌する。

Beastcraft

Norway

The Infernal Gospels of Primitive Devil Worship　2017

Pulverised Records

Urgehal や Angst Skvadron、Endezzma 等でも活動した Trondr Nefas と、元 Faun で Vulture Lord でも活動する Sorath Northgrove によるブラックメタル。2012 年 5 月に Nefas が亡くなり(オフィシャルでは自然死ということになっている)、2013 年に活動を止めている。本作は 2005 年から 2009 年にかけて、Nefas が Beastcraft のために制作されていたデモ音源を元に作られたアルバム。コールドなメロディと耳障りの悪いザラついた感触のリフによる、地下臭漂うプリミティヴなブラックメタルである。怒涛のファスト曲から、ジワジワと不穏感を煽るミドル･テンポの曲等、いかにもブラックメタルらしい内容。Sorath、元メンバーの Enzifer、Diabolous、Lars Fredrik Frøislie らが参加している。

Blodhemn

Norway

H7　2014

Indie Recordings

Invisus なる人物が全てをこなすノルウェージャン・ブラックメタルの 2nd アルバム。禍々しく邪悪なヴォーカルと、オールドスクールな感触のリフから、コールドで叙情的なメロディが含まれたトレモロリフにより、いかにもノルウェー的なブラックメタルである。ファストなパートでの爆発力と静の要素の強いパートとの組み合わせも絶妙で、Taake や 1349 辺りを彷彿させる部分も結構ある。真性なブラックメタル・スタイルとしてはトップクラスのポテンシャルも感じさせる。Vulture Industries や Black Hole Generator でも活動し、Taake や Helheim 等の作品も手掛けてきた Bjørnar Nilsen と、Enslaved や Audrey Horne のメンバーである Ice Dale（Arve Isdal）がエンジニアリングを担当。

Den Saakaldte

Norway

All Hail Pessimism

2009

Avantgarde Music

元 Naer Mataron の Sykelig によるバンドで、Shining を率いる Niklas Kvarforth、1349 や Pantheon I で活動する Seidemann、当時 Dødheimsgard のメンバーだった Jormundgand、Urgehal の Uruz がメンバーとして参加した 2nd アルバム。バンド名は Ved Buens Ende の曲から付けられたらしいが、ここで聴こえてくるの陰鬱な要素の強いブラックメタル。ただし攻撃的なブラックメタル然とした部分も比較的多い。Niklas のヴォーカルも邪悪さを撒き散らしたかと思えば、変質的狂気を発するガナり声やノーマル・ヴォイスで病的さを滲ませたりと、器用さを発揮。突飛な展開も出てきたりしてアヴァンギャルドな側面を見せつつも、総じて暗鬱なブラックメタルとしては最上の出来である。

Dimmu Borgir

Norway

For All Tid

1995

No Colours Records

今やブラックメタルであるという認識すら薄まっている程メジャーな存在となったDimmu Borgirだが、1995年にNo Colours Recordsよりリリースされた本作1stアルバムはまだ完全にアンダーグラウンドなブラックメタルであった。Shagrath と Silenoz の現在までもバンドのブレインである 2 人に、Old Man's Child のメンバーでもあった Tjodalv と Brynjard Tristan の 4 人で制作された本作。キーボードがメロディを主導してはいるものの、彼等の代名詞となったシンフォニックなブラックメタルとはほど遠い、地下臭くアトモスフェリックなサウンドである。禍々しい絶叫や低音質により、暴虐的でありながら悲哀感も同時に強く感じさせ、アンダーグラウンド性の強い暗黒幻影美としては最高級のものをいきなり提示している辺りに、ポテンシャルの高さが見受けられる。

Dimmu Borgir

Norway

Stormblåst

1996

Cacophonous Records

Tjodalv がドラムへスイッチし、キーボード奏者の Stian Aarstad が加入、Shagrath がヴォーカル / ギターに専念する体制での 1996 年 2nd アルバム。Cacophonous Records からリリースされたので、本作から Dimmu Borgir の名がより広く知れ渡るようになった。まだまだアンダーグランド臭の強いサウンドながら、ブラックメタルの凶々しさや激性が押さえられ、キーボードから発せられる幽玄さやピアノによるメランコリーに重点が置かれた。全体を覆い尽くす寒々しさはやはりノルウェーらしいが、本作はさらに悲哀感が非常に強く出ている。ちなみに 2005 年には本作のリレコーディング作（ドラムは Mayhem の Hellhammer）もリリースされるが、こちらはオリジナル特有のアンダーグラウンドさがほとんど感じられないので要注意。

Djevel

Norway

Dødssanger

2011

Aftermath Music

Ljå で活動した Trond Ciekals が結成したバンドの 1st アルバム。ベースは Koldbrann/ 元 Urgehal の Mannevond で、ヴォーカルはあの Kvelertak の Erlend Hjelvik である。邪悪さや禍々しさはもちろん、暗黒でありながら悲哀感も強い、これぞノルウェージャン・ブラックメタルと言える。ファストとミドル・パートを溶け込ませながらしっかりと構築された展開構成も見事であるが、全体を覆い尽くすモノトーンなダークネスがまた絶妙。初期ノルウェージャン・ブラックメタルが発していた雰囲気をそのまま継承している辺りは感動的だ。Obliteration/ Nekromantheon の Sindre Solem や Blood Tsunami/Mongo Ninja の Pete Evil がゲストで参加している。

Dødheimsgard

Norway

Kronet Til Konge 1995

Malicious Records

Manes や Ved Buens Ende でも活動していた Vicotnik と、Zyklon-B や Old Man's Child にも参加した Aldrahn により 1994 年に結成され、Gorgoroth や Satyricon らと並んでノルウェージャン・ブラックメタル第 2 世代を形成した重要バンド。この作品は Malicious Records からリリースされた 1st アルバムで、ベースは Darkthrone の Fenriz が弾いている。シャリシャリとしたノイジーなリフから時折発せられる荒涼としたメロディ、絶叫する訳でもないが禍々しさを強烈に発するヴォーカル、何より地下臭さが充満するプリミティヴなブラックメタルとしては実に秀逸。Fenriz のベースもメロディを実に上手く引き立てており、素晴らしい仕事っぷりを見せる。1990 年代ノルウェージャン・ブラックメタル名作の一つ。

Dødheimsgard

Norway

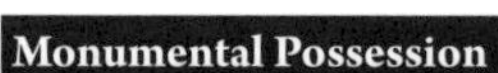

Monumental Possession

1996

Malicious Records

Fenriz が脱退し、Aura Noir の Apollyon と当時 Emperor のメンバーだった Alver が加わっての 2nd アルバム。荒涼とし、邪悪さを押し出した地下ブラックメタルを聴かせた前作から、邪悪さのベクトルが変わり、攻撃的でストロングな要素を押し出したサウンドとなった。スラッシュメタルからの流れを汲むリフに、ファストパートにおける猛烈な爆発力とミドル・テンポでジワジワと攻める展開の構築力もレベルアップされた。相変わらず Raw な音作りであるが、よりシンプルになっており、ブラックメタルとしてのアグレッションがより鮮明化された。本作では Aldrahn、Vicotnik、Apollyon の 3 人がヴォーカルを曲によって分け合っているが、イントロから続く 2 曲目での Vicotnik による気色の悪いガナり声のインパクトはかなりのもの。

Dødheimsgard

Norway

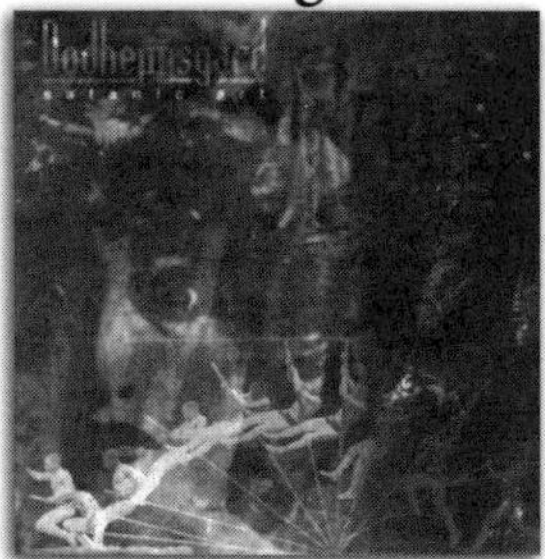

Satanic Art 1998

Moonfog Productions

Alver が脱退し、Old Man's Child を率いる Galder、Fleurety の Svein Egil Hatlevik、Cerberus なるベーシストが加入し、Satyricon の Satyr による Moonfog Productions からリリースされた EP。ピアノによるイントロからノイジーなリフと憎悪の念を強く感じさせるヴォーカル、猛烈なブラストによるファスト・ブラックメタルに度肝を抜かれる。一方、ヴァイオリンやピアノを挿入したり、叙情的メロディを時折配したり、アヴァンギャルドな展開がありながら、怒涛の如く駆け抜ける「Traces of Reality」はやはり名曲中の名曲である。全体的に実験要素を散開させ、暴虐指数が高い。次作より完全にアヴァンギャルド / インダストリアルへと舵を切った方向性へと変化していく。

Dødsfall

Norway

Kaosmakt 2015

Osmose Productions

メキシコの Moonlight やメロディック・デスメタルの Isolated 等で活動してきた Ishtar が、ノルウェーを拠点に活動するブラックメタルの 4th アルバム。Svarthaueg のヴォーカル Adramelech がメンバーとして、Valkyrja や October Tide で活動し、現在は Amon Amarth のメンバーでもあるドラマーの Jocke Wallgren がセッション参加している。ということでいかにもノルウェーなサウンドとは少し感触が異なり、スラッシュメタル寄りのリフも目立ち、攻撃性を剥き出しにしている。猛烈なファスト・パートとミドルな展開との組み合わせにより、直球勝負に見えてそうでないしたたかさも見せる。プロデュースはスウェディシュ・デスメタルの代名詞 Tomas Skogsberg で、マスタリングは元 Marduk の Devo Andersson。

Emperor
Norway

Emperor
1993

Candlelight Records

シンフォニック・ブラックメタルを切り開き、ここ日本でも最も人気の高いブラックメタルであるEmperorの1st EP。ドラムは後に殺人で捕まるFaustで、ベースはアンビエント・ブラックメタルの第一人者となったMortiisのオリジナルメンバー唯一の作品。4曲中2曲が1stアルバム『In the Nightside Eclipse』にも収録されるが、まだこの頃はシンフォニックな要素は装飾程度で、プリミティヴなブラックメタルがベース。Ihsahnの狂気が宿ったヴォーカルはすでに一線を超えているし、ドラマティックさにも重点を置く高度な展開構築力と言ったアカデミックな側面が随所にある。当時はEnslavedのSplitでもリリースされ、現在はデモ『Wrath of Tyrant』とのカップリングで再発盤がリリースされている。

Fimbulwinter
Norway

Servants of Sorcery
1994

Hot Records

後にDimmu Borgirを結成するShagrathと、後にArcturusやUlver、Ved Buens Endeのメンバーにもなる Skollらにより、1992年から1994年にかけて活動していたバンドが唯一残したアルバム。Dimmu BorgirでもArcturusでもない、地下臭の異様に漂うプリミティヴなブラックメタル。シャリシャリとしたリフは多分にHellhammer～Celtic FrostやBathoryからの影響も強く、Rawなブラックメタルを地で行く。Necronosによる生々しく叫び喚き散らすヴォーカルは、当時としてもかなりの衝撃度を誇っていた。元々は1992年に制作されたリハーサル・デモの音源だが、そこに1曲加えてShagrathが運営したHot Recordsからリリースされたもの。

Forgotten Woods
Norway

As the Wolves Gather
1994

No Colouers Records

1991年と早い時期から活動しており、初期の作品はBurzumと並んで後のデプレッシヴ・ブラックメタルへ影響を与えたことでも有名なバンド。ということでこの1stアルバムは、ジリジリとしたノイジーなリフと、強烈な絶望感を感じさせるメランコリックなメロディが随所で蔓延るブラックメタル。Thomas Torkelsenによる発狂寸前の壮絶な絶叫は、当時としては最高級な壮絶さを見せつけるし、陰鬱な空気に支配された様はBurzumの2ndアルバム辺りに近いものを感じさせる。次作EPと2ndアルバムとのカップリング盤『Baklengs Mot Stupet』が2003年にNo Colours Recordsからリリースされているので、初期の彼等をまとめて知るにはそちらが最適ではある。

Forgotten Woods
Norway

The Curse of Mankind
1996

No Colours Records

前作での陰鬱なブラックメタルを継承した2ndアルバム。ノイジーなリフによる初期ブラックメタルをベースにしながら、随所で響かせる悲愴感の強いメロディ、そして病的な狂気を感じさせる絶叫ヴォイスと、Burzumに近い音楽性ではある。ただしこちらの方が長尺曲が主体だが、反復リフの連続ではなく、展開が凝っている。そして結構聴き易いメロディも多いので、音質は悪いが取っつき易さから言えば、こちらの方が上かもしれない。メンバーの別プロジェクトであるJoylessでは奇妙なデプレッシヴ／アヴァンギャルド・ロックをプレイしており、その流れでForgotten Woodsの次作2007年3rdアルバム『Race of Cain』はブラックメタルの範疇から逸脱する個性的な変質サウンドとなった。さらにその後、AlcestのNeigeが加入している。

Gaahlskagg

Norway

Erotic Funeral　2000

No Colours Records

Gorgoroth と Trelldom で活動していたヴォーカリストの Gaahl と、Deathcult/ 後に Taake にも参加する Skagg によるプロジェクトの、現時点で唯一のアルバム。エロティックなコンセプトがあるようだが、サウンド・スタイルは生粋なブラックメタルである。Gorgoroth にも近いノルウェージャン・ブラックメタルらしい音ながら、まともでない雰囲気がどこか漂うのは Gaahl の破天荒なヴォーカルのためであろう。怨念ガナり声や邪悪な絶叫、そしてもはや奇声に近い高音ヴォイスと自在なヴォーカルが尋常ではない凄味を発揮している。後に Enslaved/Audrey Horne の Herbrand Larsen、Trelldom/ 後に Taake の Mutt、当時 Gorgoroth/ 後に Orcustus の Tormentor がゲスト参加している。

Gehenna

Norway

First Spell　1994

Head Not Found

1993 年にノルウェーのスタバンゲルで Sanrabb（ヴォーカル、ギター）と Dolgar（ヴォーカル）、Sir Vereda（ドラム）によりプロジェクトとしてスタート。すぐに Sir Vereda が脱退するが、後に Enslaved や Orcustus、Djevel に加入する Dirge Rep（ドラム）と、後に Nocturnal Breed で活動する Svartalv（ベース）が加入。さらに 1994 年に女性キーボード奏者の Sarcana が加入し、同年に発表された EP。Slayer Magazine の Metalion が主宰した Head Not Found からリリース。彼が同レーベルで最初に真剣に取り組んだバンドだった。ガラガラ声で喚きガナるヴォーカルと、幻想的なキーボードが主体。Raw な音ながら、淡々とミドル・テンポで展開していくアトモスフェリックな雰囲気を醸し出す。後に彼等はキーボードを廃し、デスメタル色を強めていく。

God Seed

Norway

I Begin　2012

Indie Recordings

Gorgoroth を脱退した（と言うか解雇された）Gaahl と King ov Hell により 2009 年に結成。しかし Gaahl のシーンからのリタイア宣言により解散、King は Ov Hell として活動するが 2012 年に Gaahl が復帰し、再始動。Grimfist でも活動した Lust Kilman、元 Trelldom の Sir、The Kovenant のメンバーでもあった Geir Bratland、Thorns にも参加していた Kenneth Kapstad が加わって制作されたアルバムが本作。結局この 1 作でバンドは解散したため唯一の作品となる。Gaahl の禍々しく凶暴なガナり声とコールドな感触のリフによるオーセンティックなブラックメタルがベースとなっているが、サイケデリックだったり 70 年代風の妖しい雰囲気を創出するキーボードにより、独特なサウンドを生み出している。

Gravdal

Norway

Torturmantra　2010

Unexploded Records

Aeternus の Specter と Phobos も在籍したノルウェージャン・ブラックメタルの 2nd アルバム。暗黒度が高くもノリの良い疾走パートで突き進む曲では Carpathian Forest に近いサウンドを発したかと思えば、陰鬱で絶望的な悲しさに溢れるデプレッシヴな曲もあったりと一筋縄ではいかない。禍々しく時折狂気を感じさせる絶叫ヴォイスが全体を邪悪に染め上げている。4 曲目「Mishandlet」は厭世的な空気を醸し出すデプレッシヴな曲だが、Shining の Niklas Kvarforth による病的に危険な唸り声と、絶叫ヴォイスが非常に印象的である。この曲には Enslaved/ 元 Audrey Horne の Herbrand Larsen によるメロトロンも導入されている。

Hades

Norway

...Again Shall Be

1994

Full Moon Productions

後に Immortal を結成する Abbath と Demonaz や、後に Burzum を始動させる Varg Vikernes が参加した Old Funeral のメンバーで、その後 Immortal の前身となった Amputation、そして初期 Immortal のメンバーとなった Jørn Inge Tunsberg が、ドラムの Remi Andersen と 1992 年に結成したバンドの 1994 年発表 1st アルバム。Bathory の『Hammerheart』に近い、鈍よりとした暗さを纏った勇壮さもあるミドル・テンポ主体でドラマティックにも展開するヴァイキングメタル・スタイル。チリチリとしたノイジーなリフはブラックメタルそのものであるし、何よりも Janto Garmanslund による凶々しく発狂寸前の危険な薫りも漂わせる絶叫ヴォイスは、Varg Vikernes をも凌駕しそうなヤバさが宿っている。

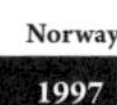

Hades

Norway

The Dawn of the Dying Sun

1997

Full Moon Productions

前作の延長線上にあるサウンド・スタイルの 2nd アルバム。ゆったりとしたミドル・テンポでドラマティックさに重心を置いた展開を主体としたスタイルは、前作同様。チリチリとした感触だったリフに厚みが出てきた一方で、あの狂った絶叫を聴かせていた Janto のヴォーカルがまともになった印象を受ける。Bathory『Hammerheart』指数が前作よりも大きく上がって、ヴァイキングメタルとしてのポテンシャルを高めた。とは言え、まだまだ凶々しさとプリミティヴなブラックメタル然とした要素も残されている。バンドは今作後 Hades Almighty と改名し、プログレッシヴな要素を強めたサウンドとなっていく。1st アルバムとこの 2nd アルバムは、2017 年にリマスター再発盤が Hammerheart Records からリリースされている。

Hat

Norway

Vortex of Death

2011

Abyss Records

1993 年に Ravner のバンド名で活動を始めるものの、1996 年には活動休止状態となって、10 年後の 2006 年に Hat のバンド名で活動を再開。本作は 2011 年にリリースされた 2nd アルバム。メロウなリフが耳に付くが、メロディックと言う訳ではなく、冷え切った叙情的メロディがトレモロリフにより醸し出されている。ブラックメタル本来の土着性を垣間見せつつ、暗澹たる空気を流し込む。邪悪で禍々しいヴォーカル、そして適度に Raw な音質といい、ノルウェージャン・ブラックメタルらしさを強く感じさせる。プリミティヴなブラックメタルとしての体裁を保ちながら、より聴き易くメロウさが押し出された。その後 2016 年に Dødsritual へとバンド名を変えている。

Immortal

Norway

Diabolical Fullmoon Mysticism

1992

Osmose Productions

Burzum を後に始動させる Varg Vikernes も一時期参加していた Old Funeral に在籍していた Abbath（この時は Olve）と Demonaz（この時は Harald）が、デスメタル・バンド Amputation を経て 1991 年にブラックメタル・バンドとして結成されたのがこの Immortal。当初は Old Funeral や Amputation から活動を共にしていた Jørn Inge Tunsberg との 3 人であったが、Jørn はすぐに脱退し、Hades を結成。ドラムの Armagedda が加わって制作されたのがこの 1st アルバム。ジャケットのイメージ通り、凶悪極まりないヴォーカルや Raw な邪悪さを醸し出すリフ等による、初期ブラックメタルの魅力が余すところなく詰められた名作。

Immortal

Norway

Pure Holocaust 1993

Osmose Productions

ドラムの Armagedda が脱退し、元 Old Funeral/ 元 Amputation の Kolgrim（Padden）が加入するも短期間で脱退し、Abbath（ヴォーカル、ベース、ドラム）と Demonaz（ギター）の 2 人で制作された 2nd アルバム。凍度が格段に上がったコールドなリフが猛烈に吹き荒れ、Mayhem の Hellhammer にも匹敵する物凄い手数で怒涛のように叩きまくるドラムにより、ブラックメタルのトップクラスへと一気に押し上げられた名盤。Abbath の粘着系ガナり声も特徴的で、地下臭さを残しながらブラックメタルとして理想的なサウンドを提示した。ブラックメタル以外の何物でもないジャケットに Abbath、Demonaz と共に登場しているのは、ライヴ・セッションメンバーの Erik（後に Grim の名で Gorgoroth や Borknagar に加入し、1999 年にオーバードーズで亡くなっている）。

Immortal

Norway

Battles in the North 1996

Osmose Productions

前作に続き Abbath と Demonaz の 2 人で作られた 3rd アルバム。前作での強烈にコールドなリフからメロディは抑え目になっており、サウンド・プロダクションが良好となってきており、ストロングさと攻撃性が浮き彫りとなった。Abbath のガナり声も堂に入っており、すでに貫禄を感じさせる。前作よりもファスト・パートの割合が増えているが、ドラム（本作でも Abbath がドラムを担当）に関しては前作のタイトさが薄まり、ドカドカとヤケクソ気味に叩かれている。当時のブラックメタルとしては珍しくライヴにも力を入れており、度重なるツアーにより本作は 3 万枚というセールスを上げる。また、本作からは MV が 2 曲制作されているが、そのうち「Grim and Frostbitten Kingdoms」では Hellhammer がドラムを叩いている。

Isvind

Norway

Dark Waters Stir 1996

Solistitium Records

後に Tsjuder に加入する Arak と、後にイタリアのブラックメタル Orcrist のメンバーとなる Goblin により 1992 年から活動する（当初は Ice Wind のバンド名だったらしい）バンドの 1996 年リリース 1st アルバム。薄っすらと流れるキーボードによる冷気と、ひたすら寒々しいメロディを滲ませるリフに支配され、緩急ある曲展開が秀逸な、いかにもノルウェージャン・ブラックメタル。邪悪さを撒き散らす喚き声ヴォーカルや篭った音質と、プリミティヴな要素も強い。リリース当時はそれ程話題になることはなかったが、後にレーベル倉庫から見つかったプロモ用の CD が出回り、さらに 2012 年には Kyrck Productions からの再発盤（7" EP『Isvind』とレア音源 1 曲を追加収録）がリリースされたことで、再評価が高まった。

Jotunspor

Norway

Gleipnirs Smeder 2006

Satanas Rex

元 Gorgoroth で God Seed や Ov Hell でも活動し、Audrey Horne や Sahg、Abbath のメンバーとして活躍してきた King ov Hell と、元 Gorgoroth/ 元 Shag でアンビエント・フォーク・ユニット Wardruna のメンバーでもある Kvitrafn によるブラックメタルの、今のところ唯一の作品であるアルバム。真っ黒でドロドロした世界を生み出すダーク・アンビエントやノイズ、そして混沌としドゥーミーな要素も多分にある。ザラついた感触の不快指数の高いリフや、発狂気味に喚くヴォーカルとプリミティヴなブラックメタルとしての要素も溶け込んでいる。徹底して暗黒な空気を終始漂わせ、時にリチュアルな雰囲気も見せる。不可思議な展開と、得体の知れない恐怖心を植え付けるが如く、暗澹たる世界を描く衝撃的な作品。

Ljå

Norway

Til avsky for Livet 2006

Aftermath Music

Knøfflihei として 1992 年から 10 年活動した後 2002 年に改名し、2006 年にリリースされた 1st アルバムが本作。ギターは Djevel でも活動する Trond Ciekals。薄っすらとしたキーボードを流しながら、冷え切った叙情性の高いメロウなリフによるオーセンティックなノルウェージャン･ブラックメタル。メロディックではなく、ノイジーな中にコールドなメロディの浸み込んだトレモロリフが絡みつくブラックメタルらしさをしっかりと持ち合わせている。ファスト一辺倒ではなく、ミドル・パートとのコンビネーションによる展開も多く、アコースティック・パートも挟んだりしており、ハイレベルなバンドの多いノルウェージャン・ブラックメタルの中でも、クオリティは高い方に位置する。

Massemord

Norway

Skogen Kaller 2003

Blackmetal.com

ポーランドにも同名バンドがいるが、こちらは 1993 年から活動するノルウェーのブラックメタル。メンバーの Barren はイタリアのブラッケンド・デス / スラッシュメタル Satanika のメンバーでもあり、Sicarius はロシアの NS ウォー･ブラックメタルの Godcider でも活動する。本作は 2003 年に Blackmetal.com からリリースされた 2nd アルバムで、妖しさを創出するキーボードと、チリチリとしたノイジーなリフによるプリミティヴ要素が大きい。ファストなパートで攻め立てる部分は少なく、割とドラマティックな展開を中心としたスタイルで、ノイジーな中から滲み出す冷え切ったメロディはいかにもノルウェーらしい。ドラムの音が軽いので、薄っぺらな音質に感じるが、展開が凝っており、楽曲レベルは決して低くはない。

Mork

Norway

Eremittens dal 2017

Peaceville Records

Thomas Eriksen によるノルウェーはハルデンのブラックメタル、Peaceville Records に移籍しての 2017 年リリース 3rd アルバム。ジリジリと突き刺す様なリフとミドル・テンポ中心の展開により、淡々と冷徹に攻め込む。反復リフによりジワジワと精神を削ぎ落しながら、冷徹に迫り来る恐怖を感じさせる。さすがに Peaceville からのリリースだけあってサウンド・プロダクションも良い。Moonfog 期の Darkthrone から最近の Satyricon、Sarke 辺りを彷彿させる。Dimmu Borgir の Silenoz と 1349/Pantheon I/ 元 Den Saakaldte の Seidemann がゲスト参加。

Nordjevel

Norway

Necrogenesis 2019

Osmose Productions

Doedsadmiral を中心とした 2015 年から活動するブラックメタル。2016 年発表の 1st アルバム『Nordjevel』は叙情的メロディを押し出したスタイルだったが、2019年に Osmose Productions からリリースした本作 2nd アルバムは、冷気を伴うリフとブラスト・パートとミドルを組み合わせた曲展開による暴虐的なサウンドになった。本作から元 Dark Funeral の Nils Fjellström（ドラム）と、Myrkskog/ 元 Zyklon/ 元 Morbid Angel の Destructhor（ギター）が加入。メンバーが強力化したことで、タイトで凶暴さも程よく前面に押し出されたブラックメタルへと変化。サウンド・プロダクションがとても良いので聴き易い部類に入るが、一方で音の輪郭がはっきりしているため、真性さがダイレクトに伝わってくる。

Orcustus

Norway

Orcustus — 2009

Daymare Recordings/Southern Lord Recordings

Amok でも活動する Taipan と、Gehenna や Enslaved で活動し、後に Djevel のメンバーともなる Dirge Rep、Gorgoroth を率いる Infernus、元 Gorgoroth の Tormentor により結成されたバンドの 1st アルバム。プリミティヴなブラックメタルを地で行く様な邪悪さと暗黒性は、さすがにこの強力なメンバーであるからこそであろう。ただし真っ当なブラックメタルかと言えばその範疇でもなく、攻撃性剥き出しのヴォーカルやメタルではないハードコアなドラミングもあり、ストレートなブラックメタルでありながらクラストっぽさもある。ある意味クラスト/ハードコアとブラックメタルが高次元で融合したサウンドとも言える。Amok/元 Aeternus の Radek、元 Carpathian Forest の Vrangsinn がゲストで参加。

Ov Hell

Norway

The Underworld Regime — 2010

Indie Recordings

Gorgoroth を脱退した king ov Hell と Gaahl が結成した God Seed が活動休止となった間に、King ov Hell が Dimmu Borgir を率いる Shagrath と制作した Ov Hell の唯一リリースされたアルバム。Satyricon/1349 の Frost、Nidingr/Mayhem の Teloch、Enslaved の Ice Dale と、豪華なメンツが揃った。Dimmu Borgir 色は完全に封印。Gorgoroth に近いプリミティヴ・ブラックメタル・サウンドで、禍々しさ、邪悪とさも強烈に発せられている。Frost のドラミングの凄味が 1349 や Satyricon 等に比べて抑えられ気味であり、Shagrath のヴォーカルにより Dimmu Borgir に聴こえてしまう所があったりするが、ブラックメタルとしては高い品質を誇る。

Ragnarok

Norway

Blackdoor Miracle — 2004

Regain Records

1994 年より活動しているノルウェージャン・ブラックメタルの第 2 世代を形成したバンドの一つ。ヴァイキング/ペイガンメタル寄りと言うか、割とドラマティックな展開に主眼を置いていた。しかしこの 5th アルバムはファスト・パート主体で、Jontho の熾烈なドラミングとノイジーかつ屈強なリフ、そして本作に参加した Taake の Hoest の暴虐を極めたかの様な凄まじいヴォーカルによりストロングかつ凶悪な印象を強く受ける。ジャケットから来る物凄いエネルギーが反映されたサウンドではあるが、これまでの彼等の特色でもある叙情的なメロディもしっかりと遍満させている辺りは、いかにもノルウェージャン・ブラックメタルと言った触感である。このバランス感覚が素晴らしい。本作後に脱退したオリジナルメンバーである Jerv は、2017 年に車事故により亡くなっている。

Satyricon

Norway

Dark Medieval Times — 1994

Moonfog Productions

元々 Eczema の名でデスメタルとして活動していたが、1991 年には Satyricon へと改名。中心の Satyr、後に Haavard の名で Ulver のメンバーとなる Lemarchand、後に Ulver や Ved Buens Ende 等で活動する Exhurtum（Carl-Michael Eide/Czral)、Wargod がメンバーであったが早々にメンバーが脱退し、1993 年にはドラムの Frost が加入。No Fashion Records と契約したが、レコーディング費用が支払われない等の理由から、Satyr が自ら設立した Moonfog Productions より 1994 年にリリースとなった 1st アルバム。プリミティヴなブラックメタルをベースに、アコースティックギターやフルート等も配して、荒涼とした叙情性を巧みに取り込んである辺りに、非凡さを感じさせる。

Satyricon

Norway

The Shadowthrone 1994

Moonfog Productions

EmperorのSamothがベーシストとして加入し、制作された1994年リリース2ndアルバム。前作がリリースまでに紆余曲折があったので、間を置かずの発表となった。ジリジリとしたリフとミドル・テンポ主体のブラックメタルながら、前作での土着的トラッドのメロディを強く押し出し、アトモスフェリックなキーボードが随所で暗黒神秘な世界を描き出す。全体を覆う尽くす暗鬱さは、当時としてはBurzumにも匹敵するほどであったが、伝統的トラッド音階によるメロディにより、暗黒中世世界観を色濃く描き出したと言う点が大きく異なる。この世界観は本作でしか成し得なかったものであり、次作以降は音楽的クオリティを格段に上げて一気にメジャーな存在となるものの、この厭世的な陰鬱な空気は一切失われる。その意味でも本作はSatyriconがアンダーグラウンドであった随一の作品で、最高傑作である。

Strid

Norway

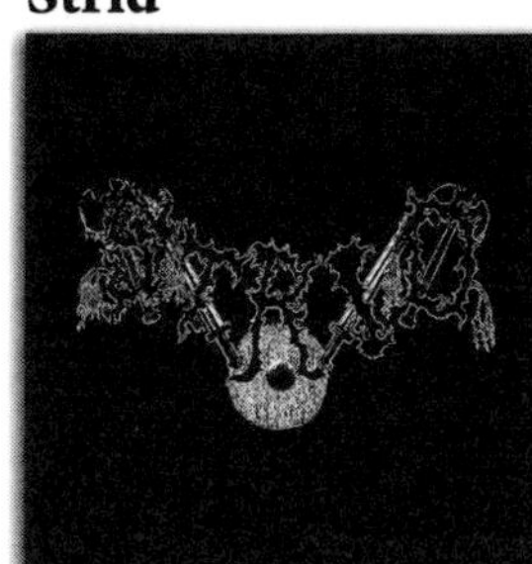

Strid 1994

Malicious Records

Malfeitorとして1991年に結成され、Stridとなって1994年にリリースされた7" EP。BurzumやForgotten Woodsと並んで後のデプレッシヴ・ブラックメタルへ多大なる影響を与えた存在としても有名である。チリチリとしたリフから溢れ出す陰鬱なメロディによる絶望感しか与えないサウンドは、先述バンドよりも直接的にデプレッシヴ・ブラックメタルへと繋がる音である。2001年には中心のStormが自殺により亡くなり、バンドは解散となったが、Dødheimsgard等で活動してきたVicotnikが加わって、2009年に復活している（2014年にLars Fredrik Bergstrømが亡くなっている）。また本作は2007年にMalfeitorのデモ音源とのカップリングでKyrck Productionsから再発されている。

Svarttjern

Norway

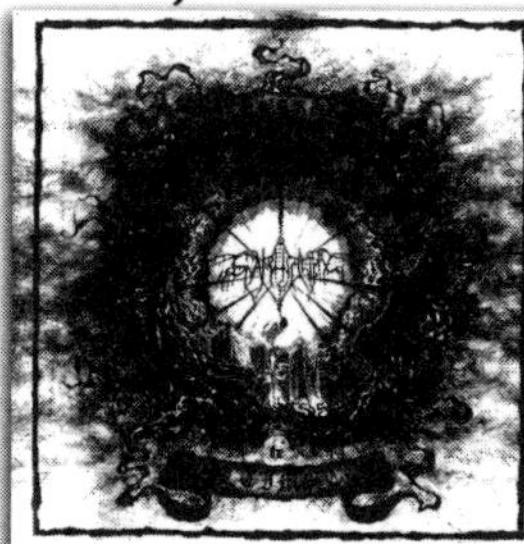

Towards the Ultimate 2011

Agonia Records

Ragnarokでも活動していたヴォーカルのHansfyrsteや、Carpathian ForestのメンバーのHaanとGrimmdunらにより結成されたバンドの2ndアルバム。1stアルバムでいきなりハイレベルかつ、邪悪さと極悪さを強力に噴き出すサウンドを提示したが、本作はその延長線上にありながら、さらに強靭さが増した。ストロングなリフとリズムに、醜悪さを猛烈にまき散らすガナり声で、直感的にブラックメタルの凶悪さを感じさせるスタイルではあるが、緩急ある曲展開により直情的一辺倒ではない辺りや、随所で滲ませるコールドなメロディはいかにもノルウェーらしい。サウンド・クオリティも良好なので、聴き易い音だがブラックメタル以外のなにものでもない邪悪さに満ちている。

Throne of Katarsis

Norway

The Three Transcendental Keys 2013

Candlelight Records

ドラムのVardalvと、Skuggeheimでも活動し、EnslavedやEinherjerのメンバーらとのヴァイキングメタルThundraにも参加したInfamroth（Thor Erik Helgesen）らによるノルウェージャン・ブラックメタルで、GehennaのSanrabbが加入して2作目となった2013年4thアルバム。長尺曲3曲構成だが、いわゆるプログレッシヴなスタイルではなく、ひたすら暗黒な世界を延々と垂れ流す。この禍々しく光なき漆黒な空間は強烈で、ある種の神秘性すら感じさせるし、絶叫ハーシュ・ヴォイスから呪術的に呻いたりするヴォーカルによるリチュアルな邪悪さが蔓延している。ブラックメタルの暗黒さが極限的に徹頭徹尾示されている。

Thou Shalt Suffer

Norway

Into the Woods of Belial 1997

Nocturnal Art Productions

Ihsahn と Samoth、Ildjarn、後にプロデューサーとして名を馳せる Thorbjørn Akkerhaugen が在籍し、1991 年に 2 本のデモと 7" EP『Open the Mysteries of Your Creation』をリリースし、Emperor へと発展していったバンド。そのデモと EP を収録し、Samoth が運営した Nocturnal Art Productions から 1997 年に CD リリースされたもの（後に Candlelight Records からも再発されている）。ブラックメタルと言うよりは、暗黒スラッシュメタルや初期デスメタルに近いサウンドで、Ihsahn のヴォーカルもグロウル系。しかしながらミステリアスな雰囲気を生むキーボードを配したり、強烈な邪悪さを発していたりとブラックメタル的要素も非常に強い音である。

Trelldom

Norway

Til evighet... 1995

Head Not Found

Gorgoroth へ加入し、その強烈なヴォーカルが認知されることとなる Gaahl が 1992 年に結成したブラックメタル。本作は Gaahl が Gorgoroth へ加入する前である 1995 年にリリースされた 1st アルバムで、ノイジーな中から随所で冷えたメロディを滲出させるリフによるノルウェージャン･ブラックメタル･スタイル。スラッシュメタル寄りだったりメロディックだったりするリフも出てきて、割と幅の広さを見せつつも、初期 Darkthrone や Gorgoroth に近いアンダーグラウンドな空気に覆われた地下音。その中で篭り気味ながら Gaahl の発狂じみたヴォーカルが何か特殊な雰囲気を醸し出している。

Ulver

Norway

Nattens Madrigal - Aatte Hymne til Ulven i Manden 1997

Century Media

ノルウェーのシーンが生んだ奇才 Garm (Kristoffer Rygg) によるノンジャンル･ユニット。1995 年の 1st アルバム『Bergtatt - Et Eeventyr I 5 Capitler』にてアトモスフェリックなブラックメタルの先陣を切ったサウンドだったが、次作は完全なるフォーク / トラッド作品。そして 1997 年にリリースされた本作はプリミティヴなブラックメタルとなった。しかも付焼刃的な表装サウンドではない。ファズが効きすぎてやたらノイジーでジリジリとしたミニマル・リフと、そこから滲ませる冷気を含んだ暗黒美メロディ、Garm のヴォーカルも邪悪極まりなく、これこそプリミティヴ・ブラックメタルの究極理想形と言える。これほどまでの作品を作りながら、次作以降はトリップ･ホップからエレクトロニカ等へと旅立ってしまう。

Urgehal

Norway

Massive Terrestrial Strike 1998

No Colours Records

Orcustus でも活動し、Mad Max の世界から飛び出してきたかの様な強烈なルックスの Enzifer と、後に Beastcraft でも活動する Trondr Nefas により 1992 年から活動する Urgehal の 1998 年 2nd アルバム。ファスト・パートよりもミドル・パートに主眼を置いた感じではあるが、暗黒スラッシュメタル～初期ブラックメタルの流れにあるリフと、ドカドカとしたドラム、そして極悪さが滲み出たヴォーカルによるプリミティヴ要素が強い。ファスト･パートでの疾走感とミドル･パートにおけるジワジワとした凶悪さがいかにも 1990 年代のブラックメタルらしさを醸し出しており、この絶妙なプリミティヴさは 2000 年代以降のバンドでは中々出すことが出来ない音であろう。ちなみに Trondr は 2012 年に亡くなっており、死因が自然死ということなのだが、どういうことなのだろう？

グノーシス主義と反宇宙的サタニズムを掲げる神秘的魔王

Arckanum

出身地 スウェーデン・ムーラ　　**結成年** 1992年
中心メンバー Shamaatae
関連バンド Grotesque、Sorhin

Shamaataeは1988年に結成されたデスメタル・バンドGrotesqueのオリジナル・メンバーである。結成当初のGrotesqueには後にAt the Gates他のTomas Lindbergや、後にLiers in WaitやDiaboliqueを結成し、多くのジャケット・アートを手掛けることとなるKristian Wåhlinが在籍していた。しかしShamaataeは89年デモ『The Black Gate Is Closed』に参加したのみで脱退。すぐにデスメタル・バンドDisentermentを結成するが、これも短期間で解散している。

1992年になると彼はブラックメタルのArckanumを始める。さらに1993年からSorhinにも加入するが、こちらはデモに参加したのみで1995年には脱退している。Arckanumは1993年にLoke Svarteld（ギター）とSataros（ヴォーカル）を加えてデモ2本を制作。しかし1994年のデモはShamaataeのみで制作。以降ArckanumはShamaatae一人で活動していく。そして、USの名門Necropolis Recordsと契約し、1995年に1stアルバム『Fran Marder』、1997年に2ndアルバム『Kostogher』、1998年に3rdアルバム『Kampen』をリリースする。

Necropolisの倒産により契約がなくなるが、この時期よりShamaataeは執筆活動を始め、またArckanumも自身のレーベルCarnal Recordsから2002年に7" EP『Boka Vm Kaos』、2004年にBlut & Eisen Productionsから12" EP『Kaos Svarta Mar』、2008年に再びCarnal Recordsから7" EP『Grimalkinz Skaldi』、同年にフランスのDebemur Morti Productionsから4thアルバム『Antikosmos』、2009年に5thアルバム『ÞÞÞÞÞÞÞÞÞÞÞ』をリリースする。さらにスウェーデンのRegain Recordsへ移籍し、2010年に6thアルバム『Sviga Læ』、Season of Mistへ移籍して2011年に7thアルバム『Helvítismyrkr』と2013年に8thアルバム『Fenris Kindir』、ドイツのFolter Recordsから2017年に9thアルバム『Den Förstfödde』をリリースしている。

Arckanum

Sweden

Fran Marder

1995

Necropolis Records

Grotesque や Sorhin で活動した Shamaatae によるブラックメタルの 1st アルバム。古代の異端思想であったグノーシス主義というコンセプトを持っており、Shamaatae も Vexior のペンネームでグノーシス主義の本を執筆し、出版している。サウンドの方は Raw でノイジーなギターに、非情さを強烈に滲ませるプリミティヴなブラックメタルであるが、その禍々しさの中から何か霊的エネルギーを感じさせる辺りは、グノーシス思想のコンセプトから来るものであろう。真向プリミティヴなブラックメタルでありながら、随所でスピリチュアルな神秘性も感じさせる特殊なサウンドだ。Hypocrisy の Peter Tägtgren がゲストで参加。なお初回プレスはジャケットがカラーであったが Necropolis の 2nd プレス、及び Full Moon Productions からの再発盤はモノクロとなっている。

Arckanum

Sweden

Kostogher

1997

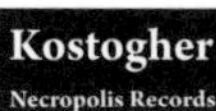

Necropolis Records

前作同様今は亡き名門レーベル Necropolis Records からリリースされた 1997 年の 2nd アルバム。前作に比べてペイガン系ブラックメタルのようなドラマティックさに重心を置いた展開も目立つが、ノイジーかつジリジリとしたリフと邪悪にガナりたてるヴォーカルにより、プリミティヴなブラックメタル要素は非常に強い。前作に引き続き女性ヴォーカリストの Lena Klarström が参加している。彼女の精気が抜けたようなのっぺりとした声や、邪悪さとは対比を成すクリーン・ヴォーカル・コーラスに物悲しいヴァイオリンを導入したりしながら、バンドの特色であるスピリチュアルな神秘性を絶妙に醸し出している。ちなみに録音レベルは異様に低いが、音量を上げて聴いていると、1 曲目終わりの爆発音で驚くことになるので、要注意。

Arckanum

Sweden

Kampen

1998

Necropolis Records

Necropolis Records からリリースされた 1998 年発表の 3rd アルバム。初期メンバーであり、Sorhin にも在籍した Sataros がギター / バッキング・ヴォーカルでセッション参加している。今作もまたシャリシャリした感触のノイジーなギター・リフと、邪悪にガナり散らすヴォーカルによるプリミティヴなブラックメタル。リフから初声される冷気を含んだメロディが薄っすら流れ、ミサントロピックで霊的な神秘性も醸し出す。前作に続き、女性ヴォーカリストの Lena Klarström が参加し、クリーン・ヴォイスやヴァイオリンを導入しており、これらが独特な雰囲気を生み出している。1st からこの 3rd アルバムが 2009 年に Debemur Morti Productions からリマスター再発盤がリリースされており、本作はオリジナルでは 2 枚組だったが、再発盤は 1 枚（収録曲は同じ）となっている。

Arckanum

Sweden

Antikosmos

2008

Debemur Morti Productions

2002 年 EP『Boka vm Kaos』、2003 年 Contamino との Split、2004 年 EP『Kaos Svarta Mar』、2004 年 Svartsyn との Split、2008 年 EP『Antikosmos』、2008 年 EP『Grimalkinz Skaldi』のリリースを挟み、フルレンスとしては 10 年振りとなった 2008 年リリースの 4th アルバム。Arckanum のコンセプトの一つである反宇宙主義をダイレクトに掲げたタイトル。相変わらず Raw な音質、ザラついたノイジーなリフ、邪悪極まりないヴォーカルと、プリミティヴ・ブラックメタル路線は変わっていないが、ドカドカと叩き込むドラムが目立つようになってきた。これまでの神秘性がほぼ薄れ、純粋な邪悪プリミティヴ・サウンドとなっている。元 Aborym/ 元 Dissection の Set Teitan がゲスト参加。

Arckanum

Sweden

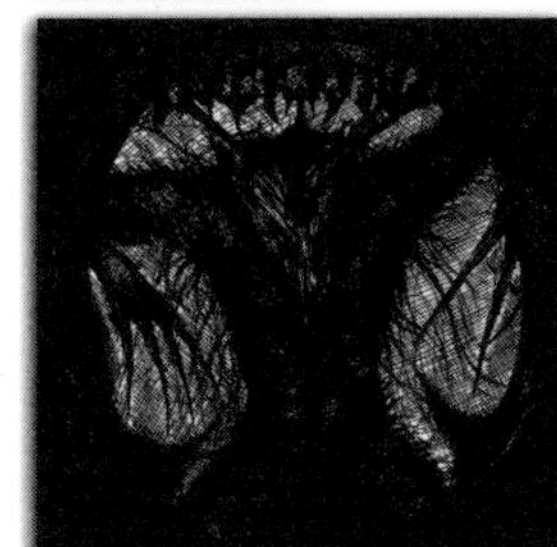

ᚦᚦᚦᚦᚦᚦᚦᚦᚦᚦᚦ 2009

Debemur Morti Productions

前作に続き Debemur Morti Productions からリリースとなった 2009 年発表 5th アルバム。アルバム・タイトルはルーン文字の "ᚦ" の羅列で、意味は不明。前作でのオーセンティックなプリミティヴ・ブラックメタルから、コールドなメロディを前面に押し出したメロウなブラック・メタルとなっており、初期の神秘的でアトモスフェリックな雰囲気も取り戻している。各パートの分離が良くなり、音質も向上しているが、地下臭さとドス黒さもきちんと醸し出している。メロウになり過ぎずに冷え切った北欧プリミティヴ・サウンドを高次元で提示し、楽曲やメロディがさらにグレードアップしている。前作にセッション参加した元 Aborym / 元 Dissection の Set Teitan が本作にも参加している。

Arckanum

Sweden

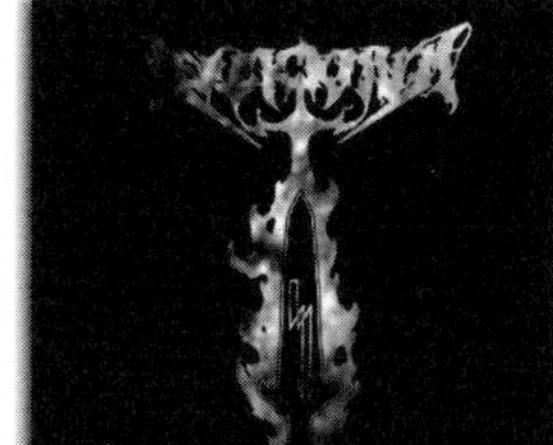

Sviga Læ 2010

Regain Records

Debemur Morti Productions から Regain Records へ移籍し、2010 年にリリースされた 6th アルバム。本作もまた、ノイジーなリフから冷え切ったメロディが溢れ出す、メロウなタイプ。Raw な感触の音作りや邪悪さがみなぎるガナり声により、プリミティヴさと暗黒なオーラもきちんと保たれている。前作に比べてドス黒さに重点が置かれているが、ファスト・パートからミドル・パートまでを組み合わせながら、ドラマティックさも兼ね備えた曲展開が見事で、楽曲のレベルも上がっている。なお、本作は北欧神話に登場する、世界を焼き尽くすと言われる巨人「スルト（Surtr）」に捧げられた作品で、タイトルの「Sviga Læ」は、燃え上がるカオスと神々を表現したものとのこと。

Arckanum

Sweden

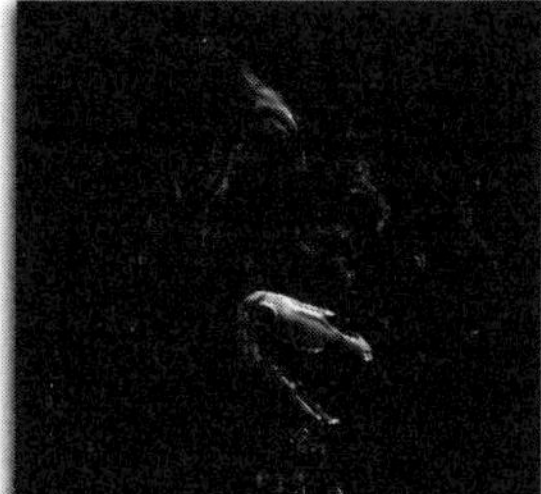

Helvítismyrkr 2011

Season of Mist/Underground Activists

Season of Mist のサブ・レーベル、Underground Activists から 2011 年にリリースされた 7th アルバム。2000 年代中頃にはリリースが滞った時期もあったが、4 作続けて毎年のフルレンス・アルバム・リリースとなった。前々作『ᚦᚦᚦᚦᚦᚦᚦᚦᚦᚦᚦ』からのメロウさを前面に押し出したスタイルが継承されており、もの悲しさすら感じさせる質の高いコールドなメロディを実に上手く醸し出している。一方で、ドス黒さと Raw な音感触によるプリミティヴさもきちんと堅持されている。曲展開に淡々とした印象も感じさせるが、実はファストとミドル・パートを絶妙に組み合わせたりして、決して飽きが来るわけではない。メロウ・プリミティヴ・ブラック・メタルとして秀でた作品である。

Arckanum

Sweden

Fenris Kindir 2013

Season of Mist/Underground Activists

2013 年リリースの 8th アルバム。コールドな空気感は失われていないが、前作までのメロウなブラックメタル・スタイルから、オーセンティックなプリミティヴ・ブラックメタルとなった。もちろん随所で冷えたメロディも顔を出すが、より一層攻撃性が増しており、1990 年代のプリミティヴなブラックメタルをベースとした部分が強調されている。カオティックと言える不穏さが渦巻く一方で、久々に女性ヴォーカルやヴァイオリンを導入しており、Arckanum としての持ち味を活かしながら進化した姿も見せる。初期 3 作に参加した女性ヴォーカリストの Lena Klarström、Stillborn や Bombus のメンバーで元 Mary Beats Jane の Peter Asp がゲスト参加。

Arckanum

Sweden

Den Förstfödde

2017

Folter Records

ドイツの Folter Records からリリースとなった 2017 年 9th アルバム。前作でのオーセンティックなプリミティヴ・ブラックメタル路線を継承。コールドなメロディも残されているが、ガリガリとしたノイジーなリフと邪悪なガナり声による攻撃性がさらに押し出されている。各パートの分離も良く、音質はなかなか良好。かと言ってプリミティヴさが失われている訳ではない。ヴァイオリンによる妖しくカオティックなパートや、ダーク・アンビエントな曲もあったりして先鋭的でアヴァンギャルドな要素も強い、先鋭的側面がさらに押し出された。4th/5th アルバムにも参加した Set Teitan（元 Aborym/ 元 Dissection）、Tomhet の Spitælsker がゲスト参加。

Arckanum

Norway

Första trulen

2019

Folter Records

2018 年に活動を休止し、2019 年に Folter Records からリリース。1994 年デモ『Trulen』のリミックス・リマスターで 4 トラックのカセット・レコーダーで録音されたもの。ただし Shamaatae はこの出来に満足しておらず未発表となっていた。したがって、音質は劣悪レベル。音楽的にも初期プリミティヴ・ブラックメタルそのもの。時折妖しい音色を発するキーボードを取り入れたりはしているが、基本は原始的なブラックメタル・スタイル。シャリシャリとした感触のノイジーなリフと、ひたすら喚き散らす邪悪なヴォーカルが生々しく迫ってくる。Arckanum 原初のサウンドを感じることが出来る。リミックスとリマスターはハードロック・バンド Bombus やゴシック・ドゥームメタル Stillborn で活躍し、Arckanum の『Fenris kindir』にも参加した Peter Asp が担当。

Arckanumのグノーシス主義と反宇宙的サタニズム

Arckanum は Shamaatae によるブラックメタルであるが、Shamaatae はグノーシス主義と反宇宙的サタニズムをコンセプトとしている。

グノーシスとは古代ギリシャ語で「知識」や「認識」を意味し、ヘレニズム時代（紀元前 323 年～紀元前 30 年）に地中海地域で盛んとなった思想運動（メソポタミアが起源であるという説もあり）。そしてグノーシス主義は、神秘的で純粋なものとしての「霊」（＝精神）と、罪悪性のある存在である物質からなる「肉体」（＝物質）の徹底した二元論であり、この世も肉体が創造し堕落したものとして捉えた。同じ二元論的宗教として、ペルシャ発祥の世界最古宗教でもあるゾロアスター教がある。そしてグノーシスの思想は、この世は絶対神が創造した（＝神が創造した善なるもの）というキリスト教や聖書の考えとは真っ向から異なっていた。グノーシス主義は、キリスト教の異端思想としての位置付けが主流であるが、キリスト教とは別の異端宗教として捉えられることもある。いずれにしろキリスト教とグノーシス主義は根本的に相容れることのない思想であり、当然キリスト教世界からは異端扱いとなった。神話に基づく北欧古来の宗教（多神教）やヴァイキング文化が真理であり、キリスト教を侵略宗教として捉えるというブラックメタル的イデオロギーにも、グノーシス主義は合致するのである。

さらにグノーシス主義は、現実世界は悪である物質から形成されており、その現実世界を罪悪にまみれた宇宙として否定する「反宇宙論」思想も内包していた。さらに物質から成る現世以前から存在していた精神的宇宙が真理であるという二元宇宙論がグノーシス主義にはあった。グノーシス主義の「反宇宙論」は複雑な精神的思想であるが、Shamaatae はそれらをサタニズムへと反映させた独自の反宇宙論も唱えていた。 Shamaatae は Vexior の名で『PanParadox: Pan Towards Chaos』（2009 年）や『Gullveigarbók』（2010 年）、Ekortu という名で『Þursakyngi』（1 ～ 3 巻）と言った、グノーシス主義や反宇宙論的サタニズム、北欧古代宗教の著作も残している。

Craft

出身地 スウェーデン・ダーラナ　結成年 1998 年
中心メンバー Joakim Karlsson
関連バンド Shining、Bloodbath、Omnizide

Craft の前身である Nocta は 1994 年から活動を始め、1997 年には未発表となったデモと 1999 年にリハーサル・デモを制作。すでにこのリハーサル・デモの段階でプリミティヴ・ブラックメタル・サウンドとなっていた。その前年 1988 年には Joakim Karlsson（ベース）、後に Shining へ参加する John Doe（ギター）、Daniel Halén（ドラム）により Craft となっており、Arckanum の初期アルバムにも参加していた Björn Pettersson（ヴォーカル）が参加して 1999 年にデモ『Total Eclipse』をリリース。さらに Omnizide でも活動していた Nox（ヴォーカル）が加入し、2000 年に 1st アルバム『Total Soul Rape』がリリースされた。

さらにデプレッシヴ・ブラックメタルの総本山とも言うべき Shining の Niklas Kvarforth による Selbstmord Services から 2002 年に 2nd アルバム『Terror Propaganda』をリリース。このアルバムによりアンダーグラウンド・ブラックメタル・ファンの間で Craft の名は広く浸透することとなった。2004 年に Selbstmord Services が活動を停止すると、翌 2005 年には Carnal Records から 3rd アルバム『Fuck the Universe』をリリース。この作品には 1st アルバムからセッションで参加し続けている Björn が参加し、さらに Arckanum の Shamaatae が 2 曲で歌詞を提供している。

2005 年には Daniel Halén が脱退。2011 年にリリースされた 4th アルバム『Void』は Gehenna/Orcustus/ 元 Enslaved の Dirge Rep（ドラム）がセッション参加していると当初は思われていたが、バンドのステイトメントによれば彼はレコーディングには参加しておらず、ドラム・パートはプログラミングであるとのことだった。なおこの作に品は元 Shining/Hypothermia の Phil A. Cirone（ベース）と Avsky/Omnizide の AE（ヴォーカル）がゲスト参加している。2014 年には元 Urgehal/ 元 Shining の Uruz（ドラム）をセッション・メンバーに加えて、結成以来初めてライヴ活動を開始。ライヴ活動は 2016 年まで続き（2016 年にはノルウェー・オスロで行われた Inferno Metal Festival へも出演）、さらに 2015 年には新たに Season of Mist と契約する。2016 年以降ライヴ活動が止まり、沈黙状態となったが、2019 年に 5th アルバム『White Noise and Black Metal』をリリース。しかし 2018 年に John Doe が脱退している。

Craft

Sweden

Total Soul Rape 2000

The Black Hand

Joakim Karlsson と、後に Shining にも参加する John Doe によるプリミティヴ・ブラックメタルの 1st アルバム。ガムシャラに突進するファスト・パートとジリジリとしたミドル・パートをバランス良く配合した展開、ひび割れしノイジーで Raw なリフは Darkthrone（2nd/3rd 辺り）に近い感触だ。ヴォーカルの絶叫加減が一線を越えており、邪悪と言うよりも発狂しているかの様な凄まじさ。Joakim と John はパンク・メタル・バンド The Eternal Void でも活動しているためか、ここでもハードコア / パンクな要素が特にファスト・パートにおいて強く感じさせる。後に Selbstmord Services、Moribund Records、Unexploded Records から再発盤が出ている。

Craft

Sweden

Terror Propaganda 2002

Selbstmord Services

前作の延長線上にある Darkthrone（Peaceville 期）直系サウンドの 2002 年リリース 2nd アルバム。ノイジーなリフも前作より音圧が出てきたものの、相変わらず Raw で装飾品一切なしの原始的な音であるし、ヤバい空気を発する絶叫から、禍々しさを充満させる中音域ガナり声までをこなすヴォーカルも、前作同様凄味を発揮している。ミドル・パートの割合が増えてはいるものの、シンプルでありながら、どこか陶酔感すら感じさせるリフの良さが発揮されている。ファスト・パートでの過激な凄味や病みまくった不穏さではなく、ジワジワと後効きしてくる原始的ブラックメタルの良心がここにあると言ったところ。これぞプリミティヴ・ブラックメタルの醍醐味と言える。

Craft

Sweden

Fuck the Universe 2005

Carnal Records

前作同様ヴォーカルの Nox（Omnizide のメンバーでもあり）とドラムの Daniel Halén がメンバーとして参加した 3rd アルバム。前作と変わらない Darkthrone 直系サウンドではあるが、よりミドル・パートの割合が増えるとともに、ギター・リフから発する暗黒さがより濃厚となり、さらにシブさが増したサウンドとなった。このバンドに関してはリフの絶妙なセンスが素晴らしいのだが、本作においてさらに一歩抜きんでた感じがする。トレモロリフや冷気満載のブリザードリフでもなく、メロウな要素も薄い、至ってシンプルなものであるが、このシンプルさゆえにリフから発せられる暗黒で邪悪な空気が、直接的に聴覚へと訴えてくるものがある。そしてそれを見事に表現している数少ないバンドであることは確かである。

Craft

Sweden

White Noise and Black Metal 2018

Season of Mist/Underground Activists

Season of Mist と契約し、2011 年にリリースされた前作『Void』から 7 年振りとなった 5th アルバム。前作からメンバーは代わらず。ドラムは Katatonia/Runemagick の Daniel Moilanen がセッション参加し、叩いている。スウェディッシュ・ブラックメタルらしい冷え切ったメロディによる殺傷性の高いリフを主体に、暴虐的で攻撃的なガナり声による、オールドスクールな真正ブラックメタルである。ミドル・パート主体でジワジワと不穏感を煽るのは前作同様。アンダーグラウンドさをしっかり残しながらも、洗練されたきめ細かい音作りにより、聴きやすさが増してきた。クオリティがさらに上がっている一方で、ブラックメタル本来の邪悪さや凶暴さも堅持している。

Mardukヴォーカル在籍するファスト・ブラックメタル最高峰

Funeral Mist

出身地 スウェーデン・ストックホルム
結成年 1993年
中心メンバー Arioch
関連バンド Marduk、Triumphator、Dark Funeral、Opeth、Bloodbath

Ariochが Mortuusの名でMardukのヴォーカリストになってから、彼が在籍していたバンドとしてその名がさらに広まったFuneral Mist。しかし、それ以前からファスト・ブラックメタルとして高い評価を得ていた。

Ariochは最初1993年にWindsというソロ・バンドを立ち上げるが、このWindsは音源も残すことなくすぐに活動を停止。翌1994年にFuneral Mistへベーシストとして加入する。Funeral Mistは前年1993年からTyphos（ヴォーカル、ギター）、Vintras（ギター）、Velion（ドラム）により結成されていた。Ariochの加入によりバンドとしての態勢が整い、1995年に2本のデモを制作。しかしその直後にはArioch以外のメンバーが脱退。TyphosはDark Funeralへ加入し、Vintrasは後にThyrfingのメンバーとなっている。残ったAriochは、自身のブラックメタル・バンドでも活動していたNecromorbusをドラムに迎えて1996年にデモを制作。このデモは、後に多くのブラックメタルを世に送り出すNecromorbusのスタジオでレコーディングされた。さらにNecromorbus StudioでレコーディングをWった EP『Devilry』がShadow Recordsから1998年にリリース。2001年にはNachash（ギター）を加えた3人でNecromorbus Studiosでアルバムのレコーディングを行う。このアルバム『Salvation』は、Svartvintras Productionsからリリースされる予定だったが、リリースの目途が立たなかったため、2003年にNorma Evangelium Diaboliからリリースされた。しかしその直後にNecromorbusとNachashが脱退。2004年にはAriochもMardukへ加入する。その状況下でも2009年に2ndアルバム『Maranatha』を、2018年に3rdアルバム『Hekatomb』をリリースしている。

Arioch関連作品

Triumphator『The Ultimate Sacrifice』（1999年：EP）『Wings of Antichrist』（1999年）
Marduk『Plague Angel』（2004年）『Rom 5:12』（2007年）『Wormwood』（2009年）『Serpent Sermon』（2012年）『Frontschwein』（2015年）『Viktoria』（2018年）
DomJord『Sporer』（2020年）※ Ariochによるダーク・アンビエント・プロジェクト。

Funeral Mist

Sweden

Devilry

1998

Shadow Records

現在 Marduk のヴォーカリストとして活躍する Mortuus が、Arioch の名で率いている Funeral Mist が 1998 年にリリースした EP。ドラムは数々のブラックメタル名作を生み出した Necromorbus Studio を運営する Necromorbus が担当。寒々しいメロディを伴いながら Raw でノイジーなリフと、禍々しさと凶悪さを猛烈にまき散らすヴォーカル、そして大半を占めるファスト・パートを猛烈な勢いでタイトに叩き尽くすドラミングにより、これ以上にない至高な北欧ファスト・ブラックメタルとなっている。随所で挿入されるホラーや戦争映画（と思われる）シーンのサンプリングも絶妙に恐怖心を煽る。オリジナル盤は 500 枚限定であったが、後に Norma Evangelium Diaboli や Season of Mist から再発盤がリリースされる。

Funeral Mist

Sweden

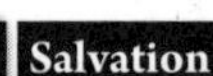

Salvation

2003

Norma Evangelium Diaboli

Norma Evangelium Diaboli へ移籍し、2003 年にリリースされた 1st フルレンス・アルバム。ドラムは前作に続き Necromorbus が、さらにギターで Nachash がメンバーとして参加している。デビュー作となった EP ですでにファスト・ブラックメタルの傑作を作り上げてしまったが、続く本作はさらにその上を行く熾烈さを極めた作品となった。汚く殺傷性が高いリフ、ドラムの音がさらに Raw になり、鬼気迫るドラミングが生々しく伝わってくる。そして何よりも Arioch のヴォーカリストの凄味が本作で一気に開花した。絶叫し、ガナり喚き散らして邪悪さと極悪さ暗黒さをハイセンスに表現しており、あまりに凄すぎて負の要素が混沌とした塊となって、押し寄せてくる。極悪さが増したが Marduk 等と比べてプリミティヴな感覚が強い分、直感的に恐怖心を煽ってくる。

Funeral Mist

Sweden

Maranatha

2009

Norma Evangelium Diaboli

Arioch が Marduk へ加入した後の 2009 年にリリースされた 3 作目となる 2nd アルバム。本作では Arioch がドラム以外全てをこなし、名は明かされていないがセッション・ドラマーが参加して制作された。相変わらず Arioch の極悪邪悪さを極めたヴォーカルの言葉に表せない程の凄まじさ、ファスト・パートでの猛烈な爆発力、リフの殺傷力と、Funeral Mist たる所以が存分に発揮されている。しかしながらファスト・パート一辺倒ではなく、実験的な展開も取り入れており、賛否が分かれる要素も多い。前 2 作でも用いられた映画シーン SE が本作ではさらに重要な位置を占めていたり、聖歌隊コーラスを入れたりと、サイコパスな恐怖心を漂わせている部分でも、幅が広がった。エンジニアリング / ミキシング / マスタリングは元 Marduk の Devo Andersson が担当。

Funeral Mist

Sweden

Hekatomb

2018

Norma Evangelium Diaboli

前作『Maranatha』から 11 年が経過した 2018 年に突如リリースされた 3rd フルレンス・アルバム。今作も Arioch が一人で制作。ドラムは元 Marduk の Lars Broddesson が担当している。前作よりもさらにスピード感が増したと言える超高速ファスト・パートでは「らしさ」を発揮。スロー・パートやミドル・テンポの曲を挟むことで、圧巻のファスト・パートが余計に引き立っている。これまでの Funeral Mist を踏襲したストレートなブラックメタルではあるが、Marduk に近い曲も目立つ。しかしながら Arioch の喚き散らす絶叫から不気味な唸り声まで多彩なヴォーカルを披露し、Marduk とは違った一面も覗かせる。ミキシングは前作同様元 Marduk の Devo Andersson が担当。

Arfsynd

Sweden

Arfsynd 2010

Daemon Worship Productions

Orcivus や Grift でも活動する Perditor による一人ブラックメタルの Daemon Worship Productions からリリースされた 2010 年 1st アルバム。暗黒度の高い混沌とした感触のリフに、冷たく陰綱なメロディを絡め、極悪にガナるヴォーカルもどこか感傷的だ。禍々しい漆黒なるブラックメタルでありながら、デプレッシヴな要素も多い。Deathspell Omega や Norma Evangelium Diaboli 系の真っ黒な空気に覆われ、北欧ブラックメタルらしい冷気も漂わせつつ、湿り気の多い陰鬱で独特なサウンドである。つまるところ、細分化したカテゴリーでは分別し得ない、ブラックメタルとしての大局的要素が至高なる形で具現化されたと言ってもいい。

Armagedda

Sweden

The Final War Approaching 2001

Breath of Night Records

Leviathan（スウェーデン）やポスト・ブラックメタルの De Arma にも参加している A. Petterson と、Lik でも活動する Graav、Leviathan やデスメタル・バンド Feral でも活動する Phycon によるプリミティヴ・ブラックメタルの 2001 年 1st アルバム。チリチリとしたノイジーなリフに冷え切ったメロディを漂わせ、ドカドカとしたドラム、邪悪さ満載のガナり声による Peaceville 期 Darkthrone 直系の音。音質も厚みのないチープなものであるが、それが地下臭いプリミティヴな空間を上手く演出している。あまりにも Darkthrone そのまま感はあるが、コールドなリフによるメロディをより鮮明に発しており、こちらの方が冷気や荒涼感では上を行く。

Armagedda

Sweden

Only True Believers 2003

Agonia Records

元々は Volkermord として活動していた A. Petterson、Graav、Phycon により 2000 年から活動を開始した Armagedda の 2003 年 2nd アルバム。Phycon が脱退し、Watain の Erik Danielsson がセッション参加している。Necromorbus Studio でのレコーディングで Agonia Records からのリリースということで、Darkthrone 直系だった前作から飛躍的に成長を遂げた作品となった。もちろん根底には Darkthrone からの影響があるのだが、音圧が増し、ガリガリとした耳障りの悪いリフに鬼気迫るガナり声を発する Graav のヴォーカル、ドカドカとファスト・パートを叩きまくるドラムの仕事っぷりが素晴らしく、Raw なブラックメタルとしては最高級のサウンドを提示した。これは名作と呼ぶにふさわしい。

Avsky

Sweden

Malignant 2008

Moribund Records

ブラッケンド・デスメタルの Omnizide でも活動する AE とヴォーカル / ドラムの TO の 2 人による Raw ブラックメタルの 2nd アルバム。スラッシュメタルからの流れを汲むノイジーなリフと、ミドル・テンポ主体で淡々と展開していく 1990 年代初期スタイルに近い要素が多いが、とにかくヴォーカルが強烈である。猛烈なドス黒さを発するガナり声を中心に、嗚咽に近い絶叫悲鳴を随所で聴かせ、その表現力は優れもの。主にミドル・パートでの無表情に近いバックに対して、負のオーラと気色の悪さを、これでもかと言わんばかりに発するヴォーカルとのコントラストがまた絶妙。極度の暗黒さと醜怪さが渦巻きながら、どこか厭世的な雰囲気を感じさせるセンスが実に素晴らしい。

The Black

Sweden

The Priest of Satan 1994

Necropolis Records

Eternal Darkness のメンバーでもあった The Black こと Make Pesonen によるブラックメタルが 1994 年にリリースした 1st アルバム。ベースの Leviathan は Infester や Crypt of Kerberos でも活動した Marcus Pedersén、ヴォーカル/ギターの Rietas は Dissection の Jon Nödtveidt。つまりスウェディッシュ・デスメタル人脈によるバンドであるが、これが完璧にプリミティヴ・ブラックメタルの本質を突いている。チリチリとし突き刺すようなギター・リフと Rietas による中音域ガナり声で邪悪さを強力に発するヴォーカル、そして妙に不穏でカルトな空気を放出するキーボードを随所に配した地下音。短めの曲が多く、あっさりと不愛想に進んでいくが、それも含めて 1990 年代ブラックメタルの名作である。

Blackwinds

Sweden

Origin 2008

Nightmare Productions

Setherial の Lord Mysteriis と、Setherial や Diabolical で活動した Infaustus によるブラックメタルの 1st アルバム。2008 年のリリースだが実際には 1999 年にリリースされた 7" EP『The Black Wraiths Ascend』と未発表になっていた音源を収録されたものらしい。Setherial に近い冷気をたっぷり含んだメロディを奏でるギター・リフにファスト・パート主体で猛然と突き進むスタイルではあるが、こちらの方が断然プリミティヴな要素が強い。吹き荒れるコールド・リフやブラスト全開でひたすらファストに突進していくドラム、そしてやたら叫びまくるハイテンションなヴォーカルはいかにもスウェディッシュ・ファスト・ブラックメタルの趣ではあるが、Raw な音質によりアンダーグラウンド性が非常に高い感触の音となっている。

Dark Funeral

Sweden

Dark Funeral 1994

Hellspawn Recors

今やメロディック・ブラックメタルの代名詞的存在ともなっている Dark Funeral の 1994 年リリース 4 曲入り EP。中心人物の Lord Ahriman（ギター）と Necrophobic でも活動していた Blackmoon（ギター：2013 年に自殺により亡くなっている)、後に Blackmoon と Infernal を結成する Themgoroth（ヴォーカル / ベース)、後に Svartsyn のメンバーとなる Draugen（ドラム）により制作された。随所で冷え切ったメロディを押し出したギターが主体の彼等のスタイルは出来上がっており、すでに十分レベルの高さを見せつけているが、荒々しい攻撃性やアンダーグラウンドなプリミティヴ臭を多分に感じさせる。本作は後に Bathory のカバー 2 曲を追加して『In the Sign...』のタイトルとなり、ジャケットも変えて再発リリースされている。

Hypothermia

Sweden

Veins 2006

Insikt

Lifelover や Kyla でも活動し、Insikt レーベルを運営していた Kim Carlsson によるデプレッシヴ・ブラックメタルの 2006 年リリース 1st アルバム。現在はポストロック寄りのアウンドとなっているが、この時はまだプリミティヴなデプレッシヴ・ブラックメタルであった。ザラついた感触のリフから滲み出す陰鬱なメロディが、ひたすら淡々としたミドル・パートを延々と展開していくバックに、完全に精神に異常をきたしたかの様な嗚咽に近い絶叫が、あまりに痛々しく被さってくる。数あるデプレッシヴ・ブラックメタルの中でも、突出して鬱屈な音である。この手のバンドによくあるクリアなサウンドではなく、プリミティヴな感覚の強い音像が余計にヴォーカルのヤバさを増幅させている。

IXXI

Sweden

Assorted Armamenta

2007

Sigilla Malae

Ondskapt の Avsky と Acerbus、Lifelover や Dimhymn の Nattdal、Rifle の Smoker、Zavorash の Totalscorn によるバンドの 2nd アルバム。一言でいえばオールドスクールなブラックメタルなのだが、いわゆる Darkthrone や Gorgoroth 影響下ではなく、Venom や Celtic Frost と言った 1980 年代暗黒スラッシュメタルからの流れを汲み、さらにロックン・ロール的なリズムも目立つ。とは言え、Totalscorn のガラガラ声と不穏さを滲ませるリフによる暗黒指数が高く、曲によってはプリミティヴ・ブラックメタル然とした要素が強かったり、一筋縄ではいかない。Death Wolf のドラム Hrafn がゲスト参加、元 Marduk の Devo Andersson がミキシングとマスタリングを担当。

Marduk

Sweden

Dark Endless

1992

No Fashion Records

スウェディッシュ・ブラックメタルの代表格である Marduk が 1992 年に No Fashion Records からリリースした 1st アルバム。本作のレコーディング・メンバーは中心人物の Morgan Håkansson（ギター）、後に Marduk に復帰する Devo Andersson（この時はギター）、Edge of Sanity の Andreas Axelsson（ヴォーカル）、Darkified/ 後に Dimension Zero の Af Gravf（ドラム）、Rickard Kalm（ベース）。まだデスメタルに近いスタイルだが、同じ初期スウェディッシュ・デスメタルでも暗黒なオーラを放っていた Grotesque や Necrophobic と言ったバンドよりも放たれるイーヴルさは強烈で、ブラックメタルとしての原型はしっかりと出来上がっていたことが分かる。

Marduk

Sweden

Those of the Unlight

1993

Osmose Productions

Andreas Axelsson と Rickard Kalm が脱退し、Af Gravf がヴォーカルも兼任、そして Allegiance の B. War（Bogge）が加入、Osmose Productions に移籍してリリースされた 2nd アルバム。デスメタル色が濃厚だった前作に比べ、ブラックメタル・バンドとしてのスタイルが大体完成されてきた。割とメロディを押し出した所が多く聴き易さもあるが、Af の絶叫振りもデスメタルではなくブラックメタルのものである。当時としては破格に邪悪であったが、ギター・リフがまだデスメタルらしさを残している。過渡期にある作品ではあるが、早くからデスメタル・シーンとは分離していたノルウェー勢に対して、デスメタルと同じ土壌から出てきたスウェーデンのブラックメタル・シーン原初の姿を克明に写し出している。

Marduk

Sweden

Opus Nocturne

1994

Osmose Productions

Devo Andersson が脱退し、Allegiance のドラマー Fredrik Andersson が加入。Af Gravf がヴォーカル専任となっての 3rd アルバム。叙情的な冷気を含んだメロディを放出するギター・リフに、圧倒的なスピードで駆け抜けるファスト・パートとそれをハイパーにこなしていくリズム、Af のヴォーカルも強烈に禍々しさを吐き出しており、これにて完全にブラックメタルとしてのスタイルを、高次元で完成させた。Abruptum の It（2017.R.I.P.）がゲスト参加、エンジニアリングとミキシングは Dan Swanö。バンドは以降さらにクオリティを上げながら、ブルータルさを増していき、名実ともにブラックメタルを代表するバンドへと成長していく。

Nefandus

Sweden

Death Holy Death

2009

Left Light Emanations

Ofermod やギリシャの Serpent Noir での活動でも知られる Michayah Belfagor と、The Legion やデスメタル・バンド Sargatanas Reign でも活動していた Ushatar により 1993 年から活動するブラックメタル。1996 年にリリースされた 1st アルバム『The Nightwinds Carried Our Names』はコールドでメロウなリフによる、いかにもスウェディッシュなブラックメタルだったが、13 年後の 2009 年にリリースされた本作 2nd アルバムでは Ofermod と同様の漆黒な空間を形成する禍々しいブラックメタルへと変化。荒涼としたリフとガラガラ声で喚くヴォーカルにより不吉さが強烈に押し出され、適度に Raw な音像により退廃的なオーラも噴き出している。元 Marduk の Devo Andersson がミキシングとマスタリングを担当。

Ofermod

Sweden

Tiamtü

2008

Norma Evangelium Diaboli

Nefandus や Serpent Noir（ギリシャ）でも活動する Michayah Belfagor によるブラックメタルの 1st アルバム。ヴォーカルは初期からのメンバーである Malign の Nebiros。Norma Evangelium Diaboli からのリリースというだけあって全体的に禍々しくドス黒い空気が渦巻く、ハイレベルな楽曲を展開する。Watain に近い感触の邪悪さを吐き出しているが、随所で感じさせる荘厳さやギター・リフには暗黒なデスメタル成分も多く、自ら標榜する「Orthodox Religious Death Metal」という表現も言い得て妙である。かつて犯罪組織員で何度も逮捕、拘留もされたという Michayah Belfagor の真性な怨念や怒気が感じられる。

Ondskapt

Sweden

Dödens Evangelium

2005

Next Horizon Records

IXXI でも活動した Acerbus を中心としたバンドの 2nd アルバム。これまで Shining の Niklas Kvarforth、Lifelover/IXXI 他の Nattdal、IXXI の Avsky らが関わっているが、本作は Shining の Fredric Gråby がメンバーとして参加している。終始ドス黒く不穏な雰囲気に覆われた Norma Evangelium Diaboli 系に通じる雰囲気を持っている。荒涼としたメロディを突き刺してくるギター・リフや中音域ガナり声ながら悲痛さを感じさせるヴォーカルから、鬱ブラックメタル要素もあり、随所で Shining を彷彿させる。Necromorbus のプロデュースもあり、ブラックメタルとして非常に高い水準である。

Pest

Sweden

Rest in Morbid Darkness

2008

Season of Mist/Underground Activists

同名バンドも多いが、こちらは 1997 年から活動するスウェーデンのプリミティヴ・ブラックメタル。本作は Equimanthorn と Necro の 2 人で制作され、2008 年に Season of Mist のサブ・レーベル Underground Activists からリリースとなった 3rd アルバム。Bathory 等の 1980 年代暗黒スラッシュ・メタルからの流れを汲んだガリガリと刻むリフと、ベスチャルな雰囲気を感じさせる汚いガナり声ヴォーカルによる、邪悪さ満載のオールドスクール。意図してのことかは分からないが、ドカドカと突き進むドラムは時折リズムが狂ってしまっており、リフの刻みも追いついていない所があったりするが、それも含めて 1990 年代初期頃の原始的プリミティヴ・ブラックメタルを体現させている。

Setherial

Sweden

Hell Eternal 1999

Napalm Records

Blackwinds のメンバーでもあり、In Battle にも参加した Mysteriis と、Blackwinds に一時期参加した Kraath により 1990 年代前半から活動するスウェディッシュ・メロディック / ファスト・ブラックメタルの代表格でもある Setherial の 3rd アルバム。1st アルバム『Nord...』では Dark Funeral や Dissection に近いスタイルだったが、その後ファスト・パートで猛進する要素を強めてきており、本作は大半が高速ブラストで埋め尽くされた。彼等のトレードマークである凍てついたメロディが洪水の如く溢れ出しており、メロディック・ブラックメタルとしての側面も充分強く押し出されている。ファスト・ブラックメタルらしい凶暴さやブラックメタル本来の邪悪さがマックス状態に達しており、そのバランス感覚は見事である。

Shining

Sweden

Within Deep Dark Chambers 2000

Selbstmord Services

カリスマ的存在となっている Niklas Kvarforth の本業バンドである Shining の 2000 年リリース 1st アルバム。オリジナルのリリースは Kvarforth が運営していた Selbstmord Services から。陰湿で絶望的なトレモロ・リフによるメロディと、元 Bethlehem の Andreas Classen による病的な絶叫ヴォイスによる鬱感覚に溢れたサウンドにより、デプレッシヴ・ブラックメタルの草分け的存在にもなった。キーボードにより冷え切った絶望感がより鮮明化となり、クリアな音質とともによりリアルな病的異常さを感じさせる。1st アルバムにして完全に病んだブラックメタルを完成させてしまった辺りも、Kvarforth の非凡さが伺われる。本作は何度か再発されているが、2013 年に Osmose Productions から再発盤がリリースされている。

Shining

Sweden

Livets Ändhållplats 2001

Selbstmord Services

Andreas Classen が脱退し、Niklas Kvarforth と Tusk、Wedebrand の 3 人体制でレコーディングされた 2nd アルバム。ライヴでは実際に自傷行為を行なっていた Kvarforth の狂気が、そのまま封じ込めらたかのような陰鬱なブラックメタル路線は受け継がれている。1st アルバムでの救いようのない絶望感は若干薄れ、アップテンポ・パートにおけるロック寄りのノリがあるリズム等ブラックメタルらしくない要素も随所で散りばめられている。とは言え Kvarforth の悲痛なガナり声ヴォーカルや冷気を創出するキーボード、そして陰鬱なメロディを浸み込ませたギター・リフと言ったデプレッシヴ・ブラックメタルとしての病み指数は高い。前作同様 Abyss スタジオでのレコーディングで Tommy Tägtgren なので、サウンド・プロダクションは良好。

Silencer

Sweden

Death - Pierce Me 2001

Prophecy Productions

後に短期間ではあるが Shining にも在籍した Leere が 1995 年に始動させ、ヴォーカリストの Nattramn が加わり、活動を始めたバンド。本作は 2001 年に唯一残されたアルバムで、リリース直後に Nattramn が精神病院へ強制収容され、脱走し、少女を斧で殴る等の奇行を起こしたことでも伝説となった。しかもそのサウンドが凄まじい。特に Nattramn のもはや嗚咽に近い、あまりにも悲痛な絶叫や呻き、すすり泣きから咳き込みまで、精神が崩壊したかのようなヴォーカルは完全に一線を越えている。ピアノやアコースティックギターによる静の場面や、ひたすら陰鬱で絶望的なメロディを滲ませるギター・リフが Nattramn の狂気を拡大させる。まさに伝説にふさわしい真性に病みきった世界がここにある。この自我崩壊世界観は、一つの究極なプリミティヴ・フィールドである。

Sorhin

Sweden

I Det Glimrande Mörkrets Djup

1997

Near Dark Productions

ギター／ベース／ドラムの Eparygon とヴォーカルの Nattfursth によるバンドで Marduk や Dark Funeral、Setherial らと並んで 1990 年代のスウェディッシュ・ブラックメタル・シーンを支えた Sorhin。初期の頃には Arckanum を率い、元 Grotesque の Shamaatae も在籍していた。本作はドラムに Setherial や Midvinter でも活動していた Zathanel がメンバーとして参加した 1st アルバム。冷えきった叙情的メロディが全編に散りばめられたリフを中心とした 1990 年代のスウェディッシュ・ブラックメタルらしいサウンドで、邪悪なヴォーカルや Raw なドラムにより、プリミティヴな感触もこの時期のバンドの中では高い方であった。Abyss Studio でのレコーディングでプロデュースは Peter Tägtgren。

Sorhin

Sweden

Apokalypsens Ängel

2000

Svartvintras Productions

2000 年リリースの 2nd アルバム。前作よりもさらにメロディの質が強固となった。しかしながら単なるメロディックなブラックメタルと違うのは、メロディを含蓄させながらもスラッシュメタル風味もある刻み込みながら展開するリフが主体であるという点。この刻んだリフにより攻撃的な印象も与える一方で、叙情的なメロディも上手く活かした絶妙なセンスが素晴らしい。荒々しい音創りによりブラックメタル特有のプリミティヴさがしっかりと保たれており、故に洗練されメジャー化することなく質の高いサウンドとなっている。疾走パートが主体でコンパクトな曲が多いので一気に聴けてしまうのも、この作品の長所であろう。2009 年には Norma Evangelium Diaboli から再発盤がリリースされている。

Svartrit

Sweden

I

2010

Mystery of Death Productions

Kaos Sacramentum や Grav、Helgedom、Grifteskymfning 等々多くのバンドで活動する Sir N. によるスウェディシュ・ブラックメタルの 2010 年 1st アルバム。いわゆるメロディック・ブラックメタルのカテゴリーに入るサウンドなのかもしれないが、トレモロリフにより叙情的なメロディが洪水の如く溢れ出す場面が大半を占めている一方で、ブラックメタル本来の攻撃性や邪悪さも固持している。随所で Der Weg Einer Freiheit 辺りを想起させる執拗なトレモロリフの連続もあるが、リフに比べて奥に引っ込んだようなヴォーカル等、洗練されていない Raw な音創りにより、プリミティヴな感触も割と強く感じさせる。オリジナル盤は 500 枚限定リリースであったが、2014 年には Avantgarde Music から再発盤がリリースされている。

Svartsyn

Sweden

Wrath Upon the Earth

2011

Agonia Records

元々は Chalice のバンド名だったが 1993 年に Svartsyn へと改名し、元 Dark Funeral のドラム Draugen や Unpure の Kolgrim、Malign の Mörk（Whorth）らが在籍していたスウェディシュ・ファスト・ブラックメタル。本作は Ornias が一人となって、2011 年に Agonia Records からリリースされた 6th アルバム。ファスト・ブラックメタルと言っても本作ではミドルテンポ・パートも多く、緩急ついた展開もある。妙に禍々しい空気を発するドスの効いたガナり声に、カオティックな感触を感じさせる不協和音ギター・リフにより、中々個性的なブラックメタルである。曇った音像により轟音化一歩手前なサウンドが、ギターやヴォーカルから発せられる、邪悪でドス黒い世界を膨張させている。

Thornium

Sweden

Dominions of the Eclipse

1995

Necromantic Gallery Productions

初期スウェディッシュ・ブラックメタルの名作として、忘れてはいけないのがこの作品。1995 年にリリースされ、Satyricon『Dark Medieval Times』に対するスウェーデンからの回答とも言われていたが、確かにこの作品はいかにも北欧ブラックメタル的。ノイジーでトゲトゲしいリフからは冷気をタップリ含んだメロディが滲み出ており、噛みつくかのような禍々しいヴォーカルもブラックメタル然としている。厚みのない劣悪で Raw なサウンド・プロダクションにより凶悪さが増大されるという、初期プリミティヴ・ブラックメタルらしい音だが、ファスト / ミドル・パートを上手く組み合わせたり、強い冷気を発するキーボードが時折顔を覗かせたりと、Satyricon とは異なる。この時期としては完成度が高い作品だった。

Throne of Ahaz

Sweden

Nifelheim

1995

No Fashion Records

Ancient Wisdom のメンバーとしても活動していたヴォーカルの Beretorn らにより、1991 年から活動した初期スウェディシュ・ブラックメタルの No Fashion Records からリリースされた 1st アルバム。本作でのベースはメロディック・デスメタルの Gates of Ishtar ～ The Everdawn で活動した Niklas Svensson。メロディック系の宝庫であった No Fashion 所属であったが、このバンドは叙情的なリフが主体ながらも、凶悪に叫びまくるヴォーカルと、凍てついたメロディにより真性北欧ブラックメタルの要素が強い。Ancient Wisdom や Bewitched、Naglfar でも活動する Vargher（Marcus Norman）が加入し、2nd アルバム『On Twilight Enthroned』をリリース後、バンドは解散している。

Triumphator

Sweden

Wings of Antichrist

1999

Necropolis Records

Shadow Records を運営する Deathfucker こと Marcus Tena らにより 1995 年に結成され（初期の頃には現在 Opeth/Bloodbath の Martin Axenrot もメンバーだった）、Funeral Mist を率い、後に Marduk のメンバーとなる Arioch（Mortuus）が加わって 1999 年に Necropolis Records からリリースされた 1st にして唯一アルバム。突き刺すようなリフと、邪悪極まりない強烈な魔的オーラを発する Arioch のヴォーカル、そして本作に参加した当時 Marduk/Allegiance のドラマー Fredrik Andersson による、ハイパー・ブラスト尽くしのファストパートの連続による、猛烈でハイレベルなファスト・ブラックメタル。

Ultra Silvam

Sweden

The Spearwound Salvation

2019

Shadow Records

スウェーデンのマルメで 2005 年から活動するブラックメタルの 2019 年リリース 1st フル・アルバム。M.A.（ベース / ヴォーカル）、O.R.（ギター）、A.L.（ドラム）のトリオで、メンバーの詳細は不明。フレンチ・ブラックメタルと同類のドス黒さに覆われながら、突き刺すようなコールドなリフが主体。オーセンティックでプリミティヴなブラックメタルがベースとなっているが、メロウな要素も強く、そのメロディ・センスも非常に高い。またファストからミドルパートを絶妙に組み合わせ、緩急付きながらドラマティックさを内包した曲展開も見事。さらに Raw な音作りもあり、アンダーグランド性にも長けたサウンドである。1st アルバムながら、高次元な作品となった。

Vondur

Sweden

No Compromise!

2011

Osmose Productions

Abruptum を始め Ophthalamia や War でも活動した奇才 It と All によるブラックメタル。1996 年に Necropolis Records からリリースした唯一のアルバム『Striðsyfirlýsing』と 1998 年発表 EP『The Galactic Rock'N'Roll Empire』、1994 年デモ『Uppruni Vonsku』を収録し、2011 年に Osmose Productions からリリースされた全音源集。気色悪いガナり声ヴォーカルと、全く厚みのないノイジーなリフによるミニマルなプリミティヴなブラックメタルではある。しかし、ロックン･ロール的要素もあったりピアノによる物悲しく美しいパートがあったりと一筋縄ではいかない辺りは、It と All の奇才振りが発揮されている。

Watain

Sweden

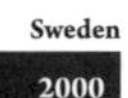

Rabid Death's Curse

2000

Drakkar Productions

Die Hard でも活動した H.（Håkan Jonsson）、Bloodsoil の前身 Fucking Funeral のメンバーでもあった E.（Erik Danielsson）、Unpure のメンバーでもある P.（Pelle Forsberg）による、スウェディッシュ・ブラックメタルの 2000 年リリース 1st アルバム。Dissection タイプのメロディックなブラックメタルと捉われがちだが、まだこの頃はアンダーグラウンド臭が強い。ノイジーに掻き鳴らされる中から凍てついたメロディが滲み出るリフや、ファスト / ミドル・パートで緩急ついた展開が鮮明な曲構築性も然ることながら、全体を覆いつくす暗黒で邪悪な空気感が物凄い。荒々しいサウンド・プロダクションが Raw な禍々しさをさらに引き立てている。暗黒邪悪なブラックメタルの真骨頂を提示した名作と言える。

Watain

Sweden

Casus Luciferi

2003

Drakkar Productions

前作同様 Drakkar Productions からリリースされ、Necromorbus Studio でレコーディングされた 2nd アルバム。荒々しかったサウンド・プロダクションに整合感が出てきて、叙情的なメロディがバージョンアップしているが、相変わらず暗黒でイーヴルな雰囲気が猛然と立ちこめるアンダーグラウンド臭が強い。随所で Dissection を彷彿させる凍てついたメロディが出てくるが、同時に Norma Evangelium Diaboli 系と同列のドス黒さを強烈に発しており、いわゆるメロディック・ブラックメタルとは一線を画している。前作同様 Season of Mist から 2008 年にリマスター再発盤がリリースされており、音質が大幅に向上している。

Watain

Sweden

Sworn to the Dark

2007

Season of Mist

Season of Mist へ移籍しての 3rd アルバム。そして広く Watain の名が知れ渡るようになった作品であろう。Dissection がよく比較対象に挙げられるが、確かに凍てついた叙情的メロディはその影響下にある。クオリティは非常に高く、聴き易さもあるが、ブラックメタルとしての禍々しさが強く吐き出されており、やはり単なるメロディックなバンドには陥らない特別なものを感じさせる。Ofermod/Nefandus の Michayah Belfagor、復活後の Dissection/Aborym の Set Teitan、Necrophobic の Tobias Sidegård、Execrator 他の Alvaro Lillo、Merciless/ 元 Entombed 他の Peter Stjärnvind らがゲスト参加している。

Clandestine Blaze

出身地 フィンランド・ラハティ 結成年 1998 年
中心メンバー Mikko Aspa
関連バンド Deathspell Omega、Stabat Mater、Grunt、Creamface、Fleshpress

Clandestine Blaze は Mikko Aspa によるワンマン・ブラックメタルである。Mikko が Clandestine Blaze を始めたのは 1998 年であるが、それ以前から彼はノイズやパワーエレクトロニクス・シーンで名が知れたアーティストであった。Mikko がシーンへ登場したのは、日本でもライヴを行っているパワーエレクトロニクス・プロジェクトの Grunt と、ノイズ / グラインドコア・バンドの Noise Waste を結成させた 1993 年頃である。さらにヴァイオレント・パワーエレクトロニクス Clinic of Torture やインダストリアル / ダークアンビエント Alchemy of the 20th Century、ポルノ・グラインドコア Creamface や、フューネラル・ドゥームメタル Stabat Mater としても活動し、スラッジコアの Fleshpress、そしてオフィシャルでは明かされていないが、2002 年に Deathspell Omega へ加入している。

Clandestine Blaze は 1998 年にデモを制作した後、1999 年に 1st アルバム『Fire Burns in Our Hearts』を Blackmetal.com からリリース。2000 年には 2nd アルバム『Night of the Unholy Flames』を自身の Northern Heritage Records からリリースする。ライヴ活動は一切行わず、全て Mikko Aspa 一人で作品を制作し続け、ストイックなまでに徹底したプリミティヴ・ブラックメタル・スタンスを保ち続ける。

以降もコンスタントに作品をリリース。2001 年には Deathspell Omega との Split、2002 年に 3rd アルバム『Fist of the Northern Destroyer』、2004 年の Satanic Warmaster との Split を挟み、4th アルバム『Deliverers of Faith』（2004 年）を、2006 年に 5th アルバム『Church of Atrocity』をリリースする。

ここまでアルバムを 1 ～ 2 年スパンでコンスタントに制作し、リリースしてきているが、以降はそのペースも落ちてくる。2008 年にはレア音源集 3 作を同時リリース。6th アルバム『Falling Monuments』は前作から 4 年経った 2010 年にリリースされた。さらに 2013 年に 7th アルバム『Harmony of Struggle』、2015 年に 8th アルバム『New Golgotha Rising』、2017 年に 9th アルバム『City of Slaughter』、2018 年に 10th アルバム『Tranquility of Death』をリリースしている。

Clandestine Blaze

Finland

Fire Burns in Our Hearts

1999

Blackmetal.com

1998 年のリハーサル音源を収録したプロモ・カセットに続き、1999 年にリリースされた 1st アルバム。Mikko のヴォーカルは、Deathspell Omega でのドスの効いたガナり声と言うよりは絶叫スタイルに近い。ジリジリと擦り込むようなノイジーなリフや、厚みのあまりない音像により、地下臭い空間を形成している。寒々しく陰湿な雰囲気が、アンダーグラウンドさに拍車をかけており、Darkthrone を始めとしたプリミティヴ・ブラックメタルを踏襲。そしてプリミティヴ・マニア間で話題となった。オリジナル盤には「Vatican in Flames」という曲が入った 9 曲がクレジットされているが、実際にはこの曲は収録されておらず、2nd プレス以降から修正削除されている。

Clandestine Blaze

Finland

Night of the Unholy Flames

2000

Northern Heritage Records

Mikko Aspa 自身が運営する Northern Heritage Records からリリースされた 2nd アルバム。前作と基本路線は変わらず、アンダーグラウンド臭の異様に強いブラックメタルであるが、ジリジリとしノイジーな中から冷気を発するリフは陰湿さを増してきており、ヴォーカルも絶叫スタイルから Deathspell Omega のドスの効いたガナり声が主体となっている。ファスト・パートからスローなパートまで展開構成に幅が出てきてはいるものの、よりアンダーグラウンドな雰囲気を強めている。Raw なサウンド・プロダクションもあり、邪悪さをストレートに感じさせる、プリミティヴなブラックメタル以外の何物でもないサウンドが凝縮された。Mikko のプリミティヴ精神の真骨頂が作品全体に脈々と流れていることが感じ取れる。

Clandestine Blaze

Finland

Fist of the Northern Destroyer

2002

Northern Heritage Records

2002 年にリリースされた 3rd アルバム。プリミティヴ・ブラックメタルとは何か？という問いに忠実かつ完璧に答えるとしたら、この作品なのかもしれない。シャリシャリとノイジーな中にも冷気を含んだメロディを醸し出すギター・リフ、異様に Raw なドラム、そして Mikko の怒気と邪悪さとグロテスクさを交配させたかのようなヴォーカルにより、地下臭い世界をストイックに繰り広げる。しかしながら無慈悲に恐怖を与えるファスト・パートやスロー・パートにおける重苦しさだったりと、緩急ありながら凝った展開による表現力の幅の広さも透逸。極めて原始的なブラックメタルでありながら、崇高さを感じさせて聴き手を引き込んでいく辺りに、凄味を感じさせる。

Clandestine Blaze

Finland

Deliverers of Faith

2004

Northern Heritage Records

司祭の恰好をした 7 人、一見平凡な教会儀式に見えるがこの 7 人は精神異常 / 重要犯罪として有名な人物。この人物達の詳細説明は避けるが、見かけは平凡な一般人を装いながら幼女少年への拷問、大量殺害等、ヨーロッパの犯罪史上類がない程の突出した異常行為を行った面々がジャケットに並ぶ。そのコンセプトを写実的に表現した。Mikko のドス黒いヴォーカルはこれまで通りガナり声が主体でありながら、随所で病的な呻き声を発しており、ファスト・パートでの暴虐性よりも、寧ろミドル・パート時におけるジワジワと擦りこむ様な恐怖心や不穏さを強く感じさせる。生々しいサウンド・プロダクションによりグロテスクさが増進されており、そのセンスの良さは唯一無二だ。プリミティヴ・ブラックメタルの真髄を突いた大傑作。

Clandestine Blaze

Finland

Church of Atrocity

2006

Northern Heritage Records

2006 年リリースの 5th アルバム。相変わらず Mikko Aspa の呻きガナるヴォーカルと、ノイジーで禍々しさをたっぷり含んだギター・リフにより、光をほぼ感じさせない暗黒さに覆われている。妙に Raw なドラムと低音が効いたベース、そしてミドル・テンポ主体の展開により、無慈悲かつジワジワと締め付けるような不吉さを強く感じさせる辺りは前作までの流れを継承。さらに前作辺りから顕著となってきた、冷気を含む陰鬱なメロディがさらに押し出されてきた。もちろんファスト・パートも随所で配され、その展開構築力の高さも見逃せない。生々しい音作りと全体を覆いつくす漆黒で暗鬱な空気により、プリミティヴ・ブラックメタルとしては最高レベル。

Clandestine Blaze

Finland

Falling Monuments

2010

Northern Heritage Records

これまで 1 ～ 2 年おきぐらいのスパンで比較的コンスタントにアルバムをリリースしてきたが、2008 年リリースのデモやコンピレーション音源を収録した『Archive』3 枚を挟んで 4 年振りとなった 6th アルバム。ギター・リフにノイジーさが増し、刺々しい音像になる一方で、寒々しいメロディを溶け込ませてより陰湿さを強めている。Mikko によりガナり叫ぶヴォーカルも表現力が増した印象で、不穏さや漆黒さと言った負のオーラへのベクトルを深耕させている。Clandestine Blaze らしさを微塵も失わず、さらにその世界観が深みにはまったという印象。原始的で Raw なプリミティヴ・ブラックメタル以外の何物でもないスタイルを保ちながら、クオリティを高めている辺りは Mikko の類まれな才能と、偏執的でアンダーグラウンドな感性が成せる技である。

Clandestine Blaze

Finland

City of Slaughter

2017

Northern Heritage Records

Deathspell Omega 同様、制作プロセス等が一切伝わってこないので、いつも突如リリースされる Clandestine Blaze の 2017 年 9th アルバム。そして本作も変わらずプリミティヴなブラックメタル・スタイルを微塵も崩すことのないサウンドを展開。Mikko のグロテスクで強烈な暗黒さを発するガナり声と、凍てついたメロディを内包したノイジーに突き刺すリフによる凄味は、もはや比類なき神々しさすら感じさせる。これまで以上にファストなパートが多い様な気もするが、Clandestine Blaze には珍しく 8 分を超える長尺曲では、スロー・テンポの展開による陰湿で禍々しさが渦巻いた世界観を提示している。当然のことながらプリミティヴ・ブラックメタルとしては最高レベルである。

Clandestine Blaze

Finland

Tranquility of Death

2018

Northern Heritage Records

前作『City of Slaughter』から間を置かずに 2018 年にリリースされた 10th アルバム。そして今作も Mikko Aspa が全てを担当。相変わらず Raw な音質と怨念がこもったようなガナり声、ジャリジャリとした耳触りの悪いリフ、パタパタとしたドラムと Clandestine Blaze らしさに微塵の陰りもなし。薄っすらとキーボードを配して不穏さを煽る曲があったり、ミドル・パートでは深みのある重さを感じさせたりと、聴き所も多い。プリミティヴ・ブラックメタルのド真ん中を行くサウンド・スタイルは変わっていないが、実は多彩な工夫を凝らして聴き手を引き込んでいくサウンドであることが分かる。Mgła/Kriegsmaschine の M. がマスタリングを担当している。

フィニッシュ・プリミティヴ・ブラックメタルの総本山

Horna

出身地 フィンランド・ラッペーンランタ　**結成年** 1994 年

中心メンバー Shatraug

関連バンド Hoath、Behexen、Alghazanth、Ajattara、Deathchain、Satanic Warmaster、Trollheim's Grott

Beherit や Impaled Nazarene に続いてフィンランドのブラックメタル・シーンを支えているのが Shatraug 率いる Horna。Shatraug（ギター / ヴォーカル）と Moredhel（ギター / ベース）らにより 1993 年に結成され、当初は Shadowed と名乗っていたが 1994 年に Horna へ改名。まだ Shatraug は Skald と、Moredhel は Hyarn と名乗っていた。Gorthaur（ドラム）を加えた 3 人で 1995 年にデモを、さらに Nazgul von Armageddon（ヴォーカル）が加入して 1997 年にデモを制作する。そして、Skratt（ベース / キーボード）が加わって 1st アルバム『Kohti Yhdeksän Nousua』が 1998 年に、1999 年に 2nd アルバム『Haudankylmyyden Mailla』をリリースする。

Skratt と Moredhel が脱退してしまうが、Thanatos（ベース / ギター）と Vrasjarn（ベース）が加入し、2001 年に 3rd アルバム『Sudentaival』をリリース。しかし早くも Vrasjarn、さらに Satanic Warmaster として活動を始めていた Nazgul（Werwolf）が脱退。Corvus（ヴォーカル）と、Alghazanth や Unveiled 等でも活動していた Infection（ベース）、Saturnus（ギター）が加入するが、今度は Gorthaur が脱退。2005 年にリリースされた 4th アルバム『Envaatnags Eflos Solf Esgantaavne』は Shatraug と Corvus、ドラムは Baptism の Lord Sargofagian と Hammer の Ravenum がセッション参加して制作された。さらに 2007 年に Debemur Morti Productions からリリースされた 5th アルバム『Ääniä Yössä』も Shatraug と Corvus だけでレコーディングが行われ（ドラムはプログラミング）、この頃には Saturnus が脱退している。

2007 年には 6th アルバム『Sotahuuto』、2008 年に 7th アルバム『Sanojesi Äärelle』とライヴ・アルバム『Vihan Tiellä』、2013 年に 8th アルバム『Askel Lähempänä Saatanaa』、2015 年に 9th アルバム『Hengen Tulet』、2018 年に EP『Kuolleiden Kuu』をリリースする。この間に Corvus や Vainaja らが脱退し、Trollheim's Grott 他の Spellgoth（ヴォーカル）や Deathchain の Kassara（ドラム）が加入する等、メンバー・チェンジが相次いでいる。

Horna

Finland

Kohti Yhdeksän Nousua

1998

Solistitium Records

中心人物のギタリスト Shatraug に加え、Satanic Warmaster の Werwolf がヴォーカル、Battlelore でも活動する Jyri Vahvanen が Moredhel の名でギター、後に Werwolf らと Pest を結成する Skratt がベース、Battlelore の初期メンバーとなる Gorthaur がドラムのラインナップで制作された 1st アルバム。叙情的であるが、凍度の高い冷え切ったメロディによるリフによる、いかにも北欧のブラックメタルらしい様相。Nazgul（Werwolf）の噛みちぎる様な殺傷力の強い絶叫ヴォイスにより、暴虐性が非常に高い。Raw な音作りにより、プリミティヴな要素も強く押し出されている。2010 年には Woodcut Records から再発盤がリリースされた。

Horna

Finland

Haudankylmyyden Mailla

1999

Solistitium Records

前作と同じメンバーでレコーディングされた 2nd アルバム。これまたザラつき突き刺す様なノイジーな中で、コールドなメロディがブリザードの如く吹き荒れる、いかにも北欧らしいブラックメタル。凄惨なる邪悪さを撒き散らしながら、けたたましく叫びまくるヴォーカルには狂気が宿っている。ファスト / ミドル・パートをバランス良く配合させて緩急を付けながら、展開の構築力の向上によりさらにクオリティを上げてきてもいる。とは言え Raw な音作りによるアンダーグラウンド体質なプリミティヴ性が後退していることは一切なく、凍てついたメロディをしっかりと聴かせながら、実に暴虐的なサウンドとなっている。前作同様、Behemoth の初期作品もリリースしたドイツの Solistitium Records からリリースされ、2012 年には Woodcut Records から再発盤が出ている。

Horna

Finland

Sudentaival

2001

Woodcut Records

ギターの Moredhel とベースの Skratt が脱退し、A.T. Otava（ギター）と後にフューネラル・ドゥームメタル Profetus のメンバーにもなる Vrasjarn（ベース）が加入。Woodcut Records へと移籍しての 3rd アルバム。比較的流通が良好だったレーベルからのリリースとなり、恐らく Horna の名が広く認知されたのもこの作品からではなかろうか。不穏さすら感じさせる Nazgul（Werwolf）のヴォーカルも相変わらずではあるが、呻いたり囁いたりと表現力の幅が増えてきた印象。寒々しいメロディを滲ませる凍てついたリフも、これまで通り猛然と吹き荒れてはいるが、ややノイジーさに重点を置いた感あり。北欧らしい叙情性とプリミティヴなブラックメタル特有の地下臭さが上手く同居し、暴虐性の強いサウンドとなっている。

Horna

Finland

Envaatnags Eflos Solf Esgantaavne

2005

Woodcut Records

3rd アルバムから 4 年経った 2005 年にリリースされた 4th アルバム。この間に膨大な数の EP や Split をリリースしており、またメンバーも Shatraug 以外次々と脱退し、2002 年より加入している Corvus と、Alghazanth や Sotajumala 等でも活動した Infection の 3 人体制時にリリースされた（ただし本作に Infection は参加していないようである）。ドラム・パートは Baptism の Lord Sargofagian と Hammer の Ravenum がセッション参加で叩いている。叙情的でメロウなリフがより耳を惹くようになってきているが、音作りがさらに Raw な感触となった。前任の Werwolf と比べても遜色のない狂気じみた Corvus のヴォーカルや、ファスト・パートよりもミドル・パートの比重が増えたことによりプリミティヴな印象をより強く受ける。

プリミティヴな中に仄かに香るメロウなメランコリックさ

Satanic Warmaster

出身地 フィンランド・ラッペーンランタ　**結成年** 1998 年
中心メンバー Werwolf
関連バンド Horna、Blasphemous Evil、Incriminated、Armour、Orlok

Satanic Warmaster はフィンランド南東部の都市ラッペーンランタ出身の Werewolf（オオカミ人間の意）こと Lauri Penttilä によるブラックメタルである。彼がシーンで姿を現したのはラッペーンランタで結成された Horna と Shatargat。Horna へは Nazgul Von Armageddon の名で 1996 年に加入し、2001 年に脱退。Shatargat へは Nazgul の名で参加したが 2001 年に解散している。さらに 1990 年代末期にはスラッシュメタル・バンド Skullcrusher とブラックメタル・バンド Pest へも参加している。

その中、彼は 1998 年に Satanic Warmaster と、1999 年に自身のレーベル Black Order Productions（すぐに Werewolf Records へ改名）を始動させる。Satanic Warmaster は 2000 年にデモを制作した後に、Torturium の Lord War Torech（ギター）が参加し、2001 年に 1st アルバム『Strength & Honour』と 2002 年に EP『Black Katharsis』、No Colours Records へ移籍し、2003 年に 2nd アルバム『Opferblut』と 2004 年に EP『...Of the Night』をリリース。さらに Werewolf 一人になって 2005 年に 3rd アルバム『Carelian Satanist Madness』、2007 年に EP『Revelation』、2010 年に 4th アルバム『Nachzehrer』、2014 年に 5th アルバム『Fimbulwinter』、2015 年に 7" EP『瘴疠禁室』（2000 年デモ『Gas Chamber』にボーナストラックを追加し、中国語タイトルを冠した EP）をリリースしている。他に膨大な Split 音源をリリースしている他、ライヴ活動も積極的に行っており、2014 年には来日ライヴも行っている。

また、Werewolf は多くのプロジェクトで活動してきたことでも有名である。1999 年には Bestial Devastation の Morbid Sodomizer Hellstorm、Lustful Grandmaster of All Wrongnesses とのブラック / デスメタル Blasphemous Evil、1999 年にブラックメタル Blutrache、2002 年にアンビエント・ブラックメタル The True Werewolf、2006 年に Satanic Warmaster のライヴ・メンバーだった Pete Talker や Skullcrusher の Mike Slutz と Goatmoon の Jake Spring らとの 1980 年代スタイルのメタル・バンド Armour、2008 年にブラックメタル Orlok、2008 年にブラックメタル Satanael、2014 年に White Death の Vritrahn との Vritrahn-Werewolf を結成 / 始動している。さらに 1998 年から活動している Incriminated へも加入している（バンドは 2008 年に解散）。

Satanic Warmaster

Finland

Strength & Honour

2001

Northern Heritage Records

Werwolf が Horna 在籍時である 1998 年から活動を始めた Satanic Warmaster の 2001 年リリース 1st アルバム。この時は Werwolf と Torturium の Lord War Torech がメンバーであった。刺々しくヒビ割れしかかったノイジーさに覆われながら、荒涼としたメロディを前面に出したギター・リフ、ガシャガシャとした Raw なドラム、薄っすら幽玄な味付けをするキーボード、そして Horna でも発揮されていた Werwolf によるイーヴルさを強烈にまき散らす絶叫ヴォイスによる、アンダーグラウンドでプリミティヴなブラックメタルの真髄を見事に突いた名作中の名作。メロディ・センスも素晴らしいが、暴虐性と邪悪さと地下臭さをこれ以上なく強烈に感じさせてくれる。2nd/3rd プレス盤、2007 年のリマスター再発盤では、それぞれジャケット・アートも異なっている。

Satanic Warmaster

Finland

Opferblut

2003

No Colours Records

2002 年 EP『Black Katharsis』を挟んで 2003 年に No Colours Records からリリースされた 2nd アルバム。1st アルバムや EP でのガシャガシャしたドラムと、ヒビ割れしそうな程ささくれ立ったギター・リフの音がとてもすっきりとし、そのサウンド・プロダクションのおかげで聴き易くなった。Werwolf の狂気と強烈な邪悪さを発するヴォーカルは相変わらずだし、コールドで悲哀感の強いメロディも変わらず上質である。シンプルな原始的リフと、荒涼としメロディの双方を上手く活かした辺りには非凡さを感じさせる。Raw な音によりイーヴルさとメロウな要素が共に促進されており、本作もまた紛れもなくプリミティヴ・ブラックメタルの傑作である。

Satanic Warmaster

Finland

Carelian Satanist Madness

2005

No Colours Records

Split 作を連発し、Werwolf 独りとなって 2005 年にリリースされた 3rd アルバム。前作よりも音圧のあるサウンド·プロダクションとなったが、リフがジャリジャリとした感触の耳障りの割音色となった一方で、悲哀感の異様に強いメロディがさらに強調された。Darkthrone 辺りがベースになっているプリミティヴ・ブラックメタル・スタイルでありながら、ここまでメロウなサウンドに仕上げた作品は他にない。まるで何かに取り憑かれたかの様に喚き叫びまくるヴォーカルや、殺傷力の高い刺々しいギター・リフによる凶々しさもこれまで以上に強く感じさせる。そこにメランコリックなメロディを絶妙に滲ませる Satanic Warmaster スタイルとも言えるサウンドが最高潮で表現された大傑作。CD と LP では異なるジャケット·アートを使用している。

Satanic Warmaster

Finland

Nachzehrer

2010

Werewolf Records

2007 年 EP『Revelation』やライヴ EP、多くの Split やコンピレーション等膨大な数のリリースはあったものの、フルレンスとしては 5 年振りとなった 2010 年リリース 4th アルバム。ギター・リフのノイジーさがさらにチリチリとした音となり、曇ったサウンド・プロダクションにより一層プリミティヴ感が強まった印象を受ける。Satanic Warmaster の真骨頂とも言うべき、凍てついた荒涼とした強烈な悲哀感を醸し出すメロディがしっかりと押し出されている。上質なメロディが Darkthrone 直系の原始的リフと溶け込み、相まみえながら展開していくセンスが堪らなく素晴らしい。勢いやインパクトと言う点では 1st や 3rd アルバムより落ちるかもしれないが、「らしさ」がジワジワと滲み出てくる。もちろん本作も傑作。

Azaghal

Finland

Mustamaa

1999

ISO666 Releases

Wyrd や Svartkraft、Valar、Finnugor 等々、多くのバンドでも活動する Narqath により 1998 年から活動する Azaghal の、前身バンドとなった Belfegor からのメンバーである Varjoherra がヴォーカル、Hellkult や Hin Onde でも活動していた Vrtx との 3 人体制でレコーディングされた 1st アルバム。アンダーグランド臭の強い曇った感触のサウンド・プロダクションでありながら、荒涼としたメロウ要素の強いリフにより、聴き易さもある。ただし凶悪なガナり声と暗黒臭を強く滲ませる Darkthrone や Gorgoroth 辺りからの直系のリフにより、プリミティヴな要素も多分に感じさせる。なお 2011 年にはロシアの Helvete.Ru から 1998 年デモ『Kristinusko Liekeissä』とのカップリング再発盤がリリースされている。

Azaghal

Finland

Helvetin Yhdeksän Piiriä

1999

Evil Horde Records

ブラジルの Evil Horde Records からリリースされた 2nd アルバム。前作の 3 人に加え、後にメンバーとなる Nocturnal Winds や Svartkraft でも活動する Jani Loikas がベースを弾いている。チリチリとしたリフの音色に厚みのない音創りによるプリミティヴなサウンドであるが、随所で叙情的なメロディを取り入れた北欧ブラックメタルらしいスタイルである。前作よりもさらに Raw になったが、凶悪にガナるヴォーカルは相変わらず暗黒で、邪悪な空気を強力に滲ませるし、時折 Dissection 風にもなってしまうメロウなリフもきちんとツボを押さえている。強力な個性がある訳ではないが、聴き易さのあるプリミティヴ・ブラックメタルとしては上質。

Azaghal

Finland

Of Beasts and Vultures

2002

Evil Horde Records

Jani Loikas がギタリストとして正式メンバーとなっての 3rd アルバム。Satanic Warmaster の Werwolf がゲスト参加している。これまでのメロウなリフを擁したプリミティヴ･ブラックメタル路線は継承しつつも、これまでファスト･パートに重点を置いてきた作風からアコースティック・パートを入れたりして、緩急場面変化をより顕著にして、凝った展開を見せるようになってきた。Raw な音質ではあるがサウンド・プロダクションも向上してきており、叙情的なメロディを単に垂れ流すだけでなく、随所でその良さを強調させる様になってきている。この路線を深化させればメジャー化できる可能性もあったかもしれないが、現在はブルータル色強めのデスメタルに近いサウンドへと変化している。

Azazel

Finland

Jesus Perversions

2012

Werewolf Records

Lord Satanachia により 1992 年から活動する古株であり、90 年代には EP『The Night of Satanachia』を残したものの、その後、音沙汰がなく、誰もが消滅したのかと思っていたが、2011 年に Goatmoon との Split をいきなりリリース。そして翌 2012 年に Satanic Warmaster の Werwolf による Werewolf Records からリリースされた 1st アルバムが本作。Darkthrone 直系と言えるリフや禍々しさを強烈に発する、イーヴルな声による完全オールドスタイルなブラックメタル。1980 年代暗黒スラッシュメタルからの影響が強く、ベスチャルなサウンドだ。とにかく邪悪過ぎるヴォーカルと適度に刻みながらシンプルで原始的なリフが相まって、異様な地下臭さを感じさせ、プリミティヴな世界をストイックに繰り広げる。

Anguished

Finland

Cold

2010

Hammer of Hate Records

Possessed Demoness による女性一人ブラックメタルの 1st アルバム。ドラムは Mental Penetrator なる人物が叩いている。ジャケットのせいでここ日本ではイロモノ的に扱われていたが、サウンドの方は完全なるプリミティヴなブラックメタル。女性でしか表現できないであろう金切り声により、とてつもない狂気とデプレッシヴ系とは違った悲痛さを感じさせて、強烈なインパクトを残す。それと相反するように陰鬱なメロディによるギター・リフとの相性がまた絶妙。実にクセの強い絶叫ヴォイスであるが、一方で淡々とした感じで陰鬱なメロディを滲ませるリフとのコントラストが独特の世界観を生み出している。はっきり言ってヴォーカルにより、好みを分ける音であるが、病的なヤバさを感じさせる。

Archgoat

Finland

Whore of Bethlehem

2006

Hammer of Hate Records

Lord Angelslayer（ベース / ヴォーカル）と Ritual Butcherer（ギター）により 1989 年に結成。Beherit や Impaled Nazarene と並んでフィンランド・ブラックメタル・シーンを築き、1993 年に EP『Angelcunt』をリリースしたものの解散。しかし 2004 年に復活し、2005 年に EP『Angelslaying Black Fucking Metal』をリリース。それに続く 1st フルアルバムが本作。ほぼノイズと化したリフと低音極悪グロウル・ヴォイスによる地下臭満載のプリミティヴ・サウンド。音楽的にはファストパート主体で、デスメタルやグラインドコアの要素も強く感じるが、異様な邪悪さが渦巻き、原始的ブラックメタル要素が色濃く出ている。

Baptism

Finland

The Beherial Midnight

2002

Northern Heritage Records

後に Horna に参加する Lord Sargofagian が 1990 年代終盤にスタートさせたフィニッシュ・プリミティヴ・ブラックメタルが 2002 年に Northern Heritage からリリースした 1st アルバム。Satanic Warmaster の Werwolf が歌詞を提供しており、その人脈上にある。シャリシャリとしたノイジーなリフから叙情的なメロディを醸し出すフィニッシュ・プリミティヴ・スタイル。Satanic Warmaster や初期 Horna 程メロウさに拘ったスタイルではないものの、随所で正統メタルに通じるフレーズがある。ぶっきら棒にブツ切れる感じで曲が終わったり、厚みのない音像だったり、グロテスクな感触のガナり声だったりと、アンダーグラウンドでプリミティヴな要素が強い。

Baptism

Finland

Morbid Wings of Sathanas

2005

Northern Heritage Records

Lord Sargofagian 一人体制となっての 2005 年 2nd アルバム。Trollheim's Grott で活動し、後に Horna のヴォーカリストにもなる Spellgoth がベース / ヴォーカル、Rahu で活動することとなる Kobalt がドラムでサポート参加している。前作同様プリミティヴな空間からメロウさを滲み出すスタイルは継承。ひび割れしながら、刺々しくノイジーなリフはさらに地下臭さを培養させるが、彼等の最大の特色である冷え切ったメロディがより質を高めている。一層アンダーグラウンド臭を強めながら洗練されたメロディと配合加減、そしてファスト・パートではなく、ミドル・パートでこそ「良さ」を発揮する曲展開の妙技を感じさせる。至ってプリミティヴな音像であるが、ハイグレードなメロディが印象的。

Baptism

Finland

Grim Arts of Melancholy 2008

Northern Heritage Records

2008 年リリースの 3rd アルバム。メロディがさらに前面に押し出され、Satanic Warmaster をも凌駕するかの様な、荒涼とし凍てついた叙情旋律がより顕著に表現されるようになった。一方でドス黒さが全体を覆い尽くす音像となっており、退廃的で不穏な雰囲気も一気に増している。音圧の増したサウンド・プロダクションに依る所も大きい。苦悶の表情等を見せつつ迫力のあるガナり声やリフから発せられる漆黒さと、メランコリックで陰鬱なメロディの双方とも、大きくステップアップした。Deathchain や Trollheim's Grott でも活動し、Horna のメンバーにもなっている Kassara がヘルプ参加し、ドラムを叩いている。

Beherit

Finland

The Oath of Black Blood 1991

Turbo Music

1988 年に Horny Malformity として結成。その後 Pseudochrist から 1989 年に Beherit となり、ブラックメタルのオリジネイターとなった奇跡の存在。レーベルから支払われた 1st アルバム用のレコーディング費用をメンバーがドラッグに使い果たしてしまい、怒ったレーベルが 1990 年のデモ『Demonomancy』と 1991 年の EP『Dawn of Satan's Millennium』をアルバムとしてリリースしてしまったという曰くつき。ほぼノイズと化して何を弾いているか分からないギター・リフと、血反吐を吐いているかのような壮絶なヴォーカル、さらに音質も最底辺の劣悪ぶりと、一聴すると得体のしれない猛烈に邪悪な音塊にしか聴こえない。ゆえにインパクトは絶大である。1990 年代初頭という時期には常軌を逸したイーヴル・サウンドであった。

Behexen

Finland

Rituale Satanum 2000

Sinister Figure

Sargeist のメンバーでもあった Horns と Hoath Torog によるブラックメタルで、1994 年から活動した Lords of the Left Hand が母体。2000 年リリースの 1st アルバム。やたらギャーギャー叫びまくる Hoath Torog のヴォーカルと、厚みがなく突き刺さる様なノイジーなリフに Raw なドラムによる地下ブラックメタル。荒々しく突き進む凶悪さを前面に押し出したスタイルではあるが、メロウなリフを随所に配合させる、いかにも北欧ブラックメタルな要素も強い。終始テンションが高く、喚き散らし叫びまくる Hoath のヴォーカルが放つ邪悪さが激甚。イントロ部分を手掛けたのは Satanic Warmaster の Werwolf。2013 年には Debemur Morti Productions からリマスター再発盤がリリースされている。

Behexen

Finland

By the Blessing of Satan 2004

Woodcut Records

Woodcut Records からリリースされた 2nd アルバム。Alghazanth の Veilroth が本作ではギターを弾いている。前作同様 Ihsahn に近い、切り裂く様な絶叫ヴォイスが凄まじさを如何なく発揮。ノイジーなリフにメロウさを溶け込ませた、いかにも北欧 / フィニッシュ・ブラックメタルの要素が多いながら、狂暴さを前面に押し出した荒々しいサウンドは前作を踏襲。ギター・リフに厚みが出てきて、ベース音が相当程度に強めに押し出されているので、聴き易くはなっている。ファスト・パートにおける、勢いまかせでやたら禍々しい空気を強烈に発しながら、凄まじい破壊力で圧倒させる。ブラックメタルの猛々しく騒々しく猛烈な邪悪さを実に直球で提示した名作。

Diaboli

Finland

Mesmerized by Darkness 1996

Unisound Records

フィンランド初期デスメタル Depravity のメンバーでもあった Petri Ilvespakka により、1992 年に活動を始めた Sigillum Diaboli から 1995 年に改名。そしてギリシャの名門 Unisound Records からリリースされた 1st アルバム。いわゆる北欧スタイルのメロウな要素はほぼ無く、チリチリとしたリフとひたすらブラストを叩き込むドラムによるファスト・スタイルのブラック・メタル。1990 年代初期デスメタル要素も残した Sigillum Diaboli でのサウンドの流れにありながら、ギャーギャーと叫びまくるヴォーカルや薄っすら流れる妖しい雰囲気を漂わせるシンセにより、邪悪な世界を構築する。2016 年には Northern Heritage Records よりジャケット・アート違いで再発盤がリリースされている。

Diaboli

Finland

Wiking Division 2015

Northern Heritage Records

Northern Heritage Records から 2015 年にリリースされた 7th アルバム。インダストリアル・メタルの Psychopathic Terror でも活動する Petri Ilvespakka が独りでマイペースに作品をリリースし、20 年以上も続けながらひたすら禍々しいサウンドを放出し続けている。初期の頃のようなファスト・パート一辺倒ではなく、ミドル・パートも上手く配し、強力に暗黒さを発するノイジーなリフも研ぎ澄まされてきてはいる。さらにドス黒さもあるガナり声が堂に入っており、もはや貫禄を感じさせるサウンドとなっている。相変わらずメロウな要素の極めて薄い、邪悪さや暗澹たる空気が立ちこめるブラックメタルだ。Marduk 辺りのストロングな一面も見せるが、地下臭さと闇の深さはこちらの方が遥かに強い。

Exordium

Finland

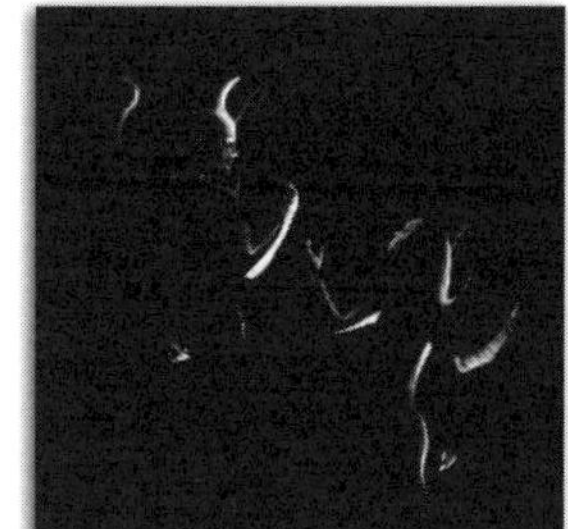

In Wrath Principle 2008

Northern Heritage Records

1996 年から活動し、2001 年に EP をリリースし、Northern Heritage Records の名作オムニバス『Crushing the Holy Trinity』にも参加した Exordium の 1st アルバム。ドラムの Atte Karstila とベース / ヴォーカルの Santtu Tiihonen は Sacrilegious Impalement でも活動している。コールドなメロディを伴った切れ味の鋭いノイジー・リフと、ドカドカとしたドラム、そして邪悪さ全開のガナり声ヴォーカルによる真性さを強く感じさせるブラックメタル。そしてファスト・パートでのブルータルさと、ミドル・パートでの強烈な禍々しさをバランス良く配しながら、不穏な空気が全体を覆い尽くす。音の分離の良いプロダクションながら、プリミティブさを強く感じさせる。

Förgjord

Finland

Ilmestykset 2019

Werewolf Records

Prokrustes Thanatos（ヴォーカル / ドラム）と Valgrinder（ギター / ベース）により 1995 年から活動しているフィンランド・ブラック・メタルが 2019 年にリリースした 4th アルバム。フィンランドらしい凍える様なメロディを押し出した。音質はさほど Raw ではないが、異様に毒々しさを発するヴォーカルにより、アンダーグラウンドさがより強調されている。ただしギター・リフから発せられるメロディが印象的で、悲哀を強く感じさせるセンスはさすがである。Satanic Warmaster の Werwolf が運営する Werewolf Records からのリリースだけあって、メロディックでありながら、プリミティヴ・ブラックメタルの本質をしっかり押さえている。

Forlor

Finland

Towards the End

2018

Darker than Black Records

Panzerfaust（ヴォーカル / ベース / ドラム）と N.N（ギター）によるブラックメタルの Darker than Black Records から 2018 年にリリースされた 1st アルバム。2015 年に 7" EP『Forces of Hate』、2016 年に Satanic Warmaster の Werwolf らによる White Death との Split をリリースしている。悲哀感を強く感じさせるメロディが滲み出すリフ主体のメロウ・プリミティヴ・サウンドで、やや一本調子ではあるが、ファスト・パートよりもミドル・パートを中心とした曲展開で、ジワジワと寒々しいメロディを体に浸み込ませてくる。気色悪いガラガラ声でカナるヴォーカルが、プリミティヴ・ブラックメタルらしい荒々しさを表出させている。ドラムは Saturnian Mist/ 元 Azazel の Shoo(Shu-Ananda) が担当。

Goatmoon

Finland

Death Before Dishonour

2004

Werewolf Records

Satanic Warmaster の Werwolf らとの 1980 年代メタル・スタイルのバンド Armour にも参加した BlackGoat Gravedesecrator による、Raw ブラックメタルの 1st アルバム。凍てついたメロディを押し出した Satanic Warmaster に近いスタイルではあるが、ひび割れしまくったリフと、やたらガシャガシャとした音のドラムにより Ildjarn にも通じるミニマルで Lo-Fi だ。やたら生々しい音像により、ギャーギャーと叫びまくるヴォーカルの邪悪さとメロウな要素が増している。厚みがないチープな音作りだったり、曲によって録音状態がバラバラだったり、リズム・キープに妖しさがあったりと、Raw ブラックメタルの中でも比較的上位に位置する。そしてそれが故に偏執的人気も得ている。

Impious Havoc

Finland

Dawn of Nothing

2006

Aphelion Productions

Uncreation's Dawn の Tommi Rantanen らによるプリミティヴ・ブラックメタルの 3rd アルバム。やたらガナり叫びまくるヴォーカルと、薄っすらコールドなメロディを掻き鳴らすトレモロリフ、生々しくドカドカとしたドラムによるブラックメタルながら、曇った劣悪なサウンド・プロダクションにより Lo-Fi な印象を強く感じさせる。ファストとミドル・パートを組み合わせながら、1990 年代スタイルがベースと、典型的ではあるが、この手のプリミティヴ·ブラックメタル·ファンには病みつきになる。ラストは Darkthrone の名曲「Quintessence」のカヴァーで、オリジナルよりも重く展開していき、泥沼の様な邪悪さが醸し出されており、透逸な仕上がりとなっている。

Inferi

Finland

Shores of Sorrow

2006

Northern Heritage Records

Kadotus でも活動する Fyrdkal による一人ブラックメタルが 2006 年にリリースした 1st アルバム。Northern Heritage Records からのリリースにしては珍しくデプレッシヴなブラックメタル。Burzum のように強烈な陰鬱メロディをひたすらループさせるノイジーなリフに、病的に絶叫するヴォーカルが悲愴感を煽り、ミドル / スロー・テンポで沈み込むような絶望的世界を描く。10 分以上に及ぶ長尺曲 4 曲という構成でファストな展開もなく、全てを失いかけた厭世感と救いようがない寂寞感を偏執的に繰り広げる。灰色な薄暗さに覆われつつも、デプレッシヴ・ブラックメタルの中ではサウンド・プロダクションも良好。病的なメランコリーを反復リフによりミニマルに表出しながら負の感情を高めていく。

Kadotus

Finland

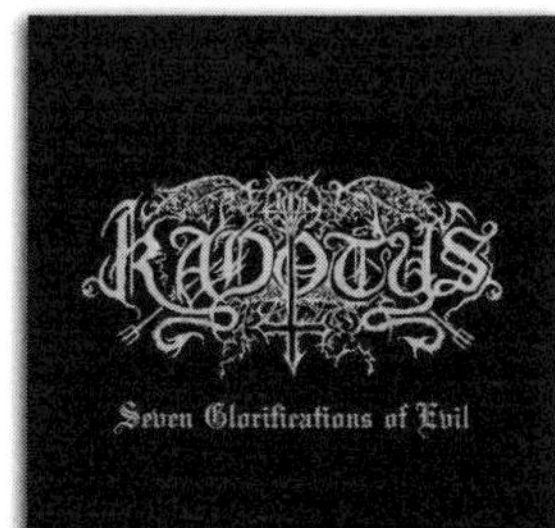

Seven Glorifications of Evil　2003

Blut & Eisen Productions

デプレッシヴ・ブラックメタルのInferiでも活動するFyrdkalや、ペイガン・ブラックメタルのAncestors BloodのメンバーでもあるRaudとThorgauntらによるバンド。元々はGrimsvötnとして活動していたが、2001年に改名し、2003年にリリースされた1stアルバムが本作。奇怪で粘着質のガナり声やたまに裏返って気色悪さを残すクリーン・ヴォイスで、Inferiとは違った印象を残すFyrdkalのヴォーカルが特徴的。荒涼とし、冷え切ったメロディが押し出されつつも、禍々しさと邪悪さを強く感じさせる。ファスト/ミドル・パートの組み分けにより、実は相当練られた曲展開だ。メロウな要素が上手く引き出されていたり、ブラックメタル特有の邪悪さを強烈に感じさせたりと、何気に上質。

Norrhem

Finland

Vaienneet Voittajat　2018

Darker than Black Records

V（ヴォーカル/ギター/ベース/キーボード）、M（ドラム）、T（クリーン・ヴォーカル）の3人と、ほぼ正体不明のフィニッシュ・プリミティヴ・ブラックメタルの1stアルバム。フィニッシュ・プリミティヴらしい凍てついたメロディを滲ませるノイジーなリフによるコールド・ブラックメタル・スタイル。Rawな音作りやガナりまくるヴォーカル、妙に奥へ引っ込んだドラムによりアンダーグラウンド臭を強く感じさせる。Satanic Warmasterを始め、HornaやSargeist、Goatmoon等のフィンランドのメロウ・プリミティヴ・ブラックメタルを正統的に継承したサウンドで、真新しさはないものの聴き応えがある。フィニッシュ・プリミティヴ好きには格好の内容となっている。

Perisynti

Finland

Hiilenmusta Lammas　2006

Northern Silence Productions

Tour De GardeからデモをリリースしていたMuinainen Ruhtinasというブラックメタルのメンバーだったkrimn V.を擁する、プリミティヴ・ブラックメタルのNorthern Silence Productionsからリリースされた1stアルバム。荒涼としたメロディを含んだリフとファスト・パートを主体とした展開による典型的なブラックメタル・スタイルではあるが、殺伐としたドゥーミーな展開もあったりと割と変化に富んでいる。時折、苦しそうになりながら喚き散らす絶叫ヴォイスやRawなサウンド・プロダクションにより、強力な邪悪さを放つ地下臭の強いサウンドとなっている。演奏自体は割としっかりとしたものなので、ある種の聴き易さがある。

Pest

Finland

Hail the Black Metal Wolves of Belial　2003

Blood, Fire, Death

スウェーデンやドイツにも同名バンドが存在するが、こちらはフィンランドのPest。Satanic Warmaster/元HornaのNazgul（Werwolf）　や元HornaのSkrattが在籍していたことでも知られる。1997年から活動しているがアルバムのリリースはなく、デモ2本と1998年に『Towards the Bestial Armageddon』と、1999年に『Belial's Possessed Wolves』の7" EPを残している。そのデモやEPの音源を集めたのが本作。Satanic WarmasterやHornaとは違った1980年代暗黒スラッシュメタルからの影響が強く、Celtic Frost風だったりデスメタル寄りだったりする1990年代初頭のアーリー・ブラックメタル・スタイル。

Sacrilegious Impalement

Finland

Cultus Nex

2009

Blasphemous Underground Productions

ブラッケンド・スラッシュメタルのEvil Angelでも活動していたVon Bastardらによるブラックメタルの1stアルバム。ExordiumのAsassin（Atte Karstila）がドラムで、Uncreation's Dawn/Urn/Desolate ShrineのHellwind InferionとNeutron HammerやPerdition Winds等のKaosbringerがヴォーカルで参加している。ブラスト・パート主体ながら緩急も付いた展開、叙情的なメロディを用いながら攻撃的で殺傷性が高い研ぎ澄まされたリフ、猛烈な邪悪さを発するヴォーカルにより、ブラックメタルの禍々しさとアグレッションを高次元で提示した。厚みのある音に安定した演奏とオーバーグラウンドな要素が多分にあるが、真性なブラックメタルらしさも固持されている。

Sargeist

Finland

Satanic Black Devotion

2003

Moribund Records

Hornaを率い、MortualiaやFinnentum、Sinisterite、Vordr等々でも活動し、Behexenのメンバーでもあったフィニッシュ・ブラックメタル・シーンの重要人物Shatraugを中心に、BehexenのHoath Torog（ヴォーカル）とHorns（ドラム）がメンバーだったバンドの1stアルバム。Satanic WarmasterやHornaにも匹敵する、凍てついたメロディを多分に含んだリフによる荒涼としたメロウな系統。悲痛さすら感じさせる壮絶な金切り叫び声ヴォーカルによる、猛烈な邪悪さが耳を惹き、適度にRawな音質により地下臭さを強力に匂わせる。とんでもなく禍々しい質感の音ながら、実は展開構成がしっかりと練られていて、メロウな要素もしっかりと引き立てられている。フィニッシュ・プリミティヴ・ブラックメタルの名作中の名作。

Sargeist

Finland

Feeding the Crawling Shadows

2014

World Terror Committee

Shatraug、Hoath Torog、Hornsの3人に加え、前作より加入したHornaやNeutron Hammer等でも活動していたVainajaの4人により制作された2014年4thアルバム。初期の頃から貫かれている叙情性の強いメロウなスタイルをしっかりと踏襲。突き刺す様なノイジーなリフの中から湧き出す荒涼としたメロディの充足感は非常に高く、攻撃的で、とんでもなく邪悪な空気が渦巻きながらメロウさをしっかりと引き立てている辺りはさすがであると唸らざるを得ない。Rawでプリミティヴなサウンド・プロダクションにより耳障りが悪くなってはいるものの、メロディがしっかりとしているので聴き易い。もちろん地下臭さも一切失われていないので、当然ながら万人向けではない。まさにフィニッシュ・ブラックメタルの真骨頂と言える傑作。

Sargeist

Finland

Unbound

2018

World Terror Committee

Shatraug以外のメンバーが一新。デスメタル・バンドのDesolate Shrineで活動し、元Uncreation's DawnやUrnのProfundus（ヴォーカル）、Nightbringer／元Kult ov AzazelのVJS（アメリカ人ギタリスト）、Saturnian MistのAbysmal（ベース）、Lie in RuinsとDesolate Shrineで活動するGruft（Roni Sahari：ドラム）が加入して制作され、2018年にリリースした5thアルバム。コールドなメロディを前面に押し出したスタイルを踏襲。サウンド・プロダクションが格段に向上したことで、メロウさにも磨きが掛かっている。ドラマティックさに重心を置いた曲も多い。ブラックメタルとしての暴虐性を保ちながら、彼等らしい荒涼とした雰囲気も上手く表現されている。

Sarastus

Finland

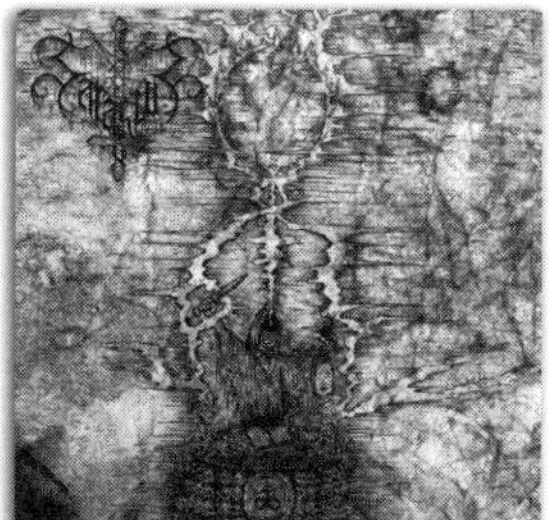

Enter the Necropolis

2019

Wolfspell Records

Vardøger を中心としたフィンランドはオウル出身のブラックメタルによる 2019 年発表 2nd アルバム。ヴォーカルは新たに加入した Sarkrista でも活動する Revenant で、この 2 人によって本作は制作されている。刺々しくも叙情的なコールド・メロディを放出する、Satanic Warmaster や Horna、Sargeist を始めとするフィニッシュ・メロウ・プリミティヴ・ブラックメタル・スタイルそのもののサウンドではあるが、この手のバンドの中でも最上級のメロディを携えている。ガナり立てるヴォーカルや Raw な音作りから、プリミティヴ・ブラックメタルらしい荒々しさと地下臭さを十分感じさせ、メロウさとのバランス感覚が絶妙である。

Svartkraft

Finland

Den Onda Pesten

2004

Perish in Light

Azaghal や Vultyr、Wyrd 等でも活動する Narqath と、Nocturnal Winds のメンバーで Azaghal や Wyrd でも活動した Jl Nokturnal によるバンドの 2004 年リリース 1st アルバム。ジャケットからは安っぽいデスメタルかスラッシュメタルの様な雰囲気が漂うが、陰鬱なメロディを滲ませるノイジーなリフが偏執的にループしながら病的なデプレッシヴ・ブラックメタルを作り出している。Burzum や Forgotten Woods の影響下にあるスタイルで、同郷で言えば Inferi 辺りにも近い感じ。陰湿というよりは悲哀感と絶望感が強く出たメロディにより、儚さを感じさせ、どこか神秘的ですらある。全体的にはそのような感じなのだが、途中なぜか Ildjarn の様なガシャガシャした Lo-Fi パートを取り入れた曲があったりと、一筋縄ではいかない魅力がある。

Utgard

Finland

Thrones and Dominions

2008

No Sign of Life Records

元々は Dark Opera のバンド名でデスメタルだったが、Utgard-Loke から Utgard へと代わり、ブラックメタルへと変遷。1990 年代後半には Raven と Orch により Burialmound とバンド名を変え、デスメタル寄りのサウンドとなっていたが、Azazel でも活動していた Wakboth が復帰し、2005 年からプリミティヴ・ブラックメタルへと回帰。ブラックメタルへと返り咲いた Utgard による 2008 年の 2nd アルバム。プリミティヴとは言え、サウンド・プロダクションは実にクリアで良好。ファスト / ミドル・パートをバランス良く配合しながら、フィンランドらしい凍てついたメロディを活かしている。メロウになりすぎずにブラックメタルとしての攻撃性や邪悪さをしっかりと押し出している。

Vordr

Finland

I

2004

Nykta Records

Horna や Sargeist を率い、Behexen のメンバーとしても活動した Shatraug、Circle of Ouroborus 等でも活動する Atvar、Satanic Warmaster のメンバーでもある Vholm によるブラックメタルが Nykta Records から 2004 年にリリースした 1st アルバム。泣きそうな声で喚く Shatraug のヴォーカルが耳を惹くが、1990 年代初頭ブラックメタルからの流れを汲むオールドスクールなリフによる、オーセンティックでプリミティヴなブラックメタル。主にミドル・パートにおいてハードコアに近い感触のリズムが目立つが、それも含めて初期 Darkthrone や Ildjarn に通じる所を多分に感じさせる。

Vultyr

Finland

Monument of Misanthropy

2001

Oaken Shield

メロディック・ブラックメタルのHin Ondeのメンバーとしても活動し、現在はWyrdのメンバーでもあるWircki、AzaghalやWyrd、Svartkraftでも活動しHin Ondeのメンバーでもあった Narqathによるプリミティヴ・ブラックメタルの1stアルバム。適度にフィニッシュ・ブラックメタルらしいメロウな要素がありながら、Rawなサウンド・プロダクションにより、アンダーグラウンド臭を強烈に感じさせる。ファスト･パートにおける猛烈なブラスト加減が凄いが、ガムシャラに刻むスラッシュメタル流れのリフがあったり、叙情的なメロディが押し寄せる場面があったりと、多用な要素が混ざり合う。しかし、やはりこのRawな音質により退廃的な空気が全体を覆い尽くしており、なぜか散漫な印象はあまり受けない。

Warloghe

Finland

The First Possession

1999

Drakkar Productions

Utgardにも参加していたEorl Torht Tyrannus（Glaurung）によるプリミティヴ・ブラックメタルがフランスの名門Drakkar Productionsからリリースした1stアルバム。異様にRawなドラム、そして厚みの一切ないチリチリしたノイズ・リフとサウンド・プロダクションはなかなか劣悪な作り。物凄い邪悪さを発するガナり声が地下臭さをさらに増強させるが、ノイジーなリフから滲み出る荒涼としたメロディがフィンランドのブラックメタルらしさを醸し出す。SargeistやSatanic Warmasterを想起させるメロウな要素が多分にあるが、同時にDarkthroneや初期Gorgoroth辺りの原初ブラックメタルからの流れも強く感じさせる。アンダーグラウンドにこだわったプリミティヴ・ブラックメタルの傑作。

Warloghe

Finland

Womb of Pestilence

2003

Illuminating Void Productions

2003年にリリースされた2ndアルバム。リリース元のIlluminating Void Productionsは、メンバーによるレーベルらしく、ほぼ自主制作リリースと言える。前作よりも音に厚みが出てきてはいるが、相変わらずRawなサウンド・プロダクションにより地下臭は異様に強い。前作でのチリチリとした感触から禍々しさを妙に強く吐き出したリフとなっているが、コールドで糊料としたメロディは変わらず滲み出ており、邪悪さ満点のガナり唸るヴォーカルに凄味も出てきた。暗黒指数はさらに上がり、闇度から言えばDeathspell Omega辺りのフランス勢をも凌駕するほど。こちらも地下プリミティヴ・ブラックメタルの傑作。1stアルバム同様、2008年にNorthern Heritage Recordsから再発盤がリリースされている。

Wyrd

Finland

Vargtimmen Pt. 2: Ominous Insomnia

2004

Solistitium Records

AzaghalやVultyr、Svartkraft等でも活動するNarqathによるミサントロピック/アトモスフェリック・ブラックメタルの4thアルバム。アコースティックな寂寞メロディによるクリーン・パートや、キーボードによる幽玄な場面、そしてブラックメタルらしい邪悪なファスト・パートや暗黒陰鬱世界があり、これらが実に効果的に変化を付けながら展開していく暗黒抒情詩。初期UlverやNargaroth辺りに通じる所もあるが、厭世的な雰囲気が全体を覆っている一方で、Burzumを彷彿させる不穏でどこか危険な薫りも漂わせる。美しくも暴虐的で、悲哀感が強い。ジャケットはBurzumの『Hvis Lyset Tar Oss』と同じくノルウェーの画家Theodor Kittelsenの作品によるもの。

Ad Noctum

Denmark

Arrogance

2008

Undercover Records

スピードメタル・バンド Serpent Saints のメンバーでもあった Impaler と Constrictor（Simon Skaarup）、Denial of God やデスメタル・バンドの Exmortem のメンバーでもあった Galheim らによるデンマーク産ブラックメタルが、2008 年にリリースしたフルレンスとしては唯一となったアルバム。ヴォーカルはスラッシュ / スピードメタル Victimizer の Holy Poison（Jens B. Pedersen）がメンバーとして参加。ブラスト全開のファスト・パートを主体にミドル・パートも絡ませて展開していくブラックメタルで、時折凍てつくメロウな要素も見せつつ、ブルータルさを感じさせながら突き進む。ヴォーカルが発する暗黒な空気により、ドス黒さと邪悪さを強く感じさせる。

Angantyr

Denmark

Kampen Fortsætter

2000

Independent

Make a Change...Kill Yourself のメンバーでもあり、Blodarv にも参加した Ynleborgaz によるデンマークのブラックメタル。元々はアンビエント・プロジェクトとして 1997 年にスタートしたようだが、ブラックメタルへと転向している。本作は 2000 年の 1st アルバム。陰鬱さを感じさせるコールドなメロディを奏でるトレモロ・リフと Raw な感触のノイジーなリフにより、荒涼とした雰囲気を創出している。薄っすら厭世感を漂わせるキーボードを配したり、勇壮なメロディが出てきたりして、メロウなプリミティヴ・ブラックメタルとしては良質な音。オリジナルは自主制作 CD-R リリースだったが、2004 年に Total Holocaust Records から、2006 年には Eisenwald から再発盤がリリースされている。

Angantyr

Denmark

Sejr

2004

Blasting Black Semtex Attack

2004 年にリリースされた 2nd アルバム。前作での陰鬱さがあるメロウな要素がさらに押し出されるとともに、メロディ・センスが秀逸になってきた印象だ。邪悪さを強力に醸し出すガナり声や、チリチリとしたノイジーなリフ、Raw なドラムから相変わらずプリミティヴで暴虐性が高い。しかしながら、北欧ブラックメタルを彷彿させる凍てついた悲哀感の強いメロディが終始奏でられ、さらにそこにヴァイオリンも絡んできて物悲しさがさらに高まっている。ファスト・パートでの激情的なメロディを噴出させる様や、ミドル・パートでのデプレッシヴ・ブラックメタルに通じる悲哀に満ちたメロディがドラマティックに展開していく辺りに、メロウなブラックメタルとしてのポテンシャルの高さを垣間みることが出来る。2006 年には Det Germanske Folket からジャケット・アート違いの再発盤がリリースされている。

Angantyr

Denmark

Hævn

2007

Det Germanske Folket

2007 年に Det Germanske Folket からリリースされた 3rd アルバム。これまで通りの凍て付いた絶望感を漂わせる、悲しいメロディが行き交う。サウンド・プロダクションが相変わらずプリミティヴで地下臭さを漂わせているが、前作以上に音圧が出てきており、よりサウンド・クオリティが上がってきている。邪悪にガナりまくるヴォーカルのスタイルや、ファスト・パートでの涙腺を決壊させる激情的メロディ、ミドル・パートでの悲愴感を滲ませる感触は前作と変わっていないが、メロディ自体の質、曲展開の質がさらにもう一段階上を行くようになった。悲哀感と悲愴感の中間を行くようなトレモロ・リフの素晴らしさが際立つ。2010 年に Northern Silence Productions から再発盤がリリースされている。

Blodarv

Denmark

Soulcollector (The Thousand Years Tale) 2004

Northern Silence Productions

1994年に結成され、SkjoldのHuulとHugin、メロディック・ブラックメタルFjorsvartnirでも活動するAzathil、Sepulchral CriesのPest、そしてAngantyrやMake a Change...Kill YourselfのYnleborgazも在籍したデンマークのプリミティヴ・ブラックメタル。HuulとHuginにDenial of Godのメンバーでもあった女性ヴォーカリストのIsazが参加して制作された2004年1stアルバム。コールド・メロウ要素もありながら音圧のないギター・リフとガシャガシャとした生々しいドラムにより、プリミティヴな地下臭さも満載。本来は物悲しさを生み出す目的で導入されたであろう女性ヴォーカルが、Rawな音処理のため妙に安っぽくなってしまっているのは、マイナス要素。

Blodfest

Denmark

I kong Skjolds Navn 2007

NMB Records

LuciationのGru Den Grusommeと、Luciationやデスメタル・バンドのDeiquisitorのメンバーでもあるBestial Butcher、DeiquisitorのValeskaldにより1992年から活動し、デンマークでは古株のブラックメタルが2007年にリリースした2ndアルバム。禍々しさを猛烈に発しながら、ガナりたて喚きまくるヴォーカルに、メロウさをほぼ排除しながらノイジーなリフを執拗に展開するギターによる、暗黒度の高いプリミティヴ・ブラックメタル。当然地下臭い空気感も非常に強烈。Darkthroneからの影響が強いスタイルではあるが、強烈な暗黒性と邪悪さにより、どこか儀式的な雰囲気を感じさせる。プリミティヴなブラックメタルとしては良質である。

Make a Change...Kill Yourself

Denmark

Make a Change... Kill Yourself 2005

Total Holocaust Records

Angantyrを率い、BlodarvやHolmgangのメンバーでもあったYnleborgazと、歌詞を手掛けるNattetaleによるデプレッシヴ・ブラックメタルが2005年にTotal Holocaust Recordsからリリースした1stアルバム。Rawでノイジーなリフから滲み出す絶望観しか与えないメロディがループされる。スロー・テンポで延々10分以上に渡りジワジワと精神を蝕まれるかの様に浸透してくるデプレッションが、不穏な世界を形成している。陰鬱/自殺系ブラックメタルの名作。アンビエントやピアノによる寂寞感、悲痛な叫び、そして絶望感溢れる反復リフ。これらが何かに追い込まれたような世界観を徹底して描いている。

Sepulchral Cries

Denmark

Misery Exhibits 2007

Pestcave Records

Blodarvでも活動するPestによるプリミティヴ・ブラックメタルの2007年1stアルバム。妙に音量が低いチリチリとしたノイジーなギター・リフとRawなドラム、そして気色悪く邪悪な空気を猛烈に発するガナり声により、地下臭さに支配されたプリミティヴ・ブラックメタルを展開。ファスト・パートもほぼなく、ミドル/スロー・パートで攻めるスタイルで、これまたチープな音色のキーボードも随所で絡んでくる。時折叙情的でメロウな要素が見受けられ、どこかジメっとした陰湿さを感じさせる。それがLo-Fiな音作りから来るアンダーグラウンドさと一致し、カビ臭い空気をひしひしと感じさせる。オリジナルはCD-Rリリースだったが、2012年にはMisanthropic Art Productionsからボーナス・トラックが追加収録され、再発されている。

Skjold

Denmark

Fourteen Years Hell! 2007

Ewiges Eis Records

Blodarv の Hugin と Huul らにより 1994 年から活動するプリミティヴ・ブラックメタル。これまでフルレンス・アルバムをリリースしておらず、本作は Darkthrone のカバーを含む未発表音源集として 2007 年に Ewiges Eis Records からリリースされたもの。ファズが効いたノイジーなリフとそこから滲み出るコールドなメロディ、邪気を猛烈に発するガナり叫ぶ発狂ヴォイス、ガシャガシャと叩くドラムと、Lo-Fi でありながらメロウな要素もある Raw ブラックメタル。北欧らしい凍てついたメロディを浸透させながら、密閉された地下室の中で、邪悪な何かが蠢く様な強烈なアンダーグラウンド臭さが全体を支配する、極北マニアックなサウンドの逸品。

Sortsind

Denmark

Sår 1999

BTB

スウェーデンの Silencer と共に、最も陰鬱で狂気を感じさせる存在として有名なデンマークのブラックメタルが、1999 年に BTB なるレーベルからリリースした 1st アルバム。流通が極端に悪かったので伝説と化した作品である。Silencer がスロー / 静寂パートによりジワジワと精神異常世界へ追い込んでいくのに対して、こちらはブラスト・パートやノイジーなリフと言ったプリミティヴ・ブラックメタルらしい手法で狂気の世界を描いている。完全に病みまくった嗚咽絶叫と何かにおびえる様な呻き声からは狂気しか感じられない。このヴォーカルの凄まじさに匹敵するのは Silencer の Nattramn しかいないだろう。ノイジーなリフから溢れ出す悲嘆的メロディが妙にカビ臭い Raw な音像の中で蠢き、病的絶望感をさらに深めている。全編通して聴くには相当の覚悟が必要である。

Sortsind

Denmark

Vanvid 2001

Total Holocaust Records

1st アルバム『Sår』に続き 1999 年に 7" EP『Tomhed』を、さらに 2001 年に 2nd アルバム『More Days』を mp3.com でリリース（プレス盤は CD-R で数枚程度だったらしい）。その全ての音源（1st/2nd/EP で被っている曲が多かった）に未発表音源 2 曲を収録したコンピレーション。今となってはもはや入手困難ではあるが、Sortsind の中で最も流通したのがこの作品。曲によって音質がバラバラであるが、やはり狂気の塊と化した凄まじい絶叫と呻き声は完全に一線を越えているし、ヒビ割れした様なノイジーなリフや冷え切った絶望的メロディが病的世界を増長させている。なお女性ベース / キーボードの Smerte は後に自殺により亡くなっているらしい。

Daarling Stemning

Denmark

Jeg Elsker Beton 2015

At War for Noise

Sortsind のヴォーカル / ギターの Svig と女性キーボード奏者の Smerte が在籍していた、活動時期も詳細もよく分からないデンマークのブラックメタル。この作品は 2015 年に CD-R でリリースされたものだが、レコーディング自体は 1995 年から 1997 年ということなので、Sortsind の前身バンドと言っていいだろう。すでにあの正気の沙汰でない壮絶に病んだヴォーカルはすでにここで聴ける。音楽性も陰鬱なメロディこそまだ控えめ。プリミティヴ・ブラックメタル然とした攻撃性と荒涼とし、退廃的な空気が全体を覆っており、Sortsind へ繋がるサウンドである。幽玄で神秘的な雰囲気すら創出するキーボードが印象的だ。なお、2016 年には『Hate』（1994 年音源収録）と、『Alene I Det Grå』（1997 年音源）の 2 枚の EP がリリースされている。

Zahrim

Denmark

Liber Compendium Diabolicum (The Genesis of Enki) 2007

Black Devastation Records

Angantyr や Make a Change...Kill Yourself を率いる Ynleborgaz や、デスメタル・バンドの Corpus Mortale や Iniquity 等で活動する Martin Rosendahl らが在籍したブラックメタルの 2007 年リリース・コンピレーション。2006 年に 10" でリリースされた EP『Ia Zagasthenu』、2003 年デモ『Ultu Muxxischa』、1996 年デモ『Mashshagarannu』を収録。1990 年代のブラックメタルをベースにしたブラスト全開ファスト・パートとミドル・パートを組み合わせて展開するオーセンティックなスタイルだ。Raw でノイジーなギター・リフに薄っすらと冷気を感じさせるキーボードが乗っかる。当然ながら EP とデモで音質が異なるが、篭り気味のデモ音質の方がより邪悪さを強く感じさせる。

Sinmara

Iceland

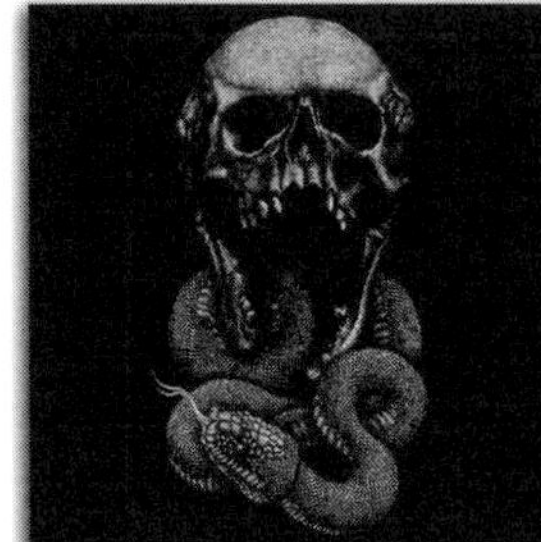

Aphotic Womb 2014

Terratur Possessions

2012 年にカセットのみリリースの EP『Spiritus Sankti』をリリースした Chao というブラックメタルが 2013 年に Sinmara へ改名、そして 2014 年に Terratur Possessions からリリースした 1st アルバム。Slidhr や Wormlust と言ったブラックメタルでも活動する Bjarni Einarsson や Svartidauði の Þórir Garðarsson、アトモスフェリックなブラックメタル Almyrkvi でも活動している Garðar S. Jónsson らがメンバーである。猛然とした暗黒空気が立ちこめる地下ブラックメタル。禍々しさを強烈に沸き上がらせるガナり声と、ギラつき鋭利なコールドさで突き刺してくるリフにより、ファストでもミドル・パートでも徹底して不穏かつ光なきドス黒さを終始撒き散らす。

Svartidauði

Iceland

Flesh Cathedral 2012

Terratur Possessions

Sinmara の Þórir Garðarsson もメンバーであるアイスランドの暗黒ブラックメタルが、2012 年にノルウェーの Terratur Possessions/US は Daemon Worship Productions からリリースした 1st アルバム。バンド名はアイスランド語で「黒死病」の意味。そのバンド名に恥じない、と言うかその表現だけでは完全に足りないぐらいの強烈な暗黒さに覆われた衝撃作。一瞬ガテラル・ヴォイスにも聞こえる低音ガナり声から伝わる漆黒さに覆われ、禍々しさと陰鬱なコールドさを醸し出すギターの鋭利なリフにより、カオティックで陰湿な雰囲気が渦巻く世界を創出。そんな中でメロウな要素やドラマティックな展開に力点が置かれた曲展開により、神々しいまでの暗黒芸術性を感じさせる。

Zhrine

Iceland

Unortheta 2016

Season of Mist

元々 2007 年からデスメタル・バンドの Gone Postal として活動し、2008 年にはアルバム『In the Depths of Despair』をリリース。その後、2014 年に Shrine へ改名。さらに翌 2015 年に Zhrine と変え、2016 年 Season of Mist からリリースされた 1st アルバムが本作。漆黒さに覆われた暗黒度数の非常に高いブラックメタル。デス・ヴォイスにも近いガナり声が主体で、カオティックな要素や凝った展開と、Deathspell Omega に通じる所が多い。随所で聴こえる冷えたメロディにより、冷徹さを強く感じさせる。Deathspell Omega が引き合い出されることが多いだけあり、充実した内容を誇る。

2nd Wave of Black Metalのルーツ

文学でブラックメタルに影響を与えた作家たち

ブラックメタルはサタニズム、そして反キリスト教が根底にある。大局的に見ると、ブラックメタルのイデオロギーの源はアレイスター・クロウリーとアントン・ラヴェイという2人のカリスマ的人物から来ている。

アレイスター・クロウリーは1875年に生まれ、1947年に死去したイギリス人の魔術師であり、オカルティストである。彼が提唱したセレマ思想は近年の神秘主義やオカルティズム、さらにカウンターカルチャー等に多大な影響を与えた。実際には彼は麻薬依存であり、1920年設立したセレマ修道院では魔術の儀式や背徳行為が行われ、死者も出ていた。そしてクローリーは世間から多大なるバッシングを受けることとなった。また、クローリーはタロット・カードの考案者としても知られている。

1930年に生まれて1997年に亡くなったアメリカ人であるアントン・ラヴェイは、悪魔教会（Church of Satan）を設立。『The Satanic Bible』を著し、個人主義や物質主義、快楽主義を統合し、サタニズムを体系付けた。ラヴェイは世界中から注目され、サタニズムの父と言える存在となり、多くのロック・ミュージシャンへも影響を与えた。

また、怪奇小説/幻想小説家のH・P・ラヴクラフト（1890 - 1937）による『クトゥルフ神話』の世界観も、多くの悪魔主義バンドへ影響を与えている。

NWOBHMの勃興とVenomの登場

ブラックメタルの音楽的ルーツは1980年代だが、1970年代から悪魔主義的イメージを纏ったバンドは多く存在していた。Led ZeppelinのJimmy Pageや、The Rolling Stonesのメンバーが黒魔術に傾倒していたことは有名だが、1970年にデビューしたBlack Sabbathが決定打となった。彼等は当時としては格段にヘヴィな音を発し、徹底して悪魔的なイメージを押し出した。さらにステージ上で黒魔術儀式を演出したBlack Widowや、サバトが収録されたことでアルバムが発禁となったCoven、初期はオカルト・イメージを押し出していたBlue Öyster Cult等が出現する。しかしこの悪魔主義的ムーブメントは長くは続かず、ハード・ロックが衰退し、代わりに台頭してきた反政治アティテュードのパンク・ロック勢により、古臭いものとして追いやられていく。

1970年代末期にはイギリスでNWOBHM（New Wave of British Heavy Metal）ムーブメントが勃発。オールドウェーヴとなっていたハードロックから、新たにヘヴィで攻撃的なヘヴィメタルが確立されていく。その中でVenomという奇跡の存在が登場する。彼等はサタニックなイメージを徹底して押し出し、メンバーはCronos、Mantas、Abaddonとオカルティックなステージネームを使用。1981年に発表されたVenomの1stアルバム『Welcome to Hell』は当時としては常識外れなノイジーで粗暴なサウンドを吐き出し、後のスラッシュメタルからデスメタル、そしてブラックメタルへ絶大な影響を与える。続く1982年発表の2ndアルバム『Black Metal』は文字通り「ブラックメタル」の呼称の起源となった。1984年の3rdアルバム『At

War with Satan』までがVenomのハイライトであり、その後Mantasが脱退し、Venomは活動を続けるものの中途半端な作品をリリースし続け、凋落していく。

King Diamondの白塗りメイク

続いてデンマークから、オカルト・ホラーや悪魔的イメージをまとったMercyful Fateが登場する。1982年にEP『Mercyful Fate』、Roadrunnerへ移籍し1stアルバム『Melissa』、1984年に2ndアルバム『Don't Break the Oath』をリリースする。ヴォーカリストのKing Diamondは白塗りメイクを施し、後のコープスペイントの下地となったと言える。また彼はアントン・ラヴェイから悪魔教会へ招待されたこともあり、自らサタニストであると発言している。音楽的には、King Diamondのクセの強いハイトーンによる、シアトリカルな雰囲気の劇的な展開のヘヴィメタルで、Emperor辺りはMercyful Fateからの影響を強く受けていると言える。

Celtic FrostのTom G.Warriorとコープスペイント

Venomから派生したスラシュメタルにも多くのイーブルなバンドが出現した。1983年にリリースされたSlayerの1stアルバム『Show No Mercy』は後にスラッシュメタルの帝王として君臨する姿とは異なり、Venomのサタニック・イメージを受け継いでいた。ただしVenomよりも格段にスピーディーで演奏テクニックも比べ物にならないほど卓越していた。

そしてスイスから、Tom G. Warriorを中心としたHellhammerが1984年 にEP『Apocalyptic Raids』を発表する。この作品はハードコア要素も多分に含みながら、邪悪な空気に包まれたVenomのサウンド・スタイルを正統的に継承していた。Tom G. Warriorの目の下を黒塗りしているメイクは、King Diamondと並んで後のコープスペイントへ影響を与えた。この作品、さらに発展形となったCeltic FrostのEP『Morbid Tales』(1984年)と1stアルバム『To Mega Therion』(1985)により1stウェーヴ·オブ·ブラックメタルは完全に定着していったと言える。

さらにドイツから、SodomのEP『In the Sign of Evil』(1985年)と1stアルバム『Obsessed by Cruelty』 が、DestructionのEP『Sentence of Death』(1984年)がリリース。これらはサタニック要素が強い作品で、特にSodomは稚拙な演奏力も含めてVenomをそのまま受け継いだサウンドであった。ちなみに、MayhemのEuronymousによるレーベルのDeathlike Silenceは『Obsessed by Cruelty』に収録された曲から取ったものである。なお、Mayhemが結成されたのは1984年。彼等は2ndウェーヴの代表的存在であるが、キャリア的には完全に1stウェーヴである。SodomもDestructionもサタニックだったのはこれらの作品だけで、脱悪魔主義によってKreatorと並んでジャーマン・スラッシュメタルの中核を成していくようになる。

ヴァイキングメタルの元祖でもあるBathory

そしてHellhammerに次いで1stウェーヴ・オブ・ブラックメタルの重要な存在であるBathoryが登場する。1984年にリリースされた1stアルバム『Bathory』は暗黒さを発していたものの、ハードコア・パンク色も強かったが、1985年の2ndアルバム『The Return......』は厚みのないシャリシャリとしたリフや喚き声による、2ndウェーヴのブラックメタルそのものの音を垣間見せ、1987年の3rdアルバム『Under the Sign of the Black Mark』でそれを完全なものにした。Quorthon一人で全てをこなす(当時は一人スラッシュとも言われていた)体制も含め、プリミティヴ・ブラックメタルの原点となった。Bathoryは次作『Blood Fire Death』で大作主義となり、続く『Hammerheart』と『Twilight of the Gods』によりヴァイキングメタルを開拓する。

Mayhemが影響を受けたSarcófagoのファッション

1980年代中盤以降、サタニックなバンドはスラッシュメタルの中でもオールドウェーヴ的な扱いとなっていった。多くのスラッシュメタルがポリティカルなスタンスを取り、メジャー化していったためである。その一方で南米はサタニック・バンドが多く出現する。ブラジルのSepulturaは今でこそワールドワイドで有名な存在だが、1986年にリリースした1stアルバム『Morbid Visions』の頃は完全にサタニックなイメージで粗暴なサウンドを発していたバンドであった。そして、Sepulturaの初代ヴォーカリストのWagner Antichristらによって結成されたSarcófagoが1987年に1stアルバム『I.N.R.I.』を発表。テクニック以上の無茶苦茶なスピードで叩いた挙句、ブラストビートになってしまったドラム、そして背徳でイーブルな世界を形成し、2ndウェーヴへも影響を与えている。Wagner Antichristはジャケットでモヒカン＆ガンベルト＆コープスペイントという衝撃的な恰好をしているが、Mayhemはこのコープスペイントをモチーフにしたという説もある。

さらにコロンビアには治安の悪さを象徴するかのようなベスチャルでアンチクライストなバンドが水面下で活動していた。代表的な存在はParabellumとReencarnación、そしてParabellumのメンバーだったRamón Reinaldo Restrepoが結成したBlasfemiaである。Parabellumは1987年に『Sacrilegio』と1888年に『Mutación por radiación』の2枚の12インチEPをリリース。Reencarnaciónは1988年にアルバム『Reencarnación』と7インチEP『Acompáñame a la tumba』を、Blasfemiaは1988年に12インチEP『Guerra total』をリリースしている。また、この時期1988年にInquisitionが結成されている。コロンビアのシーンはEuronymousとも親交が深く、インターネットのない時代だったが、アンダーグラウンド同志のネットワークは強いものがあった。それが2ndウェーヴの原動力になったと言える。

West Europe

フランス

今やブラックメタル最大のシーンとなっているフランス。しかし1990年代初頭頃は、MütiilationのMeyhna'chを中心に、アンダーグラウンド・ブラックメタル・サークルのLes Légions Noires（The Black Legions）が結成されていたにすぎない、とても小さなシーンであった。Les Légions NoiresからMütiilationを始めVlad TepesやBelkètre、Torgeist、Black Murder等の多くのバンドを産み出したものの、Mütiilation以外はデモを少数リリースするに留まるバンドばかりであった。当時、Les Légions Noiresは知られざる存在であったが、2000年代以降にそのアンダーグラウンド・スタンスや音楽性の影響を公言するバンドが多くなって再評価されることとなる。一方で1992年にはNehëmahが、1995年にはCelestiaが結成される。Nehëmahはプリミティヴ・ブラックメタル・ファンにはカルト的人気も誇ったし、Celestiaは中心人物のNoktuがDrakkar Productionsも運営してシーンの発展に大きな役割を果たした。

フランスのバンドでワールドワイドで注目を集めた最初のAnorexia Nervosaであった。彼等の派手なシンフォニック・ブラックメタル・サウンドは、ここ日本でも人気が高かった。また一方で、その対極であるファストでベスチャルなサウンドのArkhon InfaustusやAntaeusにも注目が集まった。なおAnorexia NervosaやArkhon Infaustus、AntaeusはフランスのOsmose Productionsから作品をリリースしていたが、MardukやImpaled Nazarene、Necromantia、Blasphemy等も所属した、初期ブラックメタルを支えた重要レーベルである。

2000年代以降になると世界中に衝撃を与え、ブラックメタル・シーンの新たな潮流を創出するバンドがフランスから出現する。それはDeathspell OmegaとAlcestである。Deathspell Omegaは特にパワーエレクトロニクス・シーンで活躍していたフィンランド人Mikko Aspaが加入してから、徹底した神秘性と哲学性に崇高さを漂わせる漆黒サウンドにより衝撃を与え、フォロワー的なバンドも多く生み出す。そして、Alcestは中心人物のNeigeにより、シューゲイザーやポストロックとの融合を果たし、ポスト・ブラックメタルという新たなサブジャンルを産み出した。さらに、アヴァンギャルドやインダストリアルな要素を強めることで独自のスタイルを確立させたBlut Aus Nordや、独特の変質的前衛サウンドを吐き出したPeste Noire、暗黒ブラックメタルから突如サザンロックの要素を取り入れたサウンドで（最近は初期のスタイルに回帰しているGlorior Belli、奇怪で暗黒なサウンドのAosoth、「ブラスティング・ブラックパンク」を標榜するNuit Noire等々、個性的なバンドが多く出現している。

初期のシーンの中心であったMütiilationやCelestiaは活動を停止しているが、2000年代以降の新陳代謝により活況を呈している。

ドイツ

1980年代のドイツはメタル超大国であり、特にスラッシュメタルはUSに次ぐ巨大なシーンとなっていた。後にブラックメタルへ多大な影響を及ぼすSodom（初期）もシーンの中心にいた。しかし1990年代になってからのデスメタルやブラックメタルは、USや北欧から後塵を拝していた。そんなドイツのシーンであるが、いくつかの重要バンドも後に出現していく。

ドイツには1980年代末期から活動していたMartyriumというバンドがいた。1992年に制作された彼等のデモ『Through the Aeon』は、デスメタルに近いスタイルではあったものの暗黒でサタニックなサウンドであり、初期Rotting Christ等のカルトなブラックメタルに近かった。しかしこのMartyriumがドイツのシーンを触発したかと言えばそうではなく、むしろブラックメタルを本格的に確立させたばかりのMayhemが1990年に旧東ドイツで行ったツアーがシーンへ大きな衝撃を与えたと言える。この時のライプツィヒでのライヴは1993年に『Live in Leipzig』としてリリースされている。

そして1992年にはAbsurdが結成される。Absurdは1993年に起こした殺人事件やNS思想によって有名となったが、サウンドはOi!パンクからの影響も強く、RACに近いプリミティヴなブラックメタルであった。Absurdよりも若干早い1991年にBethlehemが活動を始めており、さらに1994年にMoonblood、1996年にNargarothが活動を始めた。1990年代前半のジャーマン・ブラックメタルを形成したバンドは、いずれも旧東ドイツ地域（Bethlehemはドイツ最西端に位置するノルトラインウェストファーレン）から出現したのが特徴である。さらにこれらのブラックメタルの人気がアンダーグラウンドで高まってくることにより、徐々にドイツのシーンも注目されるようになってくる。2000年代以降には、1990年代中盤から後半にかけて結成されたKatharsis、Frostmoon Eclipse、Secrets of the Moon、Pest等が話題となってさらにドイツのシーンも活性化されていく。2010年代以降もその潮流は続き、北欧やフランスに次いでブラックメタル重要国の地位を得るに至っている。

ドイツのブラックメタルと言えばNargarothのミサントロピックなコールド・メロウ・サウンドや、Moonbloodのエピックなプリミティヴ・サウンドを指すことが多いが、実際にはNyktalgiaやSterbendと言ったデプレッシヴ・ブラックメタルから、EndstilleやDarkened Nocturn Slaughtercultの様なファスト・ブラックメタル、LantlôsやHeretoirと言ったポスト・ブラックメタル、後期BethlehemやSecrets of the Moonの様な前衛的でプログレッシヴなサウンドまで、様々なスタイルがそれぞれ層を成しているシーンである。

また世界で最もネオナチ思想には厳しい国ではあるが、地下ではAryan BloodやAbsurd関連のTotenburg等のNSBMも比較的多く存在している。

UK

NWOBHMシーンからVenomを産み、DischargeやNapalm Death等を輩出した1980年代のUKアンダーグラウンド・シーンは、紛れもなく世界最先端を行っていた。1990年代にはデスメタルが盛んになるが、ブラックメタルは層が薄かった。そんな中で、1991年に結成されたCradle of FilthによりUKシーンも注目を集めたが、彼等は早々に自らバンパイア集団とキャラクター付けて脱ブラックメタルを図り、商業的成功を収めるに至った。また1989年から活動しているBal-Sagothもまた、大仰なシンフォニック・サウンドでブラックメタルの枠から外れた分野で評価を高めていった。1990年代のUKからはHecate EnthronedがCradle of Filthスタイルのサウンドで注目を集めていた。ということでプリミティヴ・ブラックメタルに関しては完全に後進国であり、バンドの数も非常に少ない。

1990年代終盤から2000年代にかけて、アヴァンギャルドなAkercockeやグラインドコア/デスメタルの要素が強いAnaal Nathrakh、インダストリアルやアンビエント等も取り込んだAn Axis of Perdition、ウォー・ブラックメタルのEastern Front、ポスト・ブラックメタルのFen等、世界的に高評価を得ている個性的なバンドが出現している。

オーストリア

90年代前半頃のオーストリアはブラックメタル先進国であった。それは1993年に結成されたAbigorとSummoningに依るところが大きかった。Abigorは北欧勢に近いメロウなスタイルで、Summoningはアトモスフェリックでエピックなスタイルで、それぞれ注目されるようになっていく。この2バンドはメンバーが被っており、人脈的にAmestigonやアヴァンギャルドなHeidenreich、そしてインダストリアル・ブラックメタルのDominion III、さらにDargaardやDarkwell、Dornenreichと言ったゴシックメタルやアンビエント/ネオクラシカルのシーンにも及んだ。ブラックメタルを中心に、個性的なバンドが多くひしめくシーンへと成長していったのである。これらのバンドの多くはNapalm Recordsからリリースされ、同レーベルが1990年代のシーンを強力に支えていた。さらに、1992年に結成されたBelphegorが、Behemothに近いデスメタル寄りのサウンドにより、2000年代以降ヨーロッパを中心にブレイク。オーストリアでは唯一、ワールドワイドで成功する存在にもなった。2000年代以降はAbigorやSummoningの大御所がマイペースながら活動を続ける一方で、ポスト・ブラックメタルの有望株であるHarakiri for the Skyが出現している。

オランダ

1980年代のメタル・シーンはヨーロッパでも屈指の規模を誇っており、デスメタルも先進国であった。しかしブラックメタルは後進国であったと言わざるを得ない。1990年代にはデスメタル寄りの暗黒サウンドを吐き出していたOccult、ブルータルなSammath、ペイガン・ブラックメタルのNecrofeast、そしてプリミティヴなFuneral Winds等が活動していた。2000年以降もそれほど多く出てきていないが、UrfaustやStalaggh、Gnaw Their Tonguesと言った、とんでもなく個性的で突然変異的なブラックメタルが現れたりしているので、目が離せないシーンではある。

ベルギー

ベルギーのブラックメタルと言えば1993年から活動しているEnthronedが有名である。しかしEnthroned以外は、ほとんどベルギーのブラックメタルは話題となっていなかった。Ancient Ritesは元々ブラックメタルであったが、早々にブラックメタルから脱却しヴァイキング/フォークメタルとして名が知れるようになった。また1992から活動していながら1990年代には全く無名であったLugubrumが、2000年代以降にエクスペリメンタルで前衛的なスタイルとなって話題にもなった。しかしながら、2000年代以降もブラックメタルはあまり多く出てきていないというのが現状である。

アイルランド

UKとの関係が色々深い国ではあるが、ブラックメタル・シーンはUKよりもさらに狭い。アイルランドのブラックメタルと言えば首都ダブリンから1990年代に出てきたPrimordialが有名だが、彼等はケルティック・ペイガンを身上とし、音楽的にブラックメタル度は薄い。2000年代後半にはポスト・ブラックメタルのAltar of Plaguesがコークより出てきたが、このバンドもまたブラックメタル濃度は低い。プリミティヴ・ブラックメタルに関してはNorma Evangelium DiaboliからアルバムをリリースしたRebirth of Nefastとその周辺バンドの名が僅かに知られたぐらいである。

その他西欧国

Celtic FrostからSamaelと暗黒重大バンドを輩出したスイスであるが、その遺伝子はDarkspace等のアンビエント・ブラックメタルへと引き継がれ、プリミティヴ・ブラックメタルの数は限りなく少ない。

また、ドイツ、フランス、ベルギーに囲まれた小国ルクセンブルグもバンドの数は圧倒的に少ない。それでも1990年代からBlack CandleやDonkelheetと言ったブラックメタル・バンドが存在していた。Donkelheetは多くのデモを残しただけで、アルバムをリリースすることなく解散したが、Black Candleはこれまで4枚のアルバムをリリースしている。

フレンチ・ブラックメタルを一つのジャンルとして昇格させた

Mütiilation

出身地 フランス・グラベル　**結成年** 1991 年

中心メンバー Meyhna'ch

関連バンド Hell Militia、Satanicum Tenebrae、Vagézaryavtre、Meyhnach

Meyhna'ch こと William Roussel が Mütiilation として活動を始めたのは 1991 年。まだノルウェーでブラックメタルの新たな波が起きてから間もない頃であった。Meyhna'ch が中心となり、フランスのアンダーグラウンド・ブラックメタル・シーンは形成され、Les Légions Noires(The Black Legions)が結成される。一方 Mütiilation はベーシストの David とドラマーの Dark Wizzard of Silence を加え、1992 年と 1993 年に 2 本のデモを制作。この頃はまだ Meyhna'ch は Willy と名乗っていた。David が脱退し、Dark Wizzard of Silence と 2 人でレコーディングされた 7" EP『Hail Satanas We are the Black Legions』をリリース。さらに Dark Wizzard of Silence が脱退し、後に Celestia や Hegemon へ加入する Krissagrazabeth（ドラム）が加入し、1994 年に 2 本のデモを制作。そして Mordred（ベース）が加入し、レコーディングされた 1st アルバム『Vampires of Black Imperial Blood』をリリースする。しかし 1996 年に解散する。

1993 年と 1996 年にレコーディングされていた音源による 2nd アルバム『Remains of a Ruined, Dead, Cursed Soul』（1999 年）を挟んで Meyhna'ch は 2000 年に Mütiilation を再始動。2000 年に 7" EP『New False Prophet』、2001 年に 3rd アルバム『Black Millenium (Grimly Reborn)』をリリースする。さらに 2003 年に 4th アルバム『Majestas Leprosus』、2005 年に 5th アルバム『Rattenkönig』、2007 年に 6th アルバム『Sorrow Galaxies』をリリースするが、2009 年に再び Meyhna'ch は Mütiilation での活動を止めてしまう。

2014 年に Meyhnach は Mütiilation を再び始めるが、音源も残さず 2017 年に活動を停止する。Meyhna'ch は Meyhna'ch として活動を始め、2017 年にアルバム『Non Omnis Moriar』をリリース。また、2001 年から 2013 年にかけて Hell Militia のメンバーとして活動し、アルバムを 3 枚残している。さらに Mütiilation のライヴ・メンバーらによる Doctor Livingstone と Sektemtum、X Daemon と Celestia の TND による Malicious Secrets でも活動した（いずれも現在は脱退）。

Mütiilation

France

Hail Satanas We Are the Black Legions 1994

Independent

Meyhna'ch によるプリミティヴ・ブラックメタルの 1994 年に自主制作 7 インチでリリースされた 3 曲入り EP。ドラムは結成直後から参加している Dark Wizzard of Silence。彼はこの作品までの参加で、以降は Meyhna'ch 一人で活動していくこととなる。まだこの頃は Darkthrone や初期 Gorgoroth 等の影響下にある原始的なプリミティヴ・ブラックメタルで、後の Mütiilation とは異なる。若干の後の Mütiilation にも通じる陰湿さや、危険な香りを漂わせる絶叫ヴォイスも聴こえるが、まだ 1990 年代のノルウェージャン・ブラックメタルからの影響を強く感じさせる。2006 年には Nightmare Productions から CD が再発される。

Mütiilation

France

Vampires of Black Imperial Blood 1995

Drakkar Productions

フレンチ・ブラックメタル・サークル Les Légions Noires の首謀者である Meyhna'ch による Mütiilation の 1995 年リリース 1st アルバム。この時はメンバーとしてベーシストの Mordred(後に Malcuidant のメンバーにもなる)、セッション・ドラマーとして Krissagrazabeth（初期 Mütiilation のメンバーであり Hegemon でも活動する）と Loïc Teissier が参加している。Raw なサウンド・プロダクションや Meyhna'ch のドス黒く病んだ空気を放つガナり声により異様な地下臭を漂わせる。そこに陰鬱かつ叙情的なメロディを巧みに溶け込ませており、カルトであまりにも邪悪なオーラの中にも陰鬱メロウな要素がしっかり存在感を示している。地下プリミティヴ・ブラックメタル好きなら絶対に避けては通れない名作。

Mütiilation

France

Remains of a Ruined, Dead, Cursed Soul 1999

Drakkar Productions

1993 年に 1st アルバム『Evil: the Gestalt of Abomination』としてレコーディングされながら未発表となっていた音源（1 ～ 5 曲目）と、1996 年のレコーディング音源（6,7 曲目）による 2nd アルバム。ボコボコのドラムとジャリジャリとしたノイジーなギター・リフ、そして何かに取り憑かれた様な発狂し、病みまくった絶叫 / 喚きヴォイスにより壮絶なる「ヤバさ」を発する。グチャグチャになったリフやリズム・キープすらままならないブッ壊れた演奏、そして異様に Raw な音質により地下臭さとプリミティヴな感覚は他を寄せ付けない程。そこに陰湿なメロディを溶け込ませており、悲痛過ぎるヴォーカルと相まって物凄い憂鬱感に覆われている。1996 年音源の方はドラム・マシーンを使用しているので若干まともに聴こえるが、特に前半部分はプリミティヴ・ブラックメタルとしては最上級だ。

Mütiilation

France

Black Millenium (Grimly Reborn) 2001

Drakkar Productions

ジャケットの全く生気のない表情が全てを物語る。前作は過去の未発表音源によるものだったので、2000 年に再始動してからは初のフルレンスとなった 3rd アルバムだが、1st/2nd アルバムの流れを汲んだ狂気と陰湿さに覆われた。チリチリと歪みきったリフから滲み出る沈鬱なメロディがさらに押し出されて、ドラム・マシーンを使用しているため演奏のボロボロさはだいぶ薄れたが、相変わらず壮絶に病んだ地下世界を展開する。ヴォーカルが絶叫から呻きガナる感じへと変化してきているが、生々しいサウンド・プロダクションによりその不穏さや病的な負のオーラがダイレクトに伝わってくる。1st、2nd アルバムと共に何度かブートレグも出ているが 2010 年に Dark Adversary Productions から、2012 年に Drakkar Productions から正規再発盤がリリースされている。

Mütiilation

France

Majestas Leprosus

2003

Ordealis Records

Ordealis Records からのリリースとなった 4th アルバム。相変わらず Raw なサウンド・プロダクションと、ジリジリとヒビ割れした耳障りの悪いギター・リフに陰鬱なメロディを滲ませプリミティヴ。前作に比べれば幾分メロディが抑え気味ではあるが、それでも陰湿なメロウさは十分際立っている。初期の頃から比べれば、ヴォーカルも中音域のガナり声と呻き声による堂に入ったものとなってきているが、やはり随所でとてつもない狂気や不穏さ、邪悪さを発している。前作もそうだが、ファストとミドル·パートを組み合わせつつ、さらに一風変わった展開があったり、混沌とした場面があったりと曲によってそれぞれ個性がある。ということで本作も Mütiilation らしさが顕著に示された傑作。

Mütiilation

France

Rattenkönig

2005

Ordealis Records

2005 年にリリースされた 5th アルバム。無機質なドラム・マシーンは変わらないが、刺々しく突き刺す様なギター・リフがザラついた感触となり、ヴォーカルもドス黒さを帯びてきているので、同じ Raw なサウンド・プロダクションでも比較的暗黒臭が強くなった印象を受ける。Attila Csihar を彷彿させる不穏感を絶妙に煽る呻き声や、呪術的なガナり声等、ヴォーカルの表現力の幅も何気に広がってきている。前作までのメロウな要素がほぼ影を潜め、リフやリズムが淡々と進行していくこともあり、不気味さと邪悪さがこれまで以上に強く出た。深い闇に覆われながら不気味でグロテスクな本作のサウンドからも、やはり只者ではない雰囲気を強烈に漂わせる。

Mütiilation

France

Sorrow Galaxies

2007

End All Life Productions

End All Life Productions から 2007 年にリリースされた 6th アルバム。本作はドラム・マシーンではなく、セッション・ドラマーを起用。さらに長尺曲 4 曲構成となっている。これまでの Raw なサウンド・プロダクションに陰鬱さもあるプリミティヴ・ブラックメタル路線は変わらず。しかし、闇度の高かった前作に比べメロウな要素が取り戻され、さらに前作での曇った音質も飛躍的にクリアになっている。ファスト / ミドル・パートを絡めながら展開していく構成力が高く、長尺曲であっても長さを一切感じさせない辺りは、楽曲構築力の高さが成せる技である。初期に比べれば大分聴き易くはなっているが、変わらず耳障りの悪いリフや不穏さを妙に煽る呻き / ガナり声、そして滲み出る陰鬱なメロディと、Mütiilation らしさに溢れている。

Meyhnach

France

Non Omnis Moriar

2017

Osmose Productions

Mütiilation としての活動終了後に Meyhna'ch がソロ·プロジェクトとしてリリースした。Mütiilation とは異なるサウンド・スタイルで、ブラックメタルをベースにしながら、スタイルとして固定出来ない独特のサウンドを発している。苦悶な表情を見せるヴォーカルは Meyhna'ch そのものであるが、淡々と恐怖感を植え付けるようなサイコパス的なヤバさを垂れ流しており、聴けば聴くほど無機質な不穏感がジワジワと襲い掛かってくる。Meyhna'ch の別バンドである Hell Militia から禍々しさを無くして、アンチ・ヒューマニズムなアヴァンギャルドさとプログレッシヴさが加味されている。Hegemon のメンバーで、Nordjevel や Ad Hominem、Caïnan Dawn 等の作品も手掛けている Darkhyrys がマスタリングを担当。

*Les Légions Noires*とフレンチブラックの地下シーン

関連バンド Mütiilation、Belkètre、Vlad Tepes、Torgeist、Black Murder

1990年からノルウェーで確立されたブラックメタルの波は世界中へと広がっていくが、フランスには1987年頃から地下シーンが存在した。1991年にMütiilationを結成するMeyhna'chを中心に、徹底したアンダーグラウンドにこだわったそのシーンはLes Légions Noires（英語でThe Black Legions）と呼ばれ、当初はハイスクール生だったメンバーも多く、ブートレグを作ったり交換したりする小さなサークルだった。しかもフランスと言ってもパリの様な大都市でなく、ブレストを中心とした北西部の小都市での出来事であった。音楽的には1980年代のBathoryやHellhammer等の影響下にある原始的プリミティヴ・ブラックメタルが主流だった。

Les Légions Noiresで最も早くから活動していたのはChapel of Ghoulsと言うバンド。1989年にベルジュラックで結成したブラックメタル。デモを1本残し、1991年に活動を停止しているが、このバンドに在籍したVordb Dréagvor UèzréèvbとAäkon Këëtrëhが、1992年にTorgeistを、1993年にBelkètreを結成。Vordb Dréagvor Uèzréèvbに関しては1994年にMütiilationのMeyhna'chとのVagézaryavtreを、同年にBlack Murder、1995年にVzaéurvbtreを結成、1995年にVordb一人でBrenoritvrezorkreを始動させる等、Les Légions Noiresの中核を担っていく。他にも、Black MurderのメンバーでもあるVorlok DrakksteimとWlad DrakksteimによりVlad Tepes（Black Murderの前年である1993年に結成）とDzlvarv（1995年結成）、Vèrmyapre Kommando（1995年結成）等が誕生した。しかし、ほとんどのバンドがデモをリリースするだけに留まっており、アルバムまでリリースしたのはMütiilationだけであった。またCelestiaのNoktuが運営するDrakkar ProductionsやGorgorothの1stアルバムもリリースしたEmbassy ProductionsがLes Légions NoiresバンドのデモやSplit、EP等をリリースし、シーンを支えた。結局Meyhna'chはドラッグ依存等でLes Légions Noiresを追放され、Les Légions Noiresを構成したバンドのほとんどが数年で活動を停止してしまっており、いつまで続いたかは不明で、現在は実体がない。1990年代前半当時、ここ日本でLes Légions Noiresの存在はほとんど知られていなかった。しかし、2000年代にMütiilationが注目されるようになると知れ渡るようになり、日本のブラックメタル・シーンへも大きく影響を及ぼした。

Celestia

出身地 フランス・アヴィニョン　結成年 1995 年

中心メンバー Noktu

関連バンド Mortifera、Genocide Kommando、Malicious Secrets、Nuit Noire

Celestia は Noktu により、フランス南東部プロヴァンス地方にあるアヴィニョンにて 1995 年に活動を始めた。Noktu は同じくプロヴァンス地方のリル=シュル=ラ=ソルギュで活動していた Seyiren なるブラックメタル・バンドに、1994 年から 1995 年にかけて在籍。そして Mütiilation の Meyhna'ch から Les Légions Noires の作品をリリースすることを依頼され、1994 年に Drakkar Productions を設立。Les Légions Noires シーンを支える。

Celestia は 1997 年から 1999 年にかけて 4 本のデモを制作。その間に Fureiss（ギター、キーボード）や Mütiilation、Hegemon 等で活動していた Kriss（ドラム）が Celestia に加入する。1999 年に、Kriss に代わり Anorexia Nervosa の Nilcas Vant（ドラム）が参加した EP『A Cave Full of Bats』を Drakkar Productions よりリリース。さらに Nuit Noire の Astrelya（Andy Julia：ドラム）や Malicious Secrets の TND（ベース）が加入したり、Kriss や TND が脱退したりしながらデモや Split を制作。2002 年に 7" EP『Evoking Grâce and Splendour』と Full Moon Productions から 1st アルバム『Apparitia - Sumptuous Spectre』をリリースする。

しかしその後 Celestia は作品リリースが止まる。Fureiss が脱退し、Ghaast（ギター）が加入して 2005 年から 2006 年にかけてレコーディングされた 2nd アルバム『Frigidiis Apotheosia: Abstinencia Genesiis』がリリースされたのは 2008 年。さらにドラムが Astrelya から A.E. に代わり、2010 年に 3rd アルバム『Archaenae Perfectii - L'Arche Arcane Des Parfaits』がリリースされる。2012 年には来日公演も行われたが、2015 年には解散。2017 年には 2012 年にレコーディングされていた 4th アルバム『Aetherra』が Drakkar Productions からリリースされた。

Noktu は Celestia 以外にも 2001 年に Alcest の Neige と Mortifera を結成（Neige は 2005 年に離脱）し、EP1 枚とアルバム 4 枚をリリース。さらに 2002 年に Corpus Christii 等の Nocturnus Horrendus と Genocide Kommando を結成。2002 年にアルバムをリリースしている（この 1 作のみで解散）。

Celestia

France

Apparitia - Sumptuous Spectre　2002

Full Moon Productions

2002年にFull Moon Productionsからリリースされた1stアルバム。De Profundis Éditionsを運営するFureissと、Nuit NoireやDarvulia等でも活動したAstrelyaがメンバーとして参加。冷え切ったメロディが吹き荒れるリフによる北欧ブラックメタル・スタイルで、Noktuのギャーギャー喚く粘着質のヴォーカルが耳を惹くが、ファスト/ミドル・パートを緩急付けて展開したり、演奏力も安定しておりハイレベルな内容である。ベース音も割と聴こえ、厚みのあるサウンド・プロダクションにより、迫力のある音となっており、コールドなメロディを滲ませるトレモロ・リフが上手く活かされている。メロウな要素は強いが、ブラックメタルらしい暴虐性も強く、そのバランス感覚もまた絶妙。

Celestia

France

Frigidiis Apotheosia: Abstinencia Genesiis　2008

Apparitia Recordings

NoktuとAstrelyaにギターのGhaastが加わり、XasthurのMaleficがキーボードでゲスト参加した2ndアルバム。低音もきちんと押し出されたサウンド・プロダクションにより、シャープな音像である。コールドで悲哀感の強いメロディがさらに強まって、アコースティックなパートも入れながら暴虐ファスト・パートから静寂場面を展開していき、完成度が高い。Maleficによるアトモスフェリックなキーボードと、トレモロ・リフから紡がれる叙情的なメロディにより、耽美的な雰囲気を感じさせる。粘着質に喚くヴォーカルが暴虐性を高めており、荒涼とした空気も蔓延っており、フランスらしいアーティスティックさを感じさせる。

Celestia

France

Retrospectra　2009

Apparitia Recordings

EP『A Cave Full of Bats』(1999年)、デモ『The Awakening of the Dormant Fiancée』(1999年)、デモ『A Dying Out Ecstasy』(1998年)、デモ『Infected by Rats』(1999年)、Sabbatトリビュート・ライヴ・コンピレーション『Sabbatical Worldwide Harmageddon』(2001年)等を収録したリマスター編集盤。1995年からと比較的早くから活動していたものの、2002年の1stアルバム・リリースまで期間が長く、その間のデモやEP音源が聴ける。当初から寒々しいメロディを主体としながら、退廃的な荒涼感を滲ませるCelestiaスタイルが確立されていたことが確認出来る。

Celestia

France

Archaenae Perfectii - L'Arche Arcane Des Parfaits　2010

Apparitia Recordings

NoktuとGhaastにMortiferaのA.E.の3人編成で作られた3rdアルバム。ドラムはSacrificia MortuorumのLord Arawnがゲスト参加し、叩いている。突き刺す様にジリジリとしたリフから湧き上がる叙情的で悲哀感の強いメロディがさらに増強され、Mortiferaに近づいた感じも受ける。前作でのMaleficによる神秘的なキーボードがない分、よりストレートにメロウさが浮き彫りとなったが、単にメロディックという訳ではなく、陰鬱さが強く滲み出ている。寂寞的なアコースティック・パートがより増えている。さらに、相変わらずエグみのある粘着質なガナり声により陰惨さと暴虐性も滲透する。当然楽曲完成度も高く、Noktuによる暗黒悲哀耽美世界がさらなる昇華を遂げた。

Celestia

France

Aetherra

2017

Drakkar Productions

2015年に解散を表明していたものの、突如2017年に発表された4thアルバム。Noktuを始め前作『Archaenae Perfectii - L'Arche Arcane Des Parfaits』と同じメンバーに加え、ベーシストとしてMortiferaのSpektorが参加して制作された。ジリジリとしたノイジーなリフから湧き上がる叙情的でコールドなメロディを主体としたサウンドが詰まった作品で、メロウさに関してはこれまで以上に強く押し出されている。Noktuの喚き散らすヴォーカルも健在。Rawな音作りにより荒涼とした雰囲気も醸し出されている。Mortiferaと同質のメロディが随所に散りばめられているが、Celestiaらしさが最大限に引き出された傑作。

90年代からフランスのブラックメタル・シーンを代表する存在のCelestiaを始め、AlcestのNeigeとのバンドとしてスタートしたMortifera等で活動。さらにLes Legions Noireの作品も多くリリースし、プリミティヴ・ブラックメタル・ファンにはカルト的支持を得ているレーベルDrakkar Productionsを運営し、まさにフレンチ・ブラックメタル・シーンのキーマンと言えるNoktuにインタビューを試みた。

Q：2017年にリリースされたアルバム『Aetherra』はCelestiaらしい素晴らしいアルバムだと思いました。Celestiaは2015年に解散していますが、『Aetherra』を制作するまでの経緯を教えてください。

A：ニュー・アルバムを気に入ってくれてありがとう。おそらく『Aetherra』はCelestiaにとって最後のアルバムとなると思う。
レコーディング、そしてミキシング・プロセスのためにリリースするまでに数年かかったけど、結果としては『Aetherra』の出来には非常に満足しているよ。

Q：アルバム・タイトル『Aetherra』の意味を教えてください。また、コンセプトやテーマはあるのでしょうか？

A："Aetherra"は"Ethereal Earth"と訳することができる。我々の想像の中に存在する完璧なパラレル・ワールドの一種とでも言えるかな。
バンドのコンセプトはいつもこのような幻想的な世界と結びついていたんだ。死んで幽霊となった女性たちのイメージを表現したりというようにね。

Q：Celestia以前はどのような音楽活動をしていたのでしょうか？

A：1994年にCelestiaを始める前にいくつかのバンドで活動していたけど、多分その中でちゃんとしたバンドと言えるのはSeyirenだけだったと思う。

A：Celestiaを始めようと思ったきっかけは？

Q：Seyirenが解散した後に、新しいバンドを始めようと思い、Celestiaを結成したんだ。
自分はいつも深くパーソナルな音楽を創りたいと思っていた。決してこれまでにあるバンドのコピーはしたくなかった。だからCelestiaは他のバンドと比較することは自分にはできないと思っている。

Q：1995年に結成されてから2002年にリリースされた1stアルバム『Apparitia - Sumptuous Spectre』まで時間を要していますが、アルバムを制作しなかった理由はあるのでしょうか？
さらに1stアルバムから2ndアルバム『Frigidiis Apotheosia: Abstinencia Genesiis』のリリースまでも6年かかっていますが……。

A：そう、Celestiaはアルバムをリリースするのにある程度の時間がかかる。可能な限りベストのヴァージョンを発表したいからだ。時々、創造性や活力が欠けてしまう時もあって、いつも時間がかかってしまうというのもある。Celestiaは決してプロフェッショナルなバンドという訳ではなかった。だからアルバムを制作するにはいつも一定の時間がかかってしまっていたんだ。

Q：あなた、及びCelestiaはLes Légions Noiresとは関係があったのでしょうか？
またLes Légions Noiresについてはどう思っていましたか？

A：Les Légions Noiresはもはや存在していないけど、このサークルにいたアーティストの何人かはまだ活動しているし、彼等とは良い関係にあるよ。
ただし、Celestiaは当時Les Légions Noiresとは直接関係がなかったので、そのシーンとは少し離れたところにいたと言える。

Q：Mortiferaを結成した経緯を教えてください。

A：Mortiferaは2000年から2001年に始めた。この頃たくさんの曲を書いていたのだけど、Celestiaとは少し違った曲がいくつか生まれたんだ。そんな時にNeigeと出会って一緒に演ってみようということになった。その後、我々はミニ・アルバムと1stアルバム『Vastiia Tenebrd Mortifera』をレコーディングした。

Q：Corpus ChristiiのNocturnus HorrendusとのGenocide Kommandoはどのようなコンセプトだったのでしょうか？
もう活動していないのでしょうか？

A：彼とはエクストリームなブラックメタル・アルバムを創りたかったんだ。でもそれは自分にとってスタジオ・プロジェクトに過ぎず、このバンドを続けることは出来なかった。

Q：Drakkar Productionsを設立したきっかけは？

A：Drakkar Productionsは1994年にディスト

リビューター/レーベルとしてスタートした。当初はアンダーグラウンドのブラックメタルやデスメタルの需要が非常に多かったけど、ディストリビューションをしているところはほとんどなかった。そこで、地元でコンタクトを取っていたいくつかのバンドのデモ・カセットを広めていったんだ。さらに知り合いの中には作品をリリースしてくれるレーベルを探していたバンドもいた。だから彼等の作品のリリースも始めたんだ。Drakkar Productionsはフランスのブラックメタルをリリースした世界初のレーベルだったし、今も続けているよ。

Q:どのような基準でDrakkar Productionsからリリースする作品を決めているのでしょうか?

A:音楽的なクオリティと真摯なバンドであるか、そしてポーザーでないことだ!

Q:あなたは2012年にCelestiaで、2016年にはMortiferaで、日本でライヴを行っていますが、日本のファンをどう思いましたか?

A:CelestiaとMortiferaとして日本でプレイするのは本当に嬉しかった。まず、我々にとって日本文化の色々なところを発見でき、とても興味深かった。それからとても素敵で献身的な本当のファンをたくさん迎え入れることができた。我々は2回の訪日を本当に楽しむことができた。そして、また日本へ行けることを願っているよ!

Q:日本のバンドはどう思いましたか?

A:自分はShotokan Karate(注:松濤館流空手)を習い始めて以来、日本の文化をいつも楽しんでいた。90年代初めからAbigail、Sigh、Sabbatは聴いていたよ。さらにInfernal NecromancyやHakujaも好きだね。日本のシーンは本当に興味深いし、彼等は音楽に対して献身的で真剣だ。多くのバンドが日本でしかライヴをやらないのは非常に残念だね。

Q:最後に日本のファンに向けてメッセージをお願いします。

A:日本で会って喜んでもらえた全てのファンに感謝しているよ。

Ad Hominem

France

Dictator - A Monument of Glory　2009

Darker than Black Records

Kaiser Wodhanaz によるフランス出身、現在はイタリアを活動の拠点としているブラックメタルの 2009 年 4th アルバム。本作がリリースされたのは Absurd の Hendrik Möbus が運営する Darker than Black Records から、そして 1st アルバムのタイトルは『Planet Zog - the End』（Zog とは Zionist Occupation Government= ユダヤ人により操られている政府という意味）等から NSBM と捉えられていたようだが、実際には反一神教のイデオロギーを主題としている。スラッシュ / デスメタルの流れを汲む、リフとドスの効いたガナり声によりストロングな攻撃性を剥き出しにしている。そして、時折インダストリアルな無慈悲さを滲ませる。邪悪さとは違い、ストレートに暴虐性をぶつけてくる。

Antaeus

France

De Principii Evangelikum　2002

Osmose Productions

Aosoth でも活動する MkM と、グラインド / デスメタル Sublime Cadaveric Decomposition のメンバーでもあった Set による極悪ファスト・ブラックメタルの 2nd アルバム。ミドルテンポ・パートを時折入れながらも、ブラスト全開で猛烈に突き進むドラムにノイジーなギター・リフ、這いずり回る様なベース、そしてグロウル・ヴォイス寄りの喚きガナり声による汚らしく荒々しいブラックメタル。Raw な音質が冒涜感や邪悪さ、暴力性を最大限にまで引き出しており、とにかく徹頭徹尾、破壊的で終始不穏感を煽り続ける。憎悪に満ちた邪悪さやベスチャルな背徳感の濃度が異様に濃いサウンドに埋め尽くされている。Marduk/Funeral Mist/Triumphator の Arioch（Mortuus）が 7 曲目の歌詞を提供している。

Annthennath

France

States of Liberating Departure　2010

Pictonian

元 Angmar の Welkin、Sael の N°6、そして Manzer/ 元 Hirilorn/ 元 Deathspell Omega の Shaxul によるフレンチ・ブラックメタルの 2010 年 1st アルバム。ドラムは Withdrawn や Otargos 等でも活動する Thyr がメンバーとして参加。凍てついたメロディを突き刺すように奏でるギターリフを主体としたメロウな要素が多い。後半になるとアトモスフェリックなキーボードを導入したり、もはや正統メタル的とも言えるメロディアスなギターが出てきたりするが、フレンチ・ブラックメタルらしくどこかドス黒く不穏な世界が繰り広げられている。Ofermod や Watain と言った辺りのスウェディッシュ・ブラックメタルに通じるところもある。

Aosoth

France

III - Violence & Variations　2011

Agonia Records

Antaeus の MkM、The Order of Apollyon や Genital Grinder で活動し、Aborted のメンバーにもなった BST によるフレンチ・ブラックメタルの 2011 年 3rd アルバム。時折殺気をギラつかせる轟音ノイジー・リフに、邪悪さを発するガナり声、そして何よりも全体を覆い尽くす漆黒で混沌とした空気があまりに強烈。Deathspell Omega をも凌駕する暗黒さとカオティックさが、筆舌に尽くしがたい程の壮絶さを以て音塊となり、襲い掛かる。終始闇に包まれながら怨念に満ちた得体の知れない不穏感を終始発し、もはやスピリチュアルで呪術的なものすら感じさせる。暗黒ブラックメタルの中でも上級品。そして絶妙に奇怪である。

Arkhon Infaustus

France

Hell Injection 2001

Osmose Productions

Osculum Infame や Bekhira でも活動する DK Deviant によるブラックメタルの 2001 年 1st アルバム。本作でのベースは Hell Militia でも活動した 666 Torturer（T. Persecutor）で、ドラムは Sublime Cadaveric Decomposition や Antaeus のメンバーでもあった Hellblaster(Storm)。ファストからドゥーミーなパートをバランス良く配合させながら、ギャーギャー喚きつつグロウル・ヴォイスも取り入れるヴォーカルや汚く刻むリフ、Raw な感触のドラムによりデスメタルやグラインドコア寄りの要素も多分にある。ブラックメタルにおける不道徳さや冒涜性、残虐性、サディスティックでサタニックな空気を剥き出しにしたという点では、プリミティヴである。

Baise Ma Hache

France

F.E.R.T 2018

Hammerbolt Productions

Thorwald（ヴォーカル）と John（ギター / ベース）により 2013 年から活動するフランスの NSBM の 4th アルバム。本作より The CNK/ 元 Anorexia Nervosa のヴォーカリスト RMS Hreidmarr が加入している。Peste Noire からの影響が強いこれまでのスタイルから脱却し、フレンチ・ブラックメタルらしい陰鬱な感情と儚さが交差するメロディと、ドラマティックな要素を強めた曲展開が押し出された作品となった。とは言え、やはり Peste Noire に通じる変質的な展開があったりと、これまでの路線を完全に排したわけではない。そのバランス加減が絶妙で、独特の個性として確立している。怒声にも近いガナり声が NSBM らしいきな臭さを体現させている。

Bekhira

France

L'Elu Du Mal 2005

Aura Mystique Productions

Arkhon Infaustus や Osculum Infame を率いる Raktivira（Deviant Von Blakk）、ネオクラシカル / ダーク・ウェーヴ・ユニットの Dark Sanctuary のメンバーでもある Arkdae、ドラマーの Esthkirnir によるプリミティヴ・ブラックメタルの 2005 年アルバム。叙情的でメロウな要素の非常に強いサウンドで、ノイジーなリフから湧き出すメランコリックで激情的なメロディが終始奏でられ、スウェーデン辺りのメロウなブラックメタルに近い感触。冷気を呼び込む薄っすらと鳴るキーボードが厭世的なメロウさ、音圧のない Raw な音質と相まって荒涼とした雰囲気に覆われている。プリミティヴなメロウ・ブラックメタルの名作と叫ばれているのも納得。1 曲目を逆回転して再生すると、隠しトラックとして Iron Maiden「Prowler」のカバーを聴くことが出来る。

Black Murder

France

Feasts 1995

Independent

Belkètre や Vagézaryavtre、Torgeist、Brenoritvrezorkre 等でも活動していた Vordb Dréagvor Uèzréèvb（ドラム）による、Les Légions Noires の重要バンドによる 1995 年のデモ。他のメンバーは Vlad Tepes や Seviss、Dzlvarv 等で活動した Vorlok Drakksteim（ヴォーカル / ベース）と Wlad Drakksteim（ギター）。完全アンダーグラウンドに徹したプリミティヴ・ブラックメタルで、断末魔の如く叫ぶヴォーカルによるオーセンティックなタイプ。Les Légions Noires らしい退廃的な空気感も見事である。2019 年に Drakkar Productions から、「Those Black Desires That Torment My Soul」（1995 年デモ）を追加収録した再発盤がリリースされた。

Blut Aus Nord

France

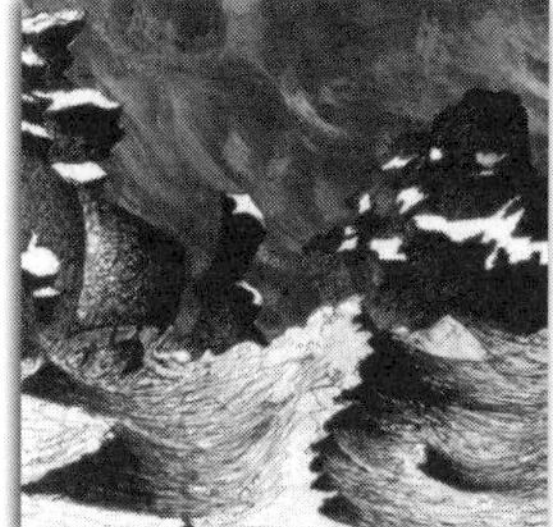

Ultima Thulée

1995

Impure Creations Records

元々 Vlad のバンド名で活動していた Vindsval が 1994 年に改名し、1995 年にリリースされた 1st アルバム。現在はインダストリアルやダークアンビエントを取り入れたアヴァンギャルドなスタイルへと変化しているが、この頃はまだアトモスフェリックなブラックメタル。ノイジーなリフから冷気と荒涼感を発するギターと神秘的で幻影的なキーボードが絡み、ドラマティックさにも重点を置いた曲展開でアトモスフェリックかつ陰鬱なサウンドだ。悲痛に叫び喚くヴォーカルが病んだ空気を発しており、さらに Burzum にも通じるアンビエント要素や不穏感から幻影的雰囲気までも創出するキーボードやシンセが、暗黒不可思議な世界を形成する。すでに異彩っぷりを放っているが、この時点で Vindsval はまだ 16 歳であったのも驚異である。

Blut Aus Nord

France

Memoria Vetusta I: Fathers of the Icy Age

1996

Impure Creations Records

1996 年の 2nd アルバム。前作での陰鬱な世界観はある程度薄まったが、荒涼としたメロウさがより押し出され、アトモスフェリックな空気が残されたサウンドとなった。ドラマティックな展開にさらに磨きが掛かると同時に、キーボードによる凍度もさらに強まり、ミステリアスな男性コーラスを取り入れたりして神秘的な雰囲気も強まっている。ノイジーではあるが叙情的なメロディを奏でるギターと、それを絶妙にサポートするベースラインもまた印象的。本作以降ブラックメタルには収まらない音楽性へと変化していくが、2009 年と 2014 年には『Memoria Vetusta』の I と III を冠したアルバムをリリースし、その作品に限っては真性度の高いブラックメタルを聴かせている。1st アルバム同様 2005 年には Candlelight Records より再発盤がリリースされている。

Catacombes

France

"Le démoniaque"

2017

Hass Weg Productions

シンフォニック・ブラックメタルの Onirism やアトモスフェリック・ブラックメタル D'un Autre Temps でも活動し、Belenos へライヴ・メンバーとして参加していた Le Démoniaque による一人ブラックメタル。フランス出身だが、カナダのモントリオールに活動の拠点を移している。本作は 1st アルバムであるが、荒涼としたメロディをこれでもかと言わんばかりに注ぎ込みながら、残虐なガナリ声と Raw な音質により、暗黒で禍々しさが強く出ている。叙情的になり過ぎない寒々しいメロディのセンスが抜群で、陰鬱さを醸し出している辺りはフレンチ・ブラックメタルらしさが発揮されている。メロウ・プリミティヴ・ブラックメタルとしてはハイグレードである。

Crystalium

France

De Aeternitate Commando

2002

Oaken Shield

Doctor Livingstone や Sektemtum のメンバーでもあり、Arkhon Infaustus にも参加したドラムの Azk.6 や、インダストリアル・ブラックメタル Pavillon Rouge のメンバーでもあるヴォーカルの Kra Cillag らによる、1996 年から活動していたブラックメタルの 2002 年 2nd アルバム。Dark Funeral と比較されること暫しであるが、叙情的に泣きまくる冷え切ったメロディが終始奏でられているスウェディッシュ・ブラックメタルに近い。時折キーボードを絡めつつもファスト・パートにならず、緩急の付いた展開構築が見事でクオリティは Dark Funeral にも劣らない。Raw な音作りにより、メジャー感は薄い。

Deathspell Omega
France

Infernal Battles
2000

Northern Heritage Records

その素性を明らかにしていないが、90 年代に活動していた Hirilorn の解散後 Hasjarl と Shaxul が元 Hirilorn の Yohann と共に 1998 年に結成したのがこの Deathspell Omega。1999 年にデモ『Disciples of the Ultimate Void』をリリースし、Yohann が脱退した後に Moonblood との Split をリリースした後、2000 年にリリースされたのが本作 1st アルバム。本作用にレコーディングされたのは前半 4 曲だけで後半 4 曲は先述のデモ音源。Hirilorn からの流れを汲んだ荒涼としたメロディを主軸としたスタイルながら、Darkthrone 等のノルウェージャン・ブラックメタルからの影響も大きく、さらに彼等特有のドス黒さに覆われている。Deathspell Omega の中で最もメロウでありながらプリミティヴ。

Deathspell Omega
France

Inquisitors of Satan
2002

Northern Heritage Records

Clandestine Blaze や Mütiilation との Split を挟んで、2002 年に前作同様 Mikko Aspa の運営する Northern Heritage Records からリリースされた 2nd アルバム。前作でも Hirilorn 直系のメロウな要素は若干押さえられているものの、随所でノイジーなリフから醸し出されるコールドで荒涼としたメロディが印象的。一方で、より暗澹たる不穏さが強く感じられるようになってきた。ノルウェージャン·スタイルに近かった前作に比べて、寒々しいメロディ等に共通項はあるものの、それだけに収まらない確個たる暗黒プリミティヴなスタンスを強く感じさせる。Raw ではあるが、厚みもある音質やしっかりとした演奏力でハイレベルな音である。プリミティヴ・ブラックメタルとしては最高級である名作中の名作。

Deathspell Omega
France

Si Monvmentvm Reqvires, Circvmspice
2004

Norma Evangelium Diaboli

Clandestine Blaze でも活動していた Mikko Aspa が加入しての 3rd アルバム。Mikko によるドス黒いガナり声やリフから放出される禍々しく暗黒な雰囲気と、そこから滲み出る冷え切ったメロディ、ファスト・パートを中心に驚異的に練り込まれた楽曲構築性。徹底して漆黒な世界を創出しながら、他の追随を一切許さない程のクオリティを誇る。プリミティヴというよりは真性度の強いサウンドで、宗教的な荘厳さから思惟性まで、無限の奥深さを見せつける。「荒城の月」のリフレインから、Mikko の叫びにより一気にクライマックスへ突入する「Carnal Malefactor」の圧巻さを始め、全てが一線を越えている。バンドは次作以降より、カオティックな要素を強めたサウンドへと変化しながら、高次元な作品をリリースし続けていく。

Gestapo 666
France

Nostalgiah
2007

BlackSeed Productions

Mütiilation の Meyhna'ch、Celestia の Noktu というフレンチ・ブラックメタルの 2 大巨頭に、Satanic Warmaster 他の Werwolf による、何とも凄いメンツによるブラックメタルの 2nd アルバム。Mütiilation での陰鬱なデプレッシヴさ、Celestia の叙情性、Satanic Warmaster の冷え切ったメロウさと言った、メンバーそれぞれのバックボーンと持ち味が絶妙にブレンドされた。ヴォーカルは 3 人が分け合っているようだが、特に Meyhna'ch の病んだ喚き声が実に生々しく異様な世界を生み出す。異様に Raw なドラムやギター・リフにより Lo-Fi な印象を強く受けつつも、いかにもフレンチ·ブラックメタルな荒涼とし、邪悪でアンダーグラウンド臭のするプリミティヴな空間を形成している。

Grimlair

France

Au Commencement De L'ombre 2009

Self Mutilation Services

Funeral Forest 等でも活動していた Cadavre によるフレンチ・ブラックメタルの 4th アルバム。Raw な音質と退廃的空気に覆いつくされ、ノイズ・リフから湧き出る叙情悲哀メロディによるフレンチ・ブラックメタル。基本的にはメロウさを滲ませたプリミティヴ・ブラックメタルながら、随所で陰鬱なリフ・メロディや、悲痛な喚き声により病的な危うさを感じさせる。Burzum や I Shalt Become から初期 Shining 辺りにも通じるデプレッシヴ・ブラックメタルな喪失感も強く、リリース元の Self Mutilation Services のカラーにも沿った作品である。同郷の先達である Mütiilation とはまた違う質の陰鬱さと、病的ヤバさを醸し出している。

Glorior Belli

France

Manifesting the Raging Beast 2007

Southern Lord Recordings

Obscurus Advocam や Wolfe にも参加した Infestvvs（Billy Bayou）によるフレンチ暗黒ブラックメタルの 2nd アルバム。『Si Monumentum Requires, Circumspice』期の Deathspell Omega に似ていることでも有名な作品で、確かにドスの効いたガナり声や漆黒な空気を猛烈に発するリフ、そして宗教的なムードを感じさせる荘厳さからは Deathspell Omega に近い印象を受ける。Deathspell Omega に比べ印象的な曲が少ないことから、フォロワーの域を出していない捉え方がされがちだが、純粋にここまでドス黒く、カルト的な凄味を出しながら非常にレベルの高いサウンドを提示したのは驚異的である。ここまでの作品を創り上げながら Candlelight Records へ移籍しての次作は、何とブルージーな要素を取り入れたサウンドへと変化していく。

Gorgon

France

The Lady Rides a Black Horse 1995

Dungeon Records

Mütiilation や Chapel of Ghouls らと並んでフランスでは最も早くから活動していた（1991 年結成）ブラック・メタル・バンド。Christophe Chatelet（ギター / ヴォーカル）によるバンドで、今作は 1995 年にリリースされた 1st アルバム。ベースは後に Unchained の Joël Forneris である。妖しく不気味なキーボードを配しながら、チリチリとひび割れしたギターと悲痛に叫ぶヴォーカルによるカルトなムードが満載のプリミティヴ・ブラックメタル。2010 年にボーナストラック（未発表音源と 1993 年 EP『Immortal Horde』）を収録して Todestrieb Records から、2019 年に Osmose Productions から（こちらはボーナストラックなし）がそれぞれジャケットアート違いで再発されている。

Haemoth

France

In Nomine Odium 2011

Debemur Morti Productions

インダストリアル / アンビエント・ブラックメタルの Spektr 等でも活動する Haemoth（Hth）によるブルータル / ファスト・ブラックメタルの 3rd アルバム。北欧ブラックメタルに通じる、突き刺す様な冷えたメロディを奏でるギター・リフと猛烈にブラストを叩き込むドラム、そして何よりもとんでもなく邪悪な空気を撒き散らすヴォーカルの凄味が際立つ。リミッターを振り切ったスピードで突き進むファスト・パートが大半ながら、ミドル・パートを随所で絡めたりして一本調子にならない展開により、相当なレベルの高さが伺われる。殺気立った暴虐性を溢れ出しながら、高い演奏力とハイレベルな楽曲構築性で聴き手を飲み込む。Marduk や Setherial と比べても遜色のない凄味をまざまざと見せつける。

Hell Militia

France

Canonisation of the Foul Spirit 2005

Total Holocaust Records

Mütiilation の Meyhna'ch、Temple of Baal の Arkdaemon、Vorkreist や Love Lies Bleeding の Dave Terror、Antaeus 他の LSK、Arkhon Infaustus 等の 666 Torturer により 2001 年に結成されたブラックメタルの 1st アルバム。フレンチ・ブラックメタル・シーンの猛者が集まっただけあって、レベルの高いサウンドではあるが、それほどクセは強くなく、割とストレートなブラックメタル。Meyhna'ch のヴォーカルも Mütiilation の様な病んだ感じではなく、ガナり声と時折 Mayhem の Attila Csihar を彷彿させる喚き声をミックスさせた様な邪悪度の高いスタイルで、ノイジーな轟音リフと相まってドス黒さを放っている。

Hirilorn

France

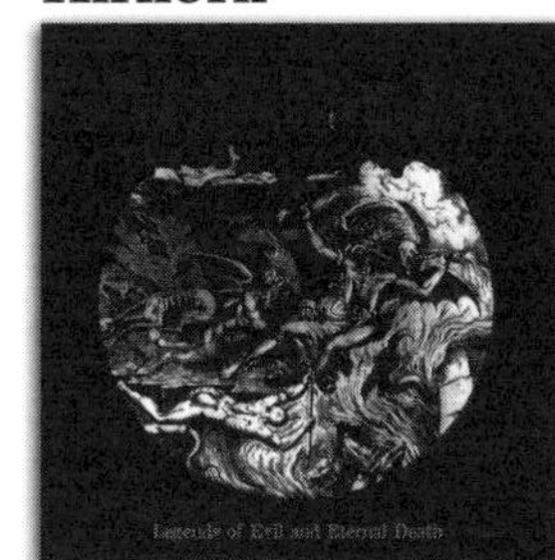

Legends of Evil and Eternal Death 1998

Drakkar Productions

後に Deathspell Omega を結成する Shaxul と Hasjarl、さらに初期 Deathspell Omega のメンバーにもなる Yohann が在籍していたことでも知られる、メロディック・ブラックメタルが 1998 年に Drakkar Productions からリリースした 1st アルバム。全 4 曲ながら全て 10 分以上の大作主義で、ドラマティックな曲展開を主体としている。Raw な音質ながら、哀愁度が高く、正統メタル的要素が非常に強いメロディを奏でるギターが満載。そこに Shaxul の噛み千切る様なヴォーカルがブラックメタルとしての暴虐性を高めている。バックで薄っすらと流れる幻影的な世界を創出するキーボードも、悲哀感に拍車をかける。地下臭さが漂い、決してメジャーな音ではないが、メロディック・ブラックメタルとしてはレベルが高い。

Kristallnacht

France

Blooddrenched Memorial 1994-2002 2006

Wotanstahl Klangschmiede Germania

1990 年代半ばから Funeral というバンドで活動していた I.F. が 1996 年に Kristallnacht と改名したフレンチ・プリミティヴ NSBM の 1994 年から 2002 年の音源集。ということで Funeral の音源もここに収録されている。全編を通して Raw な音作りではあるが、時期によって音質に著しい落差があり。生々しく叫ぶヴォーカルにメロウさ全開なブラックメタルで、Satanic Warmaster 辺りと共鳴する。メロディック・デスメタルと同調の叙情的なメロディを奏でるギター・リフに、随所で幻影的に鳴り響くキーボードを配し、悲哀度が高い。メランコリックなメロディが行き交い、それが故に当時ここ日本でもごく一部のブラックメタル・ファンの間では注目された存在であった。Absurd のカバー・ライヴ音源もあり。

Mortifera

France

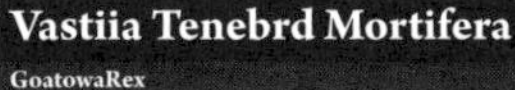

Vastiia Tenebrd Mortifera 2004

GoatowaRex

Celestia を率い、Drakkar Productions の主宰者である Noktu と、Alcest をメインに Amesoeurs として活動したり Peste Noire のメンバーでもあった Neige によるブラックメタルの 2004 年 1st アルバム。ブラックメタルらしいノイジーなトレモロリフから紡ぎ出される、コールドで儚さを感じさせる悲哀感たっぷりのメロディが実に印象的。Neige によるあまりに悲痛な絶叫ヴォイスのインパクトも絶大。時折 Noktu による邪悪さを押し出した粘着性があるガナり声が、絶妙なスパイスにもなっている。プリミティヴな要素が強いが、一方でアコースティックギターによる静寂パートもあり、後に Neige が Alcest により開花させるノスタルジックなスタイルをすでに提示している曲もある。フレンチ・ブラックメタル屈指の名作。

Mortifera

France

Maledictiih 2010

Apparitia Recordings

Neige が Alcest や Amesoeurs での活動を本格化させるため脱退し、Noktu 一人となり、前作から 6 年経ってからリリースされた 2nd アルバム。Feigur 等の Graf Von Feigur がセッション参加でドラムを担当。Neige が抜けたことでより Celestia に近づいた感じではあるが、切なくメランコリックなメロディの素晴らしさは変わらず。Noktu による、何かに押し潰された様なねっとりとした呻き声と美しいメロディとのコントラストが透逸。ミドル・テンポでドラマティックさに重点を置いた曲がさらに増えていたり、Raw な感触も前作に比べて減ってきてはいる。しかし、プリミティヴな感触を残しながら、あまりに儚いメロディを奏でるギターをメインに、厭世的で憂愁な世界を描き出した。これまた悲哀感の強いブラックメタルの中では、傑作中の傑作である。

Mourning Forest

France

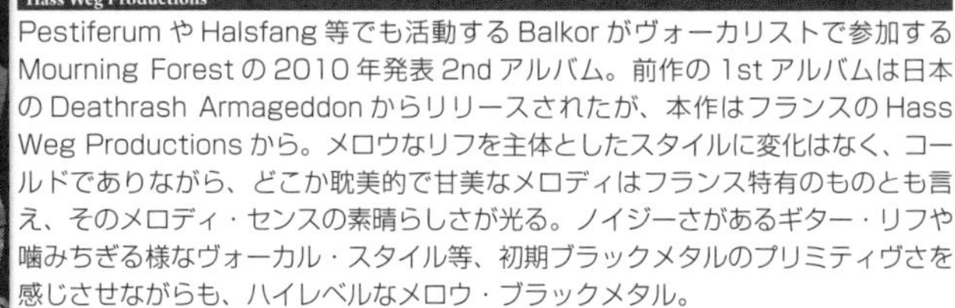

De la Vermine 2010

Hass Weg Productions

Pestiferum や Halsfang 等でも活動する Balkor がヴォーカリストで参加する Mourning Forest の 2010 年発表 2nd アルバム。前作の 1st アルバムは日本の Deathrash Armageddon からリリースされたが、本作はフランスの Hass Weg Productions から。メロウなリフを主体としたスタイルに変化はなく、コールドでありながら、どこか耽美的で甘美なメロディはフランス特有のものとも言え、そのメロディ・センスの素晴らしさが光る。ノイジーさがあるギター・リフや噛みちぎる様なヴォーカル・スタイル等、初期ブラックメタルのプリミティヴさを感じさせながらも、ハイレベルなメロウ・ブラックメタル。

Nehëmah

France

Light of a Dead Star 2002

Oaken Shield

1992 年に結成されながら、デモのみを残して一時期活動をしていなかったようで、2000 年になり、再び活動を始めたプリミティヴ・ブラックメタル。ヴォーカルの Corven はヴァイキングメタルの Himinbjorg でも活動している。Darkthrone からの影響が大きい、凍てついたメロディを醸し出すノイジーなリフから発せられる退廃的な空気、怨念が乗り移ったかのようなとんでもなく邪悪なガナり声による、プリミティヴ・ブラックメタルの中でも暗黒度とイーヴルさが異様に高いサウンドを発している。薄っすらと被さりながら冷たく不穏なオーラを発するキーボードや、メロディをきちんと支えるベースが特徴的である。多くのプリミティヴ・ブラックメタル・ファンの間で名盤中の名盤とされている本作で、原始的ブラックメタルとしては最高峰のクオリティを兼ね備えており、やはり名作と呼ぶに相応しい。

Nehëmah

France

Shadows from the Past... 2003

Oaken Shield

2003 年にリリースされた 2nd アルバム。これまたプリミティヴ・ブラックメタルの名作中の名作である。前作に引き続き、冷え切ったメロディをわずかに含蓄させながら退廃的なノイジー・リフと、邪悪極まりない壮絶なガナり声による、Darkthrone の Peaceville 三部作からの流れを汲んだサウンド・スタイルは変わらず。味付け程度ではあっても、冷気と妖しさを絶妙に醸し出すキーボードが随所で重要なファクターとなっている。ファスト・パートよりもミドル・パートへの比重の方が高い曲展開や Raw な音創りにより邪悪さと地下臭さがより鮮明となっている。これまたプリミティヴ・ブラックメタルとしては最上である。ラストは Bathory のカバー。1st/3rd アルバム同様、2009 年に一度 Oaken Shield から再プレスされている。

Nehëmah

France

Requiem Tenebrae

2004

Oaken Shield

Caïnan Dawn や US シンフォニック・ブラックメタルの Mysteriarch 等にも参加する Vivien Ruffet がドラムとして加入しての 3rd アルバム。前作までの Darkthrone や Gorgoroth からの影響が強い初期ノルウェージャン・ブラックメタル・スタイルが本作でも継承されている。サウンド・プロダクションが前 2 作に比べ大幅に良好となったので、Raw な音像からくる異様な地下臭さやカルト的な雰囲気は大きく薄れている。ただし、冷え切ったメロディを滲ませながらノイジーなトレモロによるリフや、とんでもなく邪悪なガナり声、不穏さを漂わせるキーボードは Nehëmah らしさそのまま。メロウな要素も結構押し出されていて、彼等の中では最も聴き易い。

Neptrecus

France

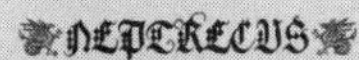

Ars Gallica

2019

Purity Through Fire

Svarga（ヴォーカル / ギター）を中心に、Griffon/ 元 The Negation の Kryos（ドラム）、元 Griffon の Tancrède（ギター）と Witart（ベース）が在籍するフランスのブラックメタルが 2019 年にリリースした 3rd アルバム。ノイジーでありながらフレンチ・ブラックメタルらしく、どこか陰鬱で儚さを伴ったメロディを奏でるトレモロ・リフが実に印象的で、悲哀感も強く感じさせる。さらにファスト・パートが多いものの、ミドル・パートで緩急を付けて、起伏に富んだ展開で進行していき、ハイレベルな楽曲が揃う。メロディが洗練されてはいるものの、Raw な音質によりアンダーグラウンドな空間もしっかり形成されている。フレンチ・メロウ・プリミティヴ・ブラックメタルの中でもレベルの高いサウンドである。

Nocturnal Depression

France

Nostalgia - Fragments of a Broken Past

2006

Whispering Night Productions

Aghone や Nostalgie 等でも活動した Lord Lokhraed や Mutilanova のメンバーでもある Morkhod らによるデプレッシヴ・ブラックメタルの 1st アルバム。絶望的で陰鬱さを強烈に漂わせるメロディが全体を支配しながら、悲痛さを醸し出すガナり声とミドル / スロー・テンポの曲展開でジワジワと精神的破滅に追い込むかのような、いわゆるデプレッシヴなブラックメタル・スタイルを徹底している。ひたすら惨憺たる絶望感を植え付けると言うよりは、どこかフランスらしいノスタルジックな感覚が漂うメロディが特徴的である。この手のバンドとしては Raw な音作りをしており、それが故に生々しく沈痛さが伝わってくる。いずれにしろデプレッシヴ・ブラック・メタルとしては上級品であることは間違いない。

Nuit Noire

France

Fantomatic Plenitude

2007

Armageddon

ブラスティング・ブラックパンクを標榜する Nuit Noire が日本の Armageddon からリリースした 3rd アルバム。メロウな要素も多いが、妙にエコーが掛かったギター音に、パンキッシュなリズムのポンコツなドラム、そして何より完全にヤル気が感じられない、脱力っぷりが半端ない男女ヴォーカルのインパクトが絶大。特に女性ヴォーカル Émilie によるアンニュイな雰囲気を出しつつも、音程が合っているのかすら定かでない、ヨレヨレさが浮遊感を生み出し、その脱力っぷりをさらに顕著にさせている。もはやメロウなギター・リフにしかブラックメタル要素は感じられず、真性さはほぼないが、ある意味カルトであるし、強烈なプリミティヴさが渦巻いている。後半はライヴ音源という構成であるが、スタジオ音源よりもサウンド・プロダクションが良い辺りもこのバンドの特性を示していると言える。

Osculum Infame

France

Dor-nu-Fauglith 1997

Mordgrimm

Arkhon Infaustus や Bekhira のメンバーでもある Deviant Von Blakk らにより、1990 年代前半から活動しているフレンチ・ブラックメタルの 1997 年 1st アルバム。Bekhira 辺りを連想させるメロウな要素を主軸としたスタイルではあるが、いわゆるブラックメタルらしい寒々しさは薄い。フランス特有と言える悲哀感の強いメロディを滲み出すトレモロ・リフ、そして美麗なキーボードによるシンフォニック / メロディックなスタイル。ただしサウンド・プロダクションはだいぶ Raw で、アンダーグラウンド臭を強く感じさせる。プリミティヴかつメロウなスタイルのブラックメタルとして本作は逸品。本作から 18 年後の 2015 年は 2nd アルバムをリリースしている。

Peste Noire

France

Folkfuck Folie 2007

De Profundis Éditions

奇才 Famine による異質ブラックメタルの 2nd アルバム。前作でセッション参加していた Alcest の Neige がメンバーとしてヴォーカル / ギターを担当しており、ドラムは後に Alcest や Amesoeurs、Les Discrets で活躍する Winterhalter。デプレッシヴな陰鬱メロディ、Famine と Neige による強烈な発狂絶叫ヴォイスによるアンダーグラウンド臭が強いブラックメタルや、パンク / ハードコアの要素がまんべんなく散りばめられている。さらに 1990 年代初期のブラックメタルの要素があったり、Alcest 等での美しいメロディがあったりしながら、突拍子もない展開で掴みどころがない。Raw な音作りによりプリミティヴでありながら、前衛性も強く、聴き手を不思議譲と引き込んでいく魅力がある。

Sombre Chemin

France

Notre Héritage Ancestral 2006

Nebelfee Klangwerke

Widomar や Unterwald、Nihdrym と言ったバンドでも活動する Vilwolfheim らによるブラックメタルの 2006 年 2nd アルバム。篭った Raw でチープなサウンド・プロダクションにより、プリミティヴでアンダーグラウンドな雰囲気を醸し出す。邪悪に叫ぶヴォーカルによりイーヴルさを押し出しながら、初期ブラックメタル直系の野太く、ノイジーなリフの中から聴こえる郷愁的なギターのメロディ。そして、時折鳴らされるアトモスフェリックな空間を創出するキーボード。変化に富んでドラマ性が高い曲展開は、情緒的ペイガン・メタルと同類だ。原初ブラックメタルの要素があり、神秘的で、ドラマティックで、メロウかつ土着性を強く感じさせる不思議な魅力がある。

Sühnopfer

France

Offertoire 2014

Those Opposed Records

Peste Noire のドラマーである Ardraos が独りで全てをこなすメロディック・ブラックメタル。1st アルバムの麗しのサウンドを継承し、さらに昇華させた 2014 年 2nd アルバム。北欧ブラックメタルに近いコールドな空気を醸し出しながらも、フランスらしい悲哀感の強いメロディが吹き荒れるトレモロ・リフの応酬により、時折 Krallice や Deafheaven 等のポスト・ブラックメタルなのでは？と錯覚を起こすほど。しかしながらヴォーカルの発狂系に近い壮絶な絶叫や、プリミティヴさを損なわないサウンド・プロダクションにより、アンダーグラウンド性が色濃く残されている。ファスト・パートの割合が比較的高く、メロウでありながらブラックメタルらしいアンダーグラウンドさと暴虐性を固持する、その絶妙さがまたこのバンドの魅力であり、強みである。

S.V.E.S.T.

France

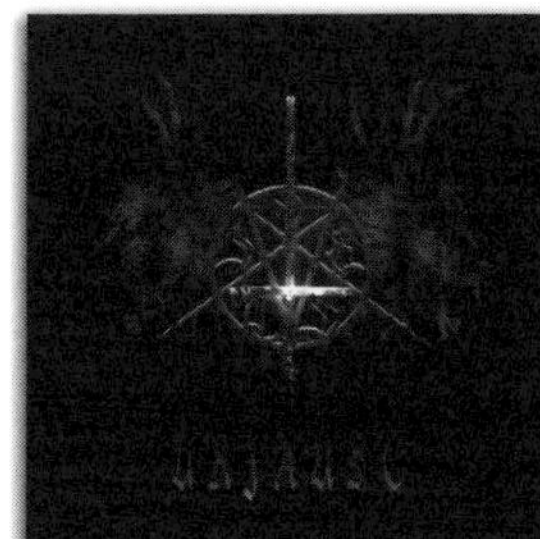

Urfaust 2003

End All Life Productions

2008 年には Deathspell Omega との Split もリリースしているフレンチ・ブラックメタルの 2003 年 1st アルバム。ノイズの塊と化した物凄い轟音で襲い掛かるギター･リフに、Raw な音ながらガシャガシャと叩き付けるドラム、そして禍々しさを強烈に発するガナり声により、とんでもなく禍々しく暗黒で殺伐としたプリミティヴ･ブラックメタル。3 曲構成ながら完全大作主義で、展開が大きく練られ、計算されていることが伺われる、濃密な曲がアルバムを形成する。特に 1 曲目は 18 分を超える大作ながら、途中でギター・リフ、ソロとリズムが完全に崩壊するアヴァンギャルドさで、呆気に取られる。真っ黒で邪悪で Raw な音塊が全速力でぶつかって来るかの様な、凄まじさが全編を覆う。プリミティヴ・ブラックメタルの中でも、異様な雰囲気に包まれた名作中の名作。

Svartfell

France

Apocryphe Apocalypse 2012

Hass Weg Productions

Vermeth のメンバーでもある Valhgarm によるプリミティヴ・ブラックメタルが Hass Weg Productions からリリースした 3rd アルバム。篭った音質と Raw なサウンド・プロダクションによる、アンダーグラウンド色の異様に強いブラックメタル。禍々しさと邪悪さを強烈に撒き散らすガナり声と、暗黒な空気に汚染され、ひび割れしてしまう程に歪んだギターリフによるインパクトが強い。ファスト･パート主体ながら、目まぐるしく変化していく展開構築により、曲自体はよく練られていることが伺われる。真っ暗闇の中をガシャガシャと不穏な音塊が蠢く様な、得も言えぬ凄まじさを発している。プリミティヴなブラックメタルの中でも完成度が高い方ではあるが、それを覆い隠すプリミティヴさと暗闇が渦巻く。

Temple of Baal

France

Servants of the Beast 2003

Oaken Shield

Hell Militia のメンバーでもある Arkdaemon、フォーク / ブラックメタルの Bran Barr でも活動する Amduscias らによるブラックメタルの 2003 年 1st アルバム。後にブルータル度を高めて行きデスメタル化していくが、この頃はまだ Celtic Frost や Samael 等からの影響を強く感じさせる 1980 年代暗黒スラッシュメタルからの流れを汲んだアーリー・ブラックメタルがベース。そこに、じんわりと浸み込んでくるような冷気のあるリフと、邪悪さを吐き散らすヴォーカルにより、暗黒臭が強いプリミティヴになっている。荒々しいファスト・パートから、重苦しいスロー・パートまで緩急差があり、よく練られた展開が見事。フランスらしいドス黒さと荘厳さが全体を覆い、威風堂々としている。

Torgeist

France

Devoted to Satan 1994

Drakkar Productions

Mütiilation の Meyhna'ch を中心としたフレンチ・ブラックメタル・サークル Les Légions Noires の中でも代表的な存在であり、Belkètre やダーク・アンビエント・ユニット Vzaéurvbtre でも活動した Vordb Dréagvor Uèzréèvb や、後に Vermeth として活動する Lord Beleth'Rim らによるプリミティヴ・ブラックメタルの 1st デモ。ひたすらジャージャーと掻き鳴らすノイジーなギター・リフと、カンカンと響くスネアとパタパタとしたバスドラによる過度に Raw なドラム、そして猛烈にイーヴルさを撒き散らしながらガナり立てる発狂ヴォイスにより、Lo-Fi でプリミティヴなサウンドを繰り広げる。装飾品の一切ない剥き出しの邪悪さが直接的に伝わる逸品。2008 年に Drakkar Productions より再発盤がリリースされている。

Torgeist

France

Time of Sabbath

1995

Drakkar Productions

ギターが Dark から Belkètre でも活動していた Aäkon Këëtrëh に、ドラムが Gargoyle から A Dark Soul に代わっての 2nd デモ。前作デモよりもさらにノイズ化し、チリチリとした音塊がヤスリで削られているかの様な凄まじく Lo-Fi なギター・リフ、そのギターに完全に消されてしまっているポコポコと鳴るドラムと、明らかに地下臭さが濃密となってきている。その強烈なギター音をさらに上回る、とんでもなく邪悪にガナりるヴォーカルが物凄い狂気を放っており、これぞ Les Légions Noires らしいアンダーグラウンドさが渦巻いている。こちらも 2008 年に Drakkar Productions から再発盤がリリースされた。バンドは 1996 年に Vlad Tepes との Split をリリースし、解散している。

Vermeth

France

Suicide or Be Killed!

2008

Drakkar Productions

Torgeist や自身のダーク・アンビエント・ユニット Amaka Hahina で活動していた Lord Beleth'Rim が 2001 年に始動させたブラックメタル。Svartfell の Valhgarm がドラムで加入した 2008 年 2nd アルバム。耳障りの悪いジャリジャリとしたギター・リフによる、強烈な地下臭く Raw なサウンド・プロダクションは Les Légions Noires 流れではあるが、妙にエコーが掛かった邪悪極まりないガナり声により、ベスチャルでサタニックな空気を強く感じさせる。時折奥の方で弾きまくるギターが出てきたりするが、基本はメロディを完全無視し、イーヴルさを徹底的にぶつけてくる、カルトな世界を提示する。Torgeist のカヴァーもあり。

Vlad Tepes

France

Anthologie Noire

2013

Drakkar Productions

同じく Les Légions Noires に属した Black Murder や Vèrmyapre Kommando でも活動した Vorlok Drakksteim と Wlad Drakksteim によるプリミティヴ・ブラックメタルのデモ音源集。1994 年『The Return of the Unweeping』、1994 年『Celtic Poetry』、1995 年『Into Frosty Madness』、1996 年『Dans Notre Chute...』、1998 年『The Black Legions』のデモ 5 作品にリハーサル音源を収録し、2013 年に Drakkar Productions からリリースされた 2CD。メロウさもありながら、Raw でひび割れしたギター･リフに、そのギターや邪悪なガナり声に掻き消されたドラムにより、いかにも Les Légions Noires らしい退廃的でカルトな地下サウンドを繰り広げる。

Vlad Tepes / Belkètre

France

March to the Black Holocaust

1995

Embassy Productions

Vlad Tepes と、Torgeist や Vagézaryavtre、Black Murder 等でも活動した Vordb Dréagvor Uèzréèvb による Belkètre の Les Légions Noires 名作 Split。Vlad Tepes はボロボロで Raw なドラムと、何かに取り憑かれた様な邪悪さを強烈に発するガナり声、そしてメランコリックなメロディを滲ませる彼等のスタイルの完成形とも言える素晴らしい曲が並ぶ。Belkètre は Vlad Tepes に比べファスト・パートが多く、デスメタルっぽさも若干感じさせるが、退廃的で不穏かつ邪悪な空気を強烈に放っており、その辺りはやはり Les Légions Noires らしさが濃厚である。徹底的にアンダーグラウンドな Les Légions Noires の真髄を突いた Raw プリミティヴ・ブラックメタルの大名盤。2013 年に Drakkar Productions から再発盤がリリースされている。

ジャーマン・プリミティヴ唯一無二の存在、テレビにも出演

Nargaroth

出身地 ドイツ・アイレンブルク　**結成年** 1995年
中心メンバー Ash（Kanwulf）
関連バンド Moonblood、Maniac Butcher、Secrets of the Moon

Nargarothはドイツ東部ザクセンのアイレンブルクでKanwulf（2007年からAshと名乗る）ことRené Wagnerにより1996年に結成された。当初はCharoon（ギター）とDarken（ベース）がメンバーでExhuminenzのバンド名だった。音楽性もデス/ブラックメタルであったが、すぐに純粋なブラックメタルへと変化していく。Kanwulfは自然と関係の深い「Narg」を冒頭に持ってくるバンド名を考え、Nargfalk、Narga-Yothと変えながら、Gorgorothと結び付けたNargarothのバンド名となった。

当初はドラム・マシーンを使用して音源をレコーディングしていたようだが、ドラムのL'Hiverが加入。1998年にデモを2本制作し、1stアルバム『Herbstleyd』をNo Colours Recordsから1999年にリリースする。しかしDarkenとL'Hiverが脱退。Charoonとの2人で2000年にデモを制作。さらに2000年にチェコでKanwulf一人でレコーディングされた2ndアルバム『Black Metal ist Krieg (A Dedication Monument)』が2001年にリリースされる。

2001年にOcculta Mors（ドラム）が加入し、6月にEPをレコーディング（2002年『Rasluka Part II』、2004年に『Rasluka Part I』としてリリースされる）。なお、同時期にDarkestrahのAsbathと、Maniac ButcherやKriegで活動していたButcherと3人のドラマーがバンドに参加していた。Butcherは短期間のみだったが、Asbathは2005年まで在籍。その後任は、後にSecrets of the MoonのEreborで、彼は2010年までバンドに参加している。一方、Nargaroth初期から在籍しているCharoonは2013年まで参加。2013年からAshが一人で活動している。2016年にAshは自身のレーベルInter Arma Productionsを設立。2017年に、フルレンスとしては8年振りとなった7thアルバム『Era of Threnody』をリリースしている。

ちなみに、1999年にAshはTVのトークショウ番組に出演（同居人からブラックメタルを聴くのと、服装を止めてほしいということを討論する内容）。それが話題にもなった。

Nargaroth

Germany

Herbstleyd

1998

No Colours Records

Kanwulfにより1996年から活動するジャーマン・プリミティヴ・ブラックメタルの1stアルバム。まだこの頃はKanwulfとギターのCharoonのコンビ体制だった。古代民族風の長いSEにより幕を開ける本作は、チリチリと擦り込む様なギター・リフと狂気を感じさせる絶叫ヴォイスによる、非常に地下臭いプリミティヴな音。しかし、幻想的な空間を生み出すキーボードを配して、ファスト・パートよりもどちらかと言えばミドルテンポ・パートに重点を置きつつ、ドラマティックに展開していく。全体的にUlverの1stアルバムに通じるアトモスフェリックな空気に包まれており、作品の重要なアクセントとなっている寒風や狼の遠吠え、焚火といった自然を感じさせるSEや女性ナレーションを含めて寂寞感を強く感じさせる。

Nargaroth

Germany

Black Metal Ist Krieg (A Dedication Monument)

2001

No Colours Records

デモのリマスターや未発表音源等による2000年リリースの『Amarok』を挟んで2001年に発表された2ndアルバム。病的な喚き声が延々と続くイントロから始まり、ファスト・パートによるストレートな攻撃性を見せる場面もあれば、ドラマティックな要素を携えつつ、ミドル/スロー・テンポでじっくりと攻め立てる場面の素晴らしさに圧倒される。Rawな音作りながら、随所で叙情的で悲哀的なメロディが強く押し出され、なおかつそのメロディが秀逸である。寂寞とし、メランコリックさを強烈に誘う大曲「Seven Tears Are Flowing to the River」は名曲で、その後のNargarothの方向性を示唆する曲である。Azhubham Haani、Lord Foul、Root、Moonbloodと言う超マニアックなカバーも収録されている。

Nargaroth

Germany

Rasluka Part II

2002

No Colours Records

ロシア語で「Farewell」(別れ)の意味を冠した2002年EP。Part IIとなっているがPart Iは後の2004年に発表されている。鳥の鳴き声と笛によるイントロから続く、寒々しいメロディが延々とループされる10分に及ぶ大曲「...Und Ich Sah Sonn' Nimmer Heben」を始め、EPながら佳曲揃いの名作。全体的にザラザラとした質感のRawなサウンド・プロダクションではあるが、これまでよりも音圧が上がり、プリミティヴさを保ちながらより聴き易い印象。前作はドラム以外はKanwulf一人でこなしていたが、本作は再びギターでCharoonが、さらに前作にも参加したNachtfalkeやMoonbloodでも活動したOcculta Morsがドラムを担当している。

Nargaroth

Germany

Geliebte Des Regens

2003

No Colours Records

WinterblutのL'Hiverがドラムで参加した2003年リリースの3rdアルバム。これまでのNargarothが提示してきた厭世的な側面を突き詰めた作品で、イントロのSE以外は全て10分以上の大曲。さらに17分に及ぶ2曲目が、若干のバージョン違いで5曲目にも入っているという驚きの構成。そして、叙情的でデプレッシヴなブラックメタルと言ってもいい程の感傷的なメロディや、Burzumの手法と同質の延々とループするミニマルな要素が、より鮮明となっている。ほぼミドル・テンポのパートで占められ、絶望的でコールドなメロディが延々と繰り返されることで、より悲観性を高めることに成功。深淵な厭世観を実に印象的に心をえぐっていく。Kanwulfのただならぬセンスを深く感じさせる。ミサントロピックなブラックメタルの絶対的な名盤。

Nargaroth

Germany

Rasluka Part I
2004

No Colours Records

Part II から 2 年後の 2004 年にリリースされた Part I の EP。リリース時期は異なるが、両方とも同じ時期の 2001 年 6 月にレコーディングされたものであり、ジャケット・アートワークも同じものを使用している。ショパンの葬送行進曲のオーケストレーションによるイントロから、その葬送行進曲のメロディを引き受けながら Nargaroth らしい厭世感満載のリフがループされる、ミドル・テンポ曲へと繋がっていく。Part II や 3rd アルバムでのミニマル感が本作でもより強くなった印象だが、一方でファストなパートが意外に多く、ブラックメタル本来の暴虐性をしっかりと提示している。レコーディング時期が同じなので Part II と同様、ドラムは Occulta Mors が担当している。

Nargaroth

Germany

ProSatanica Shooting Angels
2004

No Colours Records

全て Kanwulf 一人で制作された 2004 年リリースの 4th アルバム。これまで追求してきたミサントロピックなブラックメタルをさらに突き進める方向性にはならず、ファスト・パートの割合が増えて Nargaroth の攻撃的な側面がより押し出された。相変わらず長尺曲もあるが、メロウさが減退しているために、ループされるリフに単調さが見えてしまっているのも事実。そして音圧が減って、より地下臭さが増した Raw なサウンド・プロダクションとなっており、リフのノイジーさが強めに出ている。それでも寂寞感を匂わせるメロディを滲ませたり、これまで以上に不吉さを伴い、壮絶に喚き散らすヴォーカルの凄味がこれまで以上に増している。

Nargaroth

Germany

Semper Fidelis
2007

No Colours Records

再びドラムに Occulta Mors と L'Hiver が参加しての 2007 年リリース 5th アルバム。元々 2001 年にレコーディングされていたものに、ヴォーカル・パートを新たに乗せて制作された作品なので、サウンド・スタイル的には 2nd アルバム『Black Metal Ist Krieg』に近い。ノイジーさが増したギター・リフから滲み出るコールドなメロディをループさせ、ミドル・テンポでジワジワと攻める展開と、ファスト・パートで暴虐性を押し出す攻撃的要素がバランス良く配合され、ある意味最も Nargaroth らしい。Burzum を彷彿させる所も多分にあるが、陰湿さはあまり感じられず、悲哀感の強いメロディが特徴的である。もちろん壮絶に叫び喚くヴォーカルの凄味や、Raw な音創りによるアンダーグラウンド臭の強さといった、Nargaroth 不変の要素も固持されている。

Nargaroth

Germany

Jahreszeiten

2009

No Colours Records

Secrets of the Moon や Thulcandra のメンバーでもある Erebor がドラムを担当した 6th アルバム。季節をテーマにした作品で、ドイツ語によるナレーションのプロローグ以外は、春夏秋冬をイメージしたであろう大曲 4 曲で構成されている。「春」に当たる 2 曲目は Nargaroth らしくない、明るくキャッチーなメロディで驚かされるが、中盤からは明るめではあるが「らしい」叙情的なメロディへと変化していく。「夏」の 3 曲目は、攻撃的要素がありながら正統派メタルっぽさも垣間見せる。「秋」の 4 曲目は憂いのあるメロディが特徴的で、ロマンティシズムを感じさせる。そして「冬」の 5 曲目はブラスト・パート主体で、ブリザード・リフを吹き荒らす。Nargaroth らしさと突飛な要素が交差するが、曲ごとに特徴がはっきりしており、秀でた作品であることは確か。

Nargaroth

Germany

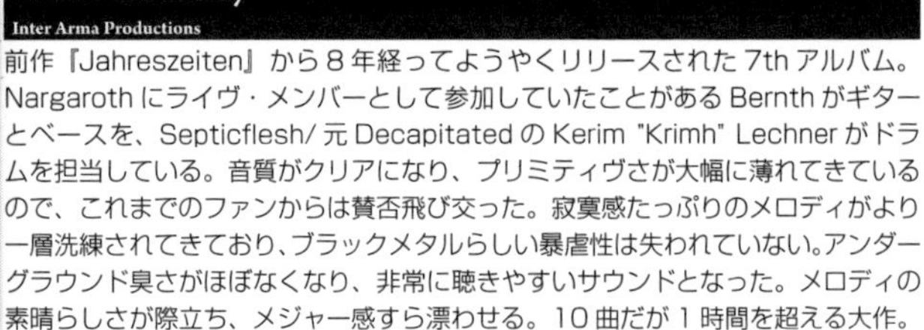

Era of Threnody 2017

Inter Arma Productions

前作『Jahreszeiten』から８年経ってようやくリリースされた7th アルバム。Nargaroth にライヴ・メンバーとして参加していたことがある Bernth がギターとベースを、Septicflesh/ 元 Decapitated の Kerim "Krimh" Lechner がドラムを担当している。音質がクリアになり、プリミティヴさが大幅に薄れてきているので、これまでのファンからは賛否飛び交った。寂寞感たっぷりのメロディがより一層洗練されてきており、ブラックメタルらしい暴虐性は失われていない。アンダーグラウンド臭さがほぼなくなり、非常に聴きやすいサウンドとなった。メロディの素晴らしさが際立ち、メジャー感すら漂わせる。10 曲だが１時間を超える大作。

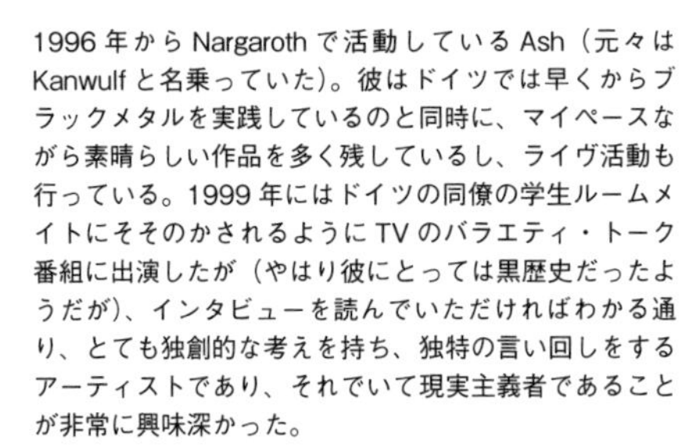

1996 年から Nargaroth で活動している Ash（元々は Kanwulf と名乗っていた）。彼はドイツでは早くからブラックメタルを実践しているのと同時に、マイペースながら素晴らしい作品を多く残しているし、ライヴ活動も行っている。1999 年にはドイツの同僚の学生ルームメイトにそそのかされるように TV のバラエティ・トーク番組に出演したが（やはり彼にとっては黒歴史だったようだが）、インタビューを読んでいただければわかる通り、とても独創的な考えを持ち、独特の言い回しをするアーティストであり、それでいて現実主義者であることが非常に興味深かった。

Q：影響を受けた音楽やアーティストは？

A：そういうものはないよ。自分の育った文化的環境や自分の価値観、そして自分が見ている世界に影響を受けている。ロックやメタルを始めるきっかけは AC/DC、特にボン・スコットではあるけれども、音楽的な影響を受けた訳ではない。

Q：Nargaroth を結成した経緯を教えてください。

A：10 代の頃、1980 年代後半頃に音楽を始め、歌詞を書き始めた。Nargaroth を始める前に２つのバンドで活動していた。

最初は 1991 年から 1992 年に Okkultis というバンド、その後 1992 年から 1995 年に Exhuminenz というバンドだ。両方ともメンバーは同じだったので 1992 年にバンド名を変えたということになる。

友人のメンバーが自殺してしまったので、Nargaroth へと改名し、音楽を創り続けたんだ。

Q：元々あなた以外にもメンバーがいましたが、現在は一人で活動していますよね。なぜ一人で活動を続けているのでしょうか？

A：メンバーがいたというのは違うよ。２人のセッション・メンバーがいて、彼等とは親しい関係ではあったけど、Nargaroth は俺のプロジェクトだということは誰が見ても明らかだった。自分は他人が好きでもないし、信頼もしていない。他の人の足りないことを補いたいとも思わない。20 年後の今も他の人と一緒に創ることはできない。これまでいくつか協力してもらったことはあるし、それはとても良かったとは思うけど、Nargaroth はいつも自分自身だけのプロジェクトなんだ。ライヴの時やスタジオ・レコーディングの時には一時的なメンバーがいるし、そのうち何人かはとても素晴らしかった。Nargaroth を魅力に感じてくれるミュージシャンもいた。ライヴの時はいつもセッション・メンバーが参加してくれるけど、2013 年から Nargaroth のライヴに参加している Beliath は非常に重要な役割を担ってもらっていて、バンドへ多くの時間とエネルギーを費やしてくれているよ。

Q：Nargaroth はどのようなコンセプトなのでしょうか？

A：現実の経験をより良く表現し、伝えることだ。これはこれからもずっと変わらない。計算されたものや人工的に創り上げられたストーリーではなく、現実で起きていることの反射作用を捉えていると言えるかな。

あとは説話であることもある。

Q：サタニズムを提唱するバンドやアーティストについてはどう思いますか？

A：ブラックメタルは真性なものだと思うけど、自分にとってはさっき質問に答えたことがその答えだ。あと西洋において教会の力が弱くなってきているので、その表れでもあると思う。

Q：現在のブラック・メタル・シーンについてどのように考えていますか？

A：多様、カラフル、拡大しているシーン、ノン・メタリオン、サイバー・ハングリー、陰、政治正統的な独裁の創造、価値のない新世代の偽装と偽善者。

自分は「真」のファンしか興味がない。その他は全て自分には無関係である。

Q：あなたは元々 Kanwulf と名乗っていましたが、現在は Ash へ改名していますよね。なぜ改名したのでしょうか？

A：自分が Kanwulf という姿よりも大きく上回ったと思ったからだ。

Q：Nargaroth は 1st アルバムから No Colours Records より作品をリリースしていましたが、2017 年『Era of Threnody』は Inter Arma Productions からリリースされました。

長年所属していたレーベルからなぜ移籍したのでしょうか？

A：2014 年１月の Pest ウェブジンに掲載されているように、自分は長い間 No Colours Records に所

属していた。1999年に自分が彼等を助けた時に言った言葉に縛られていたこともあり、自分は彼等の悪評のために大きなトラブルを克服した。でもここ数年間No Coloursには十分なエネルギーがないという印象が自分の中で増えていった。自分の目には過去10年間でシリアスなメタルの仕事に興味を失ったと映った。それと、そのことを部分的に同意していると思われることも彼等は語っていた。自分はレーベルの在り方を再考しなければならない時が来るかもしれないということを感じていて、レーベルの古いやり方が適切ではないことも分かっていた。No Coloursを頼っているアーティストや良い仕事をしたいと思っているバンド、興味のあるバンドにそれを伝えるには十分に公平な意見でなければならないと思う。でもNo Coloursは十分な対応を行っていない。No Coloursに所属していたビッグなバンドのほとんど全ては、レーベルの限界を感じたため去って行った。自分はこれらの問題を長い間受け入れてきた。マーチャンダイズのクオリティやインターナショナルな流通が悪かった等の問題については、ここでは説明しない。自分はなるべく何も起こさずレーベル側からの変更事項も約束したけども、何年もの会話を経てもうレーベルに留まることは出来ないと伝えた。言い方がちょっと難しいけれども、自分はレーベルに充分なチャンスを与えたんだけどもね。そうしてNargarothの作品を自分自身でリリースすることにしたんだ。
レーベルに全てを託すのが便利だというかもしれないが、Nargarothは独立した存在であり、今ではNargarothのアルバムやマーチャンダイズを世界中のディストリビューターとの良好な関係があるので、どこへでも届けることができる。もちろん自身でリリースしているとは言え、製品のクオリティは高いものだよ。
Q：ニュー・アルバムのレコーディングで何かエピソードはありましたか？
A：個人的な考えとして、勇ましい気性の音楽的形態は魅力的で、感情的な表現のほんのわずかな要素でしかない。自分は伝統的なフラメンコを表現の一つとして考えていて、長い間それを自分の音楽の中に取り入れようと考えていた。しかしそれに必要なハイレベルなギター・スキルが長年実現に妨げとなっていた。2013年にパリでライヴを行った時に、Nargarothのライヴ・メンバーであるBernthにそのことを話したんだ。彼はウィーンの音楽アカデミーでジャズ・ギターを勉強していたらかね。それからお互い別々に活動していたけども、お互いそれぞれ上手くいかなくなり、一緒にやることになった。優秀で独創的なギタリストであるBernthと偉大なドラマーであるKrimhなくしてこのアルバムは作り得なかった。
Q：あなたは以前トーク番組にも出演していましたが、なぜ出演したのでしょうか？　またそれはどのような番組だったのでしょうか？
A：自分は1999年に大学で勉強していたのだけども、パーティーで儲けを失った学生の単なるいたずらだった。良い大学にいくのに充分なスマートでリッチな人なら、大学で過ごす間にクソみたいに変なことがたくさんあることは誰でも知っている。もうそれだけだ。狂った学生のいたずらであったに過ぎない。その日は番組が自分を敗者として押し込もうとしたけども、何が分かると言うんだ。そこでは無意味さの中に自分の姿が消え、曖昧な「敵」の様になってしまったが、今となってはこの最低な世界を揺り動かしているのは自分の方だ。
Q：Nargarothはライヴ活動も活発に行っていますね。ブラックメタルにはライヴをやらないバンドが多いですが、あなたにとってライヴ活動とはどの様な意味を持っていると考えていますか？
A：自分ではそれほど多くライヴをやっているとは思っていない。1年に1回ツアーをやり、いくつかの単発ライヴがあるに過ぎない。自分は主要なブラックメタル・バンドの様にプレイし過ぎることはしない。自分は人生そのものをNargarothにかけることはしないし、生活のために働いている。自分はNargarothのファンへの責任があるのでライヴでプレイする。Nargarothは感情的なプロジェクトではなく、単にサタニックなことやウォーメタル、オカルトなものを表現しているだけだ。Nargarothが人々の生活に深く近づけたとしたら、音楽家としてその責任を負わなければならないからね。
Q：日本でライヴをやりたいと思いますか？
A：もちろん。いいオファーがあったらね。
Q：日本のシーンをどのように思いますか？　知っている日本のバンドはいますか？
A：クラシックなものも含めてあまりよく知らない。自分はシーンで活発に活動している訳でもないし、欧米シーンではヨーロッパのバンドに迷惑がられているからね。

同級生を殺害し、墓碑をジャケットにしたNSBM開祖

Absurd

出身地 ドイツ・ゾンダースハウゼン　**結成年** 1992 年
中心メンバー JFN（Hendrik Möbus）
関連バンド Wolfsmond、Halgadom、Grand Belial's Key、Luror、Totenburg

1992 年にドイツ中部の小さな町ゾンダースハウゼンにて Absurd は結成された。当初のメンバーは JFN こと Hendrik Möbus、Wolf こと Ronald Möbus、Dark Mark Doom こと Sebastian Schauseil、C. H. Surt こと Andreas Kirchnerで、Damien Thornなる人物も在籍していた。ドイツでは最初期から活動を始めたブラックメタル・バンドで、1992 年と 1993 年に 3 本のデモを制作。音楽性は Oi! パンクからの影響が強いサウンドであったが、後にメタリックな要素を強めていく。しかし 1993 年にメンバーは殺人事件を起こす。

メンバーと同級生であった Sandro Beyer が、メンバーの不倫やバンドの悪い噂を流したとして JFN と Dark Mark Doom、Andreas が電気コードで彼を殺害。3 人は警察に逮捕される。3 人は In Ketten として刑務所内で活動もするが、Absurd としても 1994 年にデモを制作した後、1995 年にカセット EP『Thuringian Pagan Madness』をリリース。このEPはジャケットにSandro Beyerの墓碑の写真が使用された。さらにJFNはNSBMレーベルである Darker than Black Records の運営も 1994 年に始める。なお、メンバーが NS 思想へと傾倒していったのはこの頃からであり、Burzum の Varg Vikernes が設立した NS 組織 Heathen Front のドイツ支部に JFN が加入する。さらに 1996 年には 1st アルバム『Facta Loquuntur』が No Colours Records からリリース。1998 年には犯行当時の年齢が 18 歳未満だったためにメンバーは仮釈放されるが、JFN はライヴで違法であるナチス式敬礼を行った後に、アメリカへ逃亡しようとしたところで捕まり、懲役刑となる。その間、11 月には JFN と Schatten（Dark Mark Doom）は 2nd アルバムのレコーディングも行っており、1999 年に『Asgardsrei』としてリリースされる。JFN は音楽活動が出来なくなり、Schatten も脱退したが、2000 年に Wolf が Absurd の活動を継承。Wolfsmond や Luror で活動していた Unhold が加わり、2001 年に 3rd アルバム『Werwolfthron』、2003 年に 4th アルバム『Totenlieder』をリリース。さらに EP『Raubritter』を 2004 年にリリースした後、2005 年に 5th アルバム『Blutgericht』と EP『Grimmige Volksmusik』、2008 年に 6th アルバム『Der fünfzehnjährige Krieg』をリリースする。2014 年に 7th アルバムのリリースもアナウンスされたが、この頃バンドは活動を停止しており、リリースされなかった。ところが 2017 年に JFN が Absurd を再始動させている。

Absurd

Germany

Facta Loquuntur

1996

No Colours Records

メンバーが殺害した Sandro Beyer の墓石をジャケットにしたカセット『Thuringian Pagan Madness』を挟んで、96 年にリリースされた 1st アルバム。拘束中にレコーディングされ、極右レーベルの No Colours Records からリリースされたが、レーベルが摘発され、相当な枚数が押収されたのでオリジナル盤は希少なものとなっている。音の方はデモ時代の流れを汲んだ Oi! パンクや Lo-Fi ハードコアに近い。チリチリとしたギター、朗々と歌ったりヤケクソ気味になったりするノーマル・ヴォイスとダミ声による異様に Raw なサウンドで、ブラックメタルのプリミティヴ性と共鳴しながら退廃的な世界を構築している。本作後、1998 年にメンバーは仮釈放されるが、Hendrik がドイツでは違法のナチス式敬礼をライヴで行い、アメリカへ逃亡しようとしたところ逮捕されてしまう。

Absurd

Germany

Asgardsrei

1999

IG Farben

仮釈放直後頃の 1998 年にレコーディングされ、1999 年にドイツの NSBM レーベル IG Farben からリリースされた EP。Andreas Kirchner と Wolf が脱退し、JFN（Hendrik Möbus）と Schatten の 2 人で制作された。初期の Oi! パンクからの影響を引きずっているものの、勇壮さも出てきてよりメタル寄りのスタイルとなった。しかしながら、ひび割れしたギターやチープな音のドラムにより、超 Lo-Fi なサウンドとなっている。そして、演説調だったり軍歌的だったりするヴォーカルが独特の空気を生み出している。2010 年にはドイツ当局からリリースを禁止されているが、ジャケット・アートを変えながら何度も様々なレーベルから再発されている。1 曲目（インスト曲）のキーボードは Graveland の Rob Darken によるもの。

Absurd

Germany

Werwolfthron

2002

Nebelfee Klangwerke

C. H. Surt（Andreas Kirchner） と Wolf（Ronald Wolf Möbus） が脱退し、1999 年に EP『Asgardsrei』をリリース。この EP レコーディング直後に JFN がアメリカへの逃亡しようとしたところを逮捕され、脱退。さらに Dark Mark Doom（Schatten）も脱退したが、Wolf が復帰。Luror のメンバーで Schatten らによる Wolfsmond でも活動していた Unhold が加入しての 2nd アルバム。つまり本作は Wolf と Unhold の 2 人で制作された（曲は 1995 年から 2001 年にかけて書かれていたもの）。Lo-Fi なハードコア / パンク色の強いサウンドで、ブラックメタル要素は薄いが、Raw な音によるプリミティヴさが充満している。Dark Mark Doom がクリーン・ヴォーカルでゲスト参加している。

Absurd

Germany

Totenlieder

2003

Nebelfee Klangwerke

前作に続き Wolf と Unhold の 2 人で制作された 3rd アルバム。前作までの Oi! パンクや Lo-Fi ハードコア / パンク寄りのサウンドから、一気にペイガン・ブラックメタルなスタイルとなった。キャッチーで叙情的なメロディが鳴り響き、曲展開もドラマティックさに重点を置いたものとなっている。ダミ声により物騒なオーラを漂わせるが、メロウ・プリミティヴの範疇を超えて、メロディック・デスメタルに近い哀愁を感じさせる。メロディの応酬はこれまでの Absurd のイメージを一新させる。ペイガン・ブラックメタルとしては純粋に高品質である。前作に続き Dark Mark Doom がクリーン・ヴォイスでゲスト参加している。2017 年には Nebelfee Klangwerke からジャケット・アートワーク違いの再発盤がリリースされた。

Absurd

Germany

Blutgericht

2005

Nebelfee Klangwerke

2005年にリリースされた4thアルバム。本作もWolfとUnholdの2人で制作。叙情的なメロディを主体とした前作に近い作風の作品ではあるが、前作ほどキャッチーさはなくなり、フォーキッシュなメロディがとても目立つ。ドラマティックな曲展開によりペイガン・ブラックメタル要素もさらに押し出されてきた。相変わらずダミ声による異様な雰囲気を漂わせ、叙情的なメロウ・プリミティヴ・サウンドを繰り出していく。本作は2011年にドイツ当局からリリースが禁止されたことでも有名。ちなみに2018年には『Das neue Blutgericht』のタイトルで、NSBMレーベルのSchwarzburg Produktionenから再発盤がリリースされた。なお、バンドは2008年に新曲3曲とリレコーディング14曲を収録した『Der fünfzehnjährige Krieg』をリリースしている。

Absurd

Germany

Life Beyond the Grave: 1992-1994

2010

Darker than Black Records

ドイツのNSBMレーベル、Darker than Black Recordsからリリースされた2枚組初期音源集。1994年『Out of the Dungeon』、1992年『God's Death』、1993年『Death from the Forest』、1994年『God's Death/Sadness』のデモ、さらにWolfの別プロジェクトであったSacrifice Slaughtered Jesusの1994年デモ『The Return of Nidhogg』のデモ音源を収録。ひび割れしまくったリフによるLo-Fiなプリミティヴ・サウンドで、Oi!パンクやハードコア・パンク寄りの曲が多い。AbigorのT.T.がリマスタリングを担当している。

Wolfsmond

Germany

Tollwut

2005

World Terror Committee

AbsurdのメンバーでLurorとして活動するUnhold、Absurdのオリジナル・メンバーでHalgadomでも活動するSchatten、Eternityでも活動したManagarmによるブラックメタル・バンドの2005年2ndアルバム。バンド自体は1993年からと、Absurdとあまり変わらない時期から活動している。Absurdの近親バンドではあるがサウンド・スタイルは異なり、こちらはメロウさも押し出したプリミティヴなブラックメタルである。寒々しい空気を含みながら叙情的なメロディを滲ませるリフと、ファストなパートとミドル・パートを組み合わせながら、ドラマティックに展開していく。ノイジーなギターとRawなドラム、邪悪さを撒き散らすヴォーカルにより、ブラックメタルのアンダーグラウンド性をしっかりと保持し、郷愁性と悲哀感が強い。

In Ketten

Germany

Live at JVA Ichtershausen 1995

2013

Tour de Garde

Sandro Beyer殺害による刑期中の、1995年6月にHendrik Möbus、Sebastian Schauseil、Andreas Kirchnerの3人がIn Kettenとして行ったライヴ音源を2013年にTour de Gardeがカセット・リリースしたもの。後の2015年にSchwarzburg ProduktionenからCDもリリースされた。Absurdの曲2曲と新曲、さらにMisfitsやThe Animals、ドイツのOi!パンク/スキンヘッズ・バンドUltima Thule（2曲）、ドイツのRAC/スキンヘッズ・バンドEndstufeのカバーによる8曲を収録。初期Absurdの方向性のままなので、ブラックメタルというよりはOi!パンクやRACに寄ったサウンドである。

Anti

Germany

The Insignificance of Life

2006

Art of Propaganda

Darkestrah の Anti(ギター)、Eternity や Darkmoonwarrior の A. Krieg(ヴォーカル)、元 Bethlehem/ 元 Paragon Belial の Zahgurim (Marcus Losen:ドラム) によるデプレッシヴ・ブラックメタルの 1st アルバム。ザラついた感触のノイジーなリフから溢れ出す絶望的なメロディ、悲痛に叫び、唸りながら病的なヴォーカルによる、いわゆるデプレッシヴなブラックメタル。この手のスタイルには珍しくブラスト全開で爆走するファスト・パートの割合が高い。とは言え、トレモロリフやアルペジオによる陰鬱なメロディが殊絶で、デプレッシヴ / スイサイダル・ブラックメタルとしての理想形を示している。ラストに Absurd のカバーを収録。

Aryan Blood

Germany

Through Struggle to Victory

2010

Totenkopf Propaganda

Negrobutcher が 1998 年から始めた NSBM がギリシャの極右レーベル Totenkopf Propaganda からリリースした音源集。Satanic Warmaster、Eisenwinter、Capricornus、Evil との Split と 1998 年のデモ音源を収録。Absurd の影響下にある Lo-Fi なパンク / ハードコアの要素も多く、ガシャガシャしたドラムや、チリチリとし、ガシャガシャ言うギター・リフによる異様に Raw な音である。ヤケクソに叫びまくるヴォーカルに寒々しいメロディを携えたギター、そしてブラストで爆走するブラックメタル的要素も強く出た曲から爽快なパンキッシュな曲まで、振り幅は広い。アンダーグラウンドのさらに底を行くような、プリミティヴ・ブラックメタルの真髄も見せつけてくれる。

Azaxul

Germany

The Fleshly Tomb

2016

Misanthrophia Discos

カルト的人気を博した Moonblood の Azaxul (Gaamalzagoth) が 1997 年から始めているブラックメタル。Gaamalzagoth が Moonblood 以前に在籍した Demoniac のドラムだった Wolfen が加わり、2016 年に Gaamalzagoth が運営する Misanthrophia Discos からリリースされた 1st アルバム。北欧のブラックメタル風の冷え切ったメロディを主体としたリフに、ファストとミドル・パートをバランス良く配合した展開による、Moonblood に似た Raw でプリミティヴなブラックメタルだ。エコーがかかり、異様に邪悪さを放出するヴォーカルにより、地下臭さが強く出されており、メロウでありながら完全アンダーグラウンド体質である Moonblood の血を確実に受け継いでいる。

Bethlehem

Germany

Dark Metal

1994

Adipocere Records

デス / スラッシュメタル・バンド Morbid Vision で活動していた Jürgen Bartsch (ベース) と Klaus Matton (ギター)、後に Shining の Andreas Classen (ヴォーカル)、スラッシュメタル・バンド Scarecrow で活動していた Chris Steinhoff (ドラム) により 1991 年に結成されたバンドが 1994 年に名門 Adipocere Records からリリースした 1st アルバム。時折ブラスティングなファスト・パートを織り込みながら、全体的にミドル / スローでドゥーミーな展開が主体。ブラックメタルの退廃的暴虐性と初期 Anathema や初期 My Dying Bride 風の暗黒耽美ゴシック / ドゥームメタルの要素が交差する。キーボードやピアノを時折絡ませながら、ギターから紡ぎ出される陰鬱なメロディは後のデプレッシヴ・ブラックメタルに繋がる部分も多い。

Bethlehem

Germany

Dictius Te Necare 1996

Red Stream

ヴォーカルがテクニカル・デスメタル Ravor のメンバーでもあった Rainer Landfermann に代わって 1996 年にリリースされた 2nd アルバム。前作でのドゥーミーで耽美的ゴシックメタルの要素が強い、暗黒退廃サウンドを継承しながら、ブラスト･パートの割合が増え、ブラックメタルとしての色合いが濃くなった。陰鬱なギターが奏でるメロディと、退廃的なスロー・パートに、暴虐性を強烈に撒き散らすファスト・パートを配しながら、デプレッシヴなブラックメタルに直接影響を与えたサウンドを展開する。特に時折、嗚咽しそうになりながら、病みまくった空気を猛烈に吐き出すヴォーカルのインパクトは相当なもの。静寂パートを織り交ぜながら、ひたすら病的に悲愴感を突き詰めていく 3 曲目は Silencer へ直接影響を与えた。

Bethlehem

Germany

Sardonischer Untergang im Zeichen Irreligiöser Darbietung 1998

Red Stream

Deinonychus の Marco Kehren にヴォーカルが代わっての 1998 年リリース 3rd アルバム。前作の延長線上にある退廃的で耽美的なメロディを奏でるギターを主体とした、スロー・パートによる絶望感に溢れまくっている。苦悶の表情を浮かべながら、病的に呻く Marco のヴォーカルも、前作での Rainer Landfermann の強烈な叫び声と同様か、それ以上に不穏な気配を醸し出している。暴虐的なファスト・パートの割合が減ってスロー・パートの比率が高まったが、その分デプレッシヴさがより強くなった。Shining や Silencer と言ったスイサイダル系ブラックメタルへは Burzum や Forgotten Woods よりも、この Bethlehem が最も影響を与えた存在であると言える。

Darkened Nocturn Slaughtercult

Germany

Hora Nocturna 2006

Independent

後に Bethlehem に加入するポーランド出身の女性ヴォーカル Onielar を中心に、テクニカル・デスメタルの Pavor やブラッケンド・デスメタル Beyond North でも活動していた Horrn（Michael Pelkowsky）らによるドイツのブラックメタルが自主制作でリリースした 2006 年 3rd アルバム。ブラスト全開の猛進パートの連続で染められたファスト・ブラックメタルで、その攻撃性は Marduk や Funeral Mist をも凌ぐ勢いである。時折メロウな要素を織り交ぜながらも Raw なサウンド・プロダクションと、Onielar の猛烈に邪悪なヴォーカルにより、生々しい攻撃性とイーヴルさがマックス状態で突き進む強烈無比な音像。プリミティヴ・ファスト・ブラックメタル名作中の名作。

Demoniac

Germany

Malleus Christianitatis 2016

Misanthrophia Discos

後に Moonblood を結成する Occulta Mors（Tino Mothes）が在籍していたドゥーム・デスメタルの Purulent Obduction のメンバーだった Necromaniac と L.O.N.S.、後に Moonblood の Profano Mysteriis（Gaamalzagoth）、後に Azaxul のメンバーにもなる Wolfen により、1993 年に結成されたブラックメタル。1994 年までにデモを何本か残しただけで終わったが、2013 年に Necromaniac と L.O.N.S.、Profano Mysteriis により再結成。そして 2016 年にリリースされた 1st アルバムが本作。Moonblood に通じる冷え切った叙情的なリフと、邪悪さを強烈に醸し出すガナり叫ぶヴォーカルによる、Raw な北欧ブラックメタルに近い。

Endstille

Germany

Endstilles Reich

2007

Regain Records

1990年代初頭から活動するデス/ブラックメタル・バンドTauthrのメンバーでもあるLars Wachtfels、Mayhemic Destructor、CruorにHaradwaithでも活動するヴォーカルのIblisによる、ウォー・ファスト・ブラックメタルの2007年5thアルバム。Rawなドラムとシャリシャリとしたギター・リフ、そしてやたらハイテンションで絶叫しまくるヴォーカルによる、プリミティヴなサウンド・プロダクションにより、生々しい攻撃性を剥き出しにした。大半を占めるフルブラスト・パートにミドル・パートを絡ませながら突き進む。コールドなメロディを滲ませるトレモロリフを随所に配しており、ブルータルな攻撃性とメロウさのバランス感覚がまた絶妙。ファスト・ブラックメタルとしては最上の音を吐き出している。

Freitod

Germany

Nebel Der Erinnerungen

2010

Vån Records

ハーシュ・ヴォーカル/ドラムのR. Seyferthと、Wolfthornやゴシックメタルのフロント Dawn of Despairでも活動したクリーン・ヴォーカル/ギター/ベースのLord Istraphagorによるデプレッシヴ・ブラックメタルが2010年にリリースした1stアルバム。Rawでノイジーなギター・リフから溢れ出す陰鬱なメロディを奏でるトレモロ・リフを主体としたスタイルで、ミドル・パートでジワジワと攻めながら、絶望的で退廃的な世界を描く。Shining辺りに通じる所もあるが、エモーショナルなクリーン・ヴォイスを入れたりして倦怠的な病的感覚を持ち合わせている。Katatoniaなどと共鳴するデプレッシヴロックの要素も見え隠れする。次作ではブラックメタル要素を薄め、暗鬱なロック色を一気に強めていく。

Frostmoon Eclipse

Germany

Terminus Skywards

2001

3rd Alliance Records

イタリアにも同名バンドが存在するが、こちらはドイツで1994年に結成されたブラックメタル。本作は2001年にリリースされた唯一のアルバム。コールドなメロディを奏でるトレモロ・リフに、ブラスト・パート主体の1990年代ノルウェージャン・ブラックメタルに近い。粘着性のあるヴォーカルがAbbathを彷彿させることもあり、初期Immortalに近い印象を受ける。Rawなサウンド・プロダクションではあるものの、ファスト・パートにミドル・パートを織り交ぜて緩急差を絶妙につけた、洗練された楽曲展開である。さらにメロウを絡ませており、ブラックメタルとして最上のサウンドである。バンドは2002年にFrostとSplitをリリースした後に解散している。

Katharsis

Germany

666

2000

Sombre Records

Deathcult等でも活動していたDrakhとScorn、Aeshmaによるアンダーグラウンド・ブラックメタルの1stアルバム。ガシャガシャしたRawなドラムと、チリチリとした音圧のないノイジーなギター・リフによる地下臭さが猛烈に強いプリミティヴなブラックメタル。エコーが掛かりながら邪悪さと禍々しさが猛烈に吐き出されるガナり声がまた凄い。ノイジーな中から荒涼とした冷えたメロディを滲ませるギター、そしてブラスト一辺倒ではなくミドル・パートを絡ませながら爆走する場面では猛烈なエネルギーを発する展開。Lo-Fiなサウンドではあっても、ブラックメタルとして最上レベルである。オリジナルはアナログにみのリリースだったが、2004年にはNorma Evangelium Diaboliからジャケットアート違いで再発CDがリリースされた。

Katharsis

Germany

Kruzifixxion 2003

Norma Evangelium Diaboli

Norma Evangelium Diaboli から 2003 年にリリースされた 2nd アルバム。このレーベルらしい暗黒に染まりまくった光無き残響。前作同様チリチリとし、ノイジーな中から寒々しいメロディも滲ませる音圧のないギター・リフとボコボコ鳴るドラムによる Raw な音作り。そして完全に一線を越えた強烈なガナり声と、病的な狂気を発する絶叫によるヴォーカルのインパクトが物凄い。初期 Darkthrone や Gorgoroth 等の流れを汲む原初ブラックメタル・スタイルがベースとなっている。生々しい攻撃性と異様に邪悪臭のする空気感により、一層アンダーグラウンド性を強い。地下プリミティヴ・ブラックメタルの凶悪さやイーヴルさが極限状態でうごめいている様な傑作。オリジナル盤は CD とアナログ盤でジャケット・アートが異なっていた。

Katharsis

Germany

VVorldVVithoutEnd 2006

Norma Evangelium Diaboli

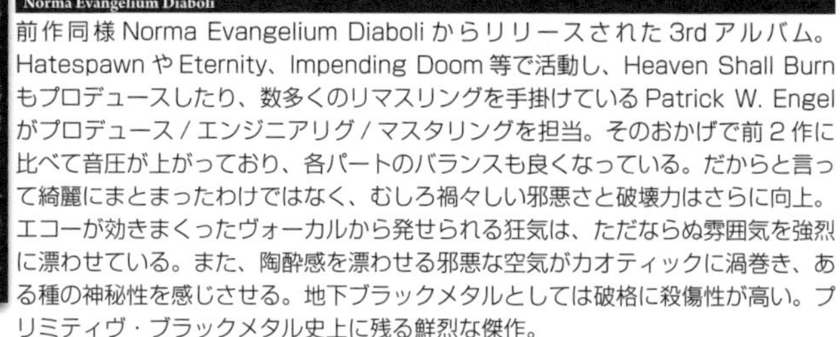

前作同様 Norma Evangelium Diaboli からリリースされた 3rd アルバム。Hatespawn や Eternity、Impending Doom 等で活動し、Heaven Shall Burn もプロデュースしたり、数多くのリマスリングを手掛けている Patrick W. Engel がプロデュース / エンジニアリグ / マスタリングを担当。そのおかげで前 2 作に比べて音圧が上がっており、各パートのバランスも良くなっている。だからと言って綺麗にまとまったわけではなく、むしろ禍々しい邪悪さと破壊力はさらに向上。エコーが効きまくったヴォーカルから発せられる狂気は、ただならぬ雰囲気を強烈に漂わせている。また、陶酔感を漂わせる邪悪な空気がカオティックに渦巻き、ある種の神秘性を感じさせる。地下ブラックメタルとしては破格に殺傷性が高い。プリミティヴ・ブラックメタル史上に残る鮮烈な傑作。

Luror

Germany

The Iron Hand of Blackest Terror 2003

Blut & Eisen Productions

Wolfsmondのメンバーであり、Absurdでも活動したUnholdのによるプリミティヴ・ブラックメタルの 2003 年 1st アルバム。Absurd と似通ったハードコア / パンク成分の高い曲から、そこら辺のデプレッシヴ・ブラックメタルもひれ伏す様な、泣き叫びながら病的かつ壮絶な絶叫と、物寂しいメロディを滲ませるトレモロ・リフによる、悲観的なブラックメタルである。特にそのデプレッシヴ・ナンバーは Silencer や Shining、Sortsind すらも凌駕する程の陰鬱さと、救いようのない絶望感が覆い尽くす。さらに叙情的メロディック・ブラックメタルな曲もあったりして、作品全体として捉えると雑多な印象を受ける。Raw なサウンド・プロダクションによりアンダーグラウンド臭さを保っている。ヤバさを感じさせる絶叫から、ガナり立てて押し切るヴォーカルの表現力の高さを感じさせる。

Magoth

Germany

Zeitgeist : Dystopia 2018

Independent

元 Cerberus の Heergott を中心とし、2011 年から活動するブラックメタルの自主制作リリースとなった 2nd アルバム。フレンチ・ブラックメタルに近い漆黒さに覆われ、荘厳な雰囲気を巧みに創出するギターにより、妙に威厳がある。ファスト・パートが多めであるが、ミドル・パートできちんと起伏を付けて、展開もよく練られている。禍々しさ全開のガナりヴォーカルにより、アンダーグラウンドに潜む邪悪さと暗黒さを見事に表出させている。音質も Raw な感触なので、プリミティヴさを感じさせつつ、オーバーグラウンドに近い楽音。あまり話題にらなかったようだが、佳作である。

Martyrium

Germany

L.V.X. Occulta

1994

Merciless Records

後に Secrets of the Moon を結成する Daevas が在籍したカルト・ブラックメタルの 1994 年 1st アルバム。1990 年代初頭のデスメタル臭も感じさせ、ギター・リフはスラッシュメタルを経由したものであるが、暗黒な空気を多分に含んでいる。しかしながらサタニックな気を強烈に発するヴォーカルにより、ブラックメタル成分が非常に高い。リズム、特にドラムが完全に曲とズレている場面が多く、クオリティは最低レベルではあるが、邪悪な空気感は異様な地下臭さを漂わせる。Mystifier や Havohej、初期 Rotting Christ、Mortuary Drape 等の初期カルト Raw ブラックメタルの魔術にハマっている向きならば確実に名作。

Moonblood

Germany

Blut & Krieg / Sob a Lua Do Bode

2014

Misanthrophia Discos

ブートレグも多く、リリースされる程の人気を誇るカルトなブラックメタルが 1997 年にカセットとアナログ盤でリリースした 1st アルバム『Blut & Krieg』と 2000 年に End All Life Productions よりアナログ盤のみでリリースした Deathspell Omega との Split『Sob a Lua Do Bode』の再発盤。メンバーの Gaamalzagoth が運営する Misanthrophia Discos からのリリース。地下臭の強い暗黒さに包まれノイジーなリフからコールドなメロディを滲ませ、邪悪極まりなく絶叫するプリミティヴな音。1st アルバムはドラマティックな要素も強く、Bathory の『Blood Fire Death』に通じるところもある。Split 音源は冷気と暴虐性が増量し、より北欧のプリミティヴなブラックメタルに接近している。

Moonblood

Germany

Dusk Woerot / Taste Our German Steel!

2014

Misanthrophia Discos

Nachtfalke で活動し、一時期 Nargaroth にも参加した Occulta Mors と Azaxul も率いる Gaamalzagoth によるエピック・ブラックメタル。1999 年 11 月にレコーディングされ、2000 年に End All Life Productions からアナログ盤 100 枚限定でリリースされた 2nd アルバム『Taste Our German Steel!』と、バンド末期と思われる 2000 年 9 月にレコーディングされたデモ『Dusk Woerot』の再発盤。2nd アルバムでは研ぎ澄まされた突き刺す様なコールド・リフが聴こえ、冷気がたっぷりと含まれた叙情的なメロディが、Raw な音作りと邪悪に叫びまくるヴォーカルにより、その凄味が存分に発揮された。デモではメロウさを残しつつもより邪悪なヴォーカルが極立っている。

Nihil Nocturne

Germany

Wahnsinn.Tod.Verrat

2006

End All Life Productions

Nordvinth とスラッジ / グラインドの Kadaverficker のメンバーでも活動し、Nachtgnosis を運営する Vigridr によるブラックメタル。Nachtgnosis から(アナログ盤は End All Life Productions から) リリースされた 2nd アルバム。ファスト・パートを絡ませつつ、ミドル・パートを主体とした展開により淡々とした感じだ。ノイジーなギター・リフと邪気を発するガナり声、そして冷気と荘厳さを醸し出すキーボードにより、カルトな空気を漂わせる。特にキーボードが創出する妖しい雰囲気から、魔的なアトモスフィアを漂わせ、プリミティヴでありながら、その枠には収まらない不可思議な魅力があるのも確か。

Nyktalgia

Germany

Nyktalgia　2004

No Colours Records

Seeds of Hate やデスメタル・バンド Venenum で活動し、US の Krieg にも参加した Malfeitor、Heimdalls Wacht や、Sterbend、Total Hate 等でも活動する Winterheart、Heimdalls Wacht や Pestnebel のメンバーでもある Skjeld によるデプレッシヴ・ブラックメタルの 2004 年 1st アルバム。ザラついたノイジー・リフから溢れ出す悲哀感の強いメロディは耳を惹き、悲哀感を引き出しながらも、メロディック・ブラックメタルに近いメロウな要素を強めた場面もある。ヴォーカルは病んだ絶叫が主体で、危険な雰囲気を醸し出しているので、デプレッシヴなブラックメタルの性質が強いが、この手には珍しくファストなパートもある。その部分では Raw でメロウなブラックメタルと言える。

Paragon Belial

Germany

Nosferathu Sathanis　2008

Bloodred Horizon Records

Bethlehem やスウェーデンの Shining にもヴォーカリストとして参加したことで知られる Andreas Classen を中心に 1994 年から活動するブラックメタルが 2008 年にリリースした 1st アルバム。本作でのドラムは Bethlehem や Anti でも活動した Zahgurim。1996 年に 1st アルバム『Hordes of the Darklands』をリリースした後に一度解散したが、2005 年から再活動している。であるが故にサウンドの方は 1st アルバムで聴けた 1990 年代初期プリミティヴ・ブラックメタルの延長線上にあるスタイルではある。しかし、音圧が出てきてより攻撃性が増す一方で、コールドなメロディを放つリフもキレ味を増してきており、Darkthrone や Gorgoroth にも比肩する真性さを感じさせる。途中に挿入されている Hellhammer のカバーも透逸な出来。

Pest

Germany

Ära　2000

Independent

同名バンドがいくつかいるが、こちらはドイツで 1997 年から活動していた Pest の 1st アルバム。ガシャガシャしたドラムとザーザーとした音圧のないギターが Lo-Fi さを強烈に醸し出すが、そこに狂的に叫びまくる壮絶なヴォーカルが物凄いアンダーグラウンド感と、密閉された地下室臭さを放っている。あまりにチープなギターとリズム、そしてブラックメタルなのかそうでないのか分からない程の摩訶不思議な展開。アコースティック・ギターやピアノによるリリカルで物悲しいパートを入れてみたり、ドラムが D-Beat と 4 つ打ちがゴチャゴチャになって走りまくっていたりするファスト・パートがあったりと、一筋縄ではいかない。と言うよりは、単に節操なく色々な要素をぶち込んだだけの様な気もするが、ヤバさを押し出すヴォーカルにより、ブラックメタルとしてのアイデンティティが不思議と強く感じられる。

Pest

Germany

Vado Mori　2004

Ketzer Records

1997 年から活動していたドイツのブラックメタルによる 2004 年の 3rd アルバム。ボロボロで全くまとまっていなかった 1st アルバムから、方向性が定まらないままクオリティが格段に向上した 2nd アルバムを経て、一気にファストなブラックメタルへと舵を切った。篭った Raw な音作りにより、プリミティヴな空気を散乱させ、ファスト・パートの連続で猛進。コールドかつメロウな要素も多分にあるギター・リフにブラスト全開のドラムと、Marduk をさらに地下臭く Raw にした音。発狂したかの様な壮絶なヴォーカルにより凶悪さが極立っており、ストレートなファスト・ブラックメタル・スタイル。その一方でプリミティヴな感触もまた異様に強く感じさせる。

Pest

Germany

Tenebris Obortis 2009

Ketzer Records

2009 年リリースの 4th アルバム。今作もまたファスト・パートを中心に攻め込んでくるスタイルで、相変わらず北欧ブラックメタルを想起させるコールドなメロディを含蓄したリフと、デプレッシヴ・ブラックメタルに通じる発狂寸前の壮絶なヴォーカル、そして Raw なサウンド・プロダクション。暗黒かつカルトな臭いが異様に強い。凶悪さやファスト・パートにおける攻撃力、フレンチ・ブラックメタル的なドス黒さを漂わせる空気感と、前作を踏襲している要素が多い。それらをさらに昇華させ、ミドル・パートによる重量感溢れる曲からドラマティックな展開の場面があり、しっかりと腰を据えた作品に仕上がっている。本作後 2011 年にドラムの Mrok が事故死してしまったため、バンドは解散した。

The Ruins of Beverast

Germany

Unlock the Shrine 2004

Ván Records

Nagelfar（スウェーデンの Naglfar ではない）のメンバーとして活動し、ブラッケンドなデスメタル・バンド Truppensturm にも参加する Alexander von Meilenwald によるドイツのブラックメタル・バンドが 2004 年にリリースした 1st アルバム。ミドル・パート主体で、ノイジーなギター・リフから醸し出される陰湿さを感じさせるコールドかつミステリアスな空間を創出させるメロディ、そして捻くれた一筋縄ではいかない、アヴァンギャルドさを内包した曲展開が耳を惹く。Deathspell Omega に通じる漆黒かつ荘厳な空間が全体を覆い尽くし、儀式的な妖しい雰囲気も漂わせている。そこに不穏さや知性が入り乱れ、偏執的で芸術的だ。

Sarkrista

Germany

Summoners of the Serpents Wrath 2017

Purity Through Fire

Sarastus でも活動する Revenant（ヴォーカル）らによるドイツのメロウ・ブラックメタルの 2017 年 2nd アルバム。フィンランドの Sielunvihollinen や US の Unhuman Disease との Split、2015 年の EP『The Evil Incarnate』を挟んで、フルレンスとしては 4 年振りとなった。凍てついたメロディが吹き荒れるスタイルで、ギャーギャーと喚き散らすヴォーカルや、荒く Raw な音作りによりプリミティヴ感も強い。ドイツ的と言うよりは Satanic Warmaster や Horna 等のフィンランドのメロウ・プリミティヴ・ブラックメタルに近いサウンドで、突き刺さるように冷えきった叙情メロディが秀麗。

Secrets of the Moon

Germany

Stronghold of the Inviolables 2001

Sombre Records

1980 年代末期から 1990 年代中盤頃まで活動したドイツのカルト・ブラックメタルの Martyrium のメンバーだった Daevas や、ネオフォーク・ユニット Sagittarius でも活動する sG らによるブラックメタルの 1st アルバム。後にプログレッシヴかつアート感覚にも満ちたハイレベルなサウンドへと進化を遂げていくが、この頃はまだそれなりにアンダーグラウンド色の強い音。音圧があまりないチープな音のギター・リフによる Raw なサウンド・プロダクション。妙にエコーが掛かりつつ、邪悪さと妖しさを強烈に醸し出しながら叫ぶヴォーカルにより、地下臭さとカルトな空気を漂わせる。後の彼等に繋がると言えるプログレッシヴかつ変化に富んだ曲展開により、特異な先進性を見せつけるが、それ以上にアンダーグラウンド感覚が強く押し出されている。

Shroud of Satan

Germany

Of Evil Descent

2018

Sol Records

2012 年からドイツの東北部に位置するメクレンブルク・フォアポンメルンで活動するプリミティヴ・ブラックメタルの 2018 年に発表された 2nd アルバム。メンバーは Shores of Ladon や Thorybos 等でも活動している。邪悪に喚くヴォーカル、そして随所でキーボードを被せながら、コールドなメロディを奏でるギター・リフを主体としたメロウなスタイルで、Satanic Warmaster や Sargeist 等のフィンランドのメロウ・プリミティヴ・ブラックメタルに近い。ファスト・パート主体で凍てついたメロディを撒き散らしながら、篭ったRawな音質により冷えきった感触と地下臭さが色濃く出ている。

Sterbend

Germany

Dwelling Lifeless

2006

No Colours Records

Heimdalls Wacht や Total Hate のメンバーでもあり、Nyktalgia や Krieg 等でも活動したドラムの Winterheart、Armagedda や Krieg、Nyktalgia へライヴ・セッション・メンバーとして参加した Asmodaios（ギター / ベース）、そしてヴォーカリストの Typhon によるデプレッシヴ・ブラックメタルの 2006 年アルバム。Burzum からの影響が強い、陰湿さを漂わせまくるメロディをループさせるギター・リフに、冷気を滲ませるキーボード、そして Silencer の Nattramn を彷彿させる奇声に近い絶叫ヴォイスにより、完璧に病んだ絶望的負のオーラが強烈に全体を覆いつくす。ジャケットの世界観そのままのサウンドが投影された。Nyktalgia の Skjeld と Malfeitor がゲスト参加。

Streams of Blood

Germany

Ultimate Destination

2013

Folter Records

ヴォーカル / ギターの Thymos らによるドイツのファスト・ブラックメタルの 2nd アルバム。本作でのドラムは後に Panzerchrist や Belphegor のメンバーとなる Simon Schilling（Bloodhammer）。全編ファスト・パートと言う訳ではないが、いざ爆走すると猛烈なスピードで駆け抜け、特に壮絶なドラミングは圧巻の一言。ノイジーながらコールドなメロディも滲ませるトレモロ・リフにより北欧スタイルに近い感触がある。暗黒に染まりながら、Raw な感触は薄く、ブルータルな攻撃性を押し出している。つまり Marduk やスウェーデンの Legion、Setherial と言ったスウェディッシュ・ファスト・ブラックメタルに近い。プリミティヴというよりは、真性さの方を強く感じさせるが、とにかくファスト・パートでのハイパーな猛烈さは随一と言える。

Tsatthoggua

Germany

Hosanna Bizarre

1996

Osmose Productions

スウェーデンではなく、ドイツの Dissection を前身とし、1993 年から 2000 年まで活動したキーボード入りファスト・ブラックメタルの 1st アルバム。バンド名はクトゥルフ神話に登場する「Tsathoggua」に由来するらしい。まずジャケットのインパクトに目を惹くが、「Satanic, Sado-Maso Hyperspeed Metal」と自ら名乗るだけあって、レーベル・メイトだった Impaled Nazarene や Marduk に近いコンセプトだったようだ。そして音の方はブラスト全開ファスト・パートにミドル・パートを織り交ぜながらやたらテンション高く突き進む、文字通りハイパースピードなブラックメタル。キーボードが絶妙にいかがわしさを醸し出しており、背徳的。妖しい空気を発しながら、ハイパーに突っ切る。ファスト・ブラックメタルの名作である。

Totenburg

Germany

Weltmacht Oder Niedergang

1999

Pesten Productions

Absurd にも参加したドラムの Herr Rabensang らによるドイツの NSBM が 1999 年にリリースした 1st アルバム。Burzum の名曲「Dunkelheit」のカバーも収録されているが、いわゆる Burzum 系デプレッシヴ・ブラックメタルではなく、NSBM に多いペイガン・ブラックメタルや RAC/ ハードコアパンク・スタイルでもなく、実にオーセンティックなプリミティヴ・ブラックメタル。時折メロウさを取り入れるノイジーなギターリフと Raw なドラム、そして憎悪に満ちたガナり声により、荒廃した空気を漂わせるブラックメタル。本作のオリジナルは CD-R だったが後に何度か再発されており、Hammerbund からの再発盤にはボーナス・トラックとして、Absurd のカヴァーが収録されていた。

Totenburg

Germany

Endzeit

2009

Nebelfee Klangwerke

1990 年代後期から活動し、ドイツの NSBM の中でも重要な位置を占める Totenburg の 2009 年 4th アルバム。初期の頃のプリミティヴで荒廃としたブラックメタル・サウンドに比べれば洗練され、ファストなパートを主体となった。冷気を含みながら荒涼としたメロディを含蓄したトレモロ・リフに、高速ブラストを強力に叩き込むファスト・パートがミドル・パートとの緩急差で絶妙に極立たせている辺りが見事。曲によってはメロウな場面もあり、NSBM の危険な精神性はサウンドからはあまり感じられない。とは言えブラックメタルの凶悪さとアンダーグラウンド性を保ちつつ、メロウさやブルータルさもしっかりと押し出されている。純粋にファストでメロウなブラックメタルとしては高水準である。

Verdunkeln

Germany

Weder Licht Noch Schatten

2012

Ván Records

Graupel でも活動する Gnarl と Ratatyske により 1998 年から活動するブラックメタル（現在は Gnarl 一人となっている）の 3rd アルバム。アトモスフェリックで幻影的な世界を提示しており、ノーマル・ヴォイスも用いて、神秘的な雰囲気を強く感じさせる。しかしながらアトモスフェリックなブラックメタルによくあるメロウさを押し出したスタイルではなく、メロディはあくまでも抑えめで、どちらかと言えば重苦しいリフにより、ダークな印象を植え付けさせる。この重苦しいリフがアトモスフェリックな空気感と融合し、どこか浮遊感のある独特な雰囲気を産み出している。楽曲構成も練られており、長尺曲においても聴き手をその世界観へと引き込むだけの才覚はある。クセの強いサウンドだが、ハマればクセになることは間違いないだけの確個たる個性を持っている。

Wolfsschrei

Germany

Rise Dead Ember

2018

Black Devastation Records

Odal や Erhabenheit、Seelengreif、Põhjast 他多くのバンドで活動してきた Taaken により 2004 年から活動しているプリミティヴ・ブラックメタル。これまでいくつかの EP や Split をリリースしているが、フルレンスとしては 2008 年にリリースした『Demons of My Inner Self』以来 10 年振りとなった 3rd アルバム。ジリジリとしたノイジーなリフから叙情的なメロディが溢れ出す、前作の流れを受け継いでいる。パタパタとしたドラムが走るファスト・パートが主体で、篭った音質によるプリミティヴな空間の中でスウェーデン、あるいはフィンランド辺りのプリミティヴでメロウなブラックメタルに通じる所が大。

Blutvial

UK

Mysteries of Earth 2018

Heidens Hart Records

2007 年から活動している UK ブラックメタル。ヴォーカル / ギターの Ewchymlaen は Reign of Erebus のメンバーとして、ギター / ベース / ドラムの Aort はポストメタルの Code やデスメタルの Binah でも活動し、ベースの Andras は Code のメンバーで NWOBHM バンドの Blitzkrieg にも一時在籍。幅広いシーンで活躍しているメンバーが集まっている。本作は 2011 年にリリースされた『Curses Thorns Blood』以来 7 年振りとなった 3rd アルバム。サウンドの方は、北欧ブラックメタルに近いコールドなメロディを擁しながら、ブラスト全開のファスト・パートが主体のブルータルな要素が強いブラックメタル。暗黒度も高く、時折陰鬱さを醸し出しながら喚き散らすヴォーカルが凄烈。

Daemonolith

UK

By Order of Decimation 2009

Frozen Blood Industries

Ravencult のメンバーでもあったギリシャ人ドラマー Panayotis や、ニュージーランドの Winter Deluge でも活動するドイツ人ヴォーカリスト Seelenfresser、UK スラッジ / ドゥーム・バンド Skeleton Gong でも活動する Salachar 等、多国籍メンバーを擁し、UK で活動するブラックメタルの 2009 年唯一のアルバム。Raw な音ながら猛烈なブラスト・パートをハイパーかつ攻撃的に叩きつくすドラムと、叙情的なリフによるプリミティヴなブラックメタル。グラインドコア並みの熾烈なブラストがあったり、メロウなリフがあったりしながら、高水準な内容とアンダーグラウンドな暴虐性のバランス感覚が絶妙。バンドは本作のみで解散してしまったが、2012 年に日本の Hidden Marly Production から 2009 年ロンドンでのライヴ音源 2 曲を追加収録してリリースされている。

Eastern Front

UK

Blood on Snow 2010

Candlelight Records

UK のウォー･ブラックメタルが 2010 年にリリースした 1st アルバム。ジャケットそのままの戦争をコンセプトとしているウォー・ブラックメタルであるが、ベスチャルさはない。妙に Raw な音作りで、猛烈なブラスト･パートを的確かつハイパーに叩き込むドラムが目立っている。絶叫とグロウルを使い分けるヴォーカルによりブルータルな印象もまた強く感じさせる。ただしデスメタル寄りのバンドと決定的に違うのは、凍てついた空気を醸し出す叙情的メロディを奏でるリフであろう。北欧スタイルでありながらファスト / ブルータル・ブラックメタルの要素も色濃く感じさせる。その辺りの型にハマらない柔軟性は UK ブラックメタルらしい。本作でドラムを叩いている Chris Casket は Extreme Noise Terror の元メンバーで、Strigoi の現メンバーでもある。

Necronoclast

UK

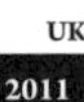

Ashes 2011

Moribund Records

Greg Edwards による一人ブラックメタルの 2011 年 4th アルバム。アトモスフェリックで、ノイジーかつギラついた鋭利なリフが Deathspell Omega を想起させる。苦悶の表情を浮かべるガナり声から邪悪な空気を強烈に発しながら呻りまくるヴォーカルにより、ミドル・パート主体でジワジワと浸食してくる不穏さを絶妙に表現している。時折、荘厳あったり、陰鬱なメロディを創出して、全体を覆う漆黒さによりフレンチ・ブラックメタル勢に近い印象を与える。練った曲展開や絶妙な暗黒さを演出するアレンジ力等、アンダーグラウンドに徹している。

Oferwintran

UK

Llyfr Coch Hergest 2019

Darker than Black Records

ヴォーカル / ギター / ベースの Nihtian とドラムの Kevin Paradis の 2 人によるブラックメタルが Darker than Black からリリースした 1st アルバム。ザラついたノイジーなリフとガシャガシャとしたドラム、そして邪悪さと不穏さを強く発するガナり声によるプリミティヴなサウンドだが、凍てついたメロディが全編で噴き出ており、メロウ要素も強い。UK 産ブラックメタルでは珍しい北欧、特に Satanic Warmaster 等のフィンランドのメロウ・プリミティヴ・ブラックメタルに近いスタイルである。2018 年に活動を開始し、まだメロディや曲展開は単調で荒削りな所が多い。しかし冷えきった叙情的なメロディが秀抜である。

Subvertio Deus

UK

Psalms of Perdition 2008

Satanic Propaganda Records

Antinomian 等でも活動する Abdias による UK のブラックメタルの 2008 年に唯一残された作品が本作。グロウル・ヴォイスに近いガナり声から、何かに取り憑かれたかの様な絶叫ヴォイスが強力にドス黒さを醸し出す。さらに、禍々しく不穏な空気を撒き散らすノイジーなリフと、時折メロウな要素を出しつつギラリと光る殺傷性の高いギターのメロディ、そしてインテリジェントな曲展開と相反する儀式的雰囲気が全編を覆う。曲展開もドラマティック。「Si Monumentum Requires, Circumspice」での Deathspell Omega を彷彿させる。陰鬱なメロディや病的に叫びまくるヴォーカルがドス黒さを放出している。暗黒芸術的な神々しさ、Deathspell Omega と似ているものの、得も言えぬ凄味を感じさせる。

White Medal

UK

Guthmers Hahl 2013

Aphelion Productions

アンビエントやノイズ、パンク / ブラックメタル等々、数多くのバンドやユニットとして活動する George Proctor によるブラックメタルが 2013 年にリリースした 1st アルバム。ガシャガシャとしたドラムに、ひび割れし歪みまくったリフ、そして猛烈に禍々しく暗黒空気を発するガナり声によるプリミティヴなブラックメタル。コンセプト的にはペイガン / ヒーゼン・ブラックメタルだが、いわゆる勇壮でメロウなスタイルとは無縁のリチュアルなムードが押し寄せる。インダストリアルな趣きがあったり、陰鬱なメロディも見せたりするが、それらを打ち消すだけの強烈な暗黒でカオティックな空気に圧倒される。暗闇の中で蠢く得体の知れない不穏感と、儀式的不気味さが異様に恐怖心を煽る強烈なインパクトを残す。

Abigor

Austria

Verwüstung/Invoke the Dark Age 1994

Napalm Records

T.T. とアヴァンギャルドなブラックメタル Heidenreich でも活動した P.K.、Amestigon やアンビエント / ネオクラシカルの Dargaard でも活動することになる Tharen により 1993 年に結成された、オーストリアを代表するブラックメタル。ヴォーカルが Tharen から Summoning でも活動し、Amestigon やダークアンビエントの Pazuzu 等のメンバーにもなる Silenius に代わり、1994 年にリリースされた 1st アルバム。シャリシャリとした感触のノイジーかつメロウな要素を多分に含んだリフに、どこか神秘的な雰囲気を生み出すキーボードを配している。ブラストで走りまくるパートが主体ではあるが、ドラマティックな要素もある曲展開により、叙情的なメロディが活かされている。地下臭さも強く、暴虐度も高い、1990 年代ブラックメタル名作の一つ。

Abigor

Austria

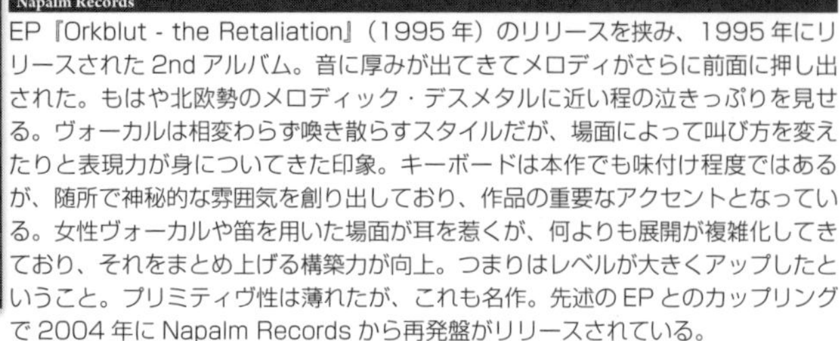

Nachthymnen (From the Twilight Kingdom) 1995

Napalm Records

EP『Orkblut - the Retaliation』(1995年)のリリースを挟み、1995年にリリースされた2ndアルバム。音に厚みが出てきてメロディがさらに前面に押し出された。もはや北欧勢のメロディック・デスメタルに近い程の泣きっぷりを見せる。ヴォーカルは相変わらず喚き散らすスタイルだが、場面によって叫び方を変えたりと表現力が身についてきた印象。キーボードは本作でも味付け程度ではあるが、随所で神秘的な雰囲気を創り出しており、作品の重要なアクセントとなっている。女性ヴォーカルや笛を用いた場面が耳を惹くが、何よりも展開が複雑化してきており、それをまとめ上げる構築力が向上。つまりはレベルが大きくアップしたということ。プリミティヴ性は薄れたが、これも名作。先述のEPとのカップリングで2004年にNapalm Recordsから再発盤がリリースされている。

Alastor

Austria

Noble North 2007

No Colours Records

メロディック・ブラックメタルのSanguisのメンバーとしても活動することとなるRambeerが1996年に結成したブラックメタルがNo Colours Recordsから2007年にリリースした2ndアルバム。冷気を思いっきり吸い込み、突き刺す様なコールド・リフを主体に、ファストとミドル・パートを組み合わせた展開が見事。邪悪な空気を強く発するガナり声により暴虐性を強く感じさせる。ヴォーカルの声質やリフの音色、メロディから『Nemesis Divina』期のSatyriconを彷彿させる所もある。1990年代のノルウェージャン・ブラックメタルがベースとなっており、オーセンティックかつ真性なブラックメタル・スタイルではあるが、コールド・リフのキレの良さや随所に展開に工夫があって、レベルも高く、聴き易い。

Amestigon

Austria

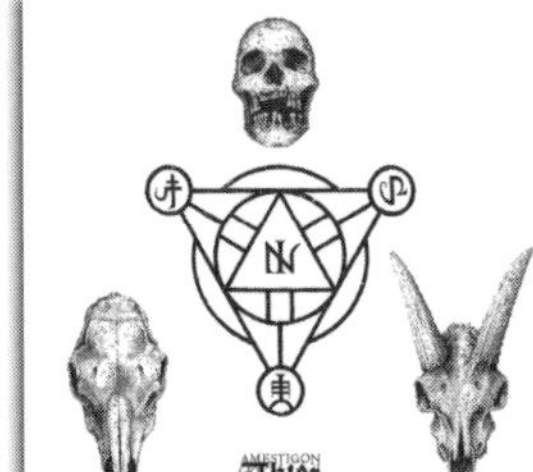

Thier 2015

World Terror Committee

AbigorのオリジナルLメンバーの一人でアンビエント/ネオクラシカルのDargaardやインダストリアル・ブラックメタルのDominion IIIでも活動したTharenと、一時期Abigorのメンバーにもなり、アヴァンギャルド・ブラックメタルのHeidenreichでも活動したThurisazにより1995年に結成。90年代にはNapalm RecordsからEPやAngiziaとのSplitをリリースしたりしていたもののしばらく沈黙しており、2010年に突如リリースされた1stアルバム『Sun of All Suns』に続くフルレンス作が本作。陰鬱さがある悲観的なメロディと、邪悪な黒い空気を発するガナり声により展開されていくブラックメタル。暗黒芸術美と言える崇高さを漂わせる。全曲10分以上の大曲であるが、聴き手をズルズルと引き込む力が宿っている。

Obscure Anachronism

Austria

Metanoia 2011

World Terror Committee

Dharmakayāにより2004年から活動しているブラックメタルの2011年2ndアルバム。叙情的なメロディを奏でるトレモロ・リフを主体にしたサウンドで、スウェーデン辺りのメロディック・ブラックメタルに近いが、時に絶望的な感情を滲ませる陰鬱なメロディを見せつけ、単なるメロディック・ブラックメタルとは一線を画している。物凄い邪悪さと狂気すら感じさせる暗黒さをノーマル・ヴォイスも含めて、異様な空気を発するヴォーカルのインパクトがかなりのもの。曲展開もファストとミドル/スローを織り交ぜて、緩急の付け方が絶妙。暗黒度が非常に高く、儀式的な妖しさもあり、質の高いメロディと展開の妙技でしっかりと聴かせる。暗黒でメロディックなブラックメタルの隠れた傑作。

Stormnatt

Austria

Omega Therion 2014

Self Mutilation Services

2000 年から活動するオーストリアのブラックメタルが 2014 年に Self Mutilation Services からリリースした 3rd アルバム。ドラムの P.（Phil Cash）は正統パワーメタルの Dreadface でも活動している。レーベル・カラーに合致する陰湿さを含んだメロディを奏でる、トレモロ・リフを主体としたスタイルだ。デプレッシヴなブラックメタルとは違い、叙情性が強いので、どちらかと言えばメロディックなブラックメタルとしての側面の方を、強く感じさせる。しかしながら暗黒な空気を異様に発するガナり声のヴォーカルにより、漆黒な空気が全体を覆っている。メロディを前面に押し出し、邪悪さにも満ち溢れている。アンダーグラウンドなブラックメタルとしては珍しく、ミュージックビデオを制作し、ライヴも精力的に行っており、オーバーグラウンドな活動をしている。

Totale Vernichtung

Austria

Ritualmordlegenden 2014

Darker than Black Records

Vicarivs Filii Dei として活動し、Rostorchester や Stormnatt へメンバーとして参加していた Antimessiah によるブラックメタルの 2014 年 2nd アルバム。Vicarivs Filii Dei でも満載だった激情的悲哀メロディはこちらでも、その威力を大いに発揮しており、そのメロディ・センスの高さは目を見張るものがある。ドスの効いた低音ガナり声により陰湿さを発しているが、やはりノイジーな中から溢れ出す胸を締め付ける様なメロディが溢れ出てくるトレモロ・リフとの対比もまた絶妙。Raw でプリミティヴな音作りだが故に、叙情的なメロディが直接的に突き刺さってくる。Vicarivs Filii Dei 同様、メロウなプリミティヴ・ブラックメタルの最高級形態。

Trollskogen

Austria

Einsamkeit 2009

Nihilistische KlangKunst

バンド名は「Forest of Trolls」（トロールの森）という意味。そしてトロールが座っているジャケット・アートということで、バンドのコンセプトが伝わってくる。本作は 2009 年にリリースされた 3rd アルバム。フォーキッシュなメロディが随所に散らばり、そのコンセプトのイメージを端的に示している。トレモロ・リフによる陰鬱さがあるメロディや、ガナり立てるヴォーカルによりいわゆるフォークメタルな要素は薄い。ブラックメタルらしい土着的で内省的な要素が強く、厭世的な方向へとベクトルが向いている。Raw な音創りにより、プリミティヴな要素が強いが、アトモスフェリックな雰囲気も絶妙に醸し出している。フォークをベースにしながら叙情的で悲観的なメロディが随所でその威力を発揮している。

Vicarivs Filii Dei

Austria

Non Cogitant Sed Tamen Sunt 2014

Darker than Black Records

Rostorchester や Totale Vernighung でも活動し、Stormnatt へメンバーとして参加していた Antimessiah によるブラックメタルの 2014 年 2nd アルバム。やたらノイジーなトレモロ・リフと、ガシャガシャ・ボコボコと叩き込む Raw なドラムによるプリミティヴなブラックメタルだが、そのノイジーなトレモロ・リフから溢れ出る叙情的なメロディの洪水が素晴らしい。甘美なメロディはフレンチ・ブラックメタルらしさも感じさせるが、そこに神秘的な雰囲気すらも滲ませた、涙腺決壊トレモロ・リフが矢継ぎ早に飛び出す。ファスト・パートが主体のスタイルながら、ミドル / スロー・パートでの激情メロディの活かし方も天下一品。プリミティヴでメロウなブラックメタルの最高峰クラスのセンスを誇る。これは名作であろう。

Vobiscum

Austria

Berchfrit 2008

Behemoth Productions

自身のバンドGrimthornとして活動したCount Grimthornらによる、1997年に結成されたオーストリアのブラックメタルが2008年にリリースした3rdアルバム。凍てついたメロディを擁するリフを主体としたプリミティヴ・ブラックメタルで、やたらと喚き散らすヴォーカルや妙にRawな音のドラムによるブラスト・パートを中心に、北欧ブラックメタルと同等の叙情性を持ち合わせている。ブラックメタルとしての邪悪さや暴虐性を強く感じさせながら、寒々しいメロディをしっかりと押し出したそのバランス感覚が絶妙。そして、サウンド・プロダクションは劣悪なものではなく、聴き易い部類に入る。故に平均化されたプリミティヴ・ブラックメタルという感じでもあるが、純粋にグレードが高い。

Asagraum

Holland

Dawn of Infinite Fire 2019

Edged Circle Productions

Obscuraを中心としたオール女性メンバーによるオランダのブラックメタル。ドラムがUrarv（ノルウェー）のメンバーで、Maniac（元Mayhem）とNiklas Kvarforth（Shining）によるSkitlivにも参加していたTrishから、Sisters of Suffocation（女性5人組デスメタル・バンド）の元メンバーであるAmber de Buijzerに代わっての2019年発表2ndアルバム。Satanic Warmaster等の寒々しいメロディが溢れ出すフィニッシュ・メロウ・プリミティヴ・ブラックメタルに近いスタイルで、ヴォーカルも喚き散らしたり唸ったりと、レンジの広い邪悪ヴォイスを披露。薄っすらとアトモスフェリックな空気も流れるが、地下臭さと荒々しさ、そして凶悪さが前面に出たサウンドである。Necromorbusがミキシングとマスタリングを担当しており、音質も良好。

Countess

Holland

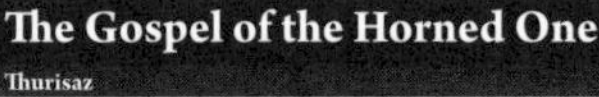

The Gospel of the Horned One 1993

Thurisaz

1992年から活動しているオランダのブラックメタルによる1993年発表1stアルバム。オリジナルはバンドの中心人物であるOrlokが運営していたThurisazからのリリース。初期BathoryやHellhammer、Samael等の影響が強く、ハードコア・テイストやドゥームメタルにも通じつつ、初期ブラックメタルの地下性を色濃く出した退廃的プリミティヴ・サウンド。劣化した音質がいかにも1990年代初頭のブラックメタルであるが、一筋縄でいかない曲展開も多い。この頃の絶対的権威であった北欧ブラックメタルとは一線を画しており、異彩を放っていた。カルトな初期ブラックメタルの名作として語り継がれるべき。

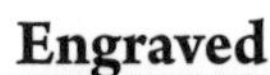

Engraved

Holland

Ninkharsag 1993

Unisound Records

1990年代前半に活動したオランダのブラックメタルが1993年にUnisound RecordsからリリースしたEP。この時期のダッチ・アンダーグラウンド・シーンは完全にデスメタルが中心だったため、ブラックメタルは珍しい存在であった。さらに驚くことに1993年と言う時期にデプレッシヴなブラックメタルを提示していた。音圧のないシャリシャリとした耳障りの異様に悪いノイジーなリフが主体だが、鬱屈したメロディを滲ませてネガティブな感情を湧き立たせる。ヴォーカルも発狂寸前の病的なヤバさを直接的に伝えてくる。同時期で言えばBurzumやForgotten Woods、Stridと同系列の絶望陰鬱ブラックメタルであるが、これらのバンドよりも直接的に後のデプレシッシブ・ブラックメタルそのままの音像を体現している。バンドは結局このEPを残しただけで解散している。

Fluisterwoud

Holland

Langs Galg En Rad

2003

Full Moon Productions

Urfaust を結成するに至る Nachtraaf（Vrdrbr）が 1996 年に始動させたブラックメタルの 2003 年 1st アルバム。Galgeras の Gwydion Sagelinge（ヴォーカル）、Heidenland や Black Lotus でも活動した Havoque（ベース）、Caedere の Lahar（ドラム）がメンバーとして参加。Marduk に通じるハイパー・ファスト・パートを軸にミドル・パートを織り交ぜて、緩急を付けながら暴虐的に突き進む。異様な邪悪さとドス黒さを撒き散らすガナり・ヴォーカルも強力で、各パートのキレが素晴らしく、ファスト・ブラックメタルとしてはレベルの高さを見せつける。Marduk に酷似した部分が結構あるが、こちらの方がやや暗黒度は高い。

Funeral Winds

Holland

Koude Haat

2004

Death to Mankind

Inferi ～ Domini Inferi でも活動し、Infinity のメンバーでもある Hellchrist Xul らにより 1991 年から活動しているオランダのブラックメタルの 2004 年 2nd アルバム。ノイジーかつ凍てついたコールド・リフと、邪悪さを撒き散らす邪悪な絶叫ヴォイスによる 1990 年代スタイルのブラックメタル。大半がファスト・パートで、Raw なドラムが猛爆走しながら凍りつくメロディを突き刺してくる。メロウな要素も強いが、異様にイーヴルな空気を拡散するヴォーカルがブラックメタル本来の暴虐性を猛烈に引き出している。Darkthrone や Gorgoroth のアンダーグラウンドな原始的プリミティヴさに、Marduk の熾烈さが加わった様だ。音作りは Raw だが、曲展開や演奏力が卓越している。

Infinity

Holland

The Birth of Death

2004

Total Holocaust Records

Funeral Winds の Balgradon Xul とデスメタル・バンドの Paratyfus でも活動した Draconis らにより 1995 年から活動しているブラックメタルの 2004 年に Total Holocaust Records からリリースした 2nd アルバム。コールド・メロウ・リフを主体にした北欧ブラックメタル・スタイルで、叙情的メロディとブラックメタルの真髄である暴虐性を如何なく発揮している。Naglfar を若干 Raw にした感じだ。ファスト・パートで叙情リフを猛発させながらミドル・パートでもメロディを活かし、曲展開もしっかりと練られている。Naglfar や Dissection と言ったスウェディッシュ・ブラックメタルのメジャー・クラスのポテンシャルを持ちながら、さほど注目されなかったのが不思議でならない。ラスト曲は Immortal のカバー。

Kjeld

Holland

Skym

2015

Hammerheart Records

Lugubre でも活動していた Tsjuster、Fjildslach、Swerc らにより 2003 年から活動しているブラックメタルの 2015 年 1st アルバム。ファスト・パート主体の豪速ブラックメタル・サウンドで、Marduk に通じるブルータルさを持ち合わせている。冷え切ったメロウな叙情コールド・リフも目立つ。随所でキーボードによる冷気を伴い、スペーシーな空間形成を取り入れつつ、暗黒で邪悪で暴虐的なブラックメタルが展開される。ファスト・パートでの熾烈さの中にミドル・パートを組み込み、緩急差の展開妙技を見せつける。やや曇った音作りから、高速ブラストを的確に叩き込んでくるハイパーなドラムに呼応するかのように、メロウなリフの切れ味やイーヴルさを撒き散らすヴォーカルによって、屈強なファスト・ブラックメタルとなっている。

Lugubre

Holland

Anti-Human Black Metal

2004

Folter Records

Xasthur の Malefic らとの Mord にも参加した Striid を中心に 1999 年から活動し、Kjeld の Asega（ヴォーカル）や Fjildslach（ドラム）も後にメンバーとなるプリミティヴ・ブラックメタルの 1st アルバム。本作のメンバーは Striid（ギター）、Hermit（ヴォーカル）、メロディック・ブラックメタルの Salacious Gods の Iezelzweard（ベース）、後に US ブラックメタルの Misanthropy やオランダのスラッシュメタル Sadotank のメンバーにもなる Kriich（ドラム）。ジャージャーと擦り込む様なノイジーなリフから滲み出るコールドな叙情メロディに、高速ブラストによるファストなパートを中心とした展開による、Raw でありながら攻撃性を全面に押し出している。スウェディッシュ・ブラックメタルに近い趣きがあるが、適度なブルータリティもある。Beherit のカバーもあり。

Sammath

Holland

Triumph in Hatred

2009

Folter Records

J. Kruitwagen により 1994 年から活動し、オランダ出身で現在はドイツを活動の拠点としているブラックメタルの 2004 年リリース 4th アルバム。猛烈なブラスト / ファスト・パートをハイパーに叩きこなすドラムと、生々しい邪悪さを滲ませながら喚き散らすヴォーカルにより、ブルータルかつ暴虐的な音を放散する。ノルウェーやスウェーデンのブラックメタル勢に通じるコールド・リフがノイジーな中から突き刺してきて、凶々しさにも溢れている。時折テクニカルだったり、随所でメロウに弾きまくるギターが適度なアクセントになっている。ブラックメタルとしての猛然とした荒々しい凶悪さが全体を覆っている。

Urfaust

Holland

Geist ist Teufel

2004

GoatowaRex

オランダのブラックメタルが 2004 年にリリースした 1st アルバム。恐らくほとんどのリスナーがこのヴォーカルの異様さに、強烈なインパクトを受けるであろう。悲哀感を感じさせるギターのメロディや、悲痛に叫ぶヴォーカルからデプレッシヴ・ブラックメタルかと思いきや、そうではない要素があまりにも多すぎ、変質的だ。その叫び声からは鬼気迫るヤバさはほぼ感じられず、さらに大半を占めるクリーン・ヴォイスは完全に無気力。虚無を感じさせる様な無気力さではなく、単にヤル気がないだけのテキトウさが宿る無気力さである。そして、異様にチープで Lo-Fi な音質に呆気にとられる。曲の方も民謡調な場面だったり、暗黒アンビエント風だったり、淡々と……というよりはミドル・パートをダラダラと展開していったりと、とにかく一筋縄ではいかない奇怪さに圧倒される。ある意味これぞ正常な精神ではないサウンドと言える。

Vaal

Holland

Visioen van Het Verborgen Land

2019

New Era Productions

Vaal による一人ブラックメタルの 2019 年 2nd アルバム。Haat 等でも活動する Morden Demstervold がセッション参加し、ベースを弾いている。アトモスフェリックな世界を生み出すキーボードを被せて、ノイジーで陰鬱なメロディを滲ませるリフがデプレッシヴ・ブラックメタル寄り。ヴォーカルは低音域でガナるスタイルながら、虚無を漂わせるメロディによるリフや、幻影的でありながら、不穏な空気を生み出すキーボードから Burzum の影響も強く感じさせる。Cultus や Heimdalls Wacht でも活動し、Lugubre や Pest（ドイツ）にも参加していた Arjan がミキシングとマスタリングを担当。

Zwartplaag

Holland

Haatstorm

2010

Heidens Hart Records

1990 年代前半から活動していたペイガン・ブラックメタル Necrofeast のメンバーだった Dagon（ヴォーカル）も在籍したオランダのプリミティヴ・ブラックメタル。2011 年に活動を止めているが、本作は 2010 年に残されたアルバムとしては唯一の作品（2011 年にドイツの Faagrim との Split をリリースしている）。ジリジリとザラついた音圧のないノイジー・リフから溢れ出すように沸き上がる、コールドで叙情的なメロディによるリフが主体のプリミティヴ・メロウなスタイル。Darkthrone の『Transilvanian Hunger』をさらにメロウにした感じだ。ベースはプリミティヴなブラックメタルなので、いわゆるメロディック・ブラックメタルとは違うスタイルだが、そのメロディ・センスの良さはかなりのもの。

Aryan Kampf 88

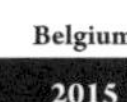

Belgium

Le Kombat Continue !

2015

Black Metal Cult Records

2003 年から活動し、アルバムや EP をリリースせずに 2016 年に解散したベルギーの NSBM による 2015 年デモ『Rexisme』と 2014 年デモ『Furor Belgikus』に未発表音源 2 曲を収録したコンピレーション。ジャケットはベルギーのカトリック系ファシズム政党を率い、ナチスの重要な協力者であったレオン・デグレル。そしてアーリア人、ヒトラーの著書『Mein Kampf』、ハイル・ヒトラーを現す 88 を組み合わせたバンド名と、NS 思想を剥き出しにしている。音の方はシャリシャリとしたリフと、ガシャガシャと叩くドラムによる物凄く Lo-Fi なプリミティヴ・サウンド。勇壮に咆えたり、何かを朗読しているかのようにガナリ立てたり、時折病的に叫んだりするヴォーカルが強烈な不穏さを掻き立てる。

Cult of Erinyes

Belgium

A Place to Call My Unknown

2011

Les Acteurs de l'Ombre Productions

フューネラル・ドゥームメタルの Monads のメンバーでもあり、メタルコア・バンド Psalm でも活動した Corvus らによるベルギーのブラックメタルが 2011 年にフランスの Les Acteurs de L'Ombre Productions からリリースした 1st アルバム。ヴォーカルの Mastema とドラムの Baal も Psalm で活動していた。先鋭的で良質なバンドを多く発掘してきたレーベルからのリリースだけあって、この作品も 1st アルバムながら非常が高い。時折、北欧ブラックメタルと同類の冷気とアトモスフェリックさを擁するメロディを奏でながらノイジーに歪んだリフと、鬼気迫る表情でガナり叫ぶヴォーカルにより強力な邪悪さを漂わせる。ファスト・パートでの壮絶な暴虐性と、ドゥーミーな展開における鬱屈感の双方が不穏感と暗黒性へと向かっている。

Enthroned

Belgium

Prophecies of Pagan Fire

1995

Evil Omen Records

ベルギーを代表するブラックメタル・バンドで、デスメタル・バンド Morbid Death のメンバーだった Lord Sabathan と Cernunnos、Eddy Constant、後にデス / グラインド・バンドの Hybrid Viscery のメンバーとなる Tsebaoth らによって 1993 年に結成。その後 The Beast と言うブラックメタルでも活動していた Nornagest が加入。1995 年にリリースされたのが本作 1st アルバム。邪悪さ満載の噛み千切るように叫ぶヴォーカルに、コールドなメロディも携えたリフ、そしてファストからミドル・パートまでを暴虐的かつドラマティックに展開していく楽曲の上質さにより、いきなり北欧ブラックメタルのトップクラスにも肉薄し、話題になった。1999 年には Blackend からライヴやデモ音源を追加した 2CD で再発されている。

Enthroned

Belgium

Towards the Skullthrone of Satan 1997

Blackend

自殺によりドラムのCernunnosが亡くなり、Tsebaothが脱退。Nornagestとともに The Beastで活動していたNebirosが加入した体制となり、UKのBlackendへ移籍しての1997年リリース2ndアルバム。ドラムはスラッシュメタル・バンドのAsphyxiaのDa Cardoenがヘルプ参加している。基本的にコールドなメロディを奏でるギター・リフによる北欧ブラックメタルに近いスタイルはそのままだが、よりファストなパートが占める割合が増え、暴虐的攻撃力を強く感じさせる作品となった。一方で叙情的なリフ・メロディや弾きまくるギター、エピカルな音使い等、正統的メタル的な要素も散見され、前作よりも聴き易いサウンドになっており、その両面において質を向上させた。

Enthroned

Belgium

The Apocalypse Manifesto 1999

Blackend

元Morbid DeathのNamroth Blackthorn（Fabrice Depireux）が加入しての1999年リリース3rdアルバム。Abyssスタジオでのレコーディングで Tommy Tägtgrenがプロデュースと、いよいよメジャーに近い体制となった。しかし、ファスト・パートの割合はさらに増えており、シャープな音作りながらブラックメタルとしてのアンダーグラウンドでプリミティヴな雰囲気がより強まってきている。前作までのコールドで叙情的なメロディもだいぶ抑えられ、ノイジーに掻き鳴らされるリフ主体となった。大半を占めるファスト・パートもブルータルさと言うよりは、ブラックメタルとしての暴虐性にスラッシュメタルの攻撃性が加わった。その中で時折見せる正統メタル的要素が絶妙なアクセントとなっている。

Enthroned

Belgium

Armoured Bestial Hell 2001

Blackend

Nebirosが脱退し、EmptinessのメンバーでもあるNeraathが加入しての2001年4thアルバム。相変わらずファスト・パート主体のスタイルのブラックメタルを貫いているが、メジャーとまでは行かないまでも、音圧のあるサウンド・プロダクションによりプリミティヴ感は薄れた。ヴォーカルは相変わらずRawで喚き散らしているが、ギター・リフのキレ味が一層鋭くなり、リズムも高速ファスト・パートをきっちりとこなしている。つまるところ、ブラックメタルの暴虐性を感じさせつつも、スラッシュメタルの臭いを感じさせるサウンドとなった。次作では何と1980年代ジャーマン・スラッシュメタルの名作製造人Harris Jonesがプロデュースすることとなる。Sadistik ExecutionのRokが本作のジャケット・アートを手掛けている。

Ghremdrakk

Belgium

Je m'exalte 2007

Grievantee Productions

ベルギーのプリミティヴ・ブラックメタルが2007年にリリースした2ndアルバム。何かに押し潰されてヒビ割れしまくったギターの音に、ガシャガシャと叩きまくるRawなドラムと、相当なLo-Fiっぷり。そのサウンド・プロダクションに加え、後方でエコーを効かせまくりながら、やたらと邪悪さを撒き散らして喚き叫ぶヴォーカルにより、カルトな世界を構築している。さらにバリバリと言う耳障りの悪いノイズ・リフから滲ませる、コールドな叙情的メロディが透逸で、Satanic Warmaster等のコールド・ブラックメタルやデプレッシヴ・ブラックメタルと同ベクトルの陰鬱さを浸透させる。密閉されたカビ臭い地下空間の中で、得体の知れない邪悪で精神を病ませる危険な塊が蠢いているかの様な感覚に陥らせてくれる。

Paragon Impure

Belgium

To Gaius (For the Delivery of Agrippina)　2005

GoatowaRex

Worthless として活動していたブラックメタルが改名したバンドで、中心の Noctiz は前衛エクスペリメンタル・ブラックメタル Lugubrum のメンバーとしても活動している。本作は 2005 年に GoatowaRex からリリースされた 1st アルバムで、ドラムはペイガン・ブラックメタルの Heimat でも活動する Storm が担当。ザラついたノイジーなリフに時折コールドなメロディも用いながら、ファストとミドル・パートを配し、展開していくオーセンティックでプリミティヴ要素が強い。特筆すべきはドスの効いたガラガラ声でガナりまくるヴォーカルで、そこからとてつもなく邪悪で漆黒な空気を大量発散している。禍々しさが渦巻き、イーヴル・オーラが直感的に擦り込まれてくる。2009 年に Daemon Worship Productions から再発盤がリリースされている。

Brahdr'uhz

Switzerland

Land of Darkness　2018

GrimmDistribution

Brahz なる人物による一人ブラックメタルで、スイスで活動していること以外は素性不明。2017 年に『Brahdr'uhz』、2018 年『The End of All』と 2 枚の EP を極少数プレスの CD-R でリリース。本作は 1st アルバムとなり、ウクライナの GrimmDistribution からのリリース。その 2 枚の EP と 2018 年デモを再レコーディングし、新曲 3 曲を加えた作品である。ノイズと化した轟音ミニマム・リフに、バシバシと叩き込むドラムによる、冷気が漂う Raw プリミティヴ・ブラックメタル。エコーがかかり、噛みちぎるように叫びまくるヴォーカルが、強烈に邪悪さを発している。なお 2018 年には『Sublimez Secte』というアルバムをもう一枚リリースしている。

Black Candle

Luxembourg

Lost Light of the North　2016

Possession Productions

ドイツの Pagan Winter のメンバーとしても活動した Marc Simon らにより 1994 年から活動するルクセンブルクのブラックメタルが 2016 年にベラルーシの Possession Productions からリリースした 4th アルバム。曇った Raw なサウンド・プロダクションに、チリチリとノイジーに鳴り響くリフとそこから溢れ出すエピカルなメロディ、妙に生々しく邪悪にガナるヴォーカルが不穏さを感じさせたりと、プリミティヴさが全開。ファストとミドル・パートを組み合わせながらドラマティックさに重点を置いた曲展開。時折薄っすらと幻影的なキーボードも配し、ペイガン・ブラックメタルにも通じる要素を幾分感じさせる。1990 年代のオールドスクールなブラックメタルからの流れを受け継いでいる。

Funerarium

Luxembourg

Nocthule　2008

Undercover Records

Black Candle にも一時参加していた De Rais（ヴォーカル / ギター / ベース）と、ルクセンブルクのブラックメタルの草分け Donkelheet でも活動していた Necroshadow（ドラム）によるプリミティヴ・ブラックメタル。元々 Uther Pendragon として 2000 年に活動を始めたが、デモを 1 本残しただけで 2003 年に Funerarium へとバンド名を変えている。大半がファスト・パートでストロングな印象が強いが、篭った音作りや邪悪な空気を撒き散らすヴォーカルにより、地下臭さは強い。凍て付いた、荒涼としたメロディが吹き荒れる、北欧、特にスウェーデンかノルウェー勢に通じる。どこかで聴いたことのあるメロディが多いことは否めないが、純粋に佳作である。

Mortichnia

Ireland

Heir to Scoria and Ash　2016

Apocalyptic Witchcraft Recordings

Wound Upon Wound のメンバーらから成るアイルランドの暗黒ブラックメタルの 16 年 1st アルバム。全体を覆いつくす漆黒な空気、凍てついたメロディを突き刺してくるコールド・リフ、そしてインテリジェント・フィーリングをチラちかせながらカオティックに展開していき、崇高な雰囲気も醸し出す。すなわち『Fas - Ite, Maledicti, in Ignem Aeternum』や『Paracletus』辺りの Deathspell Omega に近い。決定的に異なるのは Deathspell Omega がドスの効いたガナり声に対して、こちらは病的な絶叫ヴォイスであること。よって Deathspell Omega をデプレッシヴにした感じである。しかしながら Deathspell Omega に匹敵する程の漆黒なる神々しさを終始醸し出している辺りは只者ではない。

Myrkr

Ireland

Black Illumination　2009

Debemur Morti Productions

Total Holocaust から Wormlust との Split をリリースしている Haud Mundus のメンバーでもある Gast と Wann らによるブラックメタル。本作は 2004 年にリリースされた 1st アルバム。Raw なサウンド・プロダクションも相まって、漆黒な世界を作り上げ、強烈に不穏さを煽るノイジーなギター・リフと、ドスの効いたガナり声により、暗黒指数の高いサウンドを発している。ファストなパートを中心にミドル・パートも絡ませて、禍々しさが渦巻く暗黒さの中に構築美や、展開の妙技を何気に見せつける。Deathspell Omega や Mgła を彷彿させる所もあるが、さらにアンダーグラウンドな暗闇を感じさせる。コールドなメロディに頼らずに質の高いプリミティヴで崇高なブラックメタルであり、ポテンシャルの高さも伺われる。しかしながらバンドは本作を以て解散している。

Rebirth of Nefast

Ireland

Tabernaculum　2017

Norma Evangelium Diaboli

Myrkr や Haud Mundus でも活動してきている Wann による暗黒ブラックメタルが、Norma Evangelium Diaboli からリリースした 1st アルバム。ドラムは Slidhr のメンバーでもある Bjarni Einarsson が担当。Norma Evangelium Diaboli らしい暗黒カラーを強烈に打ち出し、漆黒な空気を発するガナり声と轟音と化しながら、とてつもなく暗黒なエネルギーを滲ませるリフにより、真っ暗闇な世界を作り出している。ブラックメタル然としたファストなパートもあるが、アンビエントなセンシビリティで黒闇な静寂さを生み出す展開が多く、禍々しいカオティックさがプログレスしながらひたすら闇世界を描く。不穏要素が非常に強いアトモスフェリックさや光無き荘厳さを随所に感じさせ、暗黒芸術としていきなり成熟したサウンドを提示している。

Slidhr

Ireland

Deluge　2013

Debemur Morti Productions

Rebirth of Nefast にも参加した Bjarni Einarsson と、Haud Mundus や Myrkr でも活動してきている Joseph Deegan による暗黒ブラックメタルが、2013 年に Debemur Morti Productions からリリースした 1st アルバム。メンバーの参加バンドから見ても分かる通り、このバンドもまた強烈に暗黒な世界を形成している。とは言え Deathspell Omega スタイルとは大きく違い、変質で突飛な展開が目立つ。楽曲展開の観点ではブラックメタルらしくないプログレッシヴかつアヴァンギャルドとも言える要素が色濃く出ている。漆黒な空気を滲ませながら、ドスの効いたガナり声も場面によって表現力の高さを見せつける。一筋縄でいかないようで、圧倒的な暗黒性によりブラックメタルとしての地下精神にも溢れた不可思議さを感じさせる。

ブラックメタルにおける1stウェーヴと2ndウェーヴの違い

サタニックなイメージを前面に押し出したVenom

ブラックメタルには長い歴史があるが、一般的にサタニック・メタル・バンドが礎を作った1980年代を1stウェーヴ、本格的ブラックメタルが確立された1990年代以降を2ndウェーヴと定義されている。そして、1stウェーヴはVenom、2ndウェーヴはMayhemが重要なファクターとなった。

1970年代からBlack Sabbathを始めサタニック・バンドは存在していた。しかし1970年代後半にはハードロック・ムーブメントが衰退し、反社会的なパンクロックの台頭で、悪魔主義はオールド・ウェーヴとされていく。しかし、1970年代末期にイギリスで起こったNWOBHM(New Wave of British Heavy Metal)ムーブメントによりヘヴィ・メタルというスタイルが確立され、その中からVenomが登場する。Venomはサタニックなイメージを前面に押し出し、当時としてはあまりにノイジーで粗暴な音楽スタイルにより、1970年代の悪魔的で暗黒なイデオロギーを復活させたのみならず、スラッシュメタルやその後のエクストリームメタルの始祖となった。彼等の1982年にリリースした2ndアルバム『Black Metal』は、「ブラックメタル」という言葉の起源である。そしてVenomから多大な影響を受けたSlayerやSodom、Hellhammer/Celtic Frost、Bathory、Sarcófago、Sabbat（日本）等が登場。これらのバンドが2ndウェーヴ以降のブラックメタル・サウンドの基礎を作り上げた。また、サウンド的には2ndウェーヴへの影響は少ないが、Mercyful Fateも重要で、特にヴォーカリストのKing Diamondによる白塗りメイクはコープスペイントの下地となったと言える。

悪魔主義を子供じみたものとしたスラッシュメタル

しかし、これらのバンドはどちらかと言えば異端的な存在であり、アンダーグラウンド・シーンではスラッシュメタルが巨大な波を形成する。そのスラッシュメタルは反社会的スタンスではあったが、政治家や資本家への皮肉や、反戦、環境問題等、現代社会（当時）へのアンチテーゼをアティテュードとし、同じ反社会的であった悪魔主義は子供じみたものという風潮となっていった。先述のSlayerやSodomも悪魔的イメージから脱却し、スラッシュメタルの代表格として成功を収めている。その状況下でも1980年代末期にはスイスのSamael、フィンランドのBeheritやArchgoat、チェコのMaster's Hammer、アメリカのVon、コロンビアのInquisition等が登場し、2ndウェーヴへの橋渡しとなった。

Mayhemが世界を席巻するもEuronymousの死

そして、1990年にノルウェーのMayhemによるコープスペイントを施し、自傷し血を流しながら歌うライブ・パフォーマンスが強烈なインパクトを与える。ノルウェーのアンダーグラウンドは一気にブラックメタル化し、瞬く間に世界中へ伝播していった。やがてMayhemの中心人物であったEuronymousがゴッドファーザー的な存在となり、彼を中心としたインナーサークルは、教会放火や殺人を犯す凶悪集団となり、1993年にはEuronymousがBurzumのVarg Vikernesに殺害されてしまうことで幕を下ろす。

2ndウェーヴは反キリスト主義を徹底させる

1stウェーヴと2ndウェーヴは明確な違いがある。両者に共通しているのは、古いものというレッテルを貼られたサタニック・イメージを復興させたことである。しかし1stウェーヴのバンドの多くは、あくまでもイメージ戦略として悪魔主義を用いていた。それに対し2ndウェーヴ、特にインナーサークルはサタニズムを本気で実践していった。彼等は北欧神話による古来の文化へ畏敬の念を抱き、キリスト教を侵略宗教とした。これはEnslavedによるヴァイキングメタルの観念と同じものであり、結果ブラックメタルとヴァイキングメタルが同じ土壌で育っていくこととなる。そして反キリスト教が過熱し、教会放火という凶行へ繋がっていく。さらにそれだけに止まらず、ネオナチ思想や行き過ぎた自然崇拝等、その理念は多様化していく。

そして徹底したアンダーグラウンド主義を貫き、商業的要素を一切排除する。特にEuronymousはデスメタルでさえ商業的だとし、忌み嫌っていた。1stウェー

Mortiis

Ulver

ヴのバンド達は結果的にアンダーグラウンドへと潜らざるを得なかったが、2nd ウェーヴは意図して固執していた。しかし、Euronymous が亡くなってからその閉鎖性も薄れ、Cradle of Filth や Dimmu Borgir、Satyricon の様に商業的に成功を収めるバンドも出現してきている。

1st ウェーヴと 2nd ウェーヴの音楽的違い

音楽性でも 1st ウェーヴと 2nd ウェーヴには大きな違いがある。それはブラックメタルの音楽的多様性である。1st ウェーヴのバンドの中にも、例えば Celtic Frost の『Into the Pandemonium』は後のゴシックメタルへ影響を与えたと言えるし、Bathory の『Hammerheart』と『Twilight of the Gods』はヴァイキングメタルのパイオニア的作品である。Celtic Frost に関しては『Cold Lake』で L.A. メタル化したという失態も犯している。しかしこれらは異端的な作品であった。あくまでも初期 Venom の影響下にあったサウンド・スタイルを継承していたのが 1st ウェーヴの特色であると言える。

多様な音楽的広がりを見せる 2nd ウェーヴ

一方 2nd ウェーヴは、1st ウェーヴからの影響は強かったものの、さらに多様な音楽性を持っていた。1990 年代初頭からインダストリアル要素を取り入れた Thorns や Mysticum、アンビエントとなった Mortiis や Varg 獄中期の Burzum、フォーク / トラッドを取り入れた Ulver、シンフォニック・ブラックメタルのスタイルを築いた Emperor や Limbonic Art、Arcturus、デスメタル的ブルータルさと融合した Marduk、パンク / ハードコアを消化した Impaled Nazarene 等、枚挙に暇がないほどジャンルレスな音楽スタイルが同居していた。2000 年代以降にさらに顕著化し、ポスト・ブラックメタルやデプレッシヴ・ブラックメタル、ブルータル・ブラックメタル等々、多くのサブジャンルを生み出していく。

現在進行系で進化し続け、3rd ウェーヴの可能性

ブラックメタルは現在進行形で進化しており、2nd ウェーヴが勃発した 1990 年から景色は変わってきている。しかし大まかにブラックメタルの歴史の中では 2nd ウェーヴの延長線上にある。今後、Venom や Mayhem に匹敵するか超える衝撃的存在が出現し、3rd ウェーヴ・オブ・ブラックメタルのムーブメントが起こる可能性もあるだろう。もちろんそれに期待を寄せたい。

South Europe

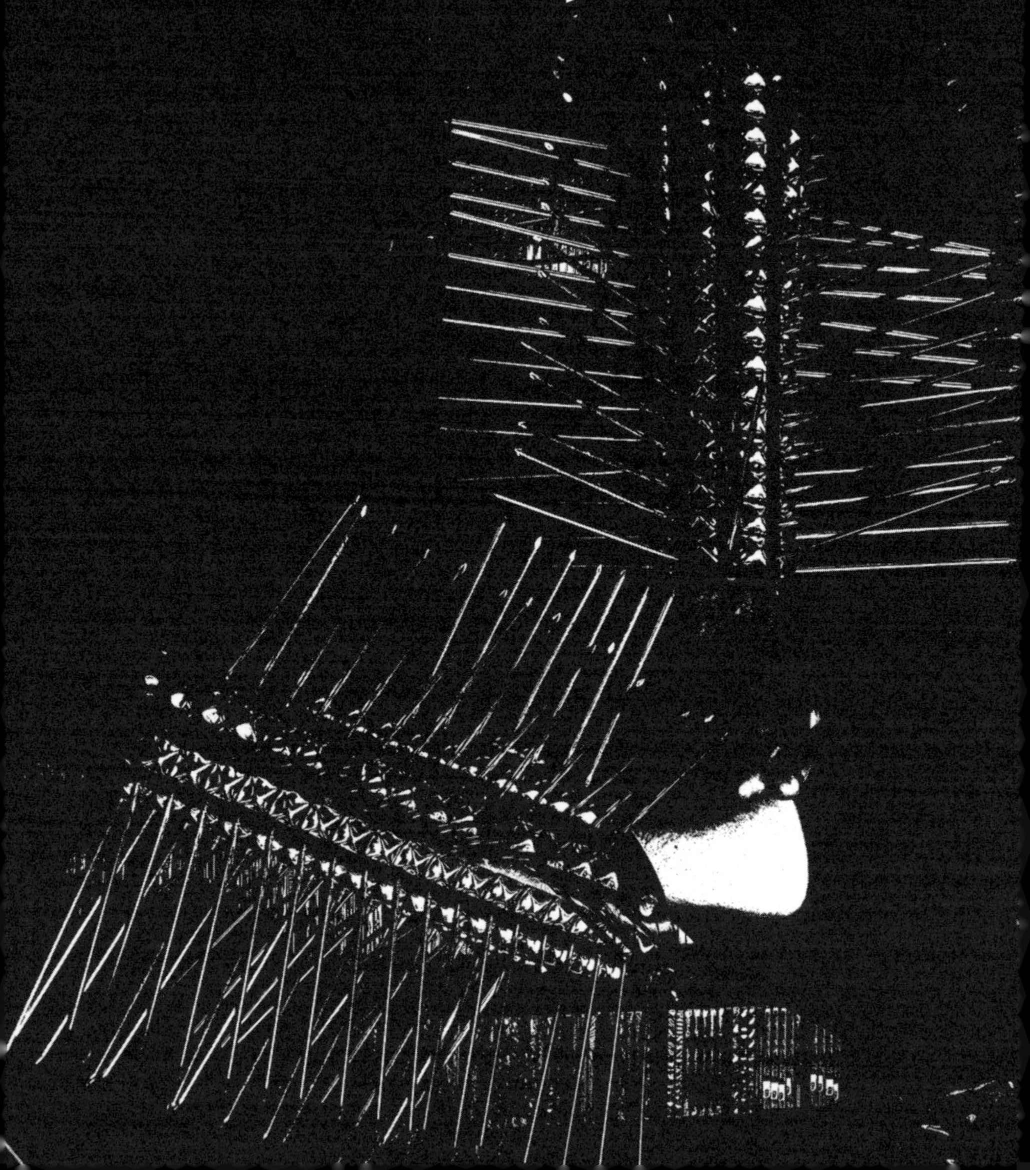

ギリシャ

今でこそブラックメタル大国のイメージは薄いが、1990年代前半頃のギリシャはノルウェー、スウェーデン、フィンランドに次ぐ重要シーンを形成していた。1980年代のギリシャはスラッシュメタルも含め有名なメタル・バンドが全くいない状況であったが、1980年代終盤からその様相が変わってくる。1987年に結成され、当初はグラインドコアだったがやがてブラックメタルへと変化したRotting Christ、1988年に結成されたVarathron、1989年に結成されたNecromantiaがその礎を築いた。この3バンドは、まだノルウェーでMayhemが1990年代以降の2ndウェーヴ・オブ・ブラックメタルを確立させるか、その前の段階から早くも暗黒で禍々しいサウンドを吐き出していた。Rotting Christの12" EP『Passage to Arcturo』（1991年）と1stアルバム『Thy Mighty Contract』（1993年）、Varathronの1stアルバム『His Majesty at the Swamp』（1993年）、Necromantiaの1stアルバム『Crossing the Fiery Path』（1993年）は、いずれも個性的な暗黒サウンドを形成していた。ノルウェージャン・ブラックメタルの様な暴虐性の強いサウンドではなかったものの、邪悪な空気に包まれたブラックメタルのカルトなアンダーグラウンドを発していた。この3バンドに加えRotting ChristとNecromantia人脈から結成されたThou Art Lordや、悪魔崇拝の疑いでメンバーが逮捕されたこともあるNergal、ペイガン・ブラックメタルを早くから打ち出していたKawir、さらにもっとカルトなところでは、当時デモしかリリースしていなかったTatirと言ったバンドがギリシャのシーンを賑わしていた。同時にアテネを拠点としたカルト・レーベルのUnisound Recordsがグリーク・ブラックメタル作品を多くリリースし、シーンを支えていた。

しかし、1990年代後半頃になってくるとRotting Christはゴシックメタル寄りのサウンドへと変化していき、Nergalは解散（2006年に再結成されている）、他のバンドも活動がトーンダウンしていき、ギリシャのブラックメタル・シーン全体も沈静化してしまう。そんな中でNaer MataronやNocternity、Stutthof、Enshadowed、Astarte等、ギリシャ第2世代とも言えるブラックメタル・バンドが多く結成された。2000年代以降もDødsferdやRavencult、Sad等が出現してきており、世代交代が進んで再び活性したシーンを形成している。

なおギリシャのシーンの特徴としては、地方地域がムーブメントの中心となっていたフランスやドイツとは違い、圧倒的に首都アテネ出身のバンドが多いこと。そして比較的シンフォニックな要素があったり、ペイガン・ブラックメタル、プリミティヴ・ブラックメタルでもメロウなスタイルのバンドが多い傾向にある。またThe Shadow OrderやLegion of Doom、Wolfnacht、Der Stürmer等、NSBMが多く存在するのもギリシャのシーンの特徴である。

イタリア

Death SSと言うカルト・シアトリカル・メタルを産んだイタリアであるが、ブラックメタルに関してはバンド数もそれほど多くない。1990年代のイタリアのブラックメタルと言えば、1992年から活動を始めて1stアルバム『Mysteria Mystica Zofiriana』がギリシャのUnisound Recordsからリリースされた Necromassが知られた存在であったに過ぎなかった。Handful of HateやFrostmoon Eclipse（ドイツのFrostmoon Eclipseとは同名異バンド）、Imago Mortisも1990年代に結成されていたが、これらのバンドの名が知られるようになったのは2000年代以降である。1990年代後半にはインダストリアル要素もあるAborym（MayhemのAttila Csiharや元EmperorやFaust、MysticumのPrime Evilも参加していた）や、メロディック・ブラックメタルのGravewormが話題となり、2000年代以降になるとデプレッシヴ/スイサイダル・ブラックメタルとしてスタートしたForgotten Tombが注目された。しかし、真性なプリミティヴ・ブラックメタルはあまり出てきていない。Forgotten Tombに続いて、BeatrikやVardan等、デプレッシヴ・ブラックメタルが多く存在するのが特徴でもある。

スペイン

スペインもまたブラックメタルに関して言えば完全に後進国であった。デスメタルやグラインドコアはそれなりに多くのバンドが存在していたが、NazgulやPrimigenium辺りが1990年代から活動していたに過ぎない、非常に小さなシーンであった。2000年代以降は、デスメタル要素も強いがNorma Evangelium DiaboliからアルバムをリリースしたTeitanbloodや、ウォー・ブラックメタルのProclamationが注目されることで、ベスチャルなデスメタル寄りのブラックメタルが多いイメージが強い。一方で、デプレッシヴ・ブラックメタルやメロディックなブラックメタルも比較的多く出現している。

ポルトガル

ポルトガルのブラックメタル・シーンは意外にも活発である。1998年に結成されたCorpus Christiiがシーンを牽引していき、1990年代初頭から活動しているDecayedは世界中のアンダーグラウンド・シーンで話題となった。またポルトガルで最も有名なメタル・バンドであるMoonspellも元々はブラックメタル・バンドであった。2000年代初頭にはシンフォニック・ブラックメタルのSiriusが注目されたが、以降はLux FerreやMorte Incandescente、Black Cilice等がプリミティヴ・ブラックメタル・ファン層の支持を得ている。

Acherontas

Greece

Tat Tvam Asi (Universal Omniscience) 2007

Zyklon-B Productions

Stutthof 解散後に Acherontas が 2007 年に結成したブラックメタルによる 1st アルバム。本作には Legion of Doom の Demogorgon(ベース / キーボード)とドラムの Krieg がメンバーとして参加。Stutthof の流れを汲む悲哀感が強いメロウなリフとドラマ性が強い曲展開、そこに荘厳さを絶妙に醸し出すキーボードが絡んでくる。邪悪さ満載の絶叫、ガナり声によりブラックメタルとしての暴虐性を堅持。闇度が高いので、メロディックで薄っすらシンフォニックなスタイルでありながら、プリミティヴ性も強く感じさせる。寒々しいメロディの潤沢さやじっくり練られたドラマティックな曲展開により、ポテンシャルの高さを見せつける。

Acrimonious

Greece

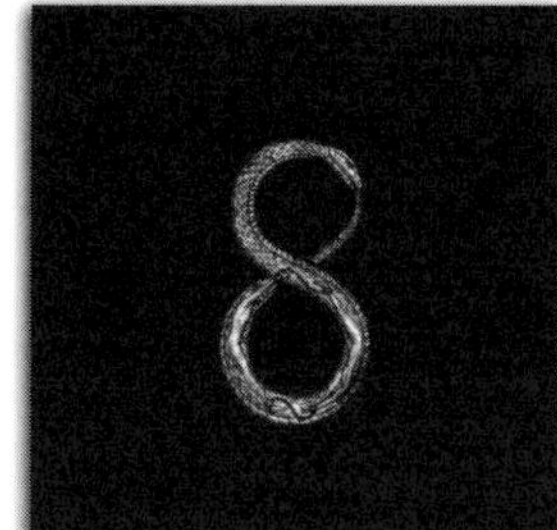

Purulence 2009

The Ajna Offensive

Serpent Noir でも活動し、Acherontas にも参加した Cain Letifer らによるブラックメタルの 2009 年 1st アルバム。Embrace of Thorns や Necrovorous、Burial Hordes 等々でも活動する Vagelis Felonis(Nuctemeron)がドラムを担当している。The Ajna Offensive からのリリースということもあり、漆黒で禍々しさが全体を覆いつくす。ノイジーで不穏さを煽る様なメロディを滲ませるギター・リフ、ドスの効いたガナり声による邪悪で不吉なオーラ、そしてファストとミドル・パート。静と動の場面を巧みに組み合わせた展開構築力があり、Deathspell Omega を彷彿させる。ある種の暗黒芸術性も感じ取ることが出来る。

Astarte

Greece

Doomed Dark Years 1998

Black Lotus Records

Lloth のメンバーだった Tristessa、Kinthia、Nemesis により 1997 年に結成された、オール・フィーメール・メンバーによるブラックメタルの 1st アルバム。後に Cradle of Filth を想起させる、シンフォニックでドラマティックなスタイルへと変化していく。この 1st アルバムはキーボードこそ取り入れているが、まだアンダーグラウンドでプリミティヴ。女性とは思えない病んだ雰囲気を感じさせる壮絶絶叫ヴォイスに、厚みのないシャリシャリとしたギター・リフから滲ませる荒涼とした地下臭い要素が多い。キーボードによるシンフォニックな味付けも妖しさや邪悪さを絶妙に拡充させている。後に完成度の高いシンフォニックなスタイルとは別物と言っていいが、ブラックメタルの真性さではこの作品が随一である。Tristessa の死去により 2014 年にバンドは解散となっている。

Burial Hordes

Greece

Devotion to Unholy Creed 2008

Pulverised Records

Enshadowed でも活動する N.e.c.r.o らによるブラックメタル。Ravencult の初期メンバーだった Cthonos(ヴォーカル)、デスメタル・バンド Dead Congregation のメンバーでもある Psychaos(ギター / ベース)、Enshadowed の Impaler(ドラム)により制作された 2nd アルバム。不穏さを大量放出するガナり声に、1990 年代初頭ブラックメタルの流れを汲んだノイジーなギター・リフ、ファスト・パートを主体にミドルやスロー・パートを絡ませて、緩急差がある。とは言え、禍々しさが渦巻く暗黒度の高いサウンドで、オールドスクールなブラックメタル直系の粗暴な攻撃性が強く出ているので、メジャー性とは無縁の地下臭いスタイルを貫いている。

Der Stürmer

Greece

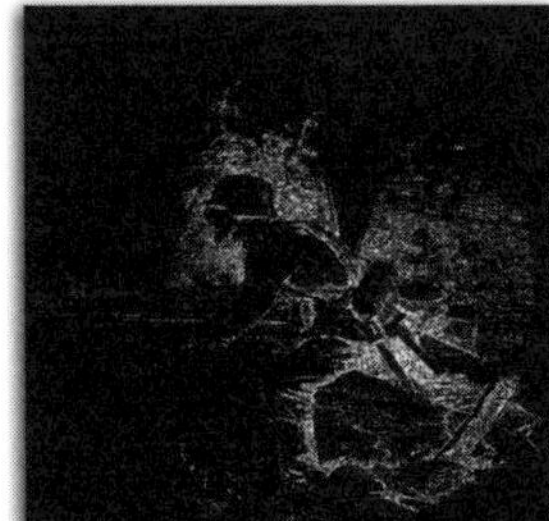

The Blood Calls for W.A.R. 2001

Wolftower Productions

Wodulf や Ravenbanner と言ったバンドでも活動する Jarl von Hagall と Dreadful Relic や Wodulf のメンバーでもある Hjarulv Henker による NSBM の 1st アルバム。バンド名は反ユダヤ主義を掲げていたドイツの新聞から。オープニングや途中にヒトラーの演説を挟みながら、極悪な空気を強烈に発するガナり唸るヴォーカル、ガリガリとひび割れした感触のノイジーなギターを主体とし、アップ・テンポのリズムで突き進む。ハードコアの要素が強いスタイルではあるが、初期 Absurd ほどパンクに寄ったサウンドではない。あくまでも Darkthrone 等に通じるブラックメタルの要素を色濃く残している。随所にナチスの掛け声的なものも挿入されたりして、NSBM の危険な精神性がダイレクトに投影されている。

Dødsferd

Greece

Fucking Your Creation 2007

Moribund Records

Nadiwrath や Grab でも活動する Wrath による陰鬱ブラックメタルの 2nd アルバム。Darkthrone 辺りの荒涼としたプリミティヴ・ブラックメタルをベースに、シンプルで陰湿さを醸し出すリフ、そして何よりも発狂しかかったかの様な壮絶な絶叫ヴォイスの凄味が光る。いわゆるデプレッシヴなブラックメタルの様な、絶望的なメロディが行き交う訳でも、病的なヤバさに満ち溢れた訳でもないが、泣き叫ぶ一歩手前ぐらいの憎悪に満ちた鬼気迫るヴォーカルと、Raw な音作りによるリフにより、負のエネルギーを異様に強く感じさせる。初期 Burzum に近い所もあり、1990 年代初頭のノルウェージャン・ブラックメタルからの影響を強く受けている。

Legion of Doom

Greece

Kingdom of Endless Darkness 1995

Soundphaze International Records

Stutthof や Acherontas にも参加した Demogorgon と 2017 年からソロ・プロジェクトを始めた Daimon による、反ユダヤ主義を掲げているブラックメタル。1990 年に結成され、当初はデスメタル / グラインドコア・サウンドだったようだが、完全なるブラックメタル。やたらノイジーでチリチリとしたギター・リフにボコボコとブラストを叩いていく Raw なドラム、そして強烈に邪気を撒き散らしながら叫び唸るヴォーカルにより、アンダーグラウンドな空間を形成している。リフから滲み出るコールドなリフにより初期ノルウェージャン・ブラックメタルからの影響を感じさせる。終始おぞましい声で、狂ったようにイーヴルな空気を垂れ流し続けるヴォーカルが、異様な空間を生み出している。2004 年には IS0666 Releases から再発盤がリリースされている。

Lykaionas

Greece

The Diabolical Manifesto 2018

Hammer of Damnation

ペイガン・ブラックメタルの Kawir やギリシャの重鎮ブラックメタル Nergal でも活動し、元 Acherontas のメンバーでもある Porphyrion により 2009 年から活動しているブラックメタルが 2018 年にリリースした 2nd アルバム。前作アルバム『Luciferian Fullmoon Necromancy』から参加している Melanaegis（元 Kawir のメンバーでもある）との 2 人で制作された。関連するバンドとは違い、メロディを押し出したプリミティヴなブラックメタルである。迫力のある怒声に近いガナり声により、イーヴルな雰囲気も強く出ているが、音質が割とクリアなため、メロディの良さが浮き彫りとなっている。薄っすらと流れるキーボードによりペイガン寄りの要素もあるが、地下臭が漂う良質なメロウ・プリミティヴ・ブラックメタル。

Nadiwrath

Greece

Circle of Pest 2015

Drakkar Productions

Dødsferd や Grab で も 活 動 す る Wrath、Thy Darkened Shade や Acrimonious でも活動する Semjaza、Dødsferd のメンバーでもある Nadir によるクラスト / ブラックメタルの Drakkar Productions からリリースされた 2nd アルバム。2011 年の 1st アルバム『Nihilistic Stench』ではハードコア / クラスト・テイストが結構強く出たサウンドだったが、この 2nd アルバムでは冷えたメロディを主体としたコールド、かつメロウな要素も多いブラックメタル・スタイルとなった。禍々しさを醸し出す迫力あるガナり声と、リフから滲み出る暗黒臭により、フレンチ・ブラックメタル勢に近い漆黒な空気が全体を覆う。メロウな要素の強いブラックメタルでありながら、暗黒でプリミティヴな空間を形成している。

Naer Mataron

Greece

Up from the Ashes 1998

Black Lotus Records

Bannerwar にも参加する Kaiadas とノルウェージャン・ブラックメタルの Den Saakaldte のメンバーでもある Sykelig により 1994 年に結成されたブラックメタル。本作でのヴォーカルは The Shadow Order のメンバーでもある Aithir Psychoslaughter で、Septicflesh や Thou Art Lord 等にも参加する Lethe がヘルプでドラムを叩いている。スラッシュメタル風味の攻撃的なリフや、正統メタル的な展開があったり、随所で鳴るキーボードが暗黒シンフォニックな味付けを薄っすらと成していたり、音質も妙にクリアなので、プリミティヴなブラックメタルの印象は薄い。しかし、ブラックメタルらしい暴虐性もきちんと持ち合わせており、高水準な内容となっている。

Naer Mataron

Greece

Skotos Aenaon 2000

Black Lotus Records

2000 年にリリースされた 2nd アルバム。今作もまた Aithir Psychoslaughter がヴォーカルで、Lethe がドラムで参加している。前作から一変して篭り気味のプリミティヴな空間を形成する音作りとなり、コールドなメロディを主体としたノルウェージャン・ブラックメタルに近いサウンドとなった。ブリザードの如く吹き荒れる寒々しいリフから来る猛烈な冷気と、邪悪に叫ぶヴォーカルからくる暴虐性は、紛れもなく北欧ブラックメタルのもの。ある意味、ギリシャらしからぬサウンドではあるが、大半のブラックメタル好きの琴線を刺激するはず。しかしこの北欧ブラックメタル・スタイルは本作 1 作で終わってしまい、次作以降ストロングでブルータルな攻撃性をまといながら、ハイレベルなスタイルを提唱していくようになる。

Necromantia

Greece

Crossing the Fiery Path 1993

Osmose Productions

Rotting Christ や Varathron と並んで、北欧に次ぐ一大シーンを形成した 1990 年代のギリシャを代表するブラックメタル。Rotting Christ のメンバーでもあり、Thou Art Lord や N.A.O.S. 等でも活動した George Zacharopoulos と、後に Terra Tenebrae ～ Soulskinner のメンバーにもなる Baron Blood により 1989 年に結成され、1993 年にリリースされた 1st アルバムが本作。初期 Sodom や Hellhammer 等の 1980 年代ブラックメタルからの流れを汲み、ドゥーミーな展開等がありながら、強烈に邪悪で妖しい空気を発する 1990 年代ブラックメタルの名作。Mortuary Drape や Root と言った 1990 年代アーリー・ブラックメタルと比べても格段にカルト的雰囲気を強く感じさせる。

Necromantia

Greece

Scarlet Evil Witching Black 1995

Osmose Productions

ギターの David、キーボードの Inferno、そしてパーカッションの The Worshiper of Pan が加入しての 2nd アルバム。なぜか「蛍の光」が流れるイントロからファストなブラックメタルが炸裂。前作の異様なカルトさを吹き飛ばし、メロウな要素を随所で取り入れつつも、攻撃力と暴虐性が一気に上がった。シンフォニックに依らず妖麗なムードを演出するキーボードにより、カルト的な要素は残しつつも、よりシアトリカルな雰囲気が強くなった。ファスト・パートでの爆裂っぷりだけでなく、ミドル / スロー・パートにおける楽曲構築力も非常に優れたものがあり、突飛に思えてもドラマティックに展開していく。純粋に質の高いブラックメタルでこれもまた名作。

Nocternity

Greece

Onyx 2003

Solistitium Records

Khal Drogo と、Order of the Ebon Hand や Mournblade の Merkaal により 1997 年に結成されたブラックメタルの 2nd アルバム。Frostmoon Eclipse や Blut Aus Nord、Moloch、Acherontas、Handful of Hate 等々、数多くのバンドに参加しているイタリア人ドラマーの Gionata Potenti が全面参加。全体的にエコーがかかっており、古代から中世を想起させるエピカルな神秘性を強く感じさせながら、ドラマティックな展開により抒情詩的である。Raw でノイジーなリフから滲み出る物悲しいメロディにより、強烈な郷愁を誘う。ちなみにツボを突いた再発盤をリリースしている Kyrck Productions & Armour は、Nocternity のメンバーが運営しているレーベル。

The One

Greece

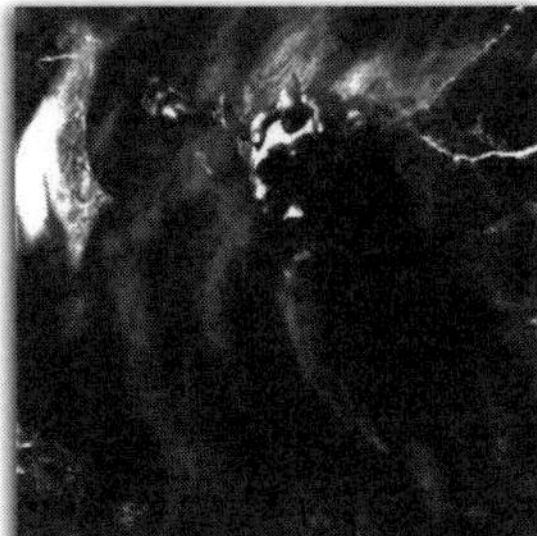

I, Master 2008

Total Holocaust Records

ペイガン・ブラックメタルの Macabre Omen やオーストラリアのブラッケンド・スラッシュメタル Razor of Occam でも活動し、UK のスラッシュ / デスメタル Scythian 等のメンバーでもあった I こと Alexandros による暗黒ブラックメタルの 2nd アルバム。ドラムは Lychgate 等の V こと Vortigern がメンバーとして参加。オーストラリアの Portal に通じる、強烈に禍々しく漆黒さが渦巻く空間。ジャリジャリとした耳障りの悪いノイジーなリフと、エコーが掛かりながら、邪悪さの化身となったガナり声によるヴォーカルが退廃的なブラックメタル。暗黒儀式的な雰囲気を醸し出すコーラスから滲み出る、不穏さもまた強烈だ。終始地獄絵図の様な、光なき暗黒カオス世界を徹底的に描いており、そのインパクトは絶大である。

Order of the Ebon Hand

Greece

XV: the Devil 2005

Season of Mist

Nocternity や Mournblade でも活動することになるヴォーカル / ベースの Merkaal により、1994 年から活動するブラックメタルの 2nd アルバム。ドラムはバンド結成時からのメンバーで Septicflesh や Thou Art Lord 等でも活動した Lethe、ギターは本作より加入の Phlaigon。正統メタルの要素が強かったメロディック・ブラックメタル・スタイルだった 1997 年の 1st アルバムから、禍々しさを強烈に押し出したスタイルに転身。ややメロウな要素を残しつつも、不穏な空気を醸し出すギターに邪悪さを前面に押し出しながらガナりたてるヴォーカル。荘厳さを出しながら魔的な雰囲気を作り上げるキーボード。ファストとミドル・パートを絶妙に組み合わせながら攻撃的に突き進む曲展開。ブラックメタルとしての暗黒度は高い。

Ravencult

Greece

Temples of Torment 2007

Dark Essence Records

2001 年から活動するギリシャのブラックメタルが 2007 年にリリースした 1st アルバム。Darkthrone 直系の Raw な音質によるプリミティヴなブラックメタル・サウンドで、寒々としたメロディを醸し出し、ザラついた、突き刺す様な感触のリフに、ドカドカと叩きつけるドラム、邪悪さを強力に押し出したガナり声ヴォーカルによりオーセンティックで至高なるブラックメタル。Darkthrone や Gorgoroth と言ったノルウェージャン・プリミティヴ・ブラックメタルからの影響は顕著で、2 曲目は Satyricon を想起させる。これぞ 1990 年代の王道なノルウェーを始めとする北欧プリミティヴ・ブラックメタルを見事に体現させており、純粋に優れたアンダーグラウンド・ブラックメタル・サウンドが詰まっている。

Rotting Christ

Greece

Thy Mighty Contract 1993

Osmose Productions

Themis と Sakis の Tolis 兄弟を中心に 1987 年から活動を始め、最初期はグラインドコアであったが 1990 年代初頭からギリシャのブラックメタル・シーンを形成した重要バンドとなった Rotting Christ の 1993 年 1st アルバム。ドラムの Themis は Varathron で、ヴォーカル / ギターの Sakis は Thou Art Lord でも活動していた。1980 年代の暗黒なメタルを引き摺ったサウンドで、ドゥーミーな要素が強い。トレモロ・リフや暴虐的絶叫、ガナり声も、ブラスト・ファスト・パートもないが、鈍よりとした雰囲気が全体を覆いつくし、カルトで妖しい雰囲気を醸し出す。1997 年には Century Media/Century Black から 1993 年 7" EP『Αποκαθήλωσις』の 2 曲をボーナス・トラックとして収録した再発盤がリリースされている。

Rotting Christ

Greece

Non Serviam 1994

Unisound Records

前作に続き Necromantia や Thou Art Lord のメンバーでもある George Zacharopoulos と、Varathron の Mutilator がメンバーとして参加した 2nd アルバム。サウンド・スタイルは前作の延長線上にある Bathory や、Celtic Frost と言った 1980 年代の暗黒メタルの影響下にある音。薄暗い雰囲気を発するギターと妖しい雰囲気を生み出すキーボード、邪悪なヴォーカル。ブラックメタル要素は強いものの、北欧勢とは明らかに違う。前作よりもメロウな要素が強くなってきているが、冷え切ったメロディではないので、これもまた北欧勢とは異なる。バンドは次作よりゴシックメタルへと変化していき、近作はブラックメタル要素を取り戻しているものの、Septicflesh と並んでギリシャのエクストリーム・シーンの重鎮として君臨している。

Sad

Greece

A Curse in Disguise 2007

Regimental Records

Kvele でも活動する Nadir と、Kvele や Necrohell、Slaughtered Priest 等でも活動する Ungod によるプリミティヴ・ブラックメタルの 2nd アルバム。叙情的で悲哀感が強い、冷え切ったメロディを奏でるギター・リフが終始飛び交っている。北欧ブラックメタルに近く、メロディの悲観度からデプレッシヴ・ブラックメタルに通じる所もある。不穏さを発しながら、ガナり喚き、時折悲痛な叫び声をあげ続けるヴォーカルがやや迫力不足ではある。しかし、それを補って余るだけのメロディの良さが光り、絶望的で厭世的な空気を醸し出している。メロウなプリミティヴ・ブラックメタルの模範であると言える。2016 年に日本の Hidden Marly Production から、ジャケットアート違いで再発盤がリリースされている。

Serpent Noir

Greece

Seeing Through the Shadow Consciousness (Open Up the Shells) 2012

Daemon Worship Productions

ブラッケンド・デスメタル Embrace of Thorns やデスメタルの Necrovorous でも活動するヴォーカルの Archfiend Devilpig、Ofermod でも活動する Nefandus のメンバーでもあるスウェーデン人 Michayah Belfagor（ドラム）らによるギリシャのブラックメタル、12 年に Daemon Worship Productions からリリースされた 1st アルバム。ドス黒い空気が立ちこめ、殺傷性の高い突き刺す様なコールド・リフと、邪悪にガナるヴォーカルにより、何とも異様な禍々しさを感じさせる。展開も実によく練られており、Deathspell Omega を彷彿させる所も多い。2 曲目のハネたリズムなど意外性を突くところもあるが、随所に感じさせる暗黒儀式的な場面といい、徹底して密教的な暗黒世界を描いている。

The Shadow Order

Greece

Raise the Banners 2001

Triskelon

1998 年から活動するギリシャの NSBM の 2001 年 1st アルバム。NSBM と言えば、ペイガン風味の勇壮でストロングなサウンドだったり RAC/ ハードコア・パンクに近いスタイルだったりすることが多いが、この作品は叙情的でコールドな悲哀感の強いメロディを主体とし、ドラマティックな展開だ。厚みのないギター・リフに生々しい音のドラムにより、プリミティヴな要素が強く、メロウで地下臭さを強く感じさせる。ヴォーカルの妙に怒気のあるガナり声から NSBM の不穏な気配を感じさせるものの、全体的には北欧ブラックメタルに近い。オリジナルは CD-R でのリリースだったが、2004 年に Autistiartili Records からジャケットアート違い、ボーナストラック収録で再発されている。

Stutthof

Greece

Towards Thy Astral Path... 2002

Battlefield Records

元々は Worship のバンド名で活動していた Acherontas と Norg により 1997 年から活動したブラックメタル。Acherontas は自身の名を冠したブラックメタル・バンド Acherontas でも活動している。冷気を強く感じさせるコールドなメロディがノイジーなリフから滲み出て、ペイガン・ブラックメタル風味の勇壮でドラマティックな展開により、メロウさがより際立つ。随所で冷たく鳴り響くキーボードが絶妙に叙情的メロディを引き立たせている。壮絶に邪悪さを撒き散らしながら叫ぶヴォーカルが主体ではあるが、語り口調（と言うか演説口調）のクリーン・ヴォイスを挿入する頻度も高く、その対比もまた絶妙。Raw でプリミティヴな音像により、メロウかつドラマティックであるにも関わらず、ブラックメタルとしての暴虐性が剥き出しになっている。

Tatir

Greece

Cave of Ephyras...To the Infernal Fields 2012

Kill Yourself Productions

Naer Mataron の Indra も在籍していたギリシャのカルトなブラックメタル。1994 年に結成され、1997 年に解散してしまったようだが、その間に制作された未発表 EP、1995 年のデモ『Dark Autumn Nights』、1996 年デモ『Fons Acheroni』を収録して 2012 年に Kill Yourself Productions からリリースされたコンピレーション。Bathory や Hellhammer 等の 1980 年代暗黒スラッシュメタルをベースとしたギター・リフ、邪悪な雰囲気を醸し出すヴォーカルにより、Rotting Christ や Varathron 等に通じるカルトな空気が強い。特にデモ音源は凶悪さが押し出され、この頃のギリシャの中では北欧勢にも匹敵しそうな暴虐性を垣間見せている。

Thou Art Lord

Greece

Eosforos

1994

Unisound Records

Necromantia のメンバーで Rotting Christ 等でも活動した George Zacharopoulos、Rotting Christ の中心を担う Sakis Tolis、後にデスメタル・バンド Soulskinner で活動する Gothmog により結成された、ギリシャ初期ブラックメタルの一つである Thou Art Lord の、1994 年 Unisound Records からリリースされた 1st アルバム。1980 年代の暗黒スラッシュメタルから初期デスメタルのエレメントが多分にあり、ブラックメタルの邪悪さも強く感じさせる。ジャキジャキと刻むリフは完全にスラッシュメタルのものではあるが、妖しさを創出するキーボードや、妙にイーヴルな空気を撒き散らすヴォーカルにより、ブラックメタル特有の暗黒邪悪な世界とカルトな妖しさを提示した。

Thy Darkened Shade

Greece

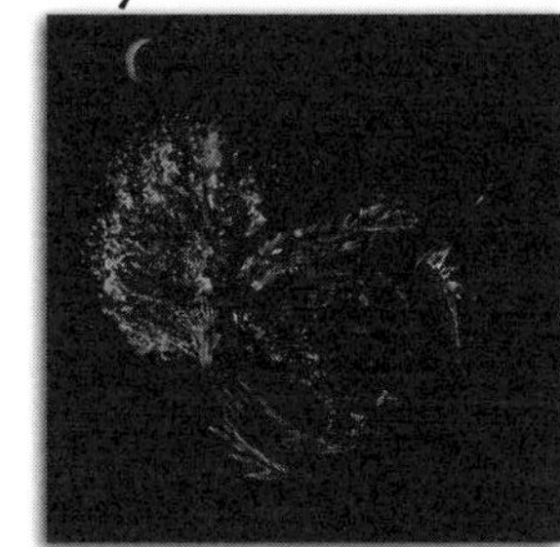

Eternvs Mos, Nex Ritvs

2012

World Terror Committee

Acrimonious や Nadiwrath でも活動する Semjaza によるブラックメタル。結成は 1999 年のようだが、2012 年にリリースされた 1st アルバム。幾重にも絡み合い、音塊と化したノイズ・リフから強烈に発せられる不穏さと、相当な漆黒度のある邪悪さを撒き散らしながらガナるヴォーカルにより、禍々しさが強調されている。叙情的メロディを一切排除したトレモロ・リフや、スラッシュ流れのリフまでも重なり合い、そこからこぼれ落ちる不穏さとイーヴルさが凄まじい。ブラスト・パートをメインにしながら、リズムが目まぐるしく変化していく。得体の知れない強烈過ぎる邪悪な空気の塊から、実は計算されつくしたサイコパスな危なさすら感じさせる。インパクトは凄いが、知性に裏打ちされている。

Varathron

Greece

His Majesty at the Swamp

1993

Cyber Music

ペイガン・ブラックメタルの Kawir の初期メンバーでもあり、現在はメロディック・ブラックメタルの Katavasia でも活動する Stefan Necroabyssious により 1988 年に結成され、ギリシャでは最古参と言えるブラックメタルが Cyber Music からリリースした 1993 年 1st アルバム。Rotting Christ や Necromantia とも共振する Bathory や Celtic Frost と言った、1980 年代の暗黒スラッシュメタルからの影響が強いサウンドで、そこに邪悪な空気を送り込んで北欧ブラックメタル勢とは一線を画す。冷気を感じさせない独特のスタイルを築いている。時折鳴り響くカルトなムードを演出するキーボードも妖しさに一役買っているが、正統メタルやドゥームメタルの要素を取り入れながら、イーヴルさを醸し出している辺りは、いかにも初期ギリシャらしい。

Wolfnacht

Greece

Project Ordensburg

2011

Evil Rising Productions

1990 年代に活動したペイガン・ブラックメタルの Bacchia Neraida のメンバーで、Ravenbanner や The Shadow Order にも参加している Athalwolf による NSBM の 6th アルバム。当初はハードコア・パンクの要素が強いサウンドだったが、次第にメロウなブラックメタル・スタイルへと変化していき、本作はメロディック・ブラックメタルと言っていいほど。キーボードは出過ぎない程度で、相当な頻度で鳴り響いており、ギター・リフのメロディを強調させる役回りを果たしている。しかしながら北欧のメロディックなブラックメタルと決定的に違うのは、メロディに冷気があまりない点と、リズムにハードコア・パンクの残影が感じられる点。つまりいわゆるメロディック・ブラックメタルとは違った感触の独特なサウンドである。

Zemial

Greece

For the Glory of UR

1996

Hypervorea Records

Varathronにも一時在籍し、Agatusでも活動し、USのブラック/ダーク・アンビエントEquimanthornにも参加したArchon Vorskaathにより1989年に活動を始めたブラックメタルの1996年1stアルバム。この頃の初期グリーク・ブラックメタルらしく、1980年代の暗黒なスラッシュメタルのスタイルを踏襲しながら、より邪悪な空気を発する。Rotting ChristやVarathronと言った初期ギリシャを支えたバンドに比べて、スラッシュメタル色がだいぶ濃厚。Bathoryそのままの曲もあったりするが、ギリシャ特有のカルトな妖しさを兼ね備えた邪悪さを発散させている。初期ギリシャのブラックメタルを語る上で外してはならない。

Absentia Lunae

Italy

Historia Nobis Assentietvr

2009

Aeternitas Tenebrarum Musicae Fundamentum

Melencolia EstaticaやLintverでも活動する女性ギタリストのClimaxiaと、Tenebrae in PerpetuumやAislingにも参加したIldanach、Naer MataronやAzrath-11のメンバーでもあるK.X.E. 19/19により2002年に結成されたブラックメタルの2009年2ndアルバム。ボコボコと叩くRawなドラムに、装飾なしの原始的なギター・リフによるプリミティヴ・ブラックメタルだが、ドラムのテクニック振りが凄い。本作でのドラムはブラック/スラッシュメタルのAntares Predator等でも活動するBlastphemerであるが、淡々と正確無比にブラストを叩き込みながら、手数の多いタム回しにより、変則的なリズムも楽々とこなしている。したがって、ファストかつテクニカルな要素も感じさせるサウンドである。

Beatrìk

Italy

Requiem of December

2005

Avantgarde Music

Tenebrae in Perpetuumでも活動したFrozen Glare Smaraによるデプレッシヴ・ブラックメタルの2005年2ndアルバム。沈み込む様な陰鬱なメロディによる、退廃的で絶望的な感覚に包まれたデプレッシヴ・サウンド。スロー・パート主体に、悲観的なメロディを紡ぎ出す静の場面を挟みながら終始沈鬱で厭世的な世界を繰り広げる。苦悶の表情を浮かべながら呻き、ガナるヴォーカルもまた陰鬱さに拍車をかける。Rawな音作りだが、それによりフューネラル・ドゥームメタルとも共振する、深淵な絶望感を直接的に突き付けてくる。デプレッシヴなブラックメタルのダイレクトなネガティブさと、フューネラル・ドゥームメタルの包み込む様な負のオーラの両面で生気を奪う。

Common Grave

Italy

Il Male Di Vivere

2008

Eerie Art Records

Stormfrostでも活動するBlackthornとSufferらによるイタリアの陰鬱ブラックメタルの2008年にEerie Art Recordsからリリースされた1stアルバム。深みをもたらせながら苦痛にガナるヴォーカル、そして悲傷的なメロディを滲ませながら鬱屈した空気を醸し出すトレモロ・リフや、強烈な悲哀感を生み出すアコースティック・ギターによる静の展開により、徹底して悲観的な世界を描く。ミドル/スロー・パートが主体だが、時折ファストなパートも取り入れたりして展開に比較的変化がある。また直接的な救いようがない絶望感ではなく、どこか人間味のある悲哀感を感じさせる点が、いわゆるデプレッシヴ・ブラックメタルのステレオ・タイプとは異なっている。

Fides Inversa

Italy

Hanc Aciem Sola Retundit Virtus (The Algolagnia Divine) 2009

Osmose Productions

ギター／ベースの Void A.D. と、Frostmoon Eclipse や Handful of Hate、フランスの Blut Aus Nord や Glorior Belli、ギリシャの Acherontas、ウクライナの Moloch 等々、数多くのバンドに参加してきた Omega A.D.（Gionata Potenti）によるブラックメタルが、Osmose Productions から 2009 年にリリースした 1st アルバム。ガナりながら黒い空気を撒き散らすヴォーカルや、突き刺す様なメロディも携えたコールド・リフから発せられるドス黒さにより、禍々しさが全体を覆いつくす。猛烈なブラスティングによるファスト・パートを中心にミドル・パートも組み合わせて、展開の緩急差もきちんとつけており、全て 10 分以上の大作志向ながら、一気に聴かせる。

Forgotten Tomb

Italy

Songs to Leave 2002

Selbstmord Services

Sacrater というブラックメタル・バンドで活動し、インダストリアル・ブラックメタルの Died Like Flies でも活動していた Herr Morbid が、1999 年に一人で始動させたデプレッシヴ・ブラックメタルの 1st アルバム。ジャケット・アートそのままの自殺を誘発させそうな強烈な絶望感と、病んだ世界をひたすら繰り広げる。発狂した壮絶な喚き声が只ならぬ不吉さを漂わせ、ノイジーなリフから湧き出る愁嘆なメロディにより、ネガティブな感情を吐き出している。ドゥーミーなスロー・パートで沈鬱さを増大させているが、静と動の展開を織り交ぜることでよりその世界を深淵なものとしており、展開には強くこだわっている。とにかく全てが絶望へと向かっているデプレッシヴ・ブラックメタルの名作の中の名作。Shining の Wedebrand が 1 曲ドラム参加している。

Forgotten Tomb

Italy

Springtime Depression 2003

Adipocere Records

名門 Adipocere Records からリリースされた 2nd アルバム。鬱屈したメロディと病的に喚き叫ぶヴォーカルによる、負のオーラしか感じさせないサウンドの方向性は変わっていないが、前作よりもさらにリフがノイジーになり、そこから悲愴なメロディが顔を覗かせる。ディレイが処理されたヴォーカルも、若干エコーが掛かっているとは言え、より生々しいものとなっており、鬱屈した気分に陥れる。前作に比べ、より内省的な陰鬱を強めており、その意味ではさらに救いようがない絶望的なサウンドとも言える。何かドス黒いものが底辺に横たわっているかのような不穏さが滲み出ている。デプレッシヴ・ブラックメタルでも、悲哀感や退廃美と言った要素が極力排除された。前作に続き Shining の Wedebrand がゲスト参加。

Forgotten Tomb

Italy

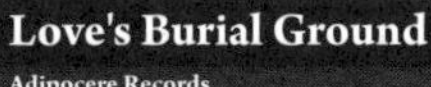

Love's Burial Ground 2004

Adipocere Records

これまで Herr Morbid 一人で活動していたが、ギターの Razor Sk、Domina Noctis 等のメンバーでもあるギターの Asher、The True Endless や Hiems でも活動した Algol がベーシストとして加入しての 2004 年 3rd アルバム。ネガティブ要素の塊の様な方向性に変化はないが、前作で排除された退廃美や悲哀的なメロディが取り戻されており、1st アルバムに近い感じになってきている。相変わらず負のオーラと病的な不気味さを一身にまとったように喚き叫ぶヴォーカルは、凄味を存分に発揮しているし、生気を奪う絶望感が全体を覆いつくす様も変わらず。次々作『Under Saturn Retrograde』以降、メランコリックなゴシックメタルやデプレッシヴ・ロックの要素を強めながら、脱ブラックメタル化していく。

Frostmoon Eclipse

Italy

Another Face of Hell 2007

ISO666 Releases

ドイツにも同名バンドがいるが、こちらはイタリアのブラックメタル。Handful of Hate や Macabre Omen にも参加した Claudio Alcara により 1994 年から活動している古株。ドラムは Fides Inversa や Blut Aus Nord、Glorior Belli、Acherontas 等々に参加してきた Gionata Potenti。ドカドカと走るファスト・パートから、叙情的なメロディを携えたミドル / スロー・パートによる緩急差、さらにジメっとしたメロディを淡々と流す静のパートまで、実に幅広いレンジの曲展開。ある種のプログレッシヴさも見せつける。悲哀感や邪悪な暴虐性も持ち合わせながら、曲展開の妙技で聴き手を引き込んでいく。2014 年には Aphelion Productions からボーナス・トラックを 2 曲追加した再発盤がリリースされている。

Handful of Hate

Italy

To Perdition 2013

Code666 Records

Nicola Bianchi により 1993 年から活動するブラックメタルで、一時期 Frostmoon Eclipse や Blut Aus Nord、Glorior Belli、Acherontas 等のメンバーでもあった Gionata Potenti も在籍していた。2013 年にリリースされた本作 6th アルバムは、Nicholas（ベース）、Hellwrath でのメンバーだった Deimos（ギター）、ノルウェーの Massemord や Lord Vampyr、Satanika 等でも活動する Aeternus（ドラム）がメンバーとして参加。熾烈なブラストの連続によるファスト・ブラックメタルで Marduk に似ている。邪悪さを猛然と撒き散らすヴォーカルや、コールドなメロディを内包したリフも然ることながら、猛烈なブラストを正確に叩き込むドラムの凄味が光っている。

Imago Mortis

Italy

Ars Obscura 2009

Drakkar Productions

元々は Nema というバンド名で活動していた Abibial と Maelstrom が 1994 年に Imago Mortis と改名してスタートさせたバンド。Maelstrom は脱退するも Abibial を中心に活動を続け、Scighèra、Faust、Bjorgor をメンバーに迎えて制作され、Drakkar Productions からリリースされた 2nd アルバム。叙情的なメロディが溢れ出すトレモロ・リフを主体としたサウンドで、北欧ブラックメタル勢に通じる冷えたメロディが行き交う。一方でノイジーなリフから滲ませる暗黒な空気により、ドス黒さまではいかないまでも、光成分が薄い鈍よりとした空気感に覆われている。ブラスト・パートが主体ではあるが、ミドル・パートにおける叙情的なメロディもまた秀逸である。

Kult

Italy

The Eternal Darkness I Adore 2018

Folter Records

Blut Aus Nord や Frostmoon Eclipse、Moloch（ウクライナ）、Glorior Belli、Handful of Hate、Acherontas 等々に参加してきたドラマーの Gionata Potenti も在籍するイタリアのブラックメタルの 3rd アルバム。2nd アルバム『Unleashed from Dismal Light』（2013 年）以来 5 年振り。1990 年代のノルウェージャン・ブラックメタルをベースに、ドスの効いたガナり声と薄っすらメロウなトレモロ・リフによるプリミティヴなブラックメタル。ファスト・パートではコールド・メロウなスタイルだが、ミドル / スロー・テンポのパートでは跳ねるようなロック的なリズムが、独特のノリを見せる。

Malfeitor

Italy

Incubus

2009

Agonia Records

ノルウェーのStridの前身バンドと同名だが、こちらはAborymを率いるMalfeitor FabbanによるイタリアのバンドÚ。本作はAgonia Recordsからリリースされた2ndアルバム。テクニカル・デスメタルのHour of PenanceのメンバーでAborymでも活動していたHell:IO:Kabbalusと、エクスペリメンタルなブラックメタルQuiet in the Caveでも活動するMunholyがメンバーとして参加。Aborymとは違うファスト·ブラックメタル·スタイルで、フルブラスト·パートを主体とし、コールドなメロディも含まれた突き刺す様なリフによりMarduk辺りに近い。ハイパーな高速ブラストにより圧倒させる場面が多いが、メロウな要素も強く、なおかつ暗黒で邪悪な空気をしっかりと漂わせている傑作。

Necromass

Italy

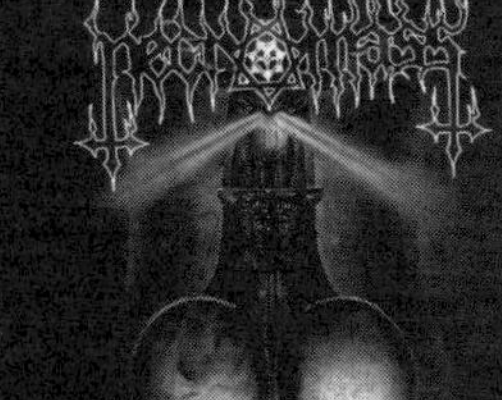

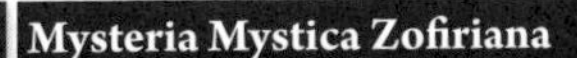

Mysteria Mystica Zofiriana

1994

Unisound Records

Mortuary Drapeと共にイタリアン・ブラックメタル・シーンを築き上げたと言えるNecromassがUnisound Recordsから1994年にリリースした1stアルバム。トレモロ・リフもなく、スラッシュメタル〜デスメタルの流れを汲んだ、刻んだリフ主体なので現在のブラックメタルとは大きく異なって聴こえる。邪悪な空気を強烈に発してるヴォーカルや、荘厳さと妖しさを醸し出すキーボードも取り入れており、今につながる原始的なブラックメタル・サウンドである。クラシカルなギターを取り入れたりと奇をてらった展開もあるが、1990年代ブラックメタル名作の一つと言える。1993年のEP『His Eyes』と1994年のEP『Bhoma』にライヴ音源をボーナストラックで収録した再発盤が2011年にリリースされている。

Nefarium

Italy

Ad Discipulum

2010

Agonia Records

テクニカル・デスメタルIllogicistのメンバーでもあったAdventor（Fabio Filippone）を擁するブラックメタルの2010年発表3rdアルバム。ドラムはEnthronedのメンバーでもあったGarghufで、ベースはメロディック・ブラックメタルDisguiseでも活動するVexator。猛烈なブラストをハイパーかつ的確に叩き込むドラミングの凄さにまず耳を惹く。コールドなメロディを漂わせ、テクニカルでもあるトレモロ・リフにシュレッドなギターまでも見せるハイレベルなファスト・ブラックメタル。異様な邪悪さとドス黒さを創出するガナリ声により、暗黒性も高い。Andy Larocqueのプロデュースにより、ソリッドな演奏がより明確化されている。とにかく聴き手を圧倒させまくる。

Tenebrae in Perpetuum

Italy

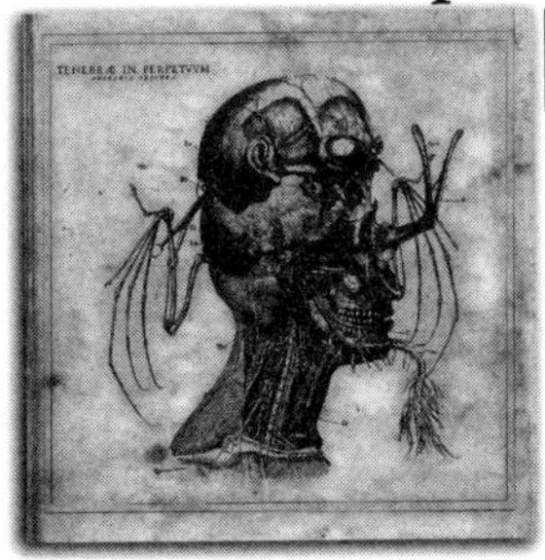

Anorexia obscura

2019

Debemur Morti Productions

元BeatrikのAtratusにより2001年から活動し、これまでにHornaやKrohmとのSplitもリリースしているイタリアのブラックメタル。2010年に一度解散解散したが、2018年に再始動。そして2019年にDebemur Morti Productionsからリリースされた4thフル・アルバム。ドラムはLornやChelmno等でも活動するChimsicrin。寂寞感たっぷりのメロディによるトレモロリフと苦悶の表情を見せるガナリ声ヴォーカルを主体としたデプレッシヴなブラックメタル。スロー・パートが多くを占めるものの、ファスト・パートも比較的多く、またアヴァンギャルドな要素も随所に盛り込まれており、独特の物騒な気配を醸し出している。Rawな音作りのため、荒涼とした絶望感が生々しく伝わってくる。

Vardan

Italy

From the Pale Moonlight 2015

Moribund Records

Nostalgic Darkness や Anwech、Leaden と言ったバンドでも活動する Vardan による一人デプレッシヴ・ブラックメタル。1997 年から活動を開始し、最初の 15 年間はアルバム 2 枚と Striborg との Split ぐらいしか音源を残していないが、2013 年から異様なペースでアルバム作り続けている。2015 年は何と 9 枚もアルバムをリリース。本作も 2015 年作だがもう何枚目なのか分からない程（恐らく 16th アルバム）。サウンドの方は陰鬱なメロディを奏でるトレモロ・リフを主体とした悲壮感の強いブラックメタルだ。病的に叫ぶヴォーカルは殺気を発しているが、ディレイをかけて浮遊するかの様な歪んだ喚き声を聞かせたりと、異様な雰囲気も醸し出している。数枚確認したが膨大なアルバムを残しているがサウンド・スタイルに大差はなく、これだけの量の陰鬱世界を創作する力が驚異で狂気である。

Akerbeltz

Spain

A Wave of Darkness 2000

Millenium Metal Music

ブラッケンド・スラッシュメタル Körgull the Exterminator のメンバーでもある Akerbeltz こと Joe Bastard により、1996 年から活動しているスペインのブラックメタルの 2000 年リリース 1st フル・アルバム。ブラジルにも同名ブラックメタル・バンドが存在するが、こちらはスペインのプリミティヴ・ブラックメタル。Akerbeltz の奥さんで Körgull the Exterminator でも活動している Lilith がバッキング・ヴォーカルで参加し、プロデュースも行っている。邪悪さ全開のガナリ声ヴォーカルと、凍てついたリフにより北欧初期ブラックメタルに類似。Raw で Lo-Fi な音により地下臭も強く感じさせる。叙情的なコールド・リフのメロディ・センスも光っており、メロウ・プリミティヴ・サウンドとして最上の出来である。

Aversion to Mankind

Spain

Ways to Non-Existence 2016

Maa Productions

スペインのデプレッシヴ・ブラックメタル Hopeless として活動していた S. なる人物による一人ブラックメタル。日本の MAA Productions から 2016 年にリリースされた 3rd アルバム。こちらの方も絶望感と悲哀感の強いメロディによるデプレッシヴなサウンド。ノイジーなリフから発せられるアトモスフェリックな空気が全体的に漂い、その幻影的なオーラが神秘的かつ深みのあるサウンドへと導いている。ドラマティックな展開を主軸としていることからも、Wolves in the Throne Room や Woods of Desolation 辺りのアトモスフェリックなポスト・ブラックメタルと共振する部分が多い。Raw な音作りであることからも起因し、より絶望感が強く出ている。胸を締めつけられる悲しいメロディが実に印象的だ。

Dantalion

Spain

Return to Deep Lethargy 2012

Unexploded Records

スピードメタル・バンド Witchfyre のメンバーとしても活動する Villa（Naemoth：ドラム）や Mydgard でも活動した Brais らによるスペインのブラックメタルが、2012 年にリリースした 4th アルバム。悲痛に叫ぶヴォーカルと悲しみに溢れたメロディにより、デプレッシヴな趣もある。しかし、絶望感が強い訳ではなく、激情的でありながら悲哀感の強いメロディを奏でるトレモロ・リフを主軸としている。曲展開もドラマティックで、練り込まれた完成度が高く、そこに叙情的なメロディを絶妙に絡ませてくる。若干陰鬱さもある悲観的メロディが曲展開の絶妙さにより、その上質さが際立っている。ラストは Katatonia のカバー。

Hrizg

Spain

Individualism

2014

Moribund Records

ペイガン・ブラックメタルの Briargh や Crystalmoors、ドゥーム・デスメタルの Deprive 等多くのバンドでも活動する Erun-Dagoth によるスペインのブラックメタル、2014 年の 3rd アルバム。1990 年代のプリミティヴなブラックメタルをベースに、メランコリックで叙情的なメロディを紡ぎ出すギター・リフを主体としている。邪悪さを強く吐き出すガナり声により、暗黒さ不穏さも滲み出ており、その空気感の中を陰鬱さを感じさせるジメっとしたメロディとコールドな悲哀感がジワジワと心を抉ってくる。分野は違うが初期の My Dying Bride や Anathema の様な、暗黒陰鬱ゴシックメタルにも相通じる所がある。オールドスクールなプリミティヴ・ブラックメタル要素と、デプレッションが実に絶妙に融合している。

Nazgul

Spain

When the Wolves Return to the Forest

2000

Battlefield Records

Uruk-Hai や Teitanblood でも活動する Defernos と、Uruk-Hai の Thorgul と Crom らによるスペインのプリミティヴ・ペイガン・ブラックメタルの 1st アルバム。どんよりした薄っぺらい音作りによる、まさにプリミティヴ。やや冷気が含まれ、荒涼としたメロディを奏でるギター・リフに、ドカドカとした Raw なドラム、噛み付く様にガナり喚く邪悪なヴォーカルによる、1990 年代ブラックメタルがベース。ファスト・パートがミドル・パートとの緩急差を絶妙に使いながらドラマティックに展開し、ペイガンメタルらしい古代への憧憬を感じさせるメロディも印象的。後半 6 曲目からは、1997 年のデモ『From the Throne of Winter』が収録されており、こちらの方が荒々しく、攻撃的要素が強い。

Primigenium

Spain

Art of War

1997

Full Moon Productions

Shroud でも活動していた Smaug が 1992 年に始動させたブラックメタルが Full Moon Productions から 1997 年にリリースした 1st アルバム。シャリシャリした音圧のないノイジーなリフがジリジリと擦り込むように襲い掛かり、凶悪かつ邪悪な空気を撒き散らしながら、ガナり喚くヴォーカルによるプリミティヴなブラックメタル。Darkthrone や Gorgoroth からの影響が強く、ノイジーな中から滲み出すメロディも冷気がたっぷりで、フィニッシュ・ブラックメタルに通じる所も多分に感じさせる。レコーディングは 1995 年なので、いかにもこの時期らしい地下臭さが異様に強いサウンドで、まだスペインのブラックメタル・シーンの認知度はほぼなかった時代に、本格的なプリミティヴ・ブラックメタルを発していた数少ないバンドであった。

Sentimen Beltza

Spain

Pagopean

2015

Altare Productions

Nakkiga や Owl's Blood と言ったバンドでも活動する Oindurth Savinitta による一人ブラックメタルが 2015 年にポルトガルの Altare Productions とドイツの Obscure Abhorrence Productions からリリースした 5th アルバム。良質なデプレッシヴ / メロディック・ブラックメタルが多いスペインの中でも、この Sentimen Beltza は極上。ブラックメタルのプリミティヴさをしっかりと堅持しながら、陰鬱さ成分が多分に含まれたメロディが素晴らしい。北欧勢に通じる冷気を漂わせ、叙情的で悲哀感が強い激情メロディを発するギター・リフがメランコリックな気分に陥れてくれる。メロディック・ブラックメタルの多くにある妙なメジャー感が感じられず、あくまでも Raw な音創りと暴虐性にもしっかりとこだわったスタイルがまた素晴らしい。

Uruk-Hai

Spain

Archi Catedra Nigra Diaboli　2010

Die Todesrune Records

Nazgul でも活動する Defernos と Thorgul、Crom（Defernos は Teitanblood でも活動している）によるスパニッシュ Raw ブラックメタルの 2010 年にリリースされた 2nd アルバム。Burzum の前身の Uruk-Hai と同名で、J.R.R. Tolkien の『The Lord of the Rings』に登場するキャラクターから取られたものである。音の方は異様に地下臭さに覆われたプリミティヴ・ブラックメタル。チリチリとしたノイズから滲み出すコールドなリフに、生々しく叫び名来るヴォーカル、ボコボコと叩き込むドラムと、Darkthrone や初期 Gorgoroth に通じる。本作を最後にバンドは解散している。

Ars Diavoli

Portugal

Pro Nihilo Esse　2008

Debemur Morti Productions

Lux Ferre 等でも活動する Vilkacis による一人デプレッシヴ・ブラックメタルの 1st アルバム。深夜 TV の砂嵐の様なザーザーとしたノイズに塗れたリフから、強烈な絶望感を呼び起こすメロディが溢れ出し、そこに病的な発狂絶叫ヴォーカルが合わさり、得も言えぬ不穏感と恐怖心と厭世感を漂わせまくる。大半がミドル / スロー・テンポ展開だが、場面によってはアップ・テンポに変化していき、また静寂な場面で淡々をメロディを紡ぎ出したりし、それらによりジワジワと迫り来る厭世感が一層浮彫りとなっている。いわゆるデプレッシヴ・ブラックメタルと言われる作品の中でも、陰惨な絶望感の表現力は高い。マスタリングは Corpus Christii や Funeral Mist 等でも活動した Necromorbus。陰湿で負のオーラに満ち溢れたサウンド創りの絶妙さを随所で感じさせる。

Angrenost

Portugal

Nox et Hiems　2017

Altare Productions

1995 年から活動するポルトガルはビアナ・ド・カシュテロ出身のブラックメタル。1998 年に EP をリリースした後に解散。その後 2010 年に復活して 2 作目となる 3017 年 2nd フル・アルバム。コールドな叙情メロディによるノイジーなギター・リフによるオーセンティックなプリミティヴ・ブラックメタル・スタイル。篭った Raw な音作りにより、アンダーグラウンドな空気が濛々と立ち込めている。高揚なく呟くヴォーカルが異様な不気味さと不穏感を生み出し、怨念に満ち溢れたカルトな世界を展開。このヴォーカルにより特異な世界を構築している。ジリジリとしたギターと感情のないヴォーカル、そして淡々とした曲展開により、ジワジワと恐怖が迫ってくる。

Black Cilice

Portugal

Summoning the Night　2013

Altare Productions

ポルトガルの正体不明プリミティヴ・ブラックメタルの 2013 年に発表された 2nd アルバム。オリジナルは Altare Productions から LP でリリースされたが、2014年には日本の Hidden Marly Production から CD がリリースされている。ガシャガシャ鳴るドラムと不協和音ノイズ・リフが物凄く耳を惹く超 Raw な音で、Ildjarn 級の Lo-Fi なサウンド。眩暈を起こしそうなノイズ垂れ流しリフではあるが、そこからアトモスフェリックさを醸し出しながらもコールドで沈鬱なメロディが滲み出ている。ヴォーカルは悲鳴に近い発狂ヴォイスで、Raw なドラムとノイズ陰鬱リフと相まって、とんでもなくカルトで退廃的な音塊と化している。次作ではノイズ要素を残しながら、アトモスフェリック要素をさらに強めている。

Corpus Christii

Portugal

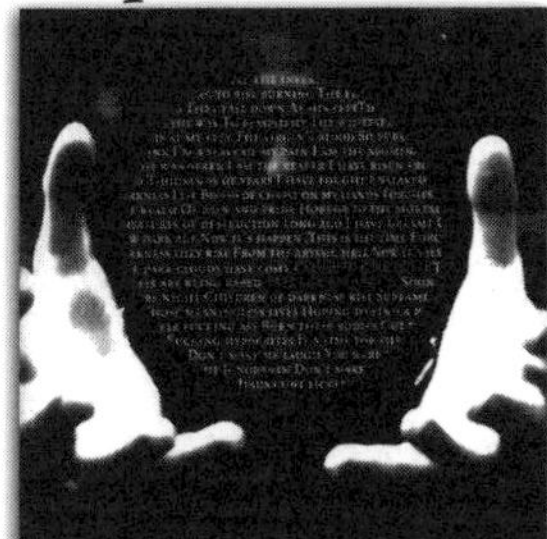

Saeculum Domini 2000

So Die

ポルトガルを代表するブラックメタルの 2000 年リリース 1st アルバム。中心人物の Nocturnus Horrendus は Morte Incandescente や Nox Inferi でも活動し、Celestia の Noktu とウォー・ブラックメタルの Genocide Kommando を結成していた。次作以降、クオリティの高いシンフォニックなファスト・ブラックメタルとなっていくが、本作は地下臭が強い。初期 Emperor からの影響を感じさせる荘厳なキーボードやメロウな要素もありながら、轟音と化したノイズ・リフとヴォーカルから発する邪悪な空気が、それらを霞ませる。打ち込みのためドラムから Raw さはあまり感じさせないが、荘厳なシンフォニック・スタイルでありながら、ここまでプリミティヴで凶悪なサウンドとなっているのは珍しい。

Decayed

Portugal

The Conjuration of the Southern Circle 1993

Monasterium

1990 年代初頭から活動するポルトガル最古参ブラックメタルの 1993 年にリリースされた 1st アルバム。妖しい空気を発するキーボードも挿入しながら強烈に邪悪な空気を発するヴォーカルや、ジリジリとイーヴルさを滲ませてくるリフにより、Bathory 辺りからの影響を強く感じさせる 1980 年代の暗黒スラッシュメタルを、さらにカルトにした様な初期ブラックメタル。Mortuary Drape や初期 Rotting Christ に相通じる暗黒カルトな空間を形成しているが、これらのバンドよりもストレートに邪悪さを撒き散らしている。中心人物の A. J . はこのスタイルを頑なに守りながら、Decayed として作品をリリースし続けている。本作は 2014 年には Aphelion Productions から、1993 年のライヴ音源を 11 曲追加収録した再発盤がリリースされている。

Inthyflesh

Portugal

Claustrophobia 2011

Nykta Records

2000 年から活動しているポルトガルのブラックメタルによる、2011 年にギリシャの Nykta Records からリリースされた 3rd アルバム。適度に Raw なサウンド・プロダクションによりアンダーグラウンドさを保っている。コールドで陰鬱な感情を覗かせるメロディを奏でるトレモロ・リフと、悲痛さも感じさせる喚き叫ぶヴォーカルにより、デプレッシヴなブラックメタルの要素を感じさせる。アトモスフェリックで、ある種のエモーショナルさを漂わせており、ポスト / シューゲイザー･ブラックメタルに通じる。この手のスタイルにしてはサウンド･プロダクションがあまり良好ではない（恐らく狙って音質を落している）が、その分、陰鬱なメロディから来る不穏さをより感じ取ることが出来る。クオリティ自体は高い。

Lux Ferre

Portugal

Antichristian War Propaganda 2004

Ketzer Records

ブラジルのスラッシュ / ブラックメタルの Darkest Hate Warfront でも活動していた Devasth らによるポルトガルのブラックメタルが、20004 年に Ketzer Records からリリースした 1st アルバム。ドラムは Mysteriis や Patria 等多くのブラジルのバンドでも活動する Mantus。凍てついた叙情的メロディが吹き荒れる、スウェディッシュ・ブラックメタル勢に近い。ファスト・パート主体で猛烈なスピード感を保ちながら、メロウなブラックメタルを展開。噛みつくような邪悪さ満載のヴォーカルも強力で、アンダーグラウンドさを感じさせる。Setherial や Dark Funeral をさらにファストにした上で、Marduk のブルータル性を兼ね備えた高品質なスウェディッシュ・スタイル。

Morte Incandescente

Portugal

...Relembrando um Túmulo Esquecido 2010

World Terror Committee

Corpus Christii を率い、Nox Inferi、Storm Legion 等でも活動する Nocturnus Horrendus と、Decayed や Irae でも活動し、Storm Legion の初期メンバーでもあった Vulturius によるポルトガルのブラックメタルが、World Terror Committee から 2010 年にリリースした 3rd アルバム。ざらざらとした轟音ノイジー・リフにドカドカとしたドラム、そして凶悪さと邪悪さを剥き出しにしてガナり立てるヴォーカル。暴力的でややハードコア・テイストを感じさせつつ、1990 年代ブラックメタルの流れを汲む。しかしながら、リフから滲み出るメロディは陰鬱かつ悲傷的。デプレッシヴとまではいかないまでも、鬱屈したメロウさと、攻撃性を前面に押し出したテンション高いオールドスクール要素との対比と、融合が不思議な不穏感を産み出している。

Omitir

Portugal

Old Temple of Depression 2007

Warfront Productions

シンフォニック・ブラックメタルの Forgotten Winter 他、数多くのバンドでも活動する Tormentv（Joel Fausto）による一人ブラックメタル。元々は Bahamut として活動していたが、2006 年に Omitir へ改名。そして 2007 年に Warfront Productions からリリースした 1st アルバム。Raw な音作りによるプリミティヴなサウンド・プロダクションで、強烈に邪悪で禍々しく陰湿な空気も醸し出すガナり声に、ザラつくノイジーなリフから零れ落ちる鬱屈したなメロディが陰湿さを生み出している。ファスト・パートやアトモスフェリックさを漂わせるキーボードを配したりもしているが、デプレッシヴな絶望感もまた強烈。

Storm Legion

Portugal

Desolation Angels 2010

World Terror Committee

Corpus Christii の中心人物で Morte Incandescente 等でも活動する Nocturnus Horrendus と、シンフォニック・ブラックメタル Sirius のメンバーでもあった Ainvar Ara によるブラックメタル・バンド。初期の頃には Decayed や Morte Incandescente 等の Vulturius もメンバーだった。フレンチ・ブラックメタルにも通じるドス黒い空気を充満させ、スウェディッシュ勢に近いコールドなリフが耳を打つ。初期 Darkthrone からの影響が大きい、飾り気のないリフが主体ではあるが、ファスト・パートからスロー・パートを組み合わせた曲展開により、叙情的メロディを絶妙に引き立たせている辺りにセンスの良さを感じさせる。悲痛さを訴える喚き声を交えたヴォーカルの表現力の高さも特筆すべき点。

Frozen Winds

Cyprus

Necromantic Arts 2018

Deathhammer Records

地中海に浮かぶキプロス島の南部に位置するキプロス共和国。その第二の都市リマソールで 2007 年から活動している、男女ツイン・ヴォーカル体制のブラックメタル。2010 年に CD-R の EP『Prophets with Distorted Faces』をリリースしており、本作は 1st アルバムとなる。リゾート島のイメージとは真逆の漆黒な空気に染まったアンダーグラウンド・ブラックメタルで、ノイジーなリフからは暗黒な空気が濛々と立ち込めている。暴虐的なガナり声に、妖しい空気をまとった呪術的な女性ヴォーカルがミステリアスで、不穏な雰囲気を粛々と作り上げる。曲展開は凝っており、一筋縄でいかない特異な世界を構築。暗黒芸術の域にまで来ている。

デスメタルへのアンチテーゼを顕にしたブラックメタル

サタニックなイメージを復興させたブラックメタル

多くのメタル・ファン、特にエクストリーム・サウンドに馴染みがない層にとって、デスメタルとブラックメタルは近親関係にあるという認識のようだが、実は全く違うものである。確かにデスメタルもブラックメタルも1980年代のスラッシュメタルがルーツである。しかし両者の大きな違いは、デスメタルがスラッシュメタルを過激化し、進化させたものであったのに対して、ブラックメタルはスラッシュメタルが本来持っていたサタニックなイメージを復興させたものである。もっと言えば、デスメタルはスラッシュメタルをオールドウェーヴへと陥れた。スラッシュメタルがよりヘヴィに速く、禍々しくなって、新たなエクストリーム・サウンドを確立したデスメタルに対して、1980年代末期まではハードコアと並んで最も過激だったスラッシュメタルは完全に古い存在となっていった。一方、ブラックメタルは、スラッシュメタルの起源の一つである悪魔主義イメージを強力に押し出したVenom、そのスタンスを継承したHellhammerやCeltic Frost、Bathoryを1990年代に復活させたムーブメントである。

ハードコアとクロスオーバーしてきたスラッシュメタル

この両者の違いを理解するには、スラッシュメタル・シーンの変遷を追っていく必要がある。スラッシュメタルの起源はVenomやRaven、Tank、あるいはMotörheadのNWOBHMの中でもスピーディーでラウドなサウンドを発していたバンドである。特にVenomは、当時としては桁外れに猪突猛進なスタイルと悪魔主義を前面に押し出したセンセーショナルなものであった。そしてその流れを汲んで誕生したのがSlayer、Hellhammer、Sodom、Destructionであり、南米のブラジルから登場したSarcófago等のサタニックなスラッシュメタルだった。そしてスラッシュメタルは、既成のヘヴィメタルとは明らかに異なる過激なスタイルとして定着し、アンダーグラウンドで絶大な人気を誇るようになる。しかし、オーバーグラウンドへ浮上していくにつれてスラッシュメタルは、政治的な歌詞や環境問題や反戦をテーマとすることが主流となり、ハードコアとのクロスオーバーも進展。悪魔主義イメージは稚拙なものと扱われるようになる。ルックス的にも、ガンベルトや五寸釘鋲や黒づくめの服装は過去のものとなり、多くのスラッシュメタル・バンドはTシャツに短パンかスリム・ジーンズにバスケットシューズを装っていた。

デスメタルの出現によって衰退したスラッシュメタル

そんなスラッシュメタルも1980年代末期から1990年代初頭にかけて一気に衰退していく。その原因はメジャー会社の青田買いとデスメタルの出現。特にデスメタルは、アンダーグラウンドの過激な音を求めていた層を一気に引き寄せた。そして、スラッシュメタルは過去の産物となった。しかし、その流れに強烈に異を唱えた人物がいた。それがEuronymousである。

デスメタルに対して敵意を剥き出しにしたEuronymous

彼はVenomやBathoryと細々と継承されていたサタニック・スタイルをセンセーショナルに蘇生させた。悪魔や死人を想起させるコープスペイント、五寸釘鋲や黒づくめ服装で身を固め、音楽的にもサタニックな先達バンドを継承。その衝動はノルウェーのアンダーグラウンド・シーンをブラックメタルに染め上げたのみならず、瞬く間に世界中へ広がっていった。そしてEuronymousは徹底してアンダーグラウンド主義を貫いた。さらにデスメタルを商業的であると断罪。オーバーグラウンドに浮上したスラッシュメタルを否定し、本来の悪魔主義こそが真理であるというスタンスを取った。

彼が設立したDeathlike Silence Productionsは「No Fun, No Core, No Mosh, No Trends」をスローガンとし、規格番号には「Anti-Mosh」を冠し（デスメタル最大レーベルであったEarache Recordsの規格番号は「Mosh」から始まっていた）、多くのデスメタル作品を手掛けたScott Burnsの顔写真に禁止マークを付けてCDやブックレットの裏面に載せたりと、デスメタルへの敵意を剥き出しにしていた。

しかし、そのDeathlike Silenceに所属していたBurzumが、1993年にEarache Recordsと契約しようとしていたことがあった。結局、Varg Vikernesの人種差別やネオナチ的思想により契約には至らなかったが、EuronymousとVargの対立要因の一つとなった。

ノルウェー以外ではデスメタル敵視は強くない

このようにノルウェーのシーンEuronymousの意向によりアンチ・デスメタルの体制であった。しかし、実はノルウェー以外のブラックメタル・シーンはデスメタルに対して明確な敵対心を持っていたわけではなかった。隣国スウェーデンは、例えばMardukの初期メンバーにEdge of SanityのAndreas AxelssonがDreadの名で参加していたり、人脈的にもブラックメタルとデスメタルの垣根はなかったと言える。ノルウェーのインナーサークルに多大な影響を受けたフランスのLes Légions Noiresも、VenomやBathory等のサタニックなメタルの復興や、アンチ・トレンドという見地は一緒だったが、直接デスメタルに対して憎悪や敵視することは然程なかったようである。

そして1993年にEuronymousがVargに殺害されると同時に、ブラックメタルのアティテュードが一変。商業的に成功するブラックメタルも出てきて、デスメタルへのアンチテーゼもなくなった。

ブラックメタルの音像を形作ってきた名プロデューサー達

Pytten (Norway)
1990年代ノルウェージャン・ブラックメタルの名作を多く手掛けた名プロデューサー。Pytten こと Eirik Hundvin は 1950 年にベルゲンで生まれる。父親は有名なハンドボール・プレイヤーであった。1970 年代からベース・プレイヤーとして活動していたが、やがてプロデューサーやレコーディング・エンジニアを本業としていく。彼はベルゲンのコンサート・ホールであるグリーグホールの中にある Grieghallen Studio を所有し、そこで多くのブラックメタルがレコーディングを行う。
彼がプロデュースした最初の作品は 1991 年 1 月にレコーディングした Old Funeral の EP『Devoured Carcass』。以降、ノルウェージャン・ブラックメタルの名作と言われる作品の大半が Pytten のプロデュースで制作された。彼がプロデュースした主な作品は以下である。

1992 年レコーディング：
Burzum『Burzum』『Aske』『Det Som Engang Var』『Hvis Lyset Tar Oss』
Immortal『Diabolical Fullmoon Mysticism』
1992 年～ 1993 年：
Mayhem『De Mysteriis Dom. Sathanas』
1993 年：
Burzum『Filosofem』
Emperor『In the Nightside Eclipse』
Immortal『Pure Holocaust』
1993 年～ 1994 年：
Enslaved『Vikingligr Veldi』
1994 年：
Gorgoroth『Pentagram』『Antichrist』
Enslaved『Frost』
Hades『...Again Shall Be』
1996 年：
Gorgoroth『Under the Sign of Hell』
Hades『The Dawn of the Dying Sun』
Emperor『Anthems to the Welkin at Dusk』
1997 年：
Taake『Nattestid ser porten vid』
Trelldom『Til et annet...』
1999 年：
Gaahlskagg『Erotic Funeral』

2000 年代以降には Taake や Enslaved、再始動後の Burzum 等を手掛けている。

Terje Refsnes (Norway)
オスロに所在する Sound Suite Studio のオーナーであり、1990 年代からプロデューサーやエンジニアとして活躍している。彼の最初のプロデュースは Carpathian Forest の 1992 年 デモ『Bloodlust and Perversion』。以降、Carpathian Forest の『Black Shining Leather』『Strange Old Brew』『Defending the Throne of Evil』、Gehenna の『Seen Through the Veils of Darkness 』『Malice』『Adimiron Black』、Morgul や Malignant Eternal のアルバムを手掛けている。またノルウェーのバンド以外にも Forgotten Tomb の『Hurt Yourself and the Ones You Love』や Deströyer 666 の『Cold Steel... for an Iron Age』もプロデュースしている。ブラックメタル以外にも Sirenia や Tristania から Turisas 等まで幅広く仕事をしている。

Necromorbus (Sweden)
Funeral Mist や In Aeternum、Corpus Christii 等で活動したドラマー。ストックホルムに所在する Necromorbus Studio のオーナーで、ミキシングやマスタリングの仕事が多いが、プロデューサーとして彼が手掛けた作品も多い。主なプロデュース作品には、Watain の『Rabid Death's Curse』

『Casus Luciferi』『Sworn to the Dark』『Lawless Darkness』、Corpus Christii の『Tormented Belief』『The Torment Continues』、Valkyrja の『The Invocation of Demise』『Contamination』『The Antagonist's Fire』『Throne Ablaze』、Ondskapt の『Dödens Evangelium』、Averse Sefira の『Tetragrammatical Astygmata』『Advent Parallax』、Armagedda の『Only True Believers』、Dødsfall の『Døden Skal Ikke Vente』がある。なお、Tore Stjerna（本名は Tore Gunnar Stjerna）とクレジットされていることも多い。

Werwolf (Finland)
元 Horna、そして Satanic Warmaster として活動。さらに自身のレーベルである Werewolf Records を運営する Werwolf こと Lauri Penttilä。Archgoat の『Heavenly Vulva』『The Apocalyptic Triumphator』『The Luciferian Crown』、Goatmoon の『Tahdon riemuvoitto』、自身のバンドである Satanic Warmaster の『Fimbulwinter』や The True Werwolf の『Devil Crisis』等をプロデュースしている。

JL Nokturnal (Finland)
Svartkraft や Azaghal、Hin Onde 等のメンバーだった JL Nokturnal はプロデューサーやエンジニアとしても知られる存在。Desecresy や Kataplexia、Church of Disgust(US) 等の作品のマスタリングやミキシングを担当しているが、ブラックメタルでは自身が関わった Azaghal や Hin Onde のほぼ全ての作品をプロデュースしている。

Ludovic Tournier (France)
フランスのヴァイキング・ブラックメタルの Himinbjorg の元メンバーで、デス / ブラックメタルの Vacuum Tehiru で活動するギタリスト / ベーシスト。プロデュースした作品は Crystalium の『De Aeternitate Commando』『Diktat Omega』『Doxa O Revelation』ぐらいであるが、Nehëmah の『Light of a Dead Star』『Shadows from the Past...』『Requiem Tenebrae』、Hell Militia の『Canonisation of the Foul Spirit』、Temple of Baal の『Traitors to Mankind』のレコーディングを担当。さらに Ad Hominem や Himinbjorg、Vacuum Tehiru 等の作品のマスタリングやミキシングを行っている。

George Zacharopoulos (Greece)
Necromantia と Thou Art Lord の中心人物であるヴォーカリスト / ベーシスト / キーボーディスト、そして Black Lotus Records を運営する、ギリシャのアンダーグラウンド・シーンのキーマン。1990 年代に北欧に続くブラックメタル大国となったギリシャの立役者であった。
Necromantia の『Crossing the Fiery Path』、Varathron の『His Majesty at the Swamp』『Walpurgisnacht』、Nergal の『The Wizard of Nerath』、Legion of Doom の『For Those of the Blood』、Naer Mataron の『Skotos Aenaon』『River at Dash Scalding』、Astarte の『Doomed Dark Years』『Rise from Within』『Quod Superius Sicut Inferius』、Thou Art Lord の『DV8』等をプロデュース。さらに Septicflesh や Rotting Christ、Nightfall 等の 1990 年代初期重要作品のミキシングやマスタリングにも関わっている。

Honza Kapák (Czech)
Maniac Butcher や Master's Hammer を始め、Avenger や Dark Storm、アメリカの Krieg 等で活動してきたドラマー。Hellsound Studio を運営し、プロデューサーやエンジニア、ミキサーとしてデスメタルやスラッシュメタル、グラインドコアからブラックメタルまで多くの作品を手掛けている。彼がプロデュースしたブラックメタル作品は、Trollech の『Skryti v mlze』、The Stone（セルビア）の『Golet』、自身が関わった Avenger の『Godless』『Feast of Anger / Joy of Despair』『Mír v harému smrti』、Dark Storm の『Hell Satan Blasphemy』がある。

The Old Goat (US)
シアトルを拠点とする Moribund Records のオーナーである The Old Goat こと Odin Thompson。Inquisition の『Into the Infernal Regions of the Ancient Cult』、Leviathan の『The Tenth Sub Level of Suicide』『Tentacles of Whorror』、Sargeist の『Satanic Black Devotion』、Azrael の『Act III: Self + Act IV: Goat』、Xasthur の『Xasthur』（EP）等にエクスクルーシブ・プロデューサーとして関わっている。

なお、2000 年代以降のプリミティヴ・ブラックメタルの多くが、DIY で作品を作り上げており。外部プロデューサーを起用するケースはほとんどない、ということを記しておく。

East Europe

ロシア

ソビエト連邦時代は共産主義国家であり、欧米文化は基本的にご法度であったが、それでも1985年から活動していた正統メタルのАрия（Aria）が活動したりしていた。そしてソ連末期のペレストロイカやグラスノスチにより民主化への流れが出来た1980年代後半になると、メタル・バンドもいくつか結成されるようになった。さらにソ連が崩壊し、ロシア連邦となると多くのバンドが出現するが、その多くはデスメタルであり、ブラックメタルであった。ブラックメタルに関しては1993年にBranikald、1994年にForest、Mor、1995年にOld WaindsやBloodrain、1996年にНавь、後にBlackdeathとなるBlack Draugwath、1997年にフォーク・ブラックメタルのТемнозорьと言ったバンドが結成される。まだロシアのブラックメタルはここ日本でもほとんど知られざる存在ではあったが、ロシアでは確実にアンダーグラウンド・シーンに根付いていった。また、2000年代前半頃までCDの普及率があまり高くなかったようで、この頃の作品のほとんどはカセットでのリリースであった。

2000年以降はさらにブラックメタル・バンドが多く結成されるが、Ashen Light等のシンフォニック・ブラックメタル、あるいは1990年代から脈々と続くペイガン/フォーク・ブラックメタルが多く、プリミティヴなブラックメタルは少数派であった。しかし2010年代には爆発的にバンドが増えており、例えばКультура КуренияやLauxnosと言ったポスト/シューゲイザー・ブラックメタルや、アンビエント/アトモスフェリック・ブラックメタルのFrozen OceanやLiveride等、多種多様なバンドが出現してきている。しかしながら、その多くは自主制作であったり、極端に流通の悪いレーベルからのリリースだったりすることが多いので、ブラックメタル・マニアにとっては迷宮のような国である。

多くはモスクワを中心とした都市部出身のバンドであり、シベリア/極東地域からはノヴォシビルスク出身（現在はチェコで活動）のシンフォニック・ブラックメタルWelicorussぐらいで、世界的に知られるバンドはほとんど存在していない。

また、ロシアと言えばNSBMが多いことが特色として挙げられる。先述のBranikaldのKaldradを中心としたNSBMサークルBlazeBirth Hallが1990年代中頃に結成され、ForestやNitberg、Rundagor、Vargleide、Raven Darkとその後進バンドWotan Sølvと言ったバンドが所属。過激なネオナチ行為も行っていたようである。さらにBlazeBirth Hall所属ではないがM8л8txといったRACに近いブラックメタルもロシアには存在している。BlazeBirth Hallはスラブ民族優位主義やスラヴォニック・ペイガン思想に基づくナショナリズムがその根源にあり、ロシアにペイガン・ブラックメタルが多いのもまたこのことに起因する。Kaldradは2001年に武器の不法所持により収監され、2019年4月に車に轢かれて亡くなっている。BlazeBirth HallはロシアのNSBMレーベルStellar Winter Recordsに受け継がれている。

ポーランド

東欧諸国でも最大のブラックメタル・シーンを誇るポーランド。ブラックメタルのみならず1990年代以降はデスメタル、ゴアグラインドの分野においても世界有数のシーンを誇っている。その布石はすでに1980年代からあり、共産主義国であったにも関わらず、TurboやKatと言ったスラッシュ/スピードメタル・バンドが活動していた。1980年代後半にはVaderが出現し、世界的にも相当早い段階でデスメタルへの流れを導き出していた。そしてノルウェーによるブラックメタルの勃興にも、ポーランドのシーンは早くから反応していた。

1989年に結成されたPandemoniumは、ドゥーミーなデスメタルがベースながらブラックメタル特有の暗黒さやサタニックさを醸し出しており、1990年にはChrist Agonyが、1991年にはBehemothやGraveland、Besatt、Thirstが結成される。その中でもBehemothとGravelandは、当初から多くのブラックメタル・ファンの目をポーランドへ向けさせる存在となった。さらにBehemothがデスメタル寄りのサウンドとなり、ワールドワイドでブレイクすると同時に、90年代中盤から後半にかけてMoontowerやペイガン・ブラックメタルのArkona、ファスト・ブラックメタルのInfernal War、後にBehemothのOrionや後にVaderのDarayらによるシンフォニック・ブラックメタルのVesaniaを始め、多くのバンドが結成され、活動し始めたことによりシーンはさらに活性化。デスメタル、ゴアグラインドと共に世界的に規模の大きいシーンへと成長していく。2000年代以降もMglaやFuria、最近ではBatushka等の個性的でレベルの高いバンドが出現し、変わらず世界トップ・クラスのシーンを維持している。Mglaの2015年アルバム『Exercises in Futility』は世界中のメディアから年間ベスト作品にノミネートされるなど、大きな注目を浴びた。

一方、アンダーグラウンドではNSBMが多く存在するシーンでもあった。その中枢とも言うべき存在だったのがThe Temple of Fullmoonというサークル。このサークルは1990年代前半に結成され、当時は情報がほとんどなかったので実体がはっきりとしないのだが、ノルウェーのInner Circle、フランスのLes Légions Noiresの様な閉鎖的なサークル集団であった。そしてThe Temple of FullmoonはNS思想のバンドが中心であり、集合写真ではナチスの紋章ハーケンクロイツの端を掲げている。NSBM重要バンドの一つであるGraveland（彼等は当初ブラックメタルであることは否定している）やVeles、Infernum、Fullmoonと言ったバンドがその構成員だったようである。The Temple of Fullmoon自体は短期間で消滅したが、Gravelandは活動を続けて後続の大きな影響を与えた存在となっており、Thunderbolt、Thor's Hammer、Ohtar、Dark Furyと言ったNSBMが、1990年代中盤から後半にかけて多く結成されることの布石となった。

ウクライナ

東欧ではポーランドに次ぐブラックメタル・シーンを形成しているウクライナであるが、1991年のソビエト連邦の崩壊により独立した国家のため、ロシアと同様、ポーランドやハンガリーと違って1980年代のメタル・シーンという布石がほぼなかった。したがって、ウクライナのシーンのブラックメタル勃興への反応はさほど早くはなかった。シーンの中心に位置するのはNokturnal Mortum。元々はSuppurationと言うデスメタル・バンドであったが、1993年にブラックメタル・バンドのCrystaline Darknessとなり、翌1994年にNokturnal Mortumとなった。彼等はウクライナで最も早くからブラックメタルへ変化したバンドである。Nokturnal Mortumは、フォーキッシュな要素もあるシンフォニックなブラックメタル・サウンドということもあり、日本でも早くから注目される存在だった。一方で1995年にHate ForestとLucifugumが、さらに1996年にはAstrofaesやDub Bukが結成される。特にHate ForestとLucifugumはNokturnal Mortumに次ぐ存在として、ウクライナ・シーンの中核的存在となっていく。さらに2000年以降には、これら1990年代に活動を始めたバンドのメンバーが様々な別バンドを結成したり参加したりし、その流れからUnderdarkやDrudkh、Kladovest、Blood of Kingu等々が誕生した。同時にMolochやKroda、Khors、Dragobrath、Vermis Mysteriis等々が活動を始め、一気にウクライナのシーンは層が厚くなっていく。

ウクライナのシーンの特徴としては、バンドの数が多い割にはプレイヤー数がさほど多くなく、アーティストが複数のバンドを掛けもちで活動させているケースが比較的多いこと。そしてNokturnal Mortumの影響が大きいので、サウンド的にはシンフォニックでフォーク・ベースのサウンド・スタイルのバンドが比較的多いこと。さらにHate Forestに代表される自然崇拝やペイガニズムに根ざしたブラックメタルの比率が非常に高いことが挙げられる。AstrofaesやDrudkh辺りがネイチャー・ブラックメタルの代表格となっていったと言える。Drudkhに関しては、さらにポスト・ブラックメタルの要素を取り入れて、ワールドワイドでの認知度も得るようになっていく。

さらにNSBMが多いのも特徴である。ウクライナ・シーンを代表するNokturnal MortumがNS思想を持ち合わせており、さらに先述のDub BukやBlood of Kingu、そしてAryan Terrorismと言った物騒なバンド名のNSBMも登場している。ウクライナにはロシアのBlazeBirth Hallや、ポーランドのThe Temple of Fullmoonの様なNSBMサークルが存在した訳ではないが、元々自然崇拝やペイガニズムの傾倒が強いバンドも多く、その発展形としてスラヴォニック・ペイガニズムに基づくNS思想のバンドが多い。

チェコ

1980年代のチェコ（当時はチェコスロヴァキア）は東欧の共産主義国家でありながら早くからアンダーグラウンドで活動するバンドが存在していた。その代表格がプラハ出身のTörr。このバンドは1977年結成と、ロシア（ソビエト連邦）を含めた東欧地域では最も早くから活動しているメタル・バンドである。彼等の1987年1stデモ『Witchhammer』は、暗黒な空気を醸し出すユーロ・スラッシュメタルで、1990年にリリースされた1stアルバム『Armageddon』はVenomやCeltic Frostの影響も見え隠れするサウンドへと変化していった。一方このTörrよりもさらにカルトなブラックメタルを発していたのが、1987年に結成されたMaster's HammerとRootであった。Master's Hammerは1988年の2ndデモ『Finished』でティンパニー奏者が加入するとともに、一気にブラックメタル化。Rootも1988年の1stデモ『War of Rats』から、カルトな空気を発するブラックメタルを聴かせていた（Rootの中心人物Big Bossは後にソロ・バンドを始動させる他、アントン・ラヴェイが創設したChurch of Satanのチェコ支部長も務めていた）。さらに1987年にAsgardが、1989年にはAmon（後にAmon Goethに改名するが、現在はAmonにバンド名を戻して活動中）が結成されており、世界的に見ても1980年代にこれだけ1990年以降ブラックメタルの源流とも言えるサウンドを吐き出していたバンドがいたチェコは奇跡であると言える。

1990年代に入ると、チェコのブラックメタル・シーンはさらに活性化していく。1992年にはManiac Butcherが活動を開始。長年に渡ってチェコ・ブラックメタル・シーンの代表格として活動した他、1993年にはUnclean、1994年にはDark Storm、1996年にはSilva Nigra、1996年にはInfernoやNhaavah、1998年にはStíny Plamenů、1999年にはペイガン・ブラックメタルのTrollechが結成される。しかしながらManiac Butcher以外、1990年代はデモを制作するに過ぎない存在であり、これらのバンドがアルバムをリリースし、浮上してくるのは2000年代以降であった。2000年代以降もチェコからは多くのバンドが出現し、世界中の地下シーンで話題になったデプレッシヴ・ブラックメタルのTristや、難読で知られるポスト・ブラックメタルのと言った存在も出てきており、目が離せないシーンではある。少なくとも2000年代まではヨーロッパでも屈指の活性化されたシーンであったが、2010年代以降は、バンドはそれなりに出てきてはいるものの、1990年代の頃のような勢いを感じさせることがなくなってきている。

なお、Master's HammerやRoot、Törr等をリリースしたMonitorや、Maniac ButcherやDark Storm等をリリースしたPussy God Recordsと言ったレーベルの存在も、チェコのシーンを形成する上で重要な役割を果たした。

ハンガリー

社会主義国家であったハンガリーだが、1980年代からメタル・シーンは存在していた。その中でも1985年に結成されたTormentorは早くからブラックメタル・サウンドを発していることで注目され、ヴォーカルのAttila CsiharがMayhemに加入することでも有名となった。また1980年代後半にはFantomやAngel Reaper、Antichristと言った初期ブラックメタル・バンドが出現していた。

これらのバンドはいずれも短命に終わったが、1993年にはAhrimanやトロンボーン奏者を擁したSear Blissが結成され、1995年にはDuskやBlizzardが、1996年にはFrostやWitchcraftが活動を始める。これらのバンドのほとんどが2000年代からアルバムをリリースし、シーンを活性化させた。2000年代以降もТуман(Tuman)やNefarious等が活動を始める。

さらにDunkelheitやGrimness、Hell Eternal、Niedergang、Lepra、GyötrelemによりアンダーグラウンドブラックメタルサークルのInner Awakening Circleが結成されている。彼等はSigillvm Tenebrae Recordsを運営してハンガリーのアンダーグラウンドなブラックメタル作品をリリースしている。

スロヴァキア

1989年に分離独立するまではチェコスロヴァキアであったが、スロヴァキアはチェコに比べメタル・バンド数が極端に少なかった。1990年代になってもブラックメタルの数は非常に少なかった。デモをいくつかリリースしただけではあったがNemraelというバンドが1990年に結成され、他にもTemnohorやペイガン・ブラックメタルのAlgor、NSBMのÜrdüng等が1990年代には活動を始める。2000年代以降にはKoriumやEvil、Immortal Hammer等、徐々にバンドの数も増えていく。メロディック・ブラックメタルやペイガン・ブラックメタルが多い傾向にある。

セルビア

1980年代まではユーゴスラビアとして社会主義国家であり、1990年代になってから紛争が絶えず、音楽シーンを形成するには厳しい状況であった。セルビアで最も古いとされるブラックメタルのIntroitusが1995年に結成。それとほぼ同時期にSimargalやMay Resultが、1996年にはThe Stoneの前身Stone to the Fleshが活動を始めている。情勢が安定した2000年代以降はKolacやBethor、Eris、Kozeljnik等が結成されバンドの数も増えていく。旧ユーゴ諸国では最もブラックメタルが発達しているが、それでもバンド数は決して多いとは言えない。

スロヴェニア

1980年代はユーゴスラビア連邦に組み込まれた社会主義国家、そして1991年にユーゴから独立した。1980年代(ユーゴ時代)にメタル・バンドは確認できないが、Laibachや暗黒シアトリカル・バンドのDevil Dollを産んでいる。独立後の1990年代には、後にインダストリアル・バンドと変遷していくメロディック・ブラックメタルのNoctiferiaや、1998年から活動するTorka等が出現している。2000年代にもMagus NoctumやSomrak、Aschmicrosa、Bleeding Fist等、少しずつバンドの数も増えていったが、やはりシーンとしては小さい。

クロアチア

旧ユーゴスラビアで1990年代に内戦を経て独立した国家であるためか、他の旧ユーゴ国家同様、1990年代のメタル・シーンは極小さなものであった。それでも1970年代後半のユーゴ時代からザグレブ出身のハードロック・バンドのDivlje Jagodeが活動しており、1980年代後半にはスラッシュメタルのDevastationが存在した。ブラックメタルに関しては1990年代中盤頃からいくつかのバンドが出現するが、アルバムのリリースにまで至ったのはCastrumとGorthaur's Wrathぐらいである。2000年代以降は徐々にバンド数が増えてきているが、知られた存在となったバンドは出現していない。

ボスニア・ヘルツェゴビナ / マケドニア

ボスニア・ヘルツェゴビナは紛争を経て独立した国家と言うこともあり、NSBMの1389等を中心とした小さなシーンが2000年代前半に形成されていたに過ぎなかった。2000年代中盤からVoid Prayerを中心とした地下ブラックメタル集団のBlack Plague Circleが形成され、Nigrum Ignis CirculiやDeathcircle、Niteris、Obskuritatem等が登場。これらのバンドが近年ひそかに注目されている。

また、旧ユーゴスラビアの小国家である北マケドニアにはシーンと呼べるほどのものは確認できていない。2000年代になってMaras等が確認できるぐらいである。

アルバニア / コソヴォ

アルバニアには1980年代末期からスピードメタル・バンドのMegahertzが活動していた(1993年にはThunder Wayとバンド名を変えて『The Order Executors』というカセット・アルバムをリリースしている)。1990年代にはモダン・スラッシュメタルのCrossbonesが活動を始めている。メタル・バンド自体数えるほどしか存在しないようで、アルバムをリリースしているブラックメタル・バンドは確認できない。

紛争の続いていたコソヴォにもいくつかメタル・バンドが存在しているらしい。しかし、スラッシュメタルのDiademaぐらいしか確認できず、ブラックメタルは存在しない可能性が高い。

ルーマニア

ルーマニアもまた1980年代末期まで共産主義国であったが、古くからメタル・バンドが存在しており、1970年代には本格的なハードロックバンドIrisが活動していた。主に 1990 年代になってから活動する正統メタル Cargo の前身 Autostop 等が 1980 年代に活動していたが、この時期にメタル・バンドはほぼいない状態だった。1990 年代になると Cargo や正統メタルの Trooper を始め、デスメタルの Altar や Mercy's Dirge などが活動し始める。ブラックメタルはその流れから若干遅れたものの 1994 年には Negură Bunget の前身となる Wiccan Rede が、1996 年には後に Argus Megere へと改名する Argus 等が活動を始める。2000 年代以降にブラックメタルの数が増え続けていくが、それでも他の東欧諸国に比べたら全体数は少ない。アトモスフェリック・ブラックメタルとして知名度の高い Negură Bunget の存在が有名で、その元メンバーらによる Ordinul Negru 等、やはりアトモスフェリックなブラックメタルが主流ではあるが、アヴァンギャルドな Dekadent Aesthetix 等の個性的なバンドもいたりする。首都のブカレストだけでなくティミショアラや、クルジュ=ナポカ等の地方都市出身のバンドが多いのも特徴的である。

モルドヴァ

旧ソビエト連邦のモルドヴァにもメタル・バンドはいくつか存在する。若干知られているのが、女性ヴォーカル・シンフォニック・ゴシックメタルの Esperoza か、シンフォニック・デス / ブラックメタル・メタルの Advent Fog ぐらい。いずれもデモのみで解散しているが、1990 年代には Witch Desire や Severegore といったブラックメタル・バンドが存在していた。2000 年代以降はブラックメタルはほとんど確認ないが、2011 年に活動を始めたアトモスフェリック / アンビエント・ブラックメタルの Basarabian Hills が話題となっている。

あとは、ロシアの Wintaar との Split を 2019 年にリリースした Caligo ぐらいしか存在しないと思われる。

ブルガリア

1980 年代から 1990 年代のブルガリアのメタルと言えば、2014 年に突如当時の音源が発掘された正統メタル・バンド Total が存在していたぐらいであった。ブラックメタルに関しては、1990 年代に Оберън や Biophobia、後に Iudicium へと改名する Malformation 等が活動していた。しかしどれもデモのみで終わっていた。2000 年代以降になると NSBM の Aryan Art や 88 が登場する。バンド数も実はそれなりに多いのだが、結局名の知れたバンドが非常に少なかった。メロディック・ブラックメタルの Inspell が唯一ここ日本でも話題となったぐらいである。

ベラルーシ

意外にもベラルーシはブラックメタル・バンドの数が多い。ベラルーシで最も早くから存在したブラックメタル・バンドは、1994 年に活動を始めた Pagan。他にも 1990 年代にいくつかのバンドが結成されているが、どのバンドも無名であった。2000 年代になってから Dialectic Soul や Nightside Glance、Solarward、Infestum、Folkvang、Interior Wrath、Massenhinrichtung、Vietah、NSBM の Kamaedzitca 等が活動を始めている。ペイガン、メロディックなバンドが主流でプリミティヴ・ブラックメタルは非常に少ないのが特徴である。

バルト三国(リトアニア / ラトビア / エストニア)

リトアニアで最も早くから活動を始めたのは後にペイガンメタル・バンドとなり、Osmose Productions からアルバムをリリースする Obtest(1992 年結成)で、翌 1993 年には後に Drakkar Productions からアルバムをリースする Nahash が活動を始めている。2010 年代には Au-Dessus や Devlsy と言ったポスト・ブラックメタルが注目を集めたりしている。

ラトビアは Dark Domination や Heresiarh が 1997 年に結成されているが、いずれもほぼ無名な存在だった。2000 年以降はメロディックなスタイルの Nycticorax やペイガン・ブラックメタルの Urskumug、ポスト・ブラックメタルの Sun Devoured Earth と、マニア層で知れた存在のバンドが出てきている。

エストニアで最初のブラックメタルと言われるのが 1992 年に結成された The Grey Calamity(デモを制作しただけで解散)。1990 年代中盤から Ancient Hatred や Loits と言った後に、アルバム・リリースに至るまでのバンドもいくつか活動を始めている。現在のエストニアはペイガン・ブラックメタルが割合的に多く、Realm of Carnivora や Urt、Tharaphita、Tarm 等が日本でもダイハード・マニア層に注目されたりしている。

東欧圏のブラックメタルに関しては岡田早由さんによる『東欧ブラックメタルガイドブック』および『東欧ブラックメタルガイドブック 2』が詳しく取り上げている。なお彼女は筆者の元同僚で現在はポーランドに在住。Dekalog というディストロとブログを運営しており、レアな東欧ブラックメタルの音源を扱っている。東欧圏に特化したブラックメタル専門家として類を見ない存在だ。気になる読者はチェックして欲しい。

Asmodey

Russia

Dark Spiritual Liberation 2014

Dark East Productions

1994年からギターのTsarnadらにより活動を始めているロシアのブラックメタルが、Dark East Productionsから2013年にリリースした2ndアルバム。冷え切った叙情的コールド・リフを主体にファスト・パートからミドル・パートを巧みに組み合わせて、レベルの高い曲構築力も見せつけるハイクオリティな北欧スタイル・ブラックメタルを展開。薄っすらと乗るキーボードも、派手なシンフォニックさはだいぶ控えめで、冷気を生み出す役割を絶妙に果たしている。噛みつくようなガナり声による邪悪な空気もまた格別で、プリミティヴさや禍々しさを残しつつ、ノルウェージャン・ブラックメタルのトップクラスにも位置しそうな高品質サウンドが詰まっている。2014年にリリースされた次作『Illusive Demonic Emanations』では、一気にメジャー・クラスのサウンドを提示する。

Beyond the Grave

Russia

Devil's Venom 2016

Hidden Marly Production

Beyond Ye Graveとしてアルバムを3枚リリースした後にBeyond the Graveと改名し、2016年にリリースされたアルバム（Beyond Ye Grave時代から数えると4thアルバム）。日本のHidden Marly Productionからのリリース。Beyond Ye Graveからの流れを受け継いだ、凍てついた叙情的なリフが吹き荒れるDissectionに近いスウェディシュ・ブラックメタルを彷彿させる。プリミティヴな感触を残しながらもレベルが高く、単なる模倣には終わらない説得力がある。ヴォーカルのHater（Yury Scheglov）はIthdabquth QliphothやUSはニューヨークのブラックメタルVeligoreでも活動している。

Blackdeath

Russia

Fucking Fullmoon Foundation 2002

ISO666 Releases

1995年から活動を始めたDraugwathから1996年にBlack Draugwathへと改名し、Celestiaとのカセット Splitをリリースした後に（1997年レコーディング音源を元にしたアルバム『The True Bottomless Armageddon』が2013年にリリースされている）、1998年にBlackdeathと改名したロシアの重鎮ブラックメタルが、2002年にISO666 Releasesからリリースした2ndアルバム。フレンチ・ブラックメタルとの結び付きが強かったこともあるのだろうか、ドス黒い空気が立ちこめつつ、陰鬱なメロディを滲ませる。病的に唸りながら、狂気を感じさせる絶叫までも発する表現力のあるヴォーカル。耳障りの悪いノイジーなリフから零れる絶望的なメロディと、地下臭くブラックメタルとしての狂気を強く感じさせる名作。

Black Shadow

Russia

...Сквозь Чёрное Пламя Молоха... 2012

More Hate Productions

自身のバンドH.E.W.D.A.T.や、シンフォニック・ブラックメタルとしてここ日本でも結構有名な存在であるAshen Lightのメンバーとして、一時期在籍したLord Demogorgonと、ラトビア出身のAsmodeusによるロシアン・ブラックメタルが、2012年にリリースした8thアルバム。ロシアには多いスタイルとも言えるスウェディッシュ・ブラックメタルに近いコールドな叙情的リフを主体としている。ファスト・パートでの猛烈なブリザード・リフと、陰鬱さを醸し出すミドル・パートでの寂寞感を絶妙に組み合わせて、ハイクオリティな暴虐メロウ・ブラックメタルである。ドラム・マシーンを起用しており、ドラムのRawさがあまり感じられない分、特にファスト・パートでの熾烈さが際立っている。

Branikald

Russia

Av Vinterkald 1997

Independent

NSBM の Forest や Nitberg、NS スラヴォニック・ペイガン・フォーク/ブラックメタルの Темнозорь、RAC の Вандал 等でも活動し、ロシア NSBM サークル BlazeBirth Hall も結成した Kaldrad により、1993 年から活動しているブラックメタル。1990 年代には Forest のメンバーでもあったドラムの Wizard と 2 人で活動していたが、その後 Kaldrad 独りとなり、2001 年までに 10 枚以上のアルバムをリリースしている。本作は 1997 年に自主制作カセットでリリースされた 4th アルバムで、2005 年には『Winterkald』のタイトルで Total Holocaust Records から再発盤もリリースされている。コールドなメロディを滲ませるリフを淡々と繰り出し、狂的なガナり声により凍えそうな寂寞感を漂よわせる、ミサントロピックなブラックメタル。

Forest

Russia

Forest 1996

Independent

Nitberg や Вандал、Темнозорь 等々多くの NS/RAC バンドでも活動し、Branikald として活動した Kaldrad を中心に、1994 年から活動した NSBM の 1996 年 1st アルバム。1〜4 曲目は 1994 年に 5 曲目は 1996 年にレコーディングされた音源で、ドラムは Branikald にも参加した Wizard。オリジナルは自主制作カセットだが、2008 年に Stellar Winter Records から再発盤 CD がリリースされている。Darkthrone からの影響が強い、凍てついたメロディによる退廃的なプリミティヴ・ブラックメタルだが、勇壮に歌うクリーン・ヴォイスを導入したりしている。2001 年に Kaldrad が不法武器所有により投獄されたため、活動が休止されたが、2005 年に復活。しかし同年 Ulv Gegner Irminsson が殺害され、解散した。

Frozenwoods

Russia

Echoes of the Winterforest 2012

Musica Production

デスメタル・バンドの Breath of Beherith で活動し、アトモスフェリックなブラックメタルの Eoront のメンバーでもある Foltath Eternum と、シューゲイザー/デプレッシヴ・ブラックメタルの Side of Despondency にも参加した Malzus によるプリミティヴ・ブラックメタル。ロシアのメタル・レーベルとしては最大規模の Musica Production から 2012 年にリリースされた 1st アルバム。ロシアン・ブラックメタルらしいコールドな叙情メロディによる、北欧スタイルに近い凍てついたサウンドの一方で、ネイチャー系ブラックメタルのミサントロピックな寂寞感と厭世感も。ドラムや邪悪なヴォーカルは Raw さが感じられるが、サウンド・プロダクションは良好なのもあり、高品質なコールド・メロウ・ブラックメタルを聴くことが出来る。

Ithdabquth Qliphoth

Russia

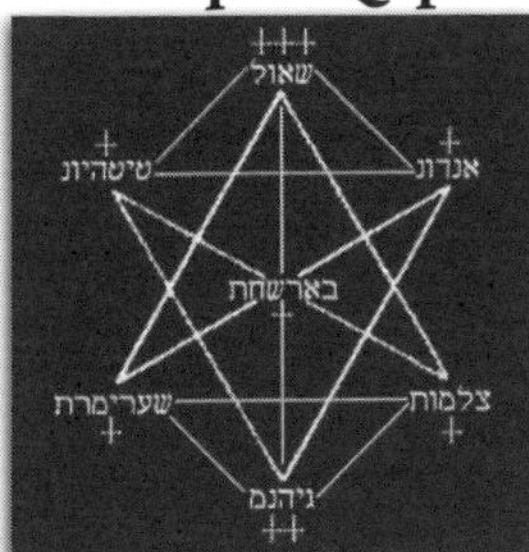

Ithdabquth Qliphoth 2005

Thou Shalt Kill! Records

Hammer of Qliphoth や Deathmoon としても活動する Al-La-Sht-Orr によるブラックメタルが 2005 年にリリースした 2nd アルバム。本作でギターを弾いているのは Beyond Ye Grave 〜 Beyond the Grave の Hater こと Xefinrakh である。Raw な音でジャリジャリとしたノイジーさから滲み出る陰鬱なメロディがミニマムにループしていき、ミドル/スロー・テンポでジワジワと絶望感を刻んでくる退廃的なプリミティヴ・サウンド。デプレッシヴ・ブラックメタルに近い荒涼とした空気も漂わせながら、淡々と不穏感を煽ってくる様が非常に不気味だ。ちなみにバンド名の「Qliphoth」はユダヤ神秘主義の悪や不均衡な力を現す概念から取られていると思われるが「Ithdabquth」の意味が全く不明。

Misanthropic Art

Russia

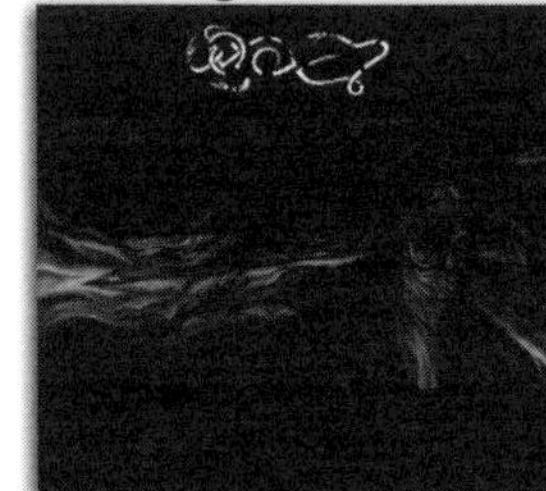

The Streams of Terror

2014

Macabre Productions

Deathmoor やウォー・ブラックメタルの SS-18、アヴァンギャルド・ブラックメタルの Lashblood 等々、多くのバンドでも活動している Sadist によるブラックメタルが 2014 年に 2 枚組でリリースした 9th アルバム。Raw で厚みのないサウンド・プロダクションによりアンダーグラウンド臭さが蔓延。さらに、ひび割れした不協和音トレモロ･リフが禍々しさを増幅。時折悲哀感を感じさせるメロディも顔を出すが、ノイズと化したリフに掻き消されてしまう。ガナリ声と絶叫を交えたヴォーカルも強烈。異様な邪気と得体の知れないエネルギーを強く感じさせる。

Nitberg

Russia

Nagelreid

2010

BlazeBirth Hall

ロシアの NSBM サークル BlazeBirth Hall の中心であり、Branikald や Forest 等々でも活動する Kaldrad が 1999 年に始動させた NSBM の 2010 年にリリースされた 2nd アルバム。Raven Dark のメンバーでもあった Ulv Gegner Irminsson が 2005 年に刺殺され亡くなったため、Вандал や Темнозорь でも Kaldrad と活動を共にしている Stringsskald がメンバーとなっての作品。1st アルバムは Absurd を彷彿させる RAC 寄りのサウンドだったが、本作では Darkthrone 等をベースにした、コールドなメロディを擁したプリミティヴ･ブラックメタルである。怒気溢れるヴォーカルから漏れてくる NS 思想の過激なオーラが、単なるプリミティヴ・ブラックメタルとは異なる空気を生み出している。

Old Wainds

Russia

Смерть Север Культ

2008

Debemur Morti Productions

デスメタル・バンドの Full Decay の元メンバーであり、Навь でも活動した Sergey Grachyov（Morok）らによるブラックメタルが 2008 年に Debemur Morti Productions からリリースした 4th アルバム。ドラムは元 Full Decay で Навь のメンバーでもある Izbor がセッション参加して担当。タイトルは英語訳で『Death Nord Kult』。スラッシュ・メタルからの流れを汲んだ刻んだリフ主体の曲から、トレモロ・リフ主体の曲と割とバラエティに富んでいる。1990 年代のノルウェージャン・ブラックメタルをベースとしており、オーセンティック。ロシアらしい叙情的でコールドな感じはあまり感じさせず、ブラックメタル本来の原始的な、邪悪でイーヴルな空気感をきちんと出している。

Raven Dark

Russia

Autumn Roar

2006

Stellar Winter Records

ロシアの NSBM サークルの BlazeBirth Hall を代表するバンドであり、Forest や Nitberg で活動した Ulv Gegner Irminsson が 1994 年から始めたブラックメタル。2000 年には Wotan Sølv へ改名し、その後 Asagott とバンド名を変えていたが、2005 年に Ulv Gegner Irminsson が刺殺されてしまったために、幕を閉じた。この作品は 2006 年に Stellar Winter Records からリリースされた 3rd アルバムであるが、1995 年にレコーディングされていた音源。ガシャガシャ鳴り響く Raw 過ぎるドラムに、チリチリ・ザーザーとしたノイジーなリフ、そしてやたら狂的に叫びガナりまくるヴォーカルによる、Lo-Fi なプリミティヴ・サウンド。物凄い邪悪さと不穏さが、地下室で密閉されている。

Soli Diaboli Gloria

Russia

Soli Diaboli Gloria

2009

The Howl

Meti Bhuvah やクラスト/ブラックメタルの Antimelodix でも活動する Magister を中心としたロシアン・プリミティヴ・ブラックメタルが 2009 年にリリースした 1st アルバム。ファスト・パートでの猛烈なブラストとジワジワと黒い空気を滲ませるミドル・パートを組み合わせながら、暗黒度の高いプリミティヴなブラックメタル。Deathspell Omega からの影響が大きい漆黒な空気を大量発生させるガナり声と、インテリジェンスを感じさせ、凍て付いた突き刺す様なリフが特徴的。カオティックな要素がある曲展開も比較的凝っており、総じてレベルは高い。Deathspell Omega のカバーも収録されているが違和感はなし。バンドは 2014 年に 2nd アルバム『The Last Blessing』をリリースした後に解散している。

Solis Occasum

Russia

Unholy Faces of Dead

2015

Symbol of Domination Prod.

Incipit Satan というブラックメタルでも活動している Alexey Denisov による一人プリミティヴ・ブラックメタルの 2015 年にベラルーシのグラインドコアやアンビエント等を中心にリリースする Symbol of Domination Prod. とフランスの Hass Weg Productions が共同でリリースした 2nd アルバム。1990 年代ブラックメタルからの流れを汲むリフに、何やら奇怪な叫びや暗黒臭のキツ過ぎるガナり声で、猛烈に禍々しい空気を発するヴォーカルにより、暗黒カルトな Raw ブラックメタル。オールドスクールなブラックメタルがベースではあるが、曲展開も混沌としており、完全に地下へと潜ったアンダーグラウンド以外の何物でもない。この度が過ぎた暗黒さから、陶酔感に浸ることができる。

M8Λ8Tx

Russia

Чёрным Крылом

2004

Stellar Winter Records

Alexey による NSBM で、ロシアはモスクワ北西部に位置するトヴェリという都市出身。現在はウクライナに活動の拠点を移している。したがってロシアの NSBM サークルの BlazeBirth Hall には所属していないようである。本作はロシア NSBM レーベルの Stellar Winter Records から 2004 年にリリースされた 1st アルバム。ハードコアに近い感触の高音絶叫により、やたら騒々しさを醸し出している。正統メタル的要素からブラックメタルらしいトレモロ・リフによるメロウな場面、そしてハードコア・テイストが含まれる。それらの混然とした要素を実に巧みに融合させ、独自のブラックメタルを展開。Absurd スタイルの RAC に近いサウンドではなく、ブラックメタル要素が浸み込んでおり、NSBM の不穏な空気を強力に漂わせ、攻撃的に突き進むサウンドが素晴らしい。

Навь

Russia

Волчье солнце

2008

Forever Plagued Records

デスメタル・バンド Full Decay でも活動し、Old Wainds のメンバーでもある Izbor らにより、1996 年から活動するブラックメタル。バンド名の英語表記は「Nav」。本作は US の Forever Plagued Records から 2008 年にリリースされた 2nd アルバム。ギターとベースは 1998 年から加わっている Gorud。邪悪な空気を滲ませながら攻撃的に叫びガナりまくるヴォーカルと、スラッシュメタルからの流れを汲んだ刻むリフを主体に、時折トレモロ・リフを導入する。バンド・コンセプトであるペイガニズムやネイチャー系の雰囲気は、アコースティック・ギターや女性ヴォーカルも取り入れた部分以外では然程感じさせない。いわゆるブラックメタル然としたスタイルではないが、スラッシュメタル・ベースで正統メタル要素が強いブラックメタルとして高水準である。

Behemoth

出身地 ポーランド・グダニスク　　結成年 1991 年

中心メンバー Nergal

関連バンド Damnation、Christ Agony、Azarath、Vesania、Hell-Born、Me and That Man

今やワールドワイドで成功を収めている Behemoth であるが、当初はプリミティヴなブラックメタルであり、ブラックメタル先進国ポーランド・シーンを作り上げた第一人者でもあった。

1991 年に Holocausto と Sodomizer により、ポーランド北部のバルト海に面した都市グダニスクで結成された Baphomet が Behemoth の前身となる。Baphomet は音源を残しておらず、すぐに Behemoth へと改名。Holocausto は Nergal（ヴォーカル / ギター / ベース）へ、Sodomizer は Baal Ravenlock（ドラム）と名乗り、Desecrator（ギター）が加わる。彼等は 1992 年にデモを制作。Desecrator はすぐに脱退するが、Pagan Records と契約し、1993 年にデモ、Frost（ギター）が加わり、1994 年にもデモをリリースする。当初から彼等は Bathory や Hellhammer 等の、1980 年代暗黒スラッシュメタルからの影響が強いブラックメタル・サウンドで、次第にノルウェージャン・ブラックメタルに近いスタイルへと変化していく。

1994 年 12 月に Nergal と Baal Ravenlock の 2 人でデモとしてレコーディングされた 9 曲に、1994 年 7 月に Frost が加わっていた 3 人編成でレコーディングされていた 1 曲を加えた 1st アルバム『Sventevith (Storming Near the Baltic)』を 1995 年にリリース。さらにその直後にイタリアの Entropy Productions から 1994 年 7 月レコーディング音源 5 曲を収録した EP『And the Forests Dream Eternally』をリリース。Graveland と並んでポーランドのシーンの礎を築くこととなった。1995 年には Damnation の Les（ベース）が加入。ドイツの Solistitium Records と契約し、1996 年に 2nd アルバム『Grom』をリリース。この作品は女性ヴォーカルやアコースティック・ギターも導入し、新たな音楽性を見せた。彼等はアルバム・リリース後ヨーロッパ・ツアーを行い、また Baal Ravenlock と Les は別プロジェクトとして Hell-Born をスタートさせる。

Baal は同年に脱退するが、Damnation にも参加していた Inferno（ドラム）が 1997 年に加入。またこの時期は Nergal も Damnation に参加しており、1997 年に Damnation との Split をリリースする。2 月にレコーディングした曲と過去曲の再録音源を収録した EP『Bewitching the Pomerania』をリリース。以降、彼等はデスメタル色を強めながらメジャーな存在となっていく。

Behemoth

Poland

...From the Pagan Vastlands 1994

Witching Hour Productions

Nergal と Baal、そして Frost により制作された、1994 年 12 月にレコーディングされた 4th デモ。Nazgul's Eyrie Productions から CD もリリースされ（US では Wild Rags Records からリリース）、2011 年には Witching Hour Productions から再発された。この頃になるとコールドなメロディを擁しながら、ノルウェージャン・ブラックメタルに比較的近い、本格的ブラックメタル・サウンドとなっている。2015 年にリリースされた初期音源集『Thy Winter Kingdom / ...From the Pagan Vastlands』には 1994 年 9 月にレコーディングされた別バージョンが収録されているが、こちらはまだごく初期スタイルかつボコボコな音質なので、ほぼ別作品のように聴こえる。

Behemoth

Poland

Sventevith (Storming Near the Baltic) 1995

Pagan Records

1995 年に Pagan Records からリリースされた 1st アルバム。デモ期に比べ、当然ながら音質は大幅に良くなっているが、それでもまだ Raw なサウンド・プロダクションだ。シャリシャリとした感触のギター・リフと、やたら喧噪的に叫びまくる Nergal のヴォーカルが前面に押し出された音作り。しかしながら、より一層凍てついたメロディが吹き荒れたスタイルで、そこに随所で荘厳さを醸し出すキーボードがギター以上にメロディの主導権を握っている。ブラックメタルとしては北欧勢に比べても見劣りしない。ちなみに 1st アルバムではあるが、9 曲は元々デモとしてレコーディングされたものであり、10 曲目だけ同年にリリースされた EP『And the Forests Dream Eternally』にも収録された音源。

Behemoth

Poland

And the Forests Dream Eternally 1995

Entropy Productions

1995 年にイタリアの Entropy Productions からリリースされた EP。1994 年 7 月にレコーディングされた音源で 1 曲目の「Transylvanian Forest」は 1st アルバムにも収録された。Nergal の邪悪で禍々しい空気を異様に発する絶叫とガナリ声が、ノルウェー勢にも負けないぐらいの暴虐性を押し出している。さらに、スウェディッシュ・デスメタル勢に近いジャリジャリとしたリフと、そこから溢れ出すコールドなメロディが印象的。凍てつく叙情的なメロディも随所でその威力を発揮しており、そのセンスは一級品である。EP ではあるが、初期 Behemoth の傑作として挙げられるべき。2005 年には Metal Mind Productions からボーナストラックに 1997 年の EP『Bewitching the Pomerania』を収録したリマスター再発盤がリリースされている。

Behemoth

Poland

Grom 1996

Solistitium Records

Damnation や Hell-Born でも活動していた Les（ベース）が加入し、ドイツの名門 Solistitium Records から 1996 年にリリースされた 2nd アルバム。ファスト・パートにおけるブルータルさが一気に増し、Nergal のヴォーカルも喚き散らす絶叫から、迫力のあるガナリ声へとシフト。これまで通り凍てついたメロディによるノルウェージャン・ブラックメタルに近いスタイルではあるが、キーボードやアコースティック・ギターによる展開変化に女性ヴォーカルや、朗々としたノーマル・ヴォイスも取り入れたりと、ファスト・ブラックメタルだけにとどまらない音楽的なレンジの広さを見せつける。当然ながら 1990 年代ブラックメタルの名作に数え上げられるべき。

Arkona

Poland

Imperium 1996

Astral Wings Records

インダストリアル / アンビエント・ブラックメタルの Mussorgski でも活動し、一時期ブラッケンド・デスメタルの Pandemonium のメンバーでもあった Khorzon や、Mussorgski の初期メンバーでもあったヴォーカルの Messiah らにより 1993 年から活動する Arkona。彼らが 1994 年にレコーディングし、1996 年にリリースした 1st アルバム。チリチリとしたノイジー・リフと、そこから溢れ出す様に叙情的なメロディを奏でるギターのメロディ、生々しい音で叩き込むドラム、そして冷気と薄っすらのアトモスフェリックな空気を発するキーボードによる、プリミティヴなメロウ・ブラックメタル。ファスト・パートとミドル / スローを巧みに操り、ドラマティックにまとめ上げる曲展開が見事である。アンダーグラウンド臭が非常に強いが、ポテンシャルの高さを見せる。

Arkona

Poland

Zeta Reticuli: a Tale About Hatred and Total Enslavement 2001

Eclipse Productions

相変わらずと言うか、さらにプリミティヴさに拍車がかかった 2001 年リリース 2nd アルバム。レコーディングは 1995 年と 1996 年とのことなので 1990 年代アンダーグラウンド・ブラックメタルの薫りを色濃く醸し出している。チリチリとしたリフに Raw なドラムがパタパタと走りまくり、邪悪な空気を撒き散らすガナり声により、原始的なブラックメタルである。1st アルバムで目立ったメロウさはジワリと滲み出す程度で抑えられ、コールドなキーボードはここではほとんど姿を現さない。より地下へと潜った原始的ブラックメタルだが、彼等らしいメロディを薄っすらと随所で披露している。2017 年に Messiah が心不全のために亡くなっているが、現在はゴシック・ブラックメタルの Mystherium のメンバーでもある、Drac がヴォーカルを執っている。

Belfegor

Poland

The Kingdom of Glacial Palaces 2000

Empire Records

オーストリアのブルータル・ブラックメタルの Belphegor ではなく、ポーランドのファスト・ブラックメタルの Belfegor が 2000 年に Empire Records からリリースした 1st アルバム。全編に渡ってブラスト全開のハイパーなファスト・パートが怒涛の如く押し寄せ、Raw な音で一糸乱れぬブラストを猛然と叩き込むドラム。そして、Abbath に似た粘着質なイーヴル・ヴォーカルや、コールドな空気を撒き散らし、冷徹かつ邪悪な雰囲気を創出するギター・リフにより、1st アルバムにしては相当なレベルの高さを提示。いきなり質の高いバンドが何気もなく出現してしまう辺りが、ポーランド・シーンの真骨頂でもある。バンドはこの後、2 枚の良質なアルバムをリリースするが、たいして話題にもならず、解散している。

Besatt

Poland

In Nomine Satanas 1997

Independent

Beldaroh、Weronis、Dertalis により 1991 年から活動し、ポーランドでは Behemoth や Graveland と同時期に最も早くからブラックメタル・シーンを形成したバンド。本作は Dertalis は脱退しているが、Fulmineus と Creon が加入して制作され、1997 年にカセット・リリースされた 1st アルバム。チリチリとしたノイジーなギター・リフに潜むどこか冷気を感じさせるメロディ、邪悪さを全霊で吐き出すヴォーカル、猛然としたファスト・パートからミドル / スロー・パートを絡める展開構築、そしてアンダーグラウンドな世界に固執し、プリミティヴなブラックメタルの真髄を絶妙に突いている。スタイルは違うが、初期 Rotting Christ や Mortuary Drape と同調の暗黒カルト性がある。

Besatt

Poland

Hail Lucifer

2000

Pagan Black Cult

Beldaroh、Fulmineus、Creon の 3 人でレコーディングされ、2000 年にカセットで Pagan Black Cult なるレーベル(Besatt の自主制作レーベル？)からリリースされた 2nd アルバム。ノイジーなリフから零れるコールドなメロディ、ギャーギャーと喧噪的に叫びながら強力な邪気を発するヴォーカル、Raw な感触のドラムと、前作を受け継いだサウンド・スタイルだ。しかしながらギター・リフの厚みが増し、リズムのタイトさやメロウな要素がより増してきた。地下臭さや、強力なイーヴルさが全体を覆いつくす様は相変わらずだが、前作でのカルト的雰囲気を内包したサウンドから、よりオーセンティックなブラックメタルとなっている。1st アルバム同様、後に何度か再発盤がリリースされている。

Besatt

Poland

Hellstorm

2002

Undercover Records

2002 年にドイツの Undercover Records からリリースされた 3rd アルバム。コールドなメロディを伴ったギター・リフと、イーヴルな空気を撒き散らしながら叫びまくるスタイルのヴォーカルにより、これまでの Besatt らしさを存分に発揮。さらにリフのノイジーさがより整合された、特にブラスト全開のファスト・パートにおいてブルータルさが増してきた印象。ファストとミドル / スロー・パートの組み合わせによる緩急差がより明確化され、凍えそうなメロディも随所でその威力を発揮。純粋にクオリティをさらに上げてきた。とは言え、相変わらずアンダーグラウンドさにこだわった Raw なサウンド・プロダクションによる、プリミティヴな感触は失われていない。2008 年にはブラジルの Mutilation Productions から再発盤がリリースされている。

Besatt

Poland

Sacrifice for Satan

2004

Undercover Records

Creon が脱退し、Agonus が加入して 2003 年の EP『Roots of Evil』のリリースを挟み、2004 年に発表された 4th アルバム。前作同様 Undercover Records からのリリース。刺々しいギター・リフの音色と、そこから溢れる Besatt らしい凍てついたメロディが印象的。前作からの延長線上で、よりブルータルな方向へと行かずに、プリミティヴなブラックメタルらしい地下臭い暴虐性を撒き散らす。整合性やメジャー性よりも、ブラックメタル本来のアンダーグラウンドさにこだわっているスタンスがいかにも彼等らしいが、クオリティ自体は相変わらず高い。1 曲には何とポーランド・スピードメタルの重鎮 Kat の Roman Kostrzewski がゲスト参加。

Black Altar

Poland

Death Fanaticism

2008

Odium Records

自らの一人ブラックメタル Kriegsgott でも活動することとなる Shadow により 1996 年から活動しているブラックメタルが、2008 年に Shadow が運営する Odium Records からリリースした 2nd アルバム。Antichrist と Lord von Skaven が脱退し、メンバーとしてエクスペリメンタルなブラックメタル Aeon 等で活動する Horizon が加入しての作品。ゲスト・ヴォーカルに Anima Damnata や Thunderbolt、Throneum 等の Necrosodom が参加している。猛然としたブラスト・パート主体ながら、絶妙にミドル・パートを配するファスト・ブラックメタル。冷気を含んだメロディによる鋭利なリフは、スウェディッシュ勢を想起させる。

Capricornus

Poland

Alone Against All

2004

Supernal Music

Graveland を 始 め、Thor's Hammer や Infernum（Graveland の Rob Darken とのユニット）でも活動したポーランドの NSBM 重要人物の一人である Capricornus によるブラックメタルが、2004 年に UK の Supernal Music からリリースした唯一のアルバム。ヴォーカルから楽器群全てを Capricornus がこなしている。Raw なサウンドによる Darkthrone 辺りの 1990 年代初期ブラックメタルをベースとしたオーセンティックなプリミティヴ・ブラックメタル。極右思想ではあるが、直接的にその過激性は感じさせず、薄っすらとメロウな要素のある原始的ブラックメタル・スタイルである。なお本作は Capricornus 本人と Rob Darken、スラッシュ / デスメタル・バンド Magnus の Python の 3 人がプロデュースしている。

Cultes des Ghoules

Poland

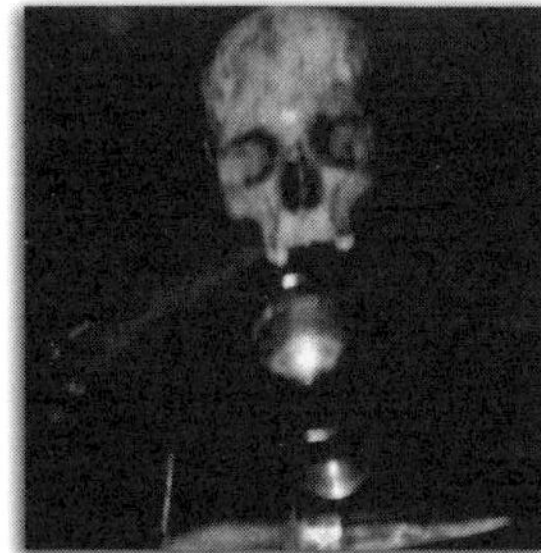

Häxan, ...or Medieval Witchcraft and Infanticide...

2008

Under the Sign of Garazel Productions

2004 年から活動するカルト・ブラックメタル。バンド名は H.P. Lovecraft による『クトゥルフ神話』中に出てくる黒魔術の本から取られている。本作は 7 インチ EP『Odd Spirituality』（2007 年）に続く 2008 年発表 1st フル・アルバム。1980 年代ブラックメタルからの流れを汲む汚いリフとドカドカとしたドラムによる、デスメタルや暗黒スラッシュメタルの要素も内包したオールドスクールな音。背徳感丸出しのガナリ声ヴォーカルがとんでもなく邪悪な空気を創出。Von や Beherit 等をさらにイーヴルにしたオカルト的な異形世界を構築し、Raw な音質による密閉された地下空気を絶妙に演出している。

Dark Fury

Poland

Vae Victis!

2004

Elegy Records

Thor's Hammer や Selbstmord、Ohtar、Thoth 等でも活動し、Graveland 人脈上にもある Raborym による NSBM の 2004 年 1st アルバム。ドラムは Thunderbolt に一時期ヴォーカルとして在籍していた Wrathyr。陰湿でコールドなメロディが溶け込みながら、チリチリとした音色のノイジーなリフやトレモロ・リフによる、時折 Burzum を想起させる所があるプリミティヴなブラックメタル。そして、地下空間を形成する Raw なサウンドだ。邪気と言うよりは底知れぬ不穏感を漂わせながらガラガラ声でガナりまくるヴォーカルと、冷え切ったメロディがジリジリと切り刻んでくるような殺傷性の高いリフにより、NS 思想の只ならぬ物騒さをじんわりと感じさせる。

Dark Fury

Poland

Slavonic Thunder

2005

Elegy Records

Graveland を始めとするポーランドの NSBM の主要バンドの一つ。2005 年に前作同様 US の Elegy Records からリリースされた 2nd アルバム。前作でのチリチリ・ジャージャーとしたノイジーさがシャープな音作りとなり、Raw さと地下臭さが薄れたサウンド・プロダクションとなっている。もちろんメジャーな感触とは程遠いプリミティヴさはきちんと保たれている。冷えきったメロディがより鮮明になることと、得体の知れない不穏感すら醸し出していたガナり声がスタイルこそ変わってはいないが、アクの強さが大分無くなることで、より聴き易いサウンドとなってきている。NSBM の狂気をそれほど感じさせしない。

Demiurg

Poland

From the Throne of Darkness

2005

Eastside

Moontower で活動し、初期 Selbstmord のメンバーでもあった Belial と、2000 年ぐらいに Moontower のメンバーとしても活動していた Amaimoon によるブラックメタルが 2005 年に Eastside からリリースした 1st アルバム。Raw で篭った音質のため、地下臭さを多分に感じさせるプリミティヴ・サウンド。妖しい音色を不気味に響かせたり、デプレッシヴな雰囲気を創出するキーボード、マシーン的な無機質さを感じさせる打ち込みドラム、絶望感を滲ませたメロディを発したり、オールドスクールだったりするリフ。さらに勇壮なペイガンメタル風の展開があったり、メロウさを押し出したりと中々一筋縄ではいかない。しかしながら、全体的には沈み込む様な陰鬱さを感じさせる。

Deus Mortem

Poland

Kosmocide

2019

Terratur Possessions

ブルータル・デス / ブラックメタルの Anima Damnata のメンバーでもあり、Thunderbolt や Throneum、Azarath でも活動してきた Necrosodom（ヴォーカル / ギター / ベース）を中心に 2008 年から活動しているバンドの 3rd アルバム。ドラムは Infernal War や Mordor のメンバーで、元 Thunderbolt の Stormblast。コールドなメロディを擁しながらも、キレのある怒涛のブラスト・パートを中心としたブルータル度が高いブラックメタル。暗黒で邪悪な空気が色濃く出ており、アンダーグラウンド臭は強い。Mgła と Kriegsmaschine で活動する M. がプロデュース。そのおかげで各パートの分離等、音質はすこぶる良好である。

Furia

Poland

Martwa Polska Jesień

2007

Death Solution

Massemord やインダストリアル・ブラックメタルの Cssaba、ポスト・ブラックメタルの Morowe 等でも活動する Nihil、Massemord の Sars と Namtar によるブラックメタルの 2007 年 1st アルバム。Massemord とは異なり、突き刺す様なコールドで叙情的リフが吹き荒れる。ファスト・パートからミドル・パートまでを、キレのある演奏力とハイレベルな楽曲構成により、1st アルバムにしては相当なクオリティ。ただし、邪悪な空気を放ちながらガナりまくるヴォーカルや、整然となりすぎずに適度にノイジーでグロテスクな感触のサウンド・プロダクションにより、メロウであっても単なるメロディック・ブラックメタルとは一線を画した真性さを強く感じさせる。2011 年には Pagan Records から再発盤がリリースされている。

Furia

Poland

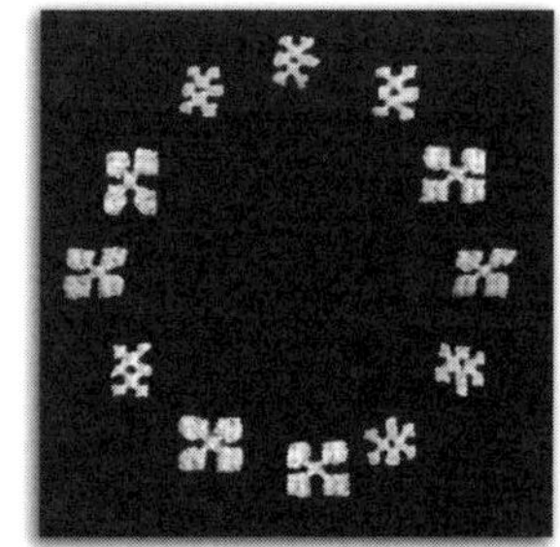

Grudzień za Grudniem

2009

Pagan Records

2009 年に Pagan Records よりリリースされた 2nd アルバム。前作でも際立っていた凍える様なメロディを主体としたハイレベルなブラックメタル・スタイルを残しつつ、多彩な展開によりプログレッシヴな印象が強くなった。プログレッシヴと言っても洗練された印象はなく、禍々しい空気が渦巻く場面も多く、一筋縄ではいかないサウンドとなっている。特に暗黒カオティックな部分では突飛な展開を見せたかと思うと、漆黒な世界にどっぷりと染まる。リリカルだったり、寂寞的なメロディによる激情的なパートや劇的展開要素を絡め、高度なアレンジ力でまとめ上げていくポテンシャルの高さは相当なもの。本作以降、さらにエクスペリメンタルでアヴァンギャルドな要素を研磨したサウンドへと、進化を遂げていく。

Graveland

Poland

Carpathian Wolves 1994

Eternal Devils

Infernum や Thoth、メディーバル・フォークユニットの Lord Wind でも活動する Rob Darken により、1991 年から活動するペイガン・メタル。Darken 本人は NSBM ではないとしているようだが、音楽性はブラックメタルとの近似性がだいぶ強い。Behemoth と並んでポーランド・シーンを創出し、ペイガニズムに基づく NS 思想をシーンに根付かせたという点において、避けることの出来ない存在である。本作は 1994 年にリリースされた 1st アルバムで、Capricornus と 2004 年に自殺により亡くなってしまう Karcharoth との 3 人により制作された。随所で荘厳さを演出するキーボードを配し、あまりに Raw で劣悪な音にひたすらノイジーな音を吐き出すリフ。そして、狂気が宿ったかのように喚き散らすヴォーカルにより、プリミティヴな空気が渦巻いている。

Graveland

Poland

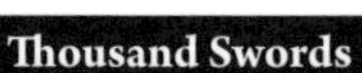

Thousand Swords 1995

Lethal Records

1995 年にリリースされた 2nd アルバム。複雑な状況下でのリリースで、当初は Nuclear Blast や Osmose Productions からもオファーがあったようだが、ドイツの極右レーベル No Colours Records と契約。しかし Rob Darken はオーストリアの Lethal Records から本作をリリースしてしまい、さらに翌 1996 年には自身の Isengard Productions からもリリースしてしまう。その後、No Colours からも再発盤がリリースされており、それぞれジャケット・アートワークが異なる。内容の方は前作でのガビガビな地下サウンドから、整合性の取れた音となっている。ミドル・パートに主軸を置き、荘厳なキーボードを配し、怨念のこもったガナリ声が不気味な空気を色濃くさせている。後の Graveland の方向性を示唆する。

Graveland

Poland

Following the Voice of Blood 1997

No Colours Records

Karcharoth が脅迫や暴行事件を起こしたりして脱退（彼は 2004 年に自殺により亡くなる）。さらに Capricornus もセッション・メンバー扱いとなっており、実質 Rob Darken 一人となっての 1997 年 3rd アルバム。本作はきちんと No Colours Records からリリースされた。荘厳でアトモスフェリックな雰囲気を醸し出すキーボードが、より随所で効果を発するようになってきており、ファスト / ミドル・パートを織り交ぜ、ドラマティックな展開に主軸を置いた勇壮さのあるスタイルが昇華。後の Graveland のスタイルを確立させた。地下臭さとプリミティヴさ、そしてどこか不穏で不気味な空気を醸し出し、暴虐的で、ブラックメタル要素の強いペイガンメタル。Absurd の JFN が 2 曲目の歌詞を提供している。

Hateful

Poland

Descendants of the Earth 2016

Werewolf

Szron の Demon、Ohtar や Selbstmord、Thoth のメンバーでもある Necro、自身のアンビエント・ブラックメタル Morxakh としても活動する Morxakh により、2001 年から活動するブラックメタルの 2016 年リリース 2nd アルバム。Raw なサウンド・プロダクションで、ミドル / スロー・テンポ主体の展開の中を、アトモスフェリックな空気を発している。ミサントロピックで陰湿なメロディを奏でるギター・リフと、時折苦痛な表情を浮かべながら絶望的な雰囲気を醸し出すガナリ声によるプリミティヴ・ブラックメタル。デプレッシヴ・ブラックメタルに通じる暗鬱さを垂れ流し、強烈な厭世感を終始浸透させ、メンバーが絡む、どのバンドとも異なった絶望サウンドだ。

Holy Death

Poland

Triumph of Evil 1996

Baron Records

1980 年代末期から活動していたスラッシュメタル Gladiator が母体で、1993 年からブラックメタル・バンドとなり、1996 年にリリースされた 1st アルバム。本作のメンバーは Mgła や Kriegsmaschine、ドゥームメタルの Deadly Frost でも活動することとなる Daren（ドラム）、Deadly Frost の Necronosferatus（ヴォーカル）に Asphodelus（ギター / ベース）と Exterminas（キーボード）。時折怪しげな空気を作り出すキーボードを配しながら、Bathory や Varathron、Mortuary Drape 等を彷彿させる、1990 年代初頭の原始的な邪悪さを吐き出すブラックメタルだ。オリジナル盤はカセットだったが、2015 年には Witching Hour Productions から再発 CD がリリースされている。

Infernum

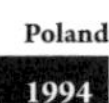

Poland

...Taur-Nu-Fuin... 1994

Astral Wings Records

Graveland の Rob Darken と初期 Graveland を支えた Capricornus、そして初期 Graveland のメンバーで 2004 年に自殺してしまった Karcharoth によるブラックメタル・バンドの 1994 年 1st アルバム。Graveland がペイガンメタルとしての精神性を掲げているのに対して、こちらはブラックメタル然としたサタニズムやオカルティズムを主とした性質のバンドであった。極初期 Graveland と似通ったチリチリとしたギター・リフから、叙情的なメロディを滲ませるスタイルで、ドラマティックな展開に主軸を置いている。Anextiomarus の邪悪さを猛烈に発するガナり声と、Darken の妖しく不穏な空気を随所で強力に創出するキーボードが非常に特徴的で、カルトなイメージを強く感じさせる。

Kriegsmaschine

Poland

A Thousand Voices 2004

Blutreinheit Productions

Mgła を率いる M. と、デスメタル・バンドの Hate のメンバーとして活動した Destroyer による真性ブラックメタルの 2004 年リリース EP。本作では Leatherface（ヴォーカル）と Mgła やポスト・ブラックメタルの Anaboth 等でも活動してきた Daren（ドラム）がメンバーとして参加。リバーブが掛かり、攻撃的かつ邪悪な空気を撒き散らしながらガナり立てるヴォーカルや、暗黒さが染み渡った 1980 年代ブラックメタルからの影響が強いギター・リフにより、Mgła に通じるドス黒い空気が立ちこめる。勢いまかせ気味のブラスト全開ファスト・パートと、ジワジワと黒い影を忍ばせるミドル・パートの緩急差により、1st EP ながらすでに完成度が高いプリミティヴ・ブラックメタルである。

Kriegsmaschine

Poland

Altered States of Divinity 2005

Todeskult

M.、Destroyer、Daren の 3 人で制作され、M. がヴォーカルも兼任して、2005 年にリリースした 1st アルバム。相変わらず暗黒度の高いノイジーなリフに、ファストとミドル・パートを絶妙に組み合わせた完成度の高いブラックメタル。M. のヴォーカルもまた強烈で、ドス黒い空気を撒き散らしまくりながらガナり立てており、それにより時折呪術的な雰囲気を生み出す邪悪さを吐き出す。EP よりも音質はクリアになり、1980 年代暗黒スラッシュからの流れを汲み、ある種のキャッチーさも内包したリフが特徴的。そのリフの音色が刺々しくなり、ストレートな攻撃性を剥き出しにしたブラックメタルを提示している。前作同様ファスト / ミドル・パートの緩急差を巧みに利用した曲展開も見事。

Massemord

Poland

The Madness Tongue Devouring Juices of Livid Hope 2010

Pagan Records

Furia の Nihil（ギター）と Namtar（Furia ではドラムだがこちらではヴォーカル）、Sars（ベース）らによるブラックメタル・バンドが 2010 年に Pagan Records からリリースした 3rd アルバム。本作には Voidhanger 等でも活動する Priest（ドラム）、Furia の Voldtekt（ギター）がメンバーとして参加しており、ほとんど Furia の分身と言ってもいい。しかしながら Furia とは音楽性が異なり、前 2 作ではファストで攻撃的なブラックメタルだった。本作では全編ミドル・テンポでジワジワと攻め立てながら、憂いのあるメロディを内包したギター・リフに、浮遊感を感じさせるキーボードを絡ませる新境地へと足を踏み入れたサウンドを提示。アヴァンギャルド要素もちらつかせる、35 分に及ぶ 1 曲のみの構成で、泥沼化した暗黒サウンドだ。

Mgła

Poland

Presence / Power and Will 2013

Northern Heritage Records

Kriegsmaschine でも活動する M. と、90 年代前半から活動する Holy Death や Kriegsmaschine の初期メンバー等でもあったドラムの Daren により 2000 年から活動を始めたブラックメタル。本作は 2006 年に Northern Heritage Records からリリースされた EP『Presence』と、Deathspell Omega や Clandestine Blaze らと共に収録され、彼等の初音源にもなったオムニバス『Crushing the Holy Trinity』（2005 年）の曲によるコンピレーション盤。『Crushing the Holy Trinity』の頃からそのメロウかつプリミティヴなサウンドに注目が集まっていたが、『Presence』では、さらにノイジーさを増し、メロウな要素がしっかりと増幅されたリフや、邪悪さをより強調したガナり声に磨きが掛かってきている。

Mgła

Poland

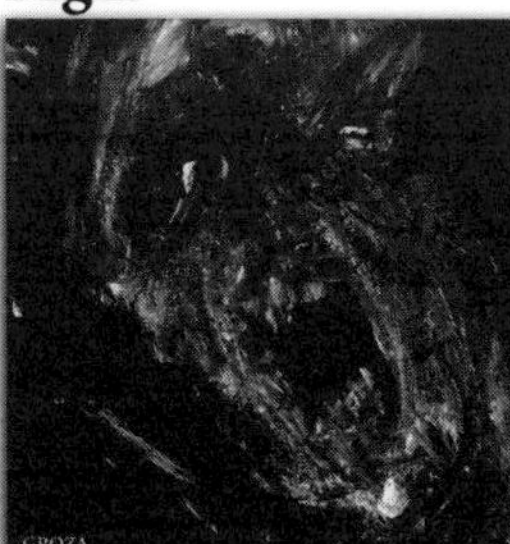

Groza 2008

Northern Heritage Records

ドラムが Daren から、Kriegsmaschine や Massemord、さらには Crionics や Anal Stench、Thy Disease 等のデスメタル・バンドでも活動してきた Darkside に代わっての 2008 年 1st アルバム。EP『Presence』でのメロウなプリミティヴ・ブラックメタル路線を引き継いではいるが、寒気を誘引するメロディをループさせつつ、時折ブラスト・パートを織り交ぜ、ミドル・テンポ主体の展開でジワジワと暗黒さや邪悪さを浸透させていくサウンドへと変化。一聴すると地味に感じるかもしれないが、実は曲展開の練り込みや秀逸なメロディ等で、ポテンシャルの高さを見せつける。サウンド・プロダクションがクリアになった分、プリミティヴさが薄れてはいるものの、暗黒で退廃的な空気感がさらに強まってきている。

Mgła

Poland

With Hearts Toward None 2012

Northern Heritage Records

2012 年リリースの 2nd アルバム。さらに洗練されたサウンド・プロダクションとなり、クリアなギター音によるメロウな要素と、禍々しさを強力に発するガナり声の迫力がさらに増してきている。前作同様、冷えたメロディを滲ませたリフのループにより、ジワジワと陰鬱さを植え付けていきながらも、ブラスト・パートの割合が幾分増えて EP『Presence』時のメロウなトレモロ・リフからポスト・ブラックメタルに通じる、儚く美しいメロディ。それでいてドス黒さをまとった空気感は全く失われていない。本作、さらに次作 2015 年 3rd アルバム『Exercises in Futility』は各所メディアで絶賛され、彼等の知名度は一気に増していくこととなる。

Moontower

Poland

Praise the Apocalypse　2004

ISO666 Releases

Seth と、Demiurg で活動し、Selbstmord の初期メンバーでもあった Belial により 1996 年から活動を始めている（元々は Funeral Moon のバンド名だった）ブラックメタル。『The Wolf's Hunger』（2003 年）、『In the Shadow of the Wolf』（2003 年）の EP2 枚の後、2004 年にリリースされた 1st アルバムが本作。シャリシャリとした厚みのないリフとリバーブを掛けながらガナりまくるヴォーカル、そして人間味を感じさせない明らさまな打ち込みドラムによる、プリミティヴ･サウンド。どことなくメロウさを感じさせるトレモロ･リフを配しつつ、基本的には耳障りの悪いノイジーなリフによる、装飾なしの原始的なブラックメタルである。よってやたら喧噪的なヴォーカルからの邪悪さや、憎悪の念が異様に強く感じられる。

North

Poland

Thorns on the Black Rose　1995

Astral Wings Records

メロディック・ブラックメタルの My Infinite Kingdom でも活動していた Sirkis らにより 1992 年から活動するバンド。Sirkis（ヴォーカル）、My Infinite Kingdom でも活動していた Thorn（ギター）と Sabesthor（ベース）、現在はデスメタル・バンドの Eteritus のメンバーである Nithramous（ドラム）の布陣で制作された 1st アルバム。ペイガニズムを掲げているだけあって、随所にペイガン・ブラックメタル臭のあるメロディや展開を見せる。しかしながら、音圧のないシャリシャリとしたノイジーなギターに、時折リズム・キープが危うくなりながらドカドカと叩き込むドラム、そしてやたら絶叫しまくるヴォーカルによる、コマーシャル性皆無の地下プリミティヴ・サウンド。2006 年には Old Temple より再発盤もリリースされた。

Ohtar

Poland

When I Cut the Throat　2003

Supreme Art

Selbstmord や Thoth でも活動する Necro と、Dark Fury や Selbstmord のメンバーで Thor's Hammer でも活動した Diathyrron らにより 1996 年に結成された NSBM の 2003 年 1st アルバム。Raw なサウンド・プロダクション、そして悲哀感すら感じさせるコールドなメロディが絡んでいくギター・リフにより、メロディアスな要素が強い。曲によっては相当メロディアスだが、全体的には出過ぎない程度のメロディを滲ませ、展開していく。さらにヴォーカルの荒々しく、怨念がこもったガナり声も凄まじいもので、NSBM のキナ臭く物騒な雰囲気を絶妙に体現させている。2008 年に Old Legend Productions から 2000 年デモ『Wolfschanze』を追加収録した再発盤がリリースされている。

Selbstmord

Poland

Spectre of Hate　2002

Old Legend Productions

Ohtar や Thoth の Necro と、Dark Fury の メ ン バ ー で Ohtar や Thor's Hammer でも活動した Diathyrron による NSBM が 2002 年に Old Legend Productions からリリースした 1st アルバム。初期の頃は Moontower や Demiurg の Belial もメンバーだったが、本作時にはすでに脱退している。耳障りの悪いジャリジャリとしたノイジーなリフや、Raw なドラムによるプリミティヴなサウンドで、時折メロウさをチラリと見せる程度。Ohtar とは違い、原始的な攻撃性を剥き出しにしている。Ohtar の時と同様 Necro の憎悪の念を感じさせながらガナり立てるヴォーカルが、禍々しさと攻撃性を増幅させる。ミックスは Graveland の Rob Darken が担当している。

Szron

Poland

Zeal
2010

Under the Sign of Garazel Productions

Beherit（ギター / ベース / ドラム）と Hateful でも活動する Demon（ヴォーカル / ギター）によるプリミティヴ・ブラックメタルが、2010 年にリリースした 2nd アルバム。ブラスト・パートよりはミドル・パートに主眼を置いた展開。寒々しいメロディも携えたノイジーなリフと凶悪さを撒き散らしながらガナり喚きまくるヴォーカル。Darkthrone の『Transilvanian Hunger』を連想させるコールドなメロディを伴った、Raw でプリミティヴなブラックメタルだが、1990 年代の地下臭い原初的ブラックメタルとメロウな要素とのバランス感覚が絶妙。サウンド・プロダクションがややこもった感じだが音の分離は比較的良く、プリミティヴ・ブラックメタルとしての完成度は高い。

Szron

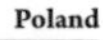

Poland

Death Camp Earth
2012

Under the Sign of Garazel Productions

前作に続き Under the Sign of Garazel Productions からリリースされた 2012 年の 3rd アルバム。メロウな要素があるプリミティヴ・ブラックメタルとしては質は高いが、本作はさらにドス黒い空気が全体を覆い尽くし、メロウな要素がさらに随所で威力を発揮している。サウンド・プロダクションが良くなり、各パートの音分離がはっきりとしていて、Raw な感触が失われていない辺りはさすがである。ノイジーさの中から湧き出る陰鬱さを感じさせるコールドなメロディの良さが浮き彫りとなり、エフェクトを掛けながら強烈に真っ黒な空気を噴出させるガナり声が本作の雰囲気を支配している。Deathspell Omega や Mgła に通じる暗黒な神々しさを感じさせる漆黒プリミティヴ・ブラックメタルの名作。

Thor's Hammer

Poland

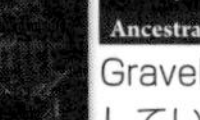

May the Hammer Smash the Cross
2000

Ancestral Research

Graveland のメンバーで、自身のブラックメタル Capricornus としても活動していた Capricornus により 1997 年から活動していた NSBM が 2002 年にドイツの NS レーベルの Ancestral Research からリリースした 2nd アルバム（2008 年に Darker than Black Records からジャケットアート違いの再発盤がリリースされている）。ガシャガシャとした原始的なリフを主体とし、Capricornus の妙に不気味さを染み渡らせる低音唸り声が特徴的。Emperor に通じる荘厳さや不穏な空気を作り出すキーボードを時折配し、ガリガリと攻撃的に突きつけるリフによるプリミティヴなサウンドで、NSBM らしく凶悪なオーラを漂わせている。ラストは Absurd のカバーで締めくくる。バンドは後に Capricornus がシーンから退くとともに、活動を停止している。

Thoth

Poland

From the Abyss of Dungeons of Darkness
2008

Elegy Records

Graveland の Rob Darken がキーボードで、Ohtar や Selbstmord、Hateful の Necro がヴォーカル、Dark Fury のメンバーで Ohtar や Selbstmord、Thor's Hammer でも活動した Raborym がギター / ベース / ドラムで 2007 年に結成されたブラックメタルの 2008 年 1st アルバム。NSBM の重要人物によるバンドではあるが、音楽性はデプレッシヴなブラックメタルで、バンド・コンセプト的にも NS は取り入れられていない。ひたすら陰鬱なメロディをストイックに掻き鳴らすギター・リフと、嗚咽しそうな喚き声による偏執狂的ヴォーカルにより、絶望しか感じさせないサウンドを繰り広げる。Raw なサウンド・プロダクションより、その退廃的で暗鬱な空気がより一層強まっている。

Throneum

Poland

Old Death's Lair

2001

Maleficium Records

1996 年から活動してたデスメタルの Throne が 2000 年に改名したバンドが、2001 年にリリースした 1st アルバム。Raw なドラムがブラスト全開で押しまくるパートからミドル・パートも織り交ぜつつ、ダーティーなリフとガナりまくるヴォーカルにより邪悪さを猛烈に発散する。オールドスクールなデスメタル要素が多いブラックメタル。初期デスメタルの暗黒で禍々しい空気が立ちこめつつ、初期ブラックメタルの地下臭さを体現する 1990 年代のスタイル。ブラックメタルには珍しくドラムソロが入っていたりする。オリジナルはカセットでのリリースだが、2002 年に日本の Weird Truth Productions から、2012 年に Pagan Records から CD がリリースされている。

Thunderbolt

Poland

The Sons of the Darkness

2001

Apocalypse Productions

Veles 等でも活動してきている Skyggen らにより 1993 年から活動するブラックメタルの 2001 年リリース 1st アルバム。プログレッシヴ・ロック・バンド Riverside の Mittloff（ドラム）と Jacek Melnicki（キーボード）がゲスト参加している。後に Infernal War のドラム Stormblast が加入し、ハイパーなサウンドとなっていくが、この頃はまだ Raw でプリミティヴなファスト・ブラックメタル。時折 Emperor 風の荘厳なキーボードを配し、コールドなメロディを薄っすら滲ませるノイジーなリフと、禍々しさに覆われたガナり声ヴォーカル、そしてミドル・パートを絡ませながらファスト・パートで邪悪なエネルギーを強力に放出する。2008 年に Darker than Black Records からジャケットアート違いの再発盤がリリースされている。

Veles

Poland

Night on the Bare Mountain

1995

No Colours Records

Belthil から 1994 年に改名。Blasphemous による NSBM の No Colours Records から 1995 年にリリースされた 1st アルバム。1995 年に亡くなった Bealphares（ギター）がメンバーとして参加しており、Graveland の Rob Darken がキーボードでゲスト参加している。酷く低音質なサウンド・プロダクションだが、Graveland と共鳴するミドル・テンポでゆったりとした展開が主体。ペイガンメタル特有の勇壮さを含み、叙情的かつ陰湿なメロディが溶け込む。Darken による独特な空間を形成するキーボードも重要な役割を果たしている。寂寞感を強く感じさせるペイガン・ブラックメタル、そしてプリミティヴ・ブラックメタルの名作。2004 年に No Colours Records から 2nd アルバムとのカップリング再発盤もリリースされている。

Veles

Poland

Black Hateful Metal

1997

No Colours Records

Lupus Wszesławiewicz（ギター）、Witalis（ベース）、Thunderbolt 等でも活動した Paimon(Skyggen)（ドラム）、Piotr Alankiewicz(キーボード) がメンバーとして加わっての 1997 年リリース 2nd アルバム。前作に続き Graveland の Rob Darken がキーボードでゲスト参加している。1st アルバムに比べればやや音質がまともになったとは言え、プリミティヴ・ブラックメタルでも上級レベルの Lo-Fi なサウンド・プロダクションはキープされている。Blasphemous の狂的ハーシュ・ヴォイスがさらに凄味を増してきており、その狂気の絶叫をひたすら発している場面があったりと、ペイガン・ブラックメタルから逸脱した展開が多くなってきている。本作もプリミティヴ・ブラックメタルの傑作。

Hate Forest

出身地 ウクライナ・ハルキウ　結成年 1995年

中心メンバー Thurios、Roman Saenko

関連バンド Drudkh、Blood of Kingu、Astrofaes、Kladovest、Dark Ages、Khors、Tessaract、Nokturnal Mortum

Hate Forest は 1995 年にウクライナ第 2 の都市であるハルキウで Roman Saenko と Thurios により 1995 年に結成された。ウクライナでは Nokturnal Mortum や Lucifugum と並んで早くからブラックメタル・シーンを形成していったバンドである。彼等は 1998 年から 1999 年にかけてデモを制作。このデモはラトビアの Beverina Productions やチェコの Pussy God Records からリリースされる。さらに後に Nokturnal Mortum に加入する Alzeth（ギター）が加入し、2000 年に 3 人でレコーディングした 7" EP『Darkness』がドイツの Miriquidi Productions と City of the Dead Records から共同リリース。Alzeth が脱退し Roman と Thurios の 2 人による 2000 年春頃のリハーサル音源を『The Curse』としてポーランドの Nawia Productions からリリースする。

さらに、2001 年に EP『Blood and Fire』がドイツの Sombre Records から 7" でリリース。Thurios もメンバーだった Astrofaes で活動していた Khaoth（ドラム）が加入し、2000 年のデモをリレコーディングした 1st アルバム『The Most Ancient Ones』が 2001 年に UK の Supernal Music からカセット・リリース。Khaoth はすぐに脱退してしまい、Roman と Thurios の 2 人でレコーディングした 7" EP『Ritual』が Miriquidi Productions と City of the Dead Records から共同リリース。さらに 2003 年に 2nd アルバム『Purity』を Supernal Music からリリースする。

続いて 2003 年に 3rd アルバム『Battlefields』が Slavonic Metal からカセットテープでリリースし、2004 年にはリトアニアの Ledo Takas Records から 7" EP『Resistance』をリリース。さらに、4th アルバム『Sorrow』を 2005 年に Supernal Music からリリースする。しかし 4th アルバムのレコーディング直後にバンドは解散。Roman と Thurios は 2002 年から Drudkh を始めており、さらに 2005 年に 2 人は Blood of Kingu を結成している。なお、Roman Saenko と Alzeth、そして Sergey N.（ギター）と Drudkh の Vlad（ドラム）により、2019 年 6 月 1 日にチェコで行われた Metal East: Нове Коло festival で再結成ライヴを行っている。ちなみに Hate Forest は NSBM との見方も一部ではあったようだが、実際にはスラブ神話や H.P. ラブクラフト、ニーチェ哲学からの影響を受けた思想をコンセプトとしていた。

Hate Forest

Ukraine

The Most Ancient Ones

2001

Supernal Music

メロディックなペイガン・ブラックメタル Khors やメロディック・デスメタル Balfor のメンバーでもあり、Astrofaes でも活動していたドラムの Khaoth が加入しての 2001 年 1st アルバム。アルバムではあるが実際には 2000 年のデモ『The Curse』のリレコーディングであり、またドラムもプログラミングによるものである。よってドラム・サウンドは極めて無機質。荒涼としたメロディを薄っすらと滲ませながら、ザラ付いた感触で不穏な空気を醸し出すリフと、デス・ヴォイス並みにドスの効いた低音ガナり叫ぶヴォーカルにより、退廃的なムードに覆われている。地下臭さも強く、無機質なドラムと Raw なギター・リフが絶妙なコントラストを見せる。暗黒カルトな空気が強いサウンドである。2010 年には Osmose Productions からジャケット・アート違いの再発盤がリリースされた。

Hate Forest

Ukraine

Purity

2003

Supernal Music

再び Thurios と Roman Saenko の 2 人で制作された 2003 年リリース 2nd アルバム。1st アルバムがデモの再録だったので、完全なるフルレンス作は本作が初。やや洗練されてきたノイジーな轟音リフからこぼれ出る、凍てついたメロディがさらに強まると同時に、楽曲のレベルも向上。そこに相変わらずデス・ヴォイスに近い咆哮 / ガナり声が、怨念に近い邪悪さを強烈に醸し出す。打ち込みドラムが前面に出てきている感はあるが、そのドラム・マシーンによる冷徹さとドスの効いたヴォーカルによる凶悪さ、そしてコールドなメロディを奏でるトレモロ・リフによる悲哀感と荒涼感が入り混じり、暗黒で暴虐的なプリミティヴ・ブラックメタルの最上級な形を作り上げている。こちらも 2010 年に Osmose Productions よりジャケット・アート違いの再発盤がリリースされている。

Hate Forest

Ukraine

Battlefields

2003

Slavonic Metal

2003 年にリリースされた 3rd アルバム。本作も Thurios と Roman Saenko で制作されている。ウクライナ古来の民謡を挟みながら、暗黒な空気が立ちこめる独特なプリミティヴ・ブラックメタルを聴かせ、Hate Forest の中でも異色な出来だ。ファスト / ブラスト・パートは極力抑えられ、低音で唸りガナるデス声に近いヴォーカルが凶悪さより、ドス黒い空気をジワジワと染み渡らせ、ノイジーなリフが不穏さを絶妙に作り出している。前作『Purity』と次作『Sorrow』とは違い、内省的な暗黒さが全体を覆いつくし、どこか不気味な荘厳さを醸し出しており、ジャケット・アートのイメージに近い太古のリチュアルなダークサイドを抉り出している。2011 年に Osmose Productions から再発盤がリリースされた。

Hate Forest

Ukraine

Sorrow

2005

Supernal Music

2005 年リリースの 4th アルバムで、レコーディングは 2004 年に冬。そして本作を制作後すぐに解散してしまったので、ラスト作となった。前作『Battlefields』での異色なサウンドから、Hate Forest の真骨頂とも言うべきサウンドとなった。凍てついたメロディと、ザラついたノイジーなリフが猛威を振るい、ファスト / ブラスト・パートの割合も大きい。そして憎悪に満ちたデス・ヴォイスに近い咆哮ガナり声により、不穏で暗黒かつ荒涼としたプリミティヴ・ブラックメタルになっている。無機質なドラムがやや引っ込んでいるため、より退廃的な空気が強く感じられる。『Purity』と並び、名作に数え挙げられるべき。本作も 2011 年に Osmose Productions から再発盤がリリースされた。解散後 Thurios と Roman Saenko は Blood of Kingu を結成している。

Astrofaes

Ukraine

Dying Emotions Domain 1998

Sich Records

Hate Forest でも活動し、後に Drudkh や Blood of Kingu、Kladovest、Rattenfänger 等で活動する Thurios（ギター / ヴォーカル）と、後に Khors や Kzohh で活動する Khorus（ベース）らにより 1996 年に結成。本作は 1998 年にカセットでリリースされた 1st アルバム。ドラムは後に Khors や Hate Forset の Khaoth。コールドな空気を醸し出すノイジーなギター・リフとドカドカと叩き込むドラム、邪悪に叫ぶヴォーカルによるプリミティヴなブラックメタル。当時 Nokturnal Mortum のメンバーだった Saturious による冷気を醸し出すキーボードを随所に配しながら、サックスを絡めた曲もあり、独自のカルト的な空気もあり。2011 年にはリマスター再発 CD がリリースされている。

Blood of Kingu

Ukraine

Sun in the House of the Scorpion 2010

Candlelight Records

Drudkh でも活動する Roman Saenko が Hate Forest 解散後に結成したブラックメタル。2010 年に Candlelight Records からリリースされた本作 2nd アルバムは、Drudkh/Astrofaes/ 元 Hate Forest の Thurios（ギター）、Drudkh/Astrofaes の Krechet（ベース）、プログレッシヴ・スラッシュメタル Violent Omen でも活動する Yuriy Sinitsky（ドラム）がメンバーとして参加している。チベットやインドからエジプトの、アジア / 中近東の古代文化や神話がコンセプトとなっている。随所で中近東の密教的な雰囲気のメロディが挿入されたりしているが、全体的には暗黒かつ不穏な空気に支配されたプリミティヴなブラックメタルだ。ラストは Beherit の「Gate of Nanna」のカバー。

Gromm

Ukraine

Счастье - это когда тебя нет... (Happiness - It's When You Are Dead...) 2005

Blackmetal.com

2001 年から活動しているウクライナのブラックメタル。古代哲学のキニク主義をコンセプトとして持ち合わせている。本作は 2005 年に Blackmetal.com からリリースされた 1st アルバムだが、チェコの Ravenheart Productions から 300 枚限定でリリースされたカセットがオリジナル盤。鋭く突き刺す様なシャリシャリとした耳障りの悪いノイジーなリフが、コールドな空気を撒き散らす。やや粘着質にガナり叫ぶヴォーカルと、Raw なドラムによるプリミティヴなブラックメタルを展開する。陰鬱なメロディによるデプレッシヴな要素も見え隠れするが、Darkthorne 等の影響下にある北欧の地下ブラックメタルがベースとなっている。オーセンティックなプリミティヴ・サウンドながら、ウクライナらしい冷えたメロディを滲ませている点が印象的。

Lucifugum

Ukraine

...а колесо всё скрипит... (...and the Wheel Keeps Crunching...) 2001

Propaganda

Khlyst、後にプログレッシヴなスラッシュメタル Violent Omen のメンバーにもなる Faunus、2002 年に亡くなった Bal-A-Myth により 1995 年から活動しているウクライナを代表するバンドの一つ。初期はシンフォニックなサウンドだったが、本作 3rd アルバムではシンフォニック要素が排除されている。スラッシュメタルに近い感触のガリガリと刻むリフが主体で、土着的なメロディを携えた曲からテクニカル･スラッシュ的な曲まで､攻撃性と叙情性を絶妙にブレンドさせている。Violent Omen/ 後に Blood of Kingu の Yuriy Sinitsky（ドラム）がセッション参加。オリジナルはカセット・リリースだが 2005 年に Oskorei Music から再発盤 CD が出ており、そこに収録されているボーナス・トラックは従来の彼等らしいシンフォニックな曲。

Lucifugum

Ukraine

Клеймо эгоизма (Stigma Egoism) 2002

Propaganda

Faunus が脱退し、Khlyst と Bal-A-Myth に、セッション参加で Drudkh や Hate Forest、Blood of Kingu 他の Roman Saenko がヴォーカルで、前作に続き Yuriy Sinitsky がドラムで参加している。ギャーギャーとガナり立てる Faunus から、ドスも効かせながら中音域でガナる Roman Saenko のヴォーカルになったことで邪悪な空気がやや強まった。彼等らしいスラッシュメタルの流れにある攻撃的なリフに、郷愁感を強く感じさせながら冷気を含んだメロディ、そして雄大な情景を想起させるドラマティックな展開から、よりオーセンティックなブラックメタルまで、多彩な要素を同居させる。本作レコーディング直後に亡くなったため、Bal-A-Myth のラスト作となった。2004 年に Drakkar Productions から再発盤 CD がリリースされている。

Ulvegr

Ukraine

Vargkult 2018

Ashen Dominion

Kzohh でも活動し、元 Khors のメンバーでもあった Helg（ヴォーカル / ギター / ベース）、Kzohh や Elderblood のメンバーでもある Odalv（ドラム）により、2009 年から活動するウクライナ・プリミティヴ・ブラックメタルの 2019 年発表 5th アルバム。Odalv は Nokturnal Mortum や RAC バンドの Whites Load や Сокира Перуна にも参加しており、NSBM に近い位置にもいる（ペイガニズムや神秘思想がコンセプトなので NSBM ではない）。邪悪さ満点のガナり声に、荒涼としたメロディを滲ませるノイジーなリフによる、アンダーグラウンド臭の強いブラックメタル。オーセンティックなブラックメタルをベースに程よくブルータル要素を浸透させた、クオリティの高いプリミティヴ・サウンド。

Лютомысл (Lutomysl)

Ukraine

De Profundis 2008

Supernal Music

Pavel Shishkovskiy（Lutomysl）により元々 Profane Solitude として 1999 年に活動を始め、2001 年に改名したブラックメタルの 2008 年 6th アルバム。ノイジーなトレモロ・リフから溢れ出す悲哀感の強いメロディのプリミティヴなブラックメタルで、内省的な暗さと陰湿なミサントロピックで厭世的な空気を強く感じさせる。ペイガン・ブラックメタルと共鳴する郷愁性、デプレッシヴ・ブラックメタルに近い悲観性、そして時折ポスト・ブラックメタル風の儚さを感じさせる。ドラムは Blood of Kingu/ プログレッシヴ・スラッシュメタル Violent Omen のメンバーである Yuriy Sinitsky がセッション参加で叩いている。

Заводь (Zavod)

Ukraine

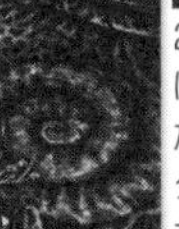

Крізь коло і п'ять кутів 2013

Hidden Marly Production

2009 年から活動しているウクライナのブラックメタル Заводь（ローマ字表記では Zavod）の 2013 年に日本の Hidden Marly Production からリリースされた 2nd アルバム。当初はファストなパンク·バンドだったらしいが、本作はブラックメタル要素が強い。ヴォーカルの攻撃的に噛みちぎるような絶叫声やリフの節々から、パンク / ハードコア（特に激情系）の要素を感じさせるものの、郷愁性の強いメロウなトレモロ・リフはブラックメタルそのもの。そのメロウさがいわゆるメロディック・ブラックメタルとは性質を異にする土着的なものを強く感じさせる。Raw な音作りと、その土着郷愁メロディとの相性がまた絶妙。

Maniac Butcher

出身地 チェコ・ジャテツ　**結成年** 1992 年

中心メンバー Barbarud Hrom、Vlad Blasphemer

関連バンド Dark Storm、Detonator666、Agmen、Nhaavah、Zlo、Master's Hammer、Krieg

1988 年頃からチェコの西部に位置するジャテツで共にバンド活動を始めていた Barbarud Hrom と Vlad Blasphemer は、1992 年に Maniac Butcher を結成。当初は、ドラムは後に Agmen や Detonator666 のメンバーとなる Michal（Vlad Blasphemer の兄弟）、ベース / ギターは Jorg なる人物だった。そして、12 月に初ライヴを行っている。さらに彼等はデモ『Immortal Death』を制作。このデモは Barbarud Hrom による Pussy God Records から 1993 年 6 月にリリースされた。続いて 1994 年 8 月に 2nd デモ『The Incapable Carrion』、1995 年に Dark Storm や Enochian、Isacaarum らとの Split カセット『Black Horns of Bohemia』、Dark Strom との Split『Black Horns of Saaz』を Pussy God Records からリリース。その間 1995 年にベース / ギターは Jorg から Forgotten、さらに Lord Unclean へ代わっている。

同年 1995 年に早くも 1st アルバム『Barbarians』、1996 年に 2nd アルバム『Lučan-antikrist』をリリース。Michal が脱退し Vlad Blasphemer がドラムも兼任し 1997 年に 3rd アルバム『Krvestřeb』をリリース。さらに Lord Unclean も脱退し、Barbarud Hrom と Vlad Blasphemer の 2 人で制作した 1998 年に 4th アルバム『Černá krev』をリリース。Avenger のメンバーで後に Master's Hammer やアメリカの Krieg に加入する Butcher こと Honza Kapák（ドラム）が加入し、Inferno との Split、Sezarbil と Inferno との 3 Way Split、5th アルバム『Invaze』を 1999 年に、6th アルバム『Epitaph - The Final Onslaught of Maniac Butcher』を 2000 年にリリース。その後、Butcher が脱退。サポート・メンバーを加えながらライヴ活動を続けるが、2002 年に解散となる。

しかし、2009 年に Cult of Fire の Infernal Vlad（ギター）と Bloody Lair の Lord Obst（ベース）を加えて復活。2010 年に 7th アルバム『Masakr』をリリースする。その後もライヴ活動を続けていたが、2015 年 8 月 4 日に Vlad Blasphemer が亡くなり、活動休止状態となっている。

Maniac Butcher

Czech

Barbarians

1995

Pussy God Records

Nhaavah でも活動していた Barbarud Hrom（ヴォーカル）によって 1992 年から活動し、チェコのブラックメタル・シーンを代表する存在である Maniac Butcher の 1995 年の 1st アルバム。ギターは Nhaavah や Detonator666 等でも活動した Vlad Blasphemer、ドラムは Agmen や Detonator666 他の Michal、ベースは Jorg という結成当初からのメンバーでレコーディングされた。メロウな要素はあまりなく、ファスト・パート主体の原始的なブラックメタルを展開。邪悪度の高いヴォーカルにより、ブラックメタル本来の凶悪性とイーヴルな空気が漂う地下空間を作り上げている。オリジナルは Barbarud Hrom が運営していた Pussy God Records から。その後、何度か再発盤がリリースされている。

Maniac Butcher

Czech

Lučan-Antikrist

1996

Pussy God Records

ベース / ギターの Jorg が脱退し、Unclean の Lord Unclean（ベース / ギター）が加入しての2ndアルバム。極悪で邪悪な空気を発する Barbarud Hromのヴォーカル、冷気を携えた暗黒空気を滲ませる Vlad Blasphemer のギター・リフによるプリミティヴ・ブラックメタル。コールドなメロディが主体なので北欧、特にノルウェーの初期ブラックメタルからの影響が強く、Darkthrone や Gorgoroth を彷彿させる部分も多い。2007 年に Warkult Productions から、2009 年に Azermedoth Records から黒地になったジャケットで再発盤がリリースされており、これらの再発盤には 1995 年プルゼニでのライヴと Master's Hammer のカバーが追加収録されている。

Maniac Butcher

Czech

Krvestřeb

1997

Pussy God Records

ドラムの Michal（Vlad Blasphemer の兄弟）が脱退し、Barbarud Hrom（ヴォーカル）、Vlad Blasphemer（ギター / ベース / ドラム）、Lord Unclean（ベース / ギター）の 3 人で制作された 3rd アルバム。6 曲入りで 30 分強と、アルバムとしてはサイズが小さい。前作でのコールドなメロディによるリフが主体の、北欧ブラックメタルに近いスタイルを継承しながら、メロディはやや抑えめになった。Barbarud Hrom の邪悪極まりない極悪な空気を発するヴォーカルが、より目立つようになってきた。これも初期 Maniac Butcher を代表する作品。2003 年に Mutilation Productions から再発盤がリリースされており、こちらには 2000 年 4 月 22 日ドイツのアウアーシュッツでのライヴ 3 曲が追加収録されている。

Maniac Butcher

Czech

Černá krev

1998

Pussy God Records

Lord Unclean が脱退し、Barbarud Hrom と Vlad Blasphemer の 2 人だけで制作された 4th アルバム。冷気を含んだメロディを滲ませるギター・リフと邪悪なガナり声による、これまでの Maniac Butcher のスタイルを完全に継承。各パートの音の分離も良く、クリーンな音作りながらプリミティヴな感触が強く出ている。ほぼファスト・パートで突っ走るパートで占められている。Barbarud Hrom の粘着質なガラガラ声で喚き散らすヴォーカルもより押し出されており、極悪な雰囲気もさらに強まった。2006 年にはブラジルの MegaTherion なるレーベルから『Il Sangue Nero』とタイトルを変えて 1999 年のライヴ 3 曲を追加収録して、また 2007 年に Negative Existence からジャケット・デザインが若干変更されて再発盤がリリースされている。

Maniac Butcher

Czech

Invaze　1999

Pussy God Records

ブラック/デスメタル・バンドAvengerのメンバーで、後にMaster's HammerやシンフォニックドゥームメタルAfter Rainでも活動することになるドラマーのButcher（Honza Kapák）が加入して、再びトリオ編成となっての5thアルバム。ノイジーかつコールドなメロディを発するギター・リフと、ドカドカと突き進むドラムによる北欧型プリミティヴ・ブラックメタル・スタイルに変化はなし。本作もまたファスト・パートが大半を占めており、前作のサウンドをしっかりと継承している。アルバム・タイトル曲はチェコで1980年代末期から活動したデス/スラッシュメタルのAssesorのカバー。2002年にUnisound Recordsから、2008年にAzermedoth Recordsから再発盤がリリースされている。

Maniac Butcher

Czech

Epitaph - the Final Onslaught of Maniac Butcher　2000

Pussy God Records

1stアルバム以降、メンバー・チェンジはあったものの毎年アルバムをコンスタントにリリースしており、本作が早くも6thアルバムとなった。前作と同じくBarbarud Hrom（ヴォーカル）、Vlad Blasphemer（ギター）、Honza Kapák（ドラム）の3人で制作された。1stアルバムから変わらない、コールドなメロディによるギター・リフと、邪悪で極悪な空気を撒き散らすヴォーカルによるプリミティヴなブラックメタルが本作でも貫かれている。前2作ほどファスト・パート中心ではなく、ミドル・パートも組み合わせた曲が多い。本作を最後にバンドは2002年に解散。2009年にBarbarud HromとVlad Blasphemerにより再結成されている。

Maniac Butcher

Czech

Masakr　2010

Negative Existence

2002年に解散していたが、2009年に再始動。そして2010年にリリースされた本作7thアルバムが復活作となった。メンバーはBarbarud Hrom（ヴォーカル）とVlad Blasphemer（ギター）に、Cult of Fireでも活動するInfernal Vlad（ギター）、Bloody LairのLord Obst（ベース）で、セッション参加でCult of Fire他のTomáš Cornがドラムを叩いている。当初から変わらない装飾品一切なしの原始的ブラックメタル・スタイルは貫かれている。サウンド・プロダクション自体は良好だがRawな音作りにより暴虐性や凶悪さ、邪悪さと言った真性ブラックメタルの特性が最大限に活かされている。豪快に純正ブラックメタルの世界に引き込む力強さにみなぎっている。

東欧諸国の中でもポーランドに続き、ハンガリーやロシア、ウクライナと並んでブラックメタル・シーンが充実しているチェコで1990年代初頭からシーンを牽引してきたManiac Butcherの中心人物であるBarbarud Hromへインタビューを敢行。Maniac Butcherは2010年にリリースしたアルバム『Masakr』以降作品のリリースは途切れ、2014年にオーストリアのウィーンでのパフォーマンスが最後のライヴとなり、2015年4月8月4日にVlad Blasphemerが亡くなってから活動を止めていた。Barbarudは現在もManiac Butcherの活動を再開するつもりはないらしく、インタビューも基本的に受けていないとのことだったが、何とか少しだけでも……ということで了承を得ることが出来た。ということなので短いが貴重なインタビューである。

Q：Maniac Butcherが結成された1992年頃のチェコのブラックメタル・シーンはどのような状況でしたか？

A：我々の国は小さかったけど、1980年代後半から1990年代前半にかけては強力なシーンがあったんだ。でも残念ながら状況は非常に厳しくて、多くの才能があるバンドがきちんとしたスタジオに入れることはなかった。今は他のヨーロッパやアメリカ、日本と同じようになったけどね。

大体、毎年何千もの新しいバンドと数千の新しいアルバムが出てくるけども、本当に良いものは少ない。残念な

ことだが、数がクオリティを上回ってしまっていて、それがどんどん悪化していっている。今では10代の若者がベッドルームでアルバムを制作することが出来るようになって、10年前に高いレコーディング・スタジオで作業していたことよりも、ノートパソコンの方がより多くのことが出来る。CDのレコーディングや制作は簡単になったし安く済むようになったけど、シーンを活性させることには繋がっていないと思う。

Q：あなたはどのような音楽に影響を受けましたか？

A：Slayer や Metallica、Overkill、Kreator、Sodom、Living Death、Piledriver、Accept、Running Wild、Celtic Frost、Bathory……他にもあるけども、我々は1980年代のスラッシュ・メタルやヘヴィ・メタルを聴いて育ったし、これら全てに影響を受けたよ。我々は古くから脈々と続く真のメタルを常に崇拝している。

Q：Vlad Blasphemer が亡くなってしまいましたが、Maniac Butcher は今後も活動していくのでしょうか？

A：Blasphemer は自分にとってメタルの兄弟だったし、我々は20年以上に渡り Maniac Butcher の旗の下で一緒に戦ってきた。Maniac Butcher は自分と彼によるものだった。だから彼が亡くなってから活動を止めることにした。

Q：日本のファンに向けてコメントをお願いします。

A：Maniac Butcher をサポートしてくれている全ての日本のメタルヘッドに敬意を示したいと思う。
絶対にトレンドとファッションに流されないでほしい!! YouTube のことは忘れて CD やレコード、カセットテープでメタルを聴いてほしい!! オールドスクールなメタルには忠誠を尽くしてほしい!! Raw War !!

Dark Storm

Czech

Infernal Tyrant 2005

Agonia Records

Maniac Butcher や Nhaavah 他で活動した Vlad Blasphemer や、エピック・ブラックメタル Cult of Fire のメンバーでもある Devilish らによるブラックメタルで、一時期 Maniac Butcher の Barbarud Hrom も参加していたバンド。本作は Vlad Blasphemer（ギター）と Devilish（ヴォーカル）に Inferno や Detonator666 の Astaroth（ギター）と、デス / グラインド・バンド Four Seats for Invalides のメンバーでもある Butcher（ドラム）により制作された 1st アルバム。Raw なドラムがブラスト全開で突き進み、突き刺す様なコールド・リフとイーヴルに喚き散らすヴォーカルによって、ブルータルな要素も多分にある高品質なファスト・ブラックメタルを試みている。

Detonator666

Czech

At the Dawn of Sadistic Infernal Holocaust 2004

Eclipse Productions

ヴォーカルの Nebulah Frost、Maniac Butcher や Dark Storm、メロディック・デス / ブラックメタルの Agmen 等でも活動したものの 2015 年に亡くなった Vlad Blasphemer（ギター）、Maniac Butcher や Agmen のメンバーで Vlad Blasphemer の兄弟でもある Michael（ドラム）により制作され、2004 年に Eclipse Productions からリリースされた 1st アルバム。ガシャガシャとした Raw なドラムによるブラスト・パート主体のファストなスタイルに不穏な空気を滲ませたリフと、しゃがれた声で猛烈に邪悪さを発するヴォーカルにより、イーヴルでプリミティヴな空間を創出する。Master's Hammer/ 元 Maniac Butcher の Honza Kapák がレコーディング / ミキシングを手掛けている。

Nhaavah

Czech

Nhaavah 1999

Pussy God Records

Maniac Butcher や Dark Storm 等で活動した Vlad Blasphemer と Maniac Butcher を率いる Barbarud Hrom により 1996 年から活動していたプリミティヴ・ブラックメタル。アルバムのリリースはなく、1998 年にデモ『Kings of Czech Black Metal』と、1999 年にドイツの Katharsis との Split 7" EP をリリースしただけで解散している。そのデモと Split EP を収録し、1999 年に Barbarud Hrom による Pussy God Records からリリースされたコンピレーション。猛烈な邪悪さを撒き散らすヴォーカルと打ち込みドラム、そして得体の知れない不穏感を煽りまくるギターにより、Maniac Butcher よりもカルトになっている。2002 年に Unisound Records から再発盤が出ている。

Zlo

Czech

Signum Diabolicum 2010

Black Bunker Productions

Sekhmet の Set（ギター）、Maniac Butcher や Dark Storm、Nhaavah、Detonator666 他 の Vlad Blasphemer（ドラム）、Cult of Fire/Maniac Butcher の Infernal Vlad（ベース）、Sekhmet や Detonator666 他 の Nekromancer（ギター）らによるブラックメタルの 2010 年リリース唯一のアルバム。1980 年代スラッシュメタルや正統メタルからの流れも汲むギター・リフが主体だが、妙にカルトな邪悪さを発するガナり声ヴォーカルにより、1990 年代の原初ブラックメタルの要素も多分に感じさせる。Von や Mortuary Drape に通じる妖しい空気が絶品である。

Inferno

Czech

Uctívání Temné Zuřivosti 2008

Undercover Records

Adramelech（ヴォーカル）らにより 1996 年に活動を始めているプリミティヴ・ブラックメタルが 2008 年に Undercover Records からリリースした 4th アルバム。本作は Adramelech の他に Silva Nigra の Azazel（ギター）、プログレッシヴ・デスメタル Demiurg のメンバーでもあった Belphegor（ドラム）、そして新加入となった Pentaroth（ベース）がメンバーとして参加して制作された。元々は Raw なブラックメタルだったが、この頃になるとコールドなメロディを携えつつ、ブルータルさも兼ね備えたファスト・パート主体のストロングなスタイルとなっている。プリミティヴな感覚を残し、ドス黒い空気と真性さが強まってきた。次作ではさらにクオリティが向上するとともに、プリミティヴ性が薄れてブルータルさに磨きが掛かっていく。

Master's Hammer

Czech

Ritual 1991

Monitor

1987 年に結成されたカルト・ブラックメタル。1987 年のデモ『The Ritual Murder』では Mercyful Fate や Death SS の影響下にあったが、1988 年デモ『Finished』でブラックメタルの下地となるサウンドを披露。1989 年デモ『The Mass』で早くもブラックメタルを完成させていた。東欧ではハンガリーの Tormentor と並んで最も早くからブラックメタルを確立していた奇跡の存在。本作はチェコのカルト・レーベル Monitor からリリースされた 1st アルバム。ティンパニー奏者が加入し、捻りまくった展開もあって独特の雰囲気を醸し出すカルト作品となった。1990 年デモ『The Fall of Idol』でのスラッシュメタル要素の強まったサウンドを継承してはいるが、邪悪さも強烈、かつ変質的なインパクトも絶大。

Kult Ofenzivy

Czech

Radikální Ateismus - Tvůrcům Nadčlověka 2009

Deathgasm Records

一応正体不明ということだが、Triumph, Genus のメンバーによるバンドらしい NSBM による 2009 年に US の Deathgasm Records からリリースされた 2nd アルバム。NS と言うよりはニーチェの哲学をコンセプトにしている。パンパンと乾いた音による Raw なドラムが無機質に叩き込まれ、耳障りの悪いノイジーなリフが掻き鳴らされる。Darkthrone や Gorgoroth と言った初期ノルウェージャン・ブラックメタルからの影響を強く感じさせる。表情なく、淡々と邪悪な空気を醸し出すガナり声が不気味な空気を発揮させる。武骨で不穏な雰囲気が全体を覆いつくし、どこか狂的な恐怖心を煽られる。

Root

Czech

Zjevení 1990

Zeras

1987 年に Big Boss（ヴォーカル／ドラム）により結成され、Master's Hammer と並んでチェコのみならず世界中のブラックメタルの先駆け的存在となったバンド。本作は 1990 年に発表された 1st アルバム。ギターは 2017 年から Master's Hammer へ、2019 年からスウェーデンの Nifelheim に加入している Petr Hošek。1980 年代の暗黒スラッシュメタルの流れを汲みながら、Big Boss の気色悪いガナリ声ヴォーカルや変質的曲展開により邪悪さとシアトリカルさが異様に押し出されたカルト名作。Mercyful Fate や King Diamond の世界を邪悪に妖しく染め上げた感じである。次作以降はドラマティックさに磨きが掛かり、カルトな世界が一気に昇華。世界中のアンダーグラウンド・シーンに衝撃を与える。

Sator Marte

Czech

Termonukleární Evoluce

2008

Humanity's Plague Productions

元々は Forgotten Art のバンド名で活動を始めたが 2003 年に改名、NSBM の Triumph, Genus の Svar（ドラム）やペイガン / フォークメタル Žrec のメンバーでもある Horn（ベース）を擁するウォー・ブラックメタルが 2008 年に US の Humanity's Plague Productions からリリースした 1st アルバム。ブラスト・パートが中心ながら、ミドル・パートも絶妙に組み合わせて突進するファストなブラックメタル。スラッシュメタル流れのリフで、仄かに冷えたメロディも滲ませている。スウェーデンの WAR に近い。ストロングなブルータルさを携え、プリミティヴでオールドスクールな原始的ブラックメタル。

Sekhmet

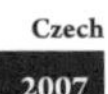

Czech

Okularis Infernum

2007

Murderous Music Production

Zlo のメンバーでもあった Set（ギター）や Detonator666 他の Ragnar（ドラム）、ベースの Warlord らによって 2002 年から活動しているプリミティヴ・ブラックメタルの 2nd アルバム。ヴォーカルは次作『Opus Zrůdy』（2010 年）まで在籍した Abaddon。Raw なサウンド・プロダクションでジャリジャリとしたリフから溢れ出すコールドなメロディと、ファスト・パート主体で突き進むスウェーデン辺りのメロウ・プリミティヴ・ブラックメタルに通じる。しかしながら、邪悪な空気を吐き出し妙に威圧感のあるガナり声による禍々しさにより、アンダーグラウンド臭は相当強い。ラストは Marduk の「Materialized in Stone」（『Opus Nocturne』収録曲）のカバー。

Sezarbil

Czech

The Unknown Empire

2000

Leviathan Records

Lord Sezarbil らにより 1997 年から活動し、Maniac Butcher/Inferno との Split を 1999 年にリリースしているプリミティヴ・ブラックメタルが、2000 年に Leviathan Records からリリースした 1st アルバム。レコーディング・メンバーは Lord Sezarbil（ギター）、Raven（ヴォーカル）、Charon（ベース）、Antichrist（ドラム）の結成時メンバー。Lo-Fi なサウンド・プロダクションやイーヴルさを強く押し出した中音域のガナり声により、アンダーグラウンド臭が強烈。さらに、凍てついたメロディを浸み込ませたノイジーなリフと、ファスト・パートよりはミドル・パートに重点を置いてドラマティックさもある曲展開により、寒々しく荒涼とした空間を生み出している。

Silva Nigra

Czech

Chlad Noci

2002

Ravenheart Productions

Skullthrone（ギター）や Trist にも参加した Pestkrist（ドラム）らにより 1996 年から活動するブラックメタル。バンド名はラテン語で「Black Forest」の意味。後にクオリティを高めてコールドでメロウなサウンドへとなっていくが、本作 1st アルバムでは Lo-Fi なプリミティヴ・サウンド。チリチリとした原始的ノイジーなリフに Raw なドラムにより、地下へ密閉されたかの様なアンダーグラウンド臭に満ち溢れた空気の中を、邪悪にガナりまくるヴォーカルが妙な不気味さを醸し出す。後の彼等のサウンドにも繋がるコールドなメロウさも薄っすらと被さっているが、初期 Darkthorne に通じる完全 Raw プリミティヴ・サウンド。後にバンドへ加入する Ulvberth（2010 年にバイク事故で他界している）が運営していた Ravenheart Productions からのリリース。

Stíny Plamenů

Czech

Ve Špíně Je Pravda

2001

Barbarian Wrath

ペイガン・ブラックメタルの Trollech を始め、War for War やアヴァンギャルド/アトモスフェリック・ブラックメタルの Umbrtka、フューネラル・ドゥームメタルの Quercus 等でも活動する Lord Morbivod により 1998 年から活動しているプリミティヴ・ブラックメタルが 2001 年にドイツの Barbarian Wrath からリリースした 1st アルバム。後に Trollech の Lord Sheafraidh 等のメンバーが加わり、バンド体制となっていくが、この頃はまだ Lord Morbivod が一人のバンドであった。一聴して打ち込みと分かるドラムが妙に目立ってしまっているが、寒々しいメロディ擁する厚みのないノイジーなリフと、邪悪さと妖しさを醸し出すガナり声によって独特のカルトな地下ブラックメタルになっている。

Trist

Czech

Sebevražední Andělé

2007

De Tenebrarum Principio

ドイツにも同名バンドが存在するが、こちらは Deep-pression でも活動している Trist によるチェコのデプレッシヴ・ブラックメタル。本作は 2007 年に De Tenebrarum Principio からリリースされた 3rd アルバム。タイトルは英語で「Suicidal Angels」の意味。ノイズ塗れの中から陰鬱なメロディが滲み出るミニマムなリフと、妙に後ろに引っ込んでいながら奇声に近い絶叫が聴こえてくる壮絶に病んだ沈鬱ブラックメタル。ジワジワとした展開のミドル・テンポと、異様に耳触りの悪い轟音の中から、美しさと強烈な絶望感が沸き上がってくるメロディにより、不穏感と精神を削がれる病的なヤバさが入り混じる。単なるデプレッシヴなブラックメタルとは一線を画す、病みまくった世界が繰り広げられている。

Triumph, Genus

Czech

Po Vrhu Vždy Je Prázdno Kolébek

2019

New Era Productions

Sator Marte でも活動する Svar と、ヴォーカリストの Jaroslav によるチェコのブラックメタル。2013 年に 1st アルバム『Všehorovnost je porážkou převyšujících』をリリースし、7" やカセットで EP を 4 枚リリース。フルレンスとしては 6 年振りとなった 2019 年発表 2nd アルバム。初期 Darkthrone や初期 Gorgoroth 等の 1990 年型オールドスクール・プリミティヴ・ブラックメタルをベースに、寒々しいメロディをまとい、ザラザラと突き刺すようなリフを主体としたアンダーグラウンド・サウンド。オーセンティックなスタイルではあるが、ドスの効いた低音ガナり声により暗黒度は高い。

War for War

Czech

War Is the Only Way

2006

Long Ago Records

Stíny Plamenů や Trollech、Umbrtka、Quercus 等でも活動する Lord Morbivod によるファスト・ブラックメタルの 2006 年 1st アルバム。雪崩の様な高速ブラスト・パートとコールドなメロディを内包したトレモロ・リフによりブルータルさを兼ね備えたなファスト・ブラックメタルを展開。Marduk の『Panzer Division Marduk』を彷彿させる強力な音像。ジリジリとしたノイジーさや怒気が直接的に伝わるガナりヴォーカルによって、プリミティヴさも感じさせるが、全体的には力づくなブラスト・パートで押し切るストロングなスタイル。しかしながら、バンドは後に Rammstein や Rob Zombie からの影響を受けたサウンドへと変化していく。

666

Hungary

Ave Satan! 2007

Possession Productions

自身のバンドであるアトモスフェリック・ブラック／ドゥームメタル Spüolus でも活動する Thanatos（ギター／ベース）、Dusk や Туман でも活動する Shadow（ギター）と Gelal（ドラム）らによるブラックメタルの 2007 年 1st アルバム。ジャリジャリとしたノイジーなリフと、スネアをカンカン鳴らしながらとバコバコと突き進む Raw なドラム、そしてやたら邪悪な空気を撒き散らしながらガナり立てまくるヴォーカルによる、プリミティヴでオールドスクール感触が強い直球ブラックメタル。リズムからはハードコア的なノリを感じさせる所も随所で見受けられるが、全体的にはファスト・パート主体で突き進む攻撃的なスタンス。本作 1 枚のみでバンドは解散している。

Dunkelheit

Hungary

Frozen in Eternity 2010

Werewolf

Grimness や Lepra でも活動する Nebel と Damned らによるプリミティヴ・ブラックメタルが 2010 年に Werewolf Promotion からリリースした 1st アルバム。その Grimness や Lepra らとハンガリーのブラックメタル・サークル「Inner Awakening Circle」を結成している。Burzum からの影響が強い陰鬱なメロディ滲ませるリフと病的に叫ぶヴォーカル、そしてミドル・スロー・テンポでジワジワと狂気を浸み込ませる展開によるデプレッシヴ・スタイル。Raw な音質によりその病的さ加減が生々しく伝わってくる。ひたすら鬱屈したメロディを奏でるトレモロ・リフにより、沈鬱で絶望的な空気が醸し出されている。時折メロウな領域へと足を突っ込んだ曲がありつつも、デプレッシヴ・ブラックメタルの中でも、鬱屈した度合が高い部類に入る。

Dusk

Hungary

The Shadowsoul 2003

Regimental Records

Туман のメンバーでもあり、666 に参加したり自身の別プロジェクト Diecold でも活動していた Shadow が 1995 年に一人で始動させたブラックメタルの 2003 年リリース 1st アルバム。初期 Burzum や Darkthrone からの影響が大きいプリミティヴなブラックメタル・スタイルで、特に Burzum からの影響が大きい陰鬱なメロディを伴ったリフによって地下臭さが強調されている。アトモスフェリックなキーボードによる冷気と、Burzum の Varg Vikernes を彷彿させる発狂寸前のヤバさを孕みながら、病的にガナり叫びまくるヴォーカル、そしてミドル・パート主体の曲展開。Ahriman やデスメタル・バンド Gutted 等の Tamás Sándor がドラムを担当。

Fagyhamu

Hungary

Frostashes 2007

Terranis Productions

デスメタル・バンド Coffinborn やスラッシュメタル・バンド Mörbid Carnage でも活動する Devülth や、アトモスフェリック・ブラックメタルの Ahriman の Spirit（Lambert Lédeczy）らにより 1999 年から活動し、2006 年にはチェコの Inferno やフィンランドの Azaghal とも Split をリリースしているプリミティヴ・ペイガン・ブラックメタルの 2007 年 1st アルバム。ペイガニズムを掲げているが、サウンドの方はいわゆるペイガン・ブラックメタル的な勇壮で、ドラマティックなスタイルではなく、ブラスト・パート主体のファスト・ブラックメタル。デスメタルに近い感触の荘厳さを滲ませ、ジャリジャリとしたノイジーなリフと、やたら喧騒的に叫びまくるヴォーカルが邪悪に攻め立て、Marduk 等のイーヴルでファストなブラックメタルを彷彿させる。

Grimness

Hungary

Ashes of a Black Cult

2012

No Colours Records

Dunkelheit や Lepra、Hell Eternal 等でも活動する Nebel と Kotlar、Damned らによるプリミティヴ・ブラックメタル。先述のバンドらとハンガリーの地下ブラックメタル・サークル「Inner Awakening Circle」を結成している。Raw なサウンド・プロダクションにより地下臭さを強く感じさせながら、Dunkelheit 辺りを思わせる陰湿さがあるコールドでメロウなトレモロ・リフ主体のデプレッシヴな要素が多い。いわゆるデプレッシヴ・ブラックメタルの様なミドル / スロー・パートでじっくりと陰鬱さを浸み込ませるスタイルではなく、ファスト / ミドル・パートを組み合わせた展開により、初期ノルウェージャン・ブラックメタルを彷彿させる。

Gyötrelem

Hungary

Mikor a Csillagok Végleg Kihülnek...

2013

Self Mutilation Services

Gloam により 2008 年から活動するブラックメタルで、Dunkelheit や Grimness、Lepra らと結成する Inner Awakening Circle の一員バンドでもある。本作は 2013 年にメキシコの Self Mutilation Services からリリースされた 2nd アルバム。レーベル・カラーに近いノイジーな中から陰鬱なメロディを溢れ出させるギター・リフのループと、奇声に近い発狂絶叫ヴォイスが、ミドル・テンポの展開でジワジワと浸み込ませてくる。サウンド・プロダクションは Raw で、特にヴォーカルの生々しさからくる病的な空気感は、デプレッシヴ・ブラックメタル勢の中でもトップクラスの不穏さを醸し出している。

Ignominious

Hungary

Death Walks Amongst Mortals

2011

Hidden Marly Production

2007 年から活動しているハンガリーのブラックメタルが 2011 年に日本の Hidden Marly Production からリリースした 1st アルバム。ノイジーさの中から湧き上がるコールドで叙情的なリフによるメロウなブラックメタル・スタイルながら、初期ノルウェージャン・ブラックメタルからの影響も大きく、1990 年代オールドスクールな臭いも強く感じさせる。ハンガリーらしい陰湿な空気が滲み込んだトレモロ・リフのメロディが印象的。一方で邪悪さを強烈に撒き散らすガナり声ヴォーカルや、Raw なサウンド・プロダクション（ただし音の分離は良い）によりアンダーグラウンド臭が強い。メロウなプリミティヴ・ブラックメタルとしては上質だ。

Lepra

Hungary

Tongue of Devil Prayers

2014

Sigillvm Tenebrae Records

Dunkelheit や Grimness でも活動する Nebel や、Dunkelheit/ 元 Grimness の Kotlar らによるブラックメタルで、Inner Awakening Circle を構成するバンドの 2014 年 1st アルバム。Dunkelheit と同類の陰鬱でメロウさを滲ませ、ノイジーなリフで攻め立て、ボコボコと叩き込む Raw なドラムによるブラスト全開パートを中心としたファスト・ブラック・メタル。こもったサウンド・プロダクションと、ガナり立てながら邪悪な空気を強く発するヴォーカルにより、漆黒さに覆われたサウンドになっており、Marduk や Funeral Mist をさらにプリミティヴにした感じだ。次作 2nd アルバム『Whom Aeons Tore Apart』は、2017 年にフランスの名門 Drakkar Productions からリリースされた。

Niedergang

Hungary

Delirium Aeternum 2013

War Against Yourself Records

Whisper により 2007 年より活動を始め、Dunkelheit や Grimness らと共にハンガリアン・ブラックメタル・サークルの Inner Awakening Circle を結成する Niedergang の 2013 年リリース 1st アルバム。ドラムはグラインド / デスメタル Limb for a Limb のメンバーでもある Sadaist が担当。Raw な音作りによるプリミティヴなサウンドながら、ハンガリーらしい凍てついたメロディを奏でるトレモロ・リフが吹き荒れ、メロウ。噛みちぎる様な絶叫ヴォイスによるイーヴルな空気と、メランコリックなリフとの絶妙な対比が、ブラックメタル特有のコールドな空気を生み出している。メロウ・プリミティヴ・ブラックメタルとして秀逸である。

Tormentor

Hungary

Anno Domini 1989

Independent

Mayhem の Attila Csihar が在籍していたことで知られ、1985 年に結成されており、世界的に見ても最初期から活動していたブラックメタルの名作 1989 年の 2nd デモ。初期 Sodom に通じるサタニックでイーヴルな空気を撒き散らすスラッシュメタルだが、そこに陰鬱さが宿るメロディが溶け込んでおり、オリジナリティを十分感じさせる。Attila のヴォーカルも当時としては、先鋭的と言える邪悪さを強烈に発する喚き声で、怨念を感じさせる独特の雰囲気もすでに感じられる。本作収録の「Elisabeth Bathory」は Dissection がカバーしたことで有名になった。Emperor の Samoth のレーベル Nocturnal Art Productions から 1995 年に再発 CD もリリースされている。突如 2000 年にアヴァンギャルドな 1st アルバムをリリースしている。

Туман(Tuman)

Hungary

Transylvanian Dreams 2005

No Colours Records

ロシア出身の女性ヴォーカル / ギターの Dim、Dusk でも活動し、666 のメンバーでもあった Shadow（ベース）らによるブラックメタルが 2005 年に No Colours Records からリリースした 1st アルバム。バンド名は「Tuman」と読み「霧」の意味とのこと。スタイル的には『De Mysteriis Dom Sathanas』期 Mayhem からの影響を強く感じさせるオーセンティックなプリミティヴ・ブラックメタル。コールドなメロディを浸み込ませたノイジーなトレモロ・リフと、女性とは思えない狂的な絶叫呻き声、そしてファストとミドル・パートを絶妙に組み合わせた曲展開。不穏な空気を発するギター・リフは Euronymous からの影響を強く感じさせるが、Mayhem よりもさらに漆黒な雰囲気を醸し出している。

Witchcraft

Hungary

Hegyek Felettem 2012

Neverheard Distro

Dusk/Туман の Shadow によるプロジェクト Diecold にも参加した Angmar らにより 1996 年に結成されたプリミティヴ・ブラックメタルの 2012 年リリース 3rd アルバム。Lo-Fi な厚みのあまりないシャリシャリとしたノイジーなリフが主体で、冷え切ったメロディを滲ませるギターによる、初期 Darkthrone に通じるオーセンティックかつ寒々しいオールドスクールなブラックメタルをベースとしている。メロウさとは違うコールドな空気を滲ませるリフがひたすら掻き鳴らされ、ファスト・パート主体の Raw なドラム、そしてひたすら邪悪な空気を発するヴォーカルにより、余計な装飾品一切なしのストイックな地下臭いプリミティヴ・サウンドを表現している。

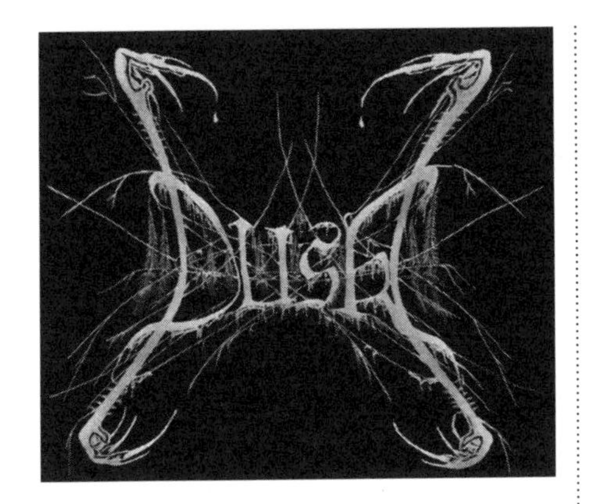

Tormentor に続き、1990 年代にハンガリーのブラックメタル・シーンを築いたバンドの一つである Dusk を率いた Shadow へのコンタクトに成功した。Dusk はハンガリー南部の都市セゲドで結成され、やがてアンダーグラウンドではハンガリーで最も知られた存在となったと言えるが、今は活動を止めてしまっている。
とにかく Shadow はサタニズムに関しては並々ならぬ強い信条を持っており、ブラックメタル本来のプリミティヴなイデオロギーとは何か？の答えがここにあると言える。

Q：まず、Dusk について質問します。
Dusk を結成した経緯とその後のバイオグラフィーを教えてください。
A：Dusk は 1995 年に始めた。すぐに Dusk の歴史において最も重要なメンバーであるベースの Akharu を見つけた、その後ドラマーの Gorgo が加わって 1st デモ『Fight of the Soul』をレコーディングしたんだ。1998 年にはドラマーが Tamás Sándor となって 2nd デモ『Recognizing Ourselves』をレコーディングした。
その後、Akharu がバンドを去ってから自分一人で全てをやるようになったけど、Tamás Sándor はしばらくバンドに残っていて彼とはいくつかのアルバムをレコーディングした。さらにドラマーが Gelal に代わって一緒にアルバムを作り、最後の 2 つのアルバムは自分一人で作った。
Q：Dusk 以前にあなたはどのような活動をしていたのですか？
A：Dusk は最初のバンドだった。まだ 15 歳の頃はシンプルにサタニストだったけど、その後にブラックメタルを聴くようになった。
A：あなたが影響を受けた音楽は？
Q：ハンガリーの最初のヘヴィメタル・バンドは Pokolgép と Ossian だけど、自分には合っていないと感じていた。そしてサタニストとなってから Bathory や Burzum、Mayhem、Emperor、Darkthrone、Impaled Nazarene と出会った。
Q：Dusk と同じくハンガリーの重要なブラックメタルである Туман も結成しますが、Туман はどのようにして結成されたのでしょうか？
また、Туман のバイオグラフィーを教えて下さい。
A：Туман は 2003 年に Dim と一緒に始めた。Dim は子供の頃から音楽を学んでいて、彼女も音楽をやりたいと思っていたので、このアイディアに参加してもらった。その年に我々はデモをレコーディングした。その後、ドラマーの Gelal が加わってデモと 2 枚のアルバムをレコーディングし、さらにその後、我々はセゲドを去ることになった。
残念ながら Gelal のドラムも満足できるものではなかったので、我々は一緒にプレイすることが出来なくなり、新たなドラマーとして B. を迎えた。彼は 2 つのアルバムに参加してもらったけど素晴らしいミュージシャンだったし、彼も Туман のことをずっと好きだったんだ。
Q：あなたは Dusk や Туман 以外にも 666 や Diecold といったバンドでも活動していましたが、これらのバンドはまだ続いているのでしょうか？
A：いや、もう終わっているよ。自分は 666 を続けたいと思っていたけど Thanatos がそれを望んでいなかったので止めることになった。
Diecold に関しては……自分はオールドスタイルのブラックメタルをやりたいと思っていたんだけども、それをやりたいメンバーもファンもいなかった……だから止めたんだ。
Q：ハンガリーのブラックメタル・シーンについて教えてください。
A：ハンガリーのブラックメタルで最もよく知られているのは Tormentor だ。ハンガリーは小さな国だし、ブラックメタルの数は少なかった。1995 年の時点では数えるぐらいしかバンドがいなかった。その頃のセゲドにはいい思い出がない……自分は黒い服を着て逆さにした十字架のネックレスをしていたんだが、誰からも憎まれていた……まるで部外者のような感じだった。非常に難しい戦いを強いられていた。今では誰も自分達のことを奇異な目で見ることはないけど、それが決して良いことだとは思えない。なぜなら若い層が「自らのために戦う」ということが何を意味するのか分からないからね。若いファン層のほとんどは人間好きでないだけで、ブラックメタル・ファンではないと言えると思う。それはブラックメタルがトレンディーでポピュラーな存在になってしまったのが原因ではないかと思う。
自分は人間ではなく、この世の中にいないものと考えている。だから 1990 年代は良かったけど、西ヨーロッパからの悪い影響がハンガリーにも毒を回してきた。しかしこれはグローバルな問題だと思う。今は多くのブラックメタル・バンドが存在するけれども、自分はそれを支持したいとは思わない。なぜなら、多くのトレンドとなったブラックメタル・バンドは悪魔主義ではないからね。

ブラックメタルはサタニックであるべきだ。
Q：あなたはブダペストではなくセゲド出身ですが、セゲドは他にどのようなバンドが活動しているのでしょうか？
またブダペストを活動の拠点としなかった理由は？
A：自分はブダペストに 11 年間住んでいるよ。自分はどこを拠点にしているという考えはない。セゲドもブダペストも好きではないな。
セゲドにはいくつかのバンドがいるけど、自分には優れたダークなバンドがいるのかよく分からない。かつては Ahriman がいたけど、最近は何人かの若者が Inner Awakening Circle を作っている。自分はある男にギターを教えていて、彼はとても若かったが自分の所にきてからはブラックメタルに興味を持つようになった。その後、彼は Inner Awakening Circle を作って、そこにはいくつかのバンドが参加している。
Q：あなたは主にサタニックな題材を取り上げていますが、あなたにとってサタニズムとはどのようなものでしょうか？
A：サタニズムとは誰にとっても不変のものだと思う。ただ我々は手段が異なっていると思う。
あらゆる種類のサタニズムは大きな絵の中の小さな断片であると思う。多くの種類のサタニズムが存在するとは思っていない。サタニズムの第一のポイントは反抗と自由であり、人間とは異なる何かに内在するものであると思う。サタニストは人間とは他の何かに内在することを望んでいる。多分、我々の異なることが何なのか分からないかもしれないが、自分達は世界というのを受け入れることはしない。サタニストは世界を敵に回している。これは最初のステップであり、自分が考える最重要なことだ。
暗闇の中で我々は自分自身を認識することができる。それが悪魔主義とキリスト教との間に何らかのつながりを持っているとは考えていないけど、人間と文化への反抗であると思う。
自分は、サタニズムはキリスト教よりも古くから存在していると考えている。自分は人間ではないので、この暗闇への道は自分自身の道なんだ。
Q：Туман はトランシルヴァニアについても取り上げていますが、あなたにとってトランシルヴァニア地域とは？
A：トランシルヴァニアは我々の国の一部で、多くのハンガリー人が住んでいる。トランシルヴァニアに関してはよく知っているよ。
そこは奇妙で古くて暗い何かが存在する特別な土地だと思う。それが具体的に何であるかを表すことは出来ないけど、そこから生まれた不思議な神秘がたくさんあることは知っている。トランシルヴァニアにはカルパチア山脈と広大な森があって、それは人間世界から遠く離れた静かなところだ。自分はその神秘的な暗い森が好きだよ。
Q：あなたにとってのブラックメタルとは？
A：ブラックメタルは悪魔主義である。そして暗闇を音楽で表現するものである。闇を知らないということはブラックメタルを知らないということだ。
Q：日本のバンドは知っていますか？
A：日本のバンドについてはよく知らない。唯一知っているのは Abigail だ。
良いミュージシャンがたくさんいることは知っているけど、ルールがあまりにも多くて創造性を殺してしまっているように感じる。
Q：これからのあなたの活動予定について聞かせてください。
A：何もないよ。
Q：最後に日本のファンに向けて一言お願いします。
A：決まりを破れ！　自分自身を自由にし、自身の道を進んでほしい……。

Algor

Slovakia

Úder Pohanského Hnevu

2003

Eclipse Productions

Aldaron と、Hromovlad やアトモスフェリック・ブラックメタルの Krolok 等で活動してきた Miroslav により 1998 年から活動しているブラックメタル。シャーマニズムや宇宙論的神話を説いたルーマニアの作家 / 宗教学者ミルチャ・エリアーデや、キリスト教義ではなく、哲学的見地からの宗教論を展開したルドルフ・オットーの思想をコンセプトとして持ち合わせている。本作はチェコの Eclipse Productions から 2003 年にリリースされた 1st アルバムで、冷え切ったメロディを擁するトレモロ・リフと、Raw なドラムによるブラスト・パートが主体のプリミティヴなブラックメタル。コンセプトがどのように音へ反映されているのかはさて置き、メロウなプリミティヴ・ブラックメタルとしてはレベルの高さが秀でている。

Einsamtod

Slovakia

Einsamtod

2012

EZ Produktionen

Tundra や Vollmond でも活動するイタリア人ヴォーカリスト Nefastvm と、アトモスフェリック / アンビエント・ブラックメタルの Aeon Winds やペイガン・ブラックメタルの Alatyr で活動してきた Igric によるブラックメタルの 2012 年リリース 1st アルバム。ジリジリと擦り込む様なノイズ塗れのトレモロ・リフと、物凄い狂的な空気を発する絶叫ヴォイスによるハーシュ・ブラックメタル・サウンドなのだが、随所でメランコリックと言える陰鬱なメロディを取り入れて、デプレッシヴな要素も強く押し出されている。いわゆるデプレッシヴ・ブラックメタルとは違い、猛烈なブラスト・パートも多く、ノイジーさを強く感じさせるが、一方で絶望感に満ちた場面もまた強烈である。Raw なサウンド・プロダクションがその狂気に満ちたデプレッションを生々しく感じさせることに、大きな役割を果たしている。

Hromovlad

Slovakia

Vládca Lesov, Skalných Stien

2005

Long Ago Records

Immortal Hammer 等でも活動してきた Beelphegor や、Algor や Krolok 等のメンバーでもある Miroslav らによるブラックメタルが、2005 年にチェコの Long Ago Records からリリースした 1st アルバム。自然崇拝やスラヴ神話がコンセプトにあるので、ベースはプリミティヴなブラックメタルながらペイガンメタルの要素も多分にある。ジリジリとしたノイジーなトレモロ・リフから叙情的なメロディを滲ませ、ファストとミドル・パートを組み合わせながらドラマティックな要素で曲を展開していく。勇壮さや郷愁性も感じさせ、さらにフォークメタル要素が強い場面もあったりする。次作『Ohňa Hlad, Vody Chlad』は一気にメジャーなフォークメタル色の強いサウンドとなった。2014 年に解散している。

Immortal Hammer

Slovakia

V znameni Perúnovho Kruhu

2002

Eclipse Productions

Hromovlad のメンバーとして活動してきた Beelphegor と Bluten で活動していた Hades によるプリミティヴ・ブラックメタルが、2002 年に Eclipse Productions からリリースした 1st アルバム。薄っすらとコールドなメロディを滲ませ、厚みのない原始的なリフと Raw なドラム、邪悪さを生々しく発するガナり声による、初期 Darkthrone 直系の装飾要素一切なしのプリミティヴ・ブラックメタル。それ以上でも以下でもないサウンドだが、オーセンティックなプリミティヴなブラックメタル・スタイルを正統に継承している。バンドは 2003 年に 7" EP『Volanie Bohyne Smrti』を残した後、2004 年に解散している。

Temnohor

Slovakia

Pýcha Lesov Karpatských　2008

Egg of Nihilism Productions

Temnohor により 1999 年から活動する一人ブラックメタルが 2008 年にポルトガルの Egg of Nihilism Productions からリリースした 1st アルバム。ドラムはアヴァンギャルドなブラックメタル Remmirath にも参加する Sigi が叩いている。ひび割れして歪みまくったノイジーなリフと、妙に邪気濃度を強く感じさせるガナり声による地下プリミティヴ・サウンド。メロウさとは無縁の原始的なブラックメタルである。Ildjarn 程ではないが、サウンド・プロダクションはかなりの Lo-Fi っぷりで、そこから来る生々しい音像が邪悪さを深めている。本作後は 2013 年に Krolok との Split、2015 年には 2nd アルバム『Krv a Pot Malých Karpát』をリリースしている。

Warmarch

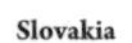

Slovakia

Pactum Cum Diabolus　2009

Hexencave Productions

Kaltemtal（ヴォーカル）を中心として 2007 年から活動していたプリミティヴ・ブラックメタルの 2009 年リリース 1st アルバム。Evil（スロヴァキア）やブラッケンド・スラッシュメタル Oldblood でも活動する Carpath（ギター / ベース）と Dlog（ドラム）がメンバーとして参加している。1990 年代初期ブラックメタルをベースに、コールドで叙情的なメロディを伴ったリフとガラガラ声で喚き散らすヴォーカル、そして Raw なサウンド・プロダクションにより原始的な地下ブラックメタルである。メロウな要素は抑え気味である。と言うよりも強烈な呻きガナり声により掻き消されてしまっている感があり。バンドは本作後アルバムをリリースすることなく、2010 年に解散している。

Kolac

Serbia

Zauvek crni　2014

Grom Records

2006 年から活動するブラックメタルで、バンド名は英語で「The Stake」（杭）の意味。2014 年にセルビアの Grom Records と、2017 年に日本の Hidden Marly Production からリリースされた 2nd アルバムで、Winterblut のメンバーで Nargaroth にも参加していたドイツ人ドラマーの L'Hiver がセッション参加している。スタイルとしては、北欧勢と近似するコールドなメロディを主体としたリフによるプリミティヴ・ブラックメタル。強力に邪悪な空気を発し、ガナり叫ぶヴォーカルや、ブラスト・パートからミドルまでを的確に叩き込むドラム、そしてファストからミドル・パートまでをバランス良く配合した曲展開、そして音の分離がはっきりしたサウンド・プロダクション。地下臭さや Raw さはあまりないが、真性さを強く感じさせる。

Kozeljnik

Serbia

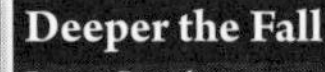

Deeper the Fall　2010

Paragon Records

The Stone やシンフォニック・ブラックメタル May Result の Kozeljnik と L.G. により 2006 年から活動しているブラックメタルが 2010 年に US の Paragon Records からリリースした 2nd アルバム。コールドな空気を醸し出すジャリジャリとしたノイジーなリフによるノルウェージャン・ブラックメタルに近い。ブラスト / ミドル・パートをバランス良く配合した曲展開や、クリアで厚みのあるサウンド・プロダクションにより、ポテンシャルの高さを示している。邪悪さに満ちた演説調に聴こえるガナり声（時折怨念がこもったかのようなノーマル・ヴォイスもあり）が特徴的で、リフから溢れ出す暗黒な空気感により禍々しさが渦巻いている。程よく Raw さを感じさせつつ、ハイレベルな真性プリミティヴ・ブラックメタルを展開する。

The Stone

Serbia

Словенска крв

2002

Wolfcult Records

自身のバンドである Kozeljnik やこの The Stone と共に、セルビアを代表する存在でもあるシンフォニック・ブラックメタルの May Result でも活動してきている Kozeljnik や、May Result にも一時期在籍していた Nefas らによるブラックメタル。Stone to Flesh を前身とし、2001 年から The Stone へ改名、2002 年にリリースされた 1st アルバムが本作。ドラムは Stone to Flesh からのメンバーで、May Result の Ilija が担当。Raw なサウンド･プロダクションによるオーセンティックなブラックメタルで、薄っすらと冷えたメロディを擁するリフに噛み付くような攻撃的ガナり声のヴォーカルにより、クオリティの高いブラックメタルを聴かせる。2013 年に Sepulchral Productions から再発 CD がリリースされている。

Svartgren

Serbia

Prazan Grob

2015

Hidden Marly Production

Bethor やデスメタル Infest にも参加した Aleksandar Stefanović によるブラックメタルが、2015 年に日本の Hidden Marly Production からリリースした 1st アルバム。メンバーとして Vuk(ギター)が､セッション･メンバーとしてスラッシュメタル Space Eater でも活動した Tihi（ドラム）と Tower（ベース）が参加している。コールドなメロディも薄っすらと滲ませるノイジーなリフと邪悪な空気を充満させるガナり声ヴォーカル、そしてファストとミドル・パートをバランス良く配した曲展開によるオーセンティックな 1990 年代ブラックメタルを受け継いでいる。Raw なサウンド･プロダクションにより、アンダーグラウンドなプリミティヴ・ブラックメタル臭が強い。

Inexistenz

Slovenia

Erfundene Welten

2013

Naturmacht Productions

B. なる人物による一人デプレッシヴ・ブラックメタルの 2013 年にドイツの Naturmacht Productions からリリースされた 2nd アルバム。トレモロ・リフやアルペジオによる愁傷感に支配されたメロディ、そして病んだ空気を放出しながらのたうち回る様な悲痛な叫びが絶望精神世界へと引き込んでいく。サウンド・プロダクション自体はクリーンな音像となっているが､Raw な感触も強く出ており、余計に陰鬱さがリアルに伝わってくる。ひたすらミドル / スロー・テンポの展開でジリジリと病的な空気を擦り込ませていく手法で、デプレッシヴ・ブラックメタルとしてはよくあるパターンではあるが、鬱さ加減はこの手のバンドでは高い。

Somrak

Slovenia

The Blackwinged Serpent Crowned

2012

Necroterror Records

2001 年から活動しているスロヴェニアのブラックメタルが、2012 年にキプロスの Necroterror Records からリリースした 2nd アルバム。凍てついたメロディを滲ませるリフによるスウェディッシュ・ブラックメタルやフレンチ・ブラックメタルにも近いスタイルで、異様にドス黒い空気を発するガナり声ヴォーカルにより、禍々しくしさに覆われたアンダーグラウンド・サウンド。メロウな要素もありつつ、リフの節々からも黒い気が滲み出ており、ブラックメタル特有の暗黒空気感を絶妙に写し出す。さらに Deathspell Omega や Aosoth 辺りに通じる美意識も感じさせる。ファスト・パートとミドル・パートを絶妙に組み合わせながら、曲展開もしっかり練られている。

The Frost

Croatia

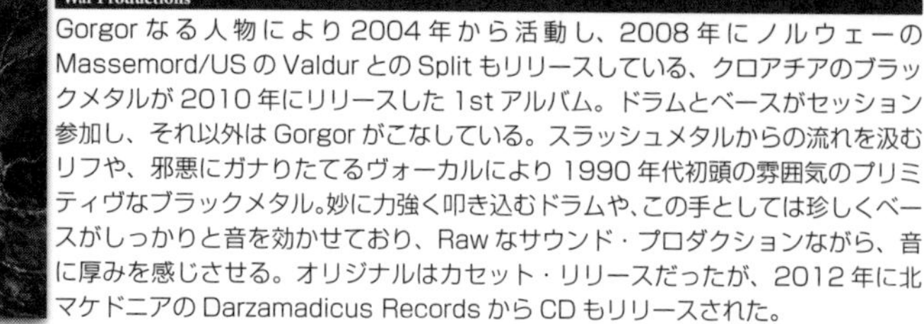

...Of the Forest Unknown 2010

War Productions

Gorgor なる人物により 2004 年から活動し、2008 年にノルウェーの Massemord/US の Valdur との Split もリリースしている、クロアチアのブラックメタルが 2010 年にリリースした 1st アルバム。ドラムとベースがセッション参加し、それ以外は Gorgor がこなしている。スラッシュメタルからの流れを汲むリフや、邪悪にガナりたてるヴォーカルにより 1990 年代初頭の雰囲気のプリミティヴなブラックメタル。妙に力強く叩き込むドラムや、この手としては珍しくベースがしっかりと音を効かせており、Raw なサウンド・プロダクションながら、音に厚みを感じさせる。オリジナルはカセット・リリースだったが、2012 年に北マケドニアの Darzamadicus Records から CD もリリースされた。

Wolfenhords

Croatia

Wolves of the New Beginning 2007

Terror Cult Productions

The Nobll によるクロアチアの NSBM。これまで 4 枚のアルバムの他、ウクライナの NS ペイガンメタル Чиста Криниця やブラジルの NSBM の Sacrifício Sumério、US の NS ブラックメタル Malsaint との Split もリリースしている。本作は 2007 年にポーランドの Terror Cult Productions からリリースされた 1st アルバム。ザラついたノイジーなリフと Raw なドラム、そして狂的に叫びまくるヴォーカルによる、オーセンティックかつプリミティヴなブラックメタル・スタイル。サウンド・プロダクション自体はクリアなのだが、Raw な音なので絶妙に迫真さが伝わってくる。特に邪悪と言うよりは、狂気の叫びに近いヴォーカルによって、只ならぬ空気を撒き散らしている。

1389

Bosnia and Herzegovina

Ledena Pustoš 2009

Independent

元々は Black SS Vomit として活動していた Vožd Jovan Pogani による一人 NSBM。バンド名の 1389 は、セルビア王国とオスマン帝国によるコソボの戦いが勃発した年から。本作は 2009 年にリリースされた 1st アルバムであるが、これまでに 4 枚のアルバムの他に、数えきれない程の Split をリリースしている。Darkthrone からの影響を強く感じさせる厚みのないシャリシャリとしたリフと、ドカドカと叩き込む Raw なドラムによる、Lo-Fi でミニマムなブラックメタル。サウンド・プロダクションは劣悪レベルながら、随所に挿入されるナチス演説 SE や怨念のこもった低音呻き声ヴォーカルが妙に目立っており、それにより NSBM のきな臭さが異様に強く感じられる。

Arjen

Bosnia and Herzegovina

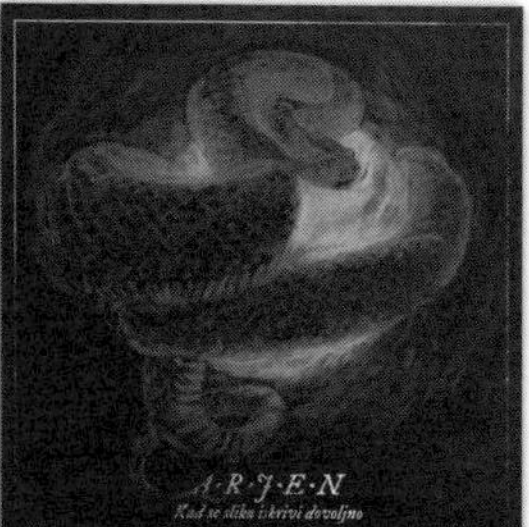

Kad Se Slika Iskrivi Dovoljno 2019

Signal Rex

ボスニア・ヘルツェゴビナ・シーンの中核を成しているカルト・ブラックメタル Void Prayer のメンバーでもある H.P. 一人によるブラックメタル。2015 年に自主制作 CD-R で 1st アルバム『Sve Se Raspada』をリリースしており、本作は 2nd アルバムとなる。カルトな雰囲気を醸し出す邪悪極まりないガナり声と、北欧ブラックメタルからの影響下にあるコールドなメロディを滲み出すノイジーなリフによる完全アンダーグラウンド・サウンド。暗黒な空気にすっぽりと覆われながら、ファストとミドル・パートを組み合わせつつ、若干アヴァンギャルドな展開も見せて、カオティックな雰囲気すら感じさせる。音質は劣悪であるが、暗澹たる異質世界を構築している。Void Prayer の O. がゲスト・ヴォーカルで参加。

Void Prayer

Bosnia and Herzegovina

Stillbirth from the Psychotic Void 2018

Signal Rex

ボスニア・ヘルツェゴビナのブラックメタル集団「Black Plague Circle」の中心バンド。Nigrum Ignis Circuli や Niteris と言った「Black Plague Circle」バンドでも活動する H. と O. を中心としたプリミティヴ・ブラックメタル。H. は Arjen のメンバーとしても活動している。劣悪な音質とシャリシャリとしたノイジーなリフによる完全に地下へ潜った音響。そして不気味な空気を異様に発するガナり声や宗教的雰囲気を作り上げるコーラス、さらには狂人じみた叫びまで盛り込み、全編に渡って奇怪な漆黒さが濛々と立ち込めている。カルトなブラックメタル・ファン以外寄せ付けない。

Maras

North Macedonia

Раскол 2008

Alatir Promotions

Andrej Karadzoski により 2003 年に活動を始め、スペインのケルティック・ブラックメタル Xerión との Split もリリース（2007 年）している北マケドニアのブラックメタルが 2008 年にした 1st アルバム。時折フォーキッシュなメロディやペイガンメタル風の勇壮な展開を取り入れつつ、キレのあるリフと邪悪にガナるヴォーカルと、パタパタと叩き込むドラムによるプリミティヴなブラックメタルを展開。Raw ではあるが、サウンド・プロダクションはクリアで演奏力もハイレベル。ブラックメタル然としたファストなパートを混ぜつつも、ミドルやスロー・パートによるペイガン・ブラックメタル的な要素を絶妙にミックスさせている。

Siculicidium

Romania

Utolsó Vágta az Univerzumban 2009

Sun & Moon Records

Wolfsgrey でも活動する Pestifer（ギター / ベース）と Béla Lugosi（ヴォーカル）、Witchcraft や Vorkuta、Funebre 等でも活動するハンガリー人ドラマーの Khrul によるルーマニアのブラックメタルが Sun & Moon Records からリリースした 2009 年 1st アルバム。メロウな要素が多く、ドラマティックな展開を見せるプリミティヴなブラックメタル。ルーマニアでは主流と言えるアトモスフェリックなスタイルではなく、あくまでもメランコリックなメロディ、ミドル・パート主体で劇的な展開を見せる楽曲構成。やや気色悪いガラガラ声のガナり声のアクの強さが好みを分けそうではあるが、完成度は高い。

Wolfsgrey

Romania

Transylvanian Plaguespreader Committee 2013

Tenebrd Music

Siculicidium の Béla Lugosi（ヴォーカル）と Pestifer（ギター）によるプリミティヴ・ブラックメタルが 2013 年にフランスの Drakkar Music のサブレーベルである Tenebrd Music からリリースした 1st アルバム。飾り気のない原始的なリフと、パコパコと鳴る Raw なドラムによる Lo-Fi なブラックメタルで、篭ったサウンド・プロダクションにより、アンダーグラウンド臭は強力。ハードコア寄りだったり正統メタルに近い感触だったりするリフが個性的だ。怨念が込められたガナり声により、極悪な空気感がより強くなっている。音質が異なった曲があったりする乱雑さも、またプリミティヴなブラックメタルらしさを発揮している。

88

Bulgaria

War Eagle 2014

Winter Solace Productions

GaskammerやPerverse Monastyrと言ったブラックメタルやドゥーム/ブラックメタルの Aeonless 等でも活動する Okupator（Erilyne）が、2006 年から一人で活動しているブルガリアの NSBM。ウクライナの Moloch とイタリアの Iron Youth 88 との Split を 2008 年にリリースしているが、本作は 2014 年に US のNSレーベルWinter Solace Productionsからリリースされた1stアルバム。メロウな要素も擁するトレモロ・リフに、ガシャガシャしながら力強さも感じさせる Raw なドラムによるプリミティヴなスタイル。ファストとミドル・パートを組み合わせ、メロウなリフを絶妙に活かしている。しかしながらドスの効いた極悪なガナり声により、NSBM 特有の異様さを強く感じさせる。

Aryan Art

Bulgaria

...и берем плодовете на нашето нехайство 2010

Thor's Hammer Productions

Alexander による、ブルガリアの民謡や歴史にも造詣が深いらしい NSBM の 2009 年 3rd アルバム。元々は Alexander 一人だったが、本作ではギタリストの I.V.T. がメンバーとして参加している。オリジナルはポーランドの Werewolf Promotion からカセット・テープでリリースされたが、2010 年にフランスの Thor's Hammer Productions から CD も出ている。冷え切ったメロディがミニマルに吐き出されるトレモロ・リフを主体としたファストに疾走する展開を中心とした、メロウなプリミティヴ・スタイル。デプレッシヴ・ブラックメタル一歩手前とも言える悲哀感に満ち溢れたメロウ・リフが印象的。アトモスフェリックな空間を引き裂く様な悲痛感を漂わせる壮絶な絶叫ヴォイスも、悲哀メロディに実によくマッチしている。メロウ・プリミティヴ・ブラックメタルのマスターピース。

Orenda

Bulgaria

The Funeral 2007

No Colours Records

1999 年から活動し、アルバムを 2 枚リリースした Bleeding Black から改名したブラックメタルが、2007 年に No Colours Records からリリースした 2nd アルバム。ギタリスト Agan（Angel Angelov）は 1980 年代末期から 1990 年代前半にかけて活動した、ブルガリアのスラッシュメタル Nightmare のメンバーでもあった。ザラついた感触のノイジーなリフから湧き上がるコールドで陰鬱叙情メロディを主体とし、怨念や怒りを押し殺したようなガナり声によるプリミティヴ・ブラックメタル。曲展開もブラスト・パートを主体にミドル・パートを組み合わせている。随所で流れるキーボードがメロディを引き上げているとともに、どこかミステリアスな空間を創出している。

Kruk

Belarus

Endkampf 2008

Possession Productions

1996 年に活動を始めたベラルーシのブラックメタルが 2008 年に Possession Productions からリリースした 1st アルバム。ロシアの Навь らとの 4 Way Split『Total Holocaust Vol. 1』を 2000 年にカセット・リリースしており、2005 年にはデモ・コンピレーション『Drowned in a Swampheart of Evrope』も出ている。冷えたメロディを擁するノイジーなリフと邪悪さと言うよりは、怒気と怨念を含んだ感情をあらわにするガナり声によるプリミティヴなブラックメタル。サウンド・プロダクションは然程劣悪ではないが、適度に Raw な感触の音像である。メロディックまでは行かない、優れたメロウなアンダーグラウンド・ブラックメタル。

Zaklon

Belarus

Сымбалі Нязбытнага 2012

Independent

Desolate Heaven というブラックメタルやフューネラル・ドゥームメタルのPogost でも活動する Temnarod が、一人で 1999 年から活動しているブラックメタルの 3rd アルバム。オリジナルはデジタル・リリースだったが、2013 年にロシアの Gardarika Musikk から CD もリリースされた。凍てついたコールド・メロディを湧き立てるトレモロ・リフによるプリミティヴなブラックメタルで、ブラスト・パート主体ながら、ミドル・パートでもそのメロディを上手く発揮させるセンスが光る。コールドな空間を形成しているが、Raw なサウンド･プロダクションによって、メロディック・ブラックメタルとは一線を引いたメロウ・プリミティヴ・ブラックメタルを作り出している。

Blackthru

Lithuania

Iš tamsos... 2007

Candarian Demon Productions

Bletmanas なる人物により、2004 年から活動しているリトアニアのブラックメタルが 2007 年にリリース。トータル分数が 27 分程なのでアルバムというよりは、EP サイズと言えるだろう。ザラつき、音圧のないチープなトレモロ・リフからこぼれる、陰鬱で喪失感たっぷりのメロディによるデプレッシヴなスタイル。エフェクトを強めにかけた狂的なハーシュ・ヴォイスが陰鬱さを深耕する。随所で導入される冷気を湧き立たせるキーボードによるアレンジが幻影的で、メランコリックな情景を絶妙に作り出している。ミドル・テンポにみならずブラスト・パートの割合も多めなので、いわゆるデプレッシヴ・ブラックメタルの沈鬱さとは異なり、メロウなプリミティヴ・ブラックメタルの要素を強く感じさせる。なお、本作後 Triangle of Art とバンド名を変えている。

Nahash

Lithuania

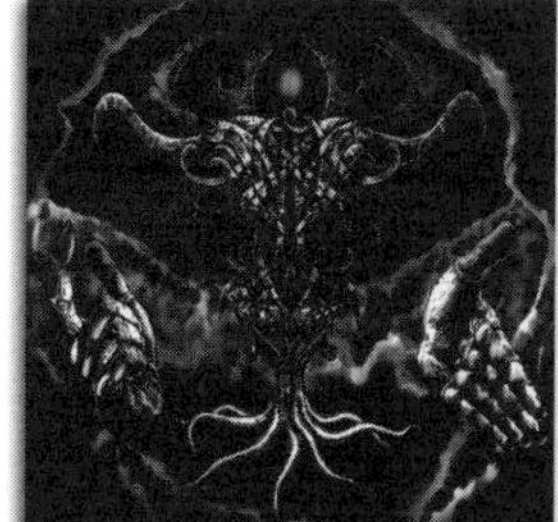

Wellone Aeternitas 1996

Ledo Takas Records

1993 年から活動しているリトアニアのブラックメタルが 1996 年にリリースした 1st アルバム。1990 年代前半にリトアニアという地でブラックメタルが存在していたことも驚きではあるが、サウンドの方はそれ以上のインパクトを与えるカルトっぷり。メロウなギター・リフが中心で、そのメロディからは厭世的な空気が発せられているが、同時に暗黒な気配もそのギター・リフから醸し出されており、全体的にダークな雰囲気になっている。キーボードによる妖しさや、邪悪にガナるヴォーカルに加えて、一癖も二癖もある妙な展開もまたカルトさに拍車をかけている。オリジナルはカセット･リリースだが、Drakkar Productions から CD がリースされていた。さらに2010年にはInferna Profundus Recordsからリマスター / ボーナス・トラック追加で再発盤がリリースされている。

Dark Domination

Latvia

Rebellion 666 2006

Evil Distribution

ラトビアで 1997 年から活動しているブラックメタルが 2006 年にリリースした 2nd アルバム。ドラムの Midgard はメロディックなブラックメタル Nycticorax でも活動していた。冷えたメロディのトレモロ・リフと、邪悪な空気を撒き散らすガナり声による、メロウかつオーセンティックなノルウェージャン・ブラックメタルに近い。よく練られたファスト / ミドル・パートを組み合わせた曲展開や、タイトなドラム。サウンド・プロダクションは比較的クリアだが、適度なアンダーグラウンドさを醸し出す Rawな音により、ブラックメタル本来のプリミティヴ性をしっかりと感じさせてくれる。エストニアの Loits 等のメンバーである Lembetu がゲスト・ヴォーカルで参加している。

Loits

Estonia

Ei Kahetse Midagi

2001

Independent

ペイガン・ブラックメタルの Tharaphita でも活動した Lembetu らによるブラックメタルが 2001 年にリリースした 1st アルバム。メロウな要素が多いプリミティヴなブラックメタルで、随所でペイガンメタルに通じる郷愁性の強いメロディや、勇壮でドラマティックな展開を見せる。アトモスフェリックなキーボードも時折入れたりして、いわゆる真性なブラックメタルではないものの、サウンド・プロダクション自体は Raw なので、ブラックメタル特有のプリミティヴさは比較的強い。オリジナルは自主制作だが、2003 年にポーランドの Seven Gates of Hell、2005 年に Nailboard Records から CD、2009 年には Drakkar Productions からピクチャー LP で再発盤がリリースされている。

NSBM（国民社会主義）とブラックメタルの関係

NSBM(National Socialist Black Metal = 国民社会主義ブラックメタル）はナチス（国民社会主義ドイツ労働者党）のイデオロギーを主義とする、極右思想のブラックメタルである。

NSBM の最重要人物は Burzum の Varg Vikernes である。Euronymous 殺害により収監されている間、彼はネオナチのネットワーク団体である Heathen Front の中心人物として活動し、執筆活動も行った。Heathen Front はやがて欧米各国に支部を設立し、国際的組織へと発展していく。また、Vikernes はルーン文字のオーザルから名をとったオダリズムという言葉を 1992 年頃に作り出していた。オダリズムは、ペイガニズムの要素を取り入れた北欧民族至上主義である。そしてその根底にはナショナリズムやレイシズムがあった。彼は釈放後も Burzum と執筆活動を続けたが、2014年に人種差別扇動により有罪判決を受けている。

NSBM のもう一つ重要な存在がドイツの Absurd である。Sandro Beyer 殺害による収監中に JFN(Hendrik Möbus) は、Heathen Front のドイツ支部を運営し、NSBM レーベルの Darker than Black Records を設立。釈放後、彼はライブ中にナチス式啓礼を行い、アメリカへ逃亡しようとして逮捕されている。

そのドイツは最もネオナチに厳しい国であるが、NSBM が多く存在する。1993 年には Wehrhammer が活動を始めていたが、1990 年代後半には Totenburg や Bilskirnir 等が結成され、さらに 2000 年代以降も多くの NSBM が結成されている。

西欧ではギリシャも NSBM が多い。1990 年代後半に Der Stürmer や Gauntlet's Sword、Stutthof、The Shadow Order、Wolfnacht 等が活動を始め、Der Stürmer の Commando Wolf による Totenkopf Propaganda は NSBM 重要レーベルとなった。フランスも Kristallnacht や Seigneur Voland、Gestapo 666 等、多くの NSBM が存在。他にもイタリアの Gaszimmer やオランダの Aryan Blood、ベルギーの Aryan Kampf 88 が有名である。

東欧にはスラブ民族優位性を唱え、ペイガニズムとも結びついた NS 思想のバンドが多い。特にポーランドは Graveland を始め、Inferum、Fullmoon、Veles が 1990 年代初頭から活動を始めており、これらのバンドは NSBM 集団としての側面もあった The Temple of Fullmoon というサークルを結成していた。その後、Graveland と Fullmoon 人脈を中心に多くの NSBM が登場している。

ロシアもまた NSBM の重要国である。Branikald を中心に、Forest や Raven Dark、Nitberg らにより 1994 年に NSBM サークルの BlazeBirth Hall が結成された。中心人物で Branikald として活動していた Kaldrad が 2001 年に武器不法所持により逮捕され、収監されることで BBH は活動停止状態となったが、その後も M8Л8TX や Темнозорь (Temnozor) 等 NSBM が多く出現している。

さらにウクライナはシーンの中核である Nokturnal Mortum が NSBM であるため、Dub Buk や Aryan Terrorism 等、極右思想のバンドが多い。

アメリカでは早くから Grand Belial's Key や Pantheon が活動しており、NSBM を先導していた。さらにカナダにはケベック民族主義を掲げた Akitsa がおり、Rahowa のメンバーだった George Burdi による Resistance Records が 1990 年代初頭に NSBM 重要レーベルとなった。

中南米では、メキシコにアステカ神話と NS 思想を結びつけた Nican Tlaca や Kukulcan と言った特異な存在おり、ブラジルでは Evil を始め多くの NSBM が活動している。また、アルゼンチンには NSBM サークルの Southern Elite Circle がある。

なお NSBM はアジアからも出現している。シンガポールには 1993 年から活動している As Sahar がおり、近年はマレーシアのシーンが注目されている。

North
America

US

世界的に見ても、多くのブラックメタルを輩出しているアメリカのシーンだが、2000年代まではどちらかと言えばブラックメタル後進国だった。1980年代後半には Necrovore や Order from Chaos 等の暗黒なバンドも出現してはいたが、1990年代前半にかけてデスメタルが完全にアンダーグラウンド・シーンを支配していた。その中でも1987年から活動していた Von は、サタニックで Raw なサウンドで後のブラックメタルへ影響を与えた存在となった。そして、ニューヨークの Profanatica や Havohej、フロリダの Acheron、シカゴの Sarcophagus、元々デスメタルであったが、ブラックメタルへと変化していく Absu 等が1990年代前半の US ブラックメタル・シーンの原形を象っていた。その中から、Sarcophagus で活動していた Akhenaten による Judas Iscariot、Imperial から発展した Krieg、1992年から活動を始めた Grand Belial's Key と I Shalt Become、1993年に結成された Black Funeral が登場。これらはいずれも Raw なサウンドだったこともあり、北欧 / ヨーロッパ勢に比べるととてもマニアックな存在であった。しかしながら、特に Judas Iscariot や Krieg はハードコア・シーンとの交流もあり、閉鎖的なシーンを形成していた欧州に比べてフラットな活動をしていた。それが現在の US ブラックメタルのジャンルレスな幅広いシーンへと繋がっている。

1990年代末期から US ブラックメタルの代表格となる Leviathan、Nachtmystium、Xasthur が登場、この3バンドはデプレッシヴなサウンド（Leviathan と Nachtmystium は先鋭的サウンドへと進化する）で徐々に注目を集めていく。一方、シーンの多様化も進むようになり、I Shalt Become や Xasthur に端を発し、Happy Days や Krohm 等のデプレッシヴ・ブラックメタル、Krallice を始めとするポスト・ブラックメタル、Lurker of Chalice や Enbilulugugal、L'Acéphale、Tjolgtjar 等の突然変異的ブラックメタルが多く出現している。

また、Phil Anselmo（元 Pantera）による Viking Crown や Brutal Truth の Dan Lilker による Hemlock、Testament の Eric Peterson による Dragonlord、Soilent Green や元 Crowbar のメンバーらによる Goatwhore 等、他分野からの参入も盛んだ。シンフォニック・ブラックメタルとして人気を博す Abigail Williams も元々はメタルコア・バンドであったし、US ブラックメタル・オールスター・バンドと言える Twilight へ Isis の Aaron Turner や Sonic Youth の Thurston Moore が参加したりと、ジャンルレスのシーンへと進化している。また、Wolves in the Throne Room や Agalloch を始めとするカスケイディアン・ブラックメタル（カスカディア地域出身の自然崇拝バンド）も注目を集めた。

カナダ

1980年代のカナダはスラッシュメタルを多く輩出したが、1980年代中盤頃から活動を始めていた Blasphemy の登場が世界中のアンダーグラウンド・シーンへ多大なる衝撃を与える。特にウォー・ブラックメタルやベスチャルなブラックメタルへの道標となり、Conqueror や Revenge、Axis of Advance が生まれた。1990年代からはカナダのアンダーグラウンド・シーンと言えばデスメタルが主流ではあったが、さらに地下シーンではこれらウォー・ブラックメタルが主流であった。

一方、1993年に始動した Malvery の Mario Milette が1999年に自殺し、バンドが消滅。その影響が大きく、2000年代後半頃から Gris や Sombres Forêts、Ether、Sui Caedere と言ったデプレッシヴなブラックメタルも多く出現した。プリミティヴ・ブラックメタルに関しても Akitsa や Monarque 等がマニア層には割と知られた存在である。さらにハーシュノイズとブラックメタルが融合した Wold や、アンビエント / ドローン・ブラックメタルの Neige et Noirceur、エクスペリメンタル・ポスト・ブラックメタルの Menace Ruine と、斬新なバンドも数多く出てきている。

なお、カナダの中でも公用語がフランス語であるケベック出身のバンドが多いのも特徴である。

デスメタル大陸アメリカで、本格北欧系プリミティヴを孤軍奮闘

Judas Iscariot

出身地 アメリカ・イリノイ / デカルブ　**結成年** 1992 年
中心メンバー Akhenaten
関連バンド Sarcophagus、Hidden、Krieg、Maniac Butcher、Nargaroth

イリノイのデカルブ出身の Akhenaten により 1992 年に活動を始めた Heidegger が前身。Akhenaten はすぐに Judas Iscariot と改名。以降 Judas Iscariot はワンマン・バンドとして活動していく。また Akhenaten はシカゴのデスメタル・バンド（後にブラックメタルへと変化していく）Sarcophagus のメンバーとしても活動していた。1992 年と 1993 年にデモを制作した後、1996 年に 1st アルバム『The Cold Earth Slept Below...』をリリース。まだブラックメタルがほとんど定着していなかった US のアンダーグラウンドで、Krieg や Absu らとシーンを形成していく。

続いて 1996 年 3 月にレコーディングされた 2nd アルバム『Thy Dying Light』を同年にリリース。5 月にはさらにアルバムのレコーディングを行っており、その時の音源の 2 曲が 7" EP『Arise, My Lord...』としてリリース。1997 年には続くアルバムのレコーディングを行い、その音源を収録した 2nd アルバム『Of Great Eternity』をリリース。そして 1996 年にレコーディングされていた 3rd アルバムが 1999 年に『Distant in Solitary Night』としてリリース。同年には 1998 年 12 月にレコーディングをした 4th アルバム『Heaven in Flames』がリリースされる。

これまで Akhenaten 一人で活動してきたが、1999 年 12 月 4 日にテキサスのサン・アントニオで行われた Sacrifice of the Nazarene Child Festival で Krieg の Lord Imperial と Absu の Proscriptor McGovern がサポートし参加。さらに 2000 年 7 月にドイツで行われた Under the Black Sun Festival で Lord Imperial と Maniac Butcher の Butcher、Nargaroth の Kanwulf がサポートしてライヴを行った。後にも先にも Judas Iscariot が行ったライヴはこの 2 回だけである。2000 年には Under the Black Sun Festival でのライヴを収録した『Under the Black Sun』と、EP『Dethroned, Conquered and Forgotten』をリリース。さらに 2002 年に 5h アルバム『To Embrace the Corpses Bleeding』をリリースするが、同年 8 月に Akhenaten は Judas Iscariot での活動停止をアナウンスしている。

なお、Akhenaten は 2002 年に Krieg へ加入しているが 2004 年に脱退。以降活動の跡が見られない。

Judas Iscariot

US

The Cold Earth Slept Below... 1996

Moribund Records

カルト・アンダーグラウンド・デスメタル Sarcophagus のメンバーだった Akhenaten により 1992 年から活動し始めた、US シーン最重要とも言えるプリミティヴ・ブラックメタルの 1996 年リリース 1st アルバム。曲作りもレコーディングも全て Akhenaten 一人で行われた。Darkthrone や Burzum からの影響が強い、冷え切ったメロディを滲ませるシャリシャリとしたリフに、ブラスト・パートではリズム･キープも危ういドラム、そして邪悪さを猛烈に発するガナり声、さらに乱雑でチープなサウンド･プロダクションと、初期ノルウェージャン･ブラックメタルのアンダーグラウンド精神を受け継いでいる。北欧主導にあっては、この様なカルトで真性なバンドが存在することで、多くのブラックメタル・ファンの目をアメリカのシーンへと向けさせた。

Judas Iscariot

US

Thy Dying Light 1996

Moribund Records

前作から間を置かずにリリースされた 2nd アルバム。そして本作もまた Akhenaten が全て一人で制作している。前作同様、凍てついた空気を思いっきり吸い込んだコールドなリフと不安定なドラム、怨念を感じさせる邪悪なガナり声、そして音圧のない薄っぺらなサウンド･プロダクションにより、ノルウェージャン･プリミティヴ・ブラックメタルからの影響が顕著。前作よりもさらに荒涼とし、退廃的な空気が増し、プリミティヴ・ブラックメタルの真髄をえぐる。2000 年に Moribund Records からリリースされた再発盤にはライヴ映像 1 曲がエンハンスドで収録（Judas Iscariot としては唯一ライヴを行った 1999-2000 年時期のもの）されている。

Judas Iscariot

US

Of Great Eternity 1997

Elegy Records

Elegy Records からリリースされた 1997 年の 3rd アルバム。相変わらず荒涼としたコールドなメロディを発するリフや、邪悪な空気を撒き散らすガナり声により、ノルウェージャン地下ブラックメタルからの影響が強いプリミティヴなサウンドを吐き出している。また時折ズレるドラムも大分安定感が増してきており、陰鬱な凍てついたメロディの活かし方も向上し、サウンド・プロダクションも変わらず Raw だが、厚みも感じられるようになってきており、若干ではあるがクオリティが増してきている。本作は長らく入手困難な状態(ブートレグは出回っていた)が、2016 年にウクライナの Archivist Records からオリジナルの Elegy Records からライセンスを得たオフィシャル再発盤がリリースされた。

Judas Iscariot

US

Distant in Solitary Night 1999

Moribund Records

再び Moribund からのリリースとなった 1999 年の 4th アルバム。本作がレコーディングされたのは 1996 年であり、2nd アルバムから 3 作が 1996 年の 1 年間にレコーディングされていたことになる。ヨレヨレだったドラムがここにきてようやく安定感と力強さが増し、さらにトレモロ・リフによるコールドなメロディが際立っている。サウンド・プロダクションは Raw な感触を残しながら、クリアさが増してきており、Judas Iscariot としては最も聴き易い。ハイグレードなプリミティヴ・ブラックメタルとなった。もちろんノルウェージャン・ブラックメタルからの影響を受けたプリミティヴ・ブラックメタルの王道基本路線は変わらず。ラストは不穏感を煽るキーボードによるアンビエント曲で幕を閉じる。

Judas Iscariot

US

Heaven in Flames 1999

End All Life Productions

1998 年 12 月にレコーディングされ、1999 年にフランスの End All Life Productions からリリースされた 5th アルバム。Sarcophagus のメンバーで、Dying Fetus や Broken Hope、Divine Empire 等にも加入することとなる Cryptic Winter がセッション参加し、ドラムを叩いている。前作でのクリアだった音質が、初期の曇ったサウンド・プロダクションへと変化している。荒涼とし、凍てついたメロディがさらに高まってきており、キーボードをこれまで以上に大きく導入したことで、冷気を含んだ荘厳さが一層感じられるようになってきた。メロディックでもなく、シンフォニックでもない、原始的プリミティヴ・ブラックメタルを最大限にまで昇華させた佳作。

Judas Iscariot

US

Dethroned, Conquered and Forgotten 2000

Red Stream

2000 年に Red Stream からリリースされた EP。本作でも Cryptic Winter がドラムを叩いている。凍てついたメロディによるコールド・トレモロリフと、邪悪極まりなくガナるヴォーカル。従来の Judas Iscariot らしさを残しつつ、強力なドラム・サポートだからこそ可能となった、猛烈なファスト・パートにより攻撃的サウンドとなっている。変わらず Raw でプリミティヴなスタイルはそのままであるが、強烈なブラスト・パートの連続で荒々しく冷え切ったファストなブラックメタル。前作での荘厳さを削ぎ、Judas Iscariot の真性ブラックメタル要素が剥き出しとなっている。EP とは言え、大傑作である。

Judas Iscariot

US

To Embrace the Corpses Bleeding 2002

Red Stream

2002 年にリリースされた 6th アルバム。またもや Cryptic Winter がセッション参加でドラムを担当。前作 EP の流れを汲んだストレートな攻撃性を剥き出しにした、ファスト・ブラックメタル路線を中心とした作品。EP よりも地下臭さが滲み出たモヤっとしたサウンド・プロダクションになっている。相変わらず冷え切ったメロディを擁する高品質なトレモロ・リフや、Akhenaten の怒気も感じさせるドスの効いた邪悪ヴォーカル、そして熾烈に猛進するブラスト・パートの凄味が如何なく発揮されている。前々作のキーボードを導入した荘厳かつメロウな場面も出て来るが、全体的には初期のノルウェージャン・ブラックメタルらしさはあまり感じられず、スウェディッシュ・ブラックメタルに近づいている。前作 EP でのブラックメタルの持つ攻撃的側面がさらに色濃く出ている。

Sarcophagus

US

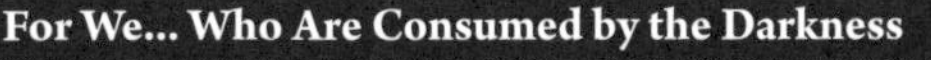

For We... Who Are Consumed by the Darkness 1996

Pulverizer Records

Marcus Matthew Kolar により 1991 年に結成。Judas Iscariot の Akhenaten が在籍していたことでも知られるシカゴのデスメタル・バンド。後にブラックメタル化していくが、この 1st アルバムはその過渡期にある。リフはスラッシュメタルからの流れを汲むデスメタルそのものであるし、無理矢理ではあるがテクニカル志向の展開も多い。そこへ、やたら喚き散らすヴォーカルや、ほぼ全編で妖しい空気を響かせるキーボードにより、ブラックメタル成分が高い。当時ヨーロッパではデンマークの名門 Diehard Music からもリリースされ、2002 年には Blood, Fire, Death から 1998 年のリハーサル音源（を追加収録した再発盤もリリースされている。

ブラックメタル後進国で、プリミティヴ・ブラックメタルを伝道

Krieg

出身地 アメリカ・ニュージャージー / サマーズ・ポイント **結成年** 1997 年
中心メンバー N. Imperial
関連バンド Judas Iscariot、Hidden、Twilight、Nachtmystium

1994 年にニュージャージーのサマーズ・ポイントで、N. Imperial によりブラックメタル・バンド Imperial が結成される。Imperial は当初 H.E. なるドラマーとの 2 人で活動を始め、1992 年にデモを制作。さらに 1996 年と 1997 年に Imperial 一人で 2nd デモを制作し、バンド名を Krieg へと変える。 新たに加入した Lord Soth とともにレコーディングした 1st アルバムが 1998 年に『Rise of the Imperial Hordes』として Imperial 自身のレーベル Blood, Fire, Death からリリース。そして Judas Iscariot と共にアメリカのアンダーグラウンド・ブラックメタル・シーンの中核を成していく。

2001 年に EP『The Church』と 2nd アルバム『Destruction Ritual』をリリース。そして、2002 年に Noctuary の Wrath、Repent や Seeds of Hate の S.M. Daemon、Maniac Butcher の Butcher が参加した 2001 年ドイツでのライヴを収録した EP『Kill Yourself or Someone You Love』を、2004 年に Judas Iscariot の Akhenaten と Secrets of the Moon 他の Thrawn Thelemnar が加入して制作された 3rd アルバム『The Black House』を、同年に Imperial、Akhenaten、S.M. Daemon の 3 人で制作された EP『Patrick Bateman』をリリース。さらに Jason Aaron Wood、Jim Tarby、Soth との 4 人で 1998 年にレコーディングされていたアルバムが 2005 年に『Sono Lo Scherno』としてリリース。続いて、S.M. Daemon 、Nachtmystium の Blake Judd、元 Sarcophagus の M.M.K、Sterbend や Nyktalgia の Winterheart、Satanic Warmaster の Werwolf、Nyktalgia の Malfeitor が参加した 5th アルバム『Blue Miasma』を 2006 年にリリースするが、2005 年に Krieg は一度解散している。 しかし 2007 年には Imperial は Krieg での活動を再開。Leviathan の Wrest、Woe の Chris Grigg、Noctuary の Joseph Van Fossen が参加した 6th アルバム『The Isolationist』が 2010 年に、Chaos Moon の Alex Poole、Dost、Dean Sykes、Dylan Zdanavage、Vrolok の Diabolus がメンバーとなり、制作された 7th アルバム『Transient』が 2014 年にリリースされている。なお、Imperial は Akhenaten と Cryptic Winter と Weltmacht を結成したり、Twilight へ参加したり、元 Profanatica/ 元 Abomination の John Gelso らと N.I.L. を結成したり、元 Exit-13 のメンバーらによる Hidden に加入していたりする。

Krieg

US

Rise of the Imperial Hordes

1998

Blood, Fire, Death

Imperialとして活動していたLord ImperialによるKriegが、1998年にImperialが運営していたBlood, Fire, Deathからリリースした1stアルバム。ImperialとLord Sothの2人で制作され、Blood StormのTeloc Coraxoがドラムで、Autumn TearsのTed Tringoがキーボード/クリーン･ヴォーカルでセッション参加している。Judas Iscariotと違ってメロウな要素は薄く、暗黒空気を強烈に発するノイジーなリフと、Rawにドカドカと叩き込むドラム、そして喚いたりガナったりしながら多彩な表情を見せるヴォーカルにより、徹底してアンダーグラウンドな世界を構築している。ハードコア寄りの曲からファストなブラックメタルまで、音楽的幅も広い。2001年にRed Streamから再発盤がリリースされている。

Krieg

US

Destruction Ritual

2001

Red Stream

Judas IscariotとともにUSブラックメタル・シーンを牽引したKriegの、その名を広く知らしめたであろう2001年にRed Streamからリリースされた2ndアルバム。本作はLord Imperial一人で制作され、ドラムはJudas Iscariotにも参加し、Dying Fetus等のメンバーにもなるCryptic Winterがセッション参加、そして何とベースレスである。1～4曲目は前作EP『The Church』と曲が被っている（『The Church』はデモ音源だがこちらは新録）。暗黒臭を猛烈に撒き散らすノイズ・リフとドカドカと、物凄い勢いで叩き込むドラム、そして狂的に叫び喚き散らすヴォーカル、チープなサウンド・プロダクションによりアンダーグラウンド・ブラックメタルの暗部を見事に抉り出している。

Krieg

US

The Black House

2004

Red Stream

Judas IscariotのAkhenatenがギターで、ドイツのスラッシュメタルRepentのメンバーでもあるSM Daemon（ベース）、Secrets of the MoonやDebaucheryのThrawn Thelemnar（ドラム）が加わって制作された2004年リリースの3rdアルバム。暗澹たる空気を撒き散らしながら冷えたメロディを滲ませるトレモロリフと、ドスが効いた迫真ガナり声と、狂気と怨念を感じさせる喚き声によるヴォーカルによりKriegらしさを十分に発揮。さらにRawな音ながら音圧が増したサウンド・プロダクションとなり、地下臭さが濛々と立ちこめるアンダーグラウンド・ブラックメタルの極みを提示した。ブラスト・パートでの猛然とした攻撃性とミドル・パートによる厭世的な空気感まで、メリハリのある展開も見事。

Krieg

US 

Sono Lo Scherno

2005 

Battle Kommand Records

2005年にBattle Kommand Recordsからリリースした4thアルバムだが、レコーディング自体は1998年に行われていた。Lord ImperialとLord Sothに、ゴシックメタルTodesbonden他のJason Aaron Wood（ギター/キーボード）とDevotee（ImperialとSothによるブラックメタル）のメンバーでもあったJim Tarby（ドラム）の4人で制作されている。レコーディング時期が1stアルバム『Rise of the Imperial Hordes』より前のため、朦々と立ちこめる暗黒空気に覆われた完全地下ブラックメタル。不安定なドラムに、飾り気一切なしのリフ、叫んだりガナったりして狂的な空気を醸し出すヴォーカルにより初期Kriegらしさを痛切に感じさせる。

Krieg

US

Blue Miasma 2006

No Colours Records

2006年にNo Colours Recordsからリリースした5thアルバム。2005年に活動を休止するが、その直前である2005年1月、3月、9月にレコーディングされている。Lord Imperialの他、SM Daemon、NachtmystiumのBlake Judd、Satanic WarmasterのWerwolf、NyktalgiaのMalfeitor、SterbendやNyktalgiaのWinterheart、Sarcophagus他のMarcus Matthew Kolarがレコーディングに参加している。これまでのKriegの圧倒的地下臭さや衝撃性は薄まってきており、さらに楽曲スタイルの幅が出てきている。サウンド・プロダクションはRawな感触を残しながらもクリアになったことで、聴き易い印象を与える。

Krieg

US

The Isolationist 2010

Candlelight Records

結局2007年には活動を再開し、2010年にリリースされた6thアルバム。Lord Imperialの他はLeviathanのWrest、NoctuaryのJoseph Van Fossen、WoeのChris Griggがレコーディング・メンバー。前作『Blue Miasma』で鳴りを潜めた暗澹たる空気が取り戻され、陰鬱なメロディも伴なったリフ、そしてImperialによる発狂、寸前の喚き叫びながら多彩な表情を見せるヴォーカル。レンジの広い展開による多彩な楽曲と名作『The Black House』に匹敵するか、それをも超える傑作を作り上げた。サウンド・プロダクションはクリアで分離も良いが、しっかりと不穏な空気の漂う暗黒な空間を形成している。プリミティヴ・ブラックメタルの範疇を超えて、高評価されるべき。

Krieg

US

Transient 2014

Candlelight Records

Lord Imperial以外メンバーが一新されて、復活後2作目のフルレンスとなった7thアルバム。本作より新たにChaos MoonのAlex Poole（ギター）、グラインドコア・バンドOccult 45のDean Sykes（ベース）、クロスオーバースラッシュメタルAbserdoのメンバーだったDylan Zdanavage（ギター）、Black Funeral/VrolokのDiabolus（ノイズ）が新たに加入している。ひび割れしたノイジーなリフ、狂的に叫ぶヴォーカルとこれまでのKriegらしさを保ちながら、ノイズ成分が強く出たサウンドとなった。曲展開も練られており、退廃的な地下ブラックメタルでありながらハイグレードである。Amebixの「Winter」のカバーあり。Sonic YouthのThurston Moore、IntegrityのDwid Hellionがゲスト参加。

Absu

US

The Sun of Tiphareth 1995

Osmose Productions

1980年代末期に結成されたDolmenと言うスラッシュメタル・バンドが母体。何度かバンド名を変えた後、1990年にAbsuとなり、1992年に加入したProscriptor McGovernが中心となって活動しているUS最古参ブラックメタルの一つ。本作は1995年にOsmose Productionsからリリースされた2ndアルバムで、ProscriptorとDolmenからのメンバーであるShaftielとEquitant Ifernain Dal Gaisの3人で制作された。ProscriptorとEquitantはアンビエント・ユニットのEquimanthornでも活動していた。当初はデスメタルとして活動を始めたということもあり、スラッシュ〜デスメタルの流れを汲む。しかしながら、女性ヴォーカルやキーボードを入れて、北欧勢とは一線を画すカルト的な臭いも強い。

Averse Sefira

US

Advent Parallax

2008

Candlelight Records

Sanguine Mapsama（ヴォーカル／ギター）と Wrath Sathariel Diabolus（ベース）により 1996 年から活動しているブラックメタルが 2008 年に Candlelight Records からリリースした 4th アルバム。ドラムは 2001-2012 年にかけてメンバーとして参加した Mark Perry。メロウさもありながらカオティックな空気を発するトレモロリフや、ファストとミドル・パートの組み合わせ等が絶妙で曲展開にも凝っており、Deathspell Omega に通じるところがある。Deathspell Omega 程ドス黒い空気を感じさせないものの、楽曲／演奏レベルは高いと言える。Funeral Mist や Corpus Christii でも活動し、数々の良作を手掛けてきた Necromorbus こと Tore Stjerna がプロデュース。

Azrael

US

Act III: Self + Act IV: Goat

2007

Moribund Records

ヴォーカル／ベース／ドラム、そしてコントラバスも操る Algol Martel と、ヴォーカル／ギターの Lord Samaiza により 1999 年から活動するブラックメタルが Moribund Records から 2007 年にリリースした 2 枚組 3rd アルバム。不穏な空気を撒き散らしながらガナるヴォーカルと、陰湿なメロディを奏でるギターによりデプレッシヴさを強く感じさせる。スロー、ミドル・パートを主体としつつ、変拍子を入れてプログレッシヴかつアヴァンギャルド。クリーンなサウンド・プロダクションでテクニック的には高レベルではあるが、絶望的かつカオティックなメロディと、不気味なコントラバスの響きが特徴的。それでいて暗黒な空気が満ち溢れ、プリミティヴさを十分感じさせる。

Benighted in Sodom

US

Plague Overlord

2007

Obscure Abhorrence Productions

Chaos Moon やアヴァンギャルド・ブラックメタル Ævangelist、ブラッケンド・デスメタル Death Fetishist、エクスペリメンタル・ドゥームメタル Midwinter Storm、ポスト・ブラックメタル Crowhurst でも活動し、一時期 Bethlehem にも在籍した Matron Thorn により、2004 年から活動しているブラックメタル。本作は 2007 年にドイツの Obscure Abhorrence Productions からリリースした 1st アルバム。Raw な音作りに、冷えた陰鬱メロディを擁し、厚みがなくジリジリとしたノイジーなリフと、病んだ空気を発しながら猛烈にガナり叫ぶヴォーカルを主体とした完全地下サウンド。北欧プリミティヴ・ブラックメタルやデプレッシヴ・ブラックメタルに通じる要素も多分にある。ラストは Sargeist のカバー。

Black Funeral

US

Vampyr - Throne of the Beast

1995

Full Moon Productions

ダーク・アンビエント／インダストリアル・ユニットの Valefor や Darkness Enshroud 等でも活動する Michael Ford Nachttoter を中心に 1993 年から活動し、Judas Iscariot 等と並んで初期 US ブラックメタル・シーンを形成したバンドが 1995 年に Full Moon Productions からリリースした 1st アルバム。Jim Hensley と Warlord Asmoderic、Stone Magnum や Skullview でも活動する Dean Tavernier がメンバーとして参加している。冷えたメロディによる北欧寄りのスタイルながら、Raw な音作りや邪悪な空気を発するガナり声により、地下臭くカルトな空間を作り上げている。2005 年に Drakkar Productions からボーナス・トラック入り再発盤がリリースされている。

Black Funeral

US

Empire of Blood 1997

Full Moon Productions

Michael Ford Nachttoter 以外のメンバーが脱退、Ravennacht が加入し、1997 年に Full Moon Productions からリリースした 2nd アルバム。前作同様の冷えたメロディによる北欧寄りのオーセンティックなプリミティヴ・ブラックメタル・スタイルではあるが、ブラスト・パートでの爆発力が増し、ファスト / ミドル・パートのメリハリがよりはっきりしてきた。しかしながら相変わらず Lo-Fi なサウンド・プロダクション、そして強烈にエフェクトが掛かって邪悪さが何倍にも増したヴォーカルにより、カルトな空気感と地下臭さはさらに強くなっている。US 初期ブラックメタルにおいて外すことの出来ない名作。2010 年には Dark Adversary Productions からボーナス・トラックを追加収録した再発盤がリリースされている。

Breath of Sorrows

US

Through Darkness to Battle I Ride 2005

Wraith Productions

1997 年から活動している US ブラックメタルの 2005 年 1st アルバム。後にメンバーにもなる Sulphur が運営する Wraith Productions からリリースされた。コールドな空気が浸み込んだリフによるデプレッシヴ・ブラックメタルで、奇声にも近い絶叫から悲壮感が溢れまくった嗚咽する様な泣き叫び声まで、ヴォーカルの発する陰湿さと不穏さが強烈。リフのノイズ濃度が強く、その中から冷えた陰鬱メロディが滲み出てくる。デプレッシヴなブラックメタルにしてはファスト・パートの割合が多いが、退廃的な空気に覆われ、異様な狂気を強く感じさせる。相当に Raw なサウンド・プロダクションではあるが、さらに曲ごとに音質が異なり、Lo-Fi な完全地下サウンド。13th Floor Elevators の Rocky Erickson のカバーも収録されているが、もちろん原曲要素はほぼなし。

Chaos Moon

US

Origin of Apparition 2007

Wraith Productions

Krieg やアンビエント・ブラックメタルの Esoterica でも活動し、Manetheren にも一時期加入していた Esoterica（Alex Poole）らにより 2004 年に結成された US ブラックメタル。当初はフューネラルなドゥームメタル成分が多いサウンドだったが、本作はプリミティヴなブラックメタル。コールドで陰鬱なメロディによるリフを主体に、やたらシンバル類の音が大きく騒々しいチープで Raw なドラムと、発狂寸前の悲痛な叫びによるインパクトを残すヴォーカルによる、デプレッシヴ成分も強め。随所でアトモスフェリックなキーボードを入れながら、ファスト・パートからドラマティックな展開、陰鬱さを増大するアンビエントな展開があり、一級レベルの内容となっている。

Cult of Daath

US

Slit Throats and Ritual Nights 2005

Deathgasm Records

Krieg や Nachtmystium にも参加してきた Wargoat Obscurum と、Ezurate のメンバーでもあった Culggath Immortum によるシカゴのブラックメタル。Deathgasm Records から 2005 年にリリースされた 2nd アルバム。暗黒臭が強烈なスラッシュメタルからの流れを汲んだリフと、邪悪さをまとったダミ声気味のガナり声ヴォーカルによるオールドスクールなブラックメタル。Hellhammer 等の 1980 年代暗黒スラッシュメタルから、Beherit 等のアーリー・ブラックメタルのスタイルから雰囲気を継承している。初期デスメタルの暗黒さを滲ませ、カルトな空気を強く感じさせる。Nuclear War Now! からアナログ盤もリリースされている。

Demoncy

US

Within the Sylvan Realms of Frost

1999

So It Is Done Productions

アンビエント・プロジェクトの Profane Grace や Raven's Bane、そして一時期だが初期 Profanatica にも在籍した Ixithra により、US ブラックメタルでも最初期の 1989 年から活動をするカルト・バンドの 1st アルバム。リリースは 1999 年だが、1996 年レコーディング音源に 1994 年デモ『Hypocrisy of the Accursed Heavens』と 1995 年デモ『Ascension of a Star Long Since Fallen』を加えたもの。US でも早い時期からノルウェージャン・ブラックメタル勢に近いサウンドを発しており、本作でも凍てついたメロディを擁するノイジーなリフと邪悪な空気を発するヴォーカルにより、アンダーグラウンド臭の強いプリミティヴなブラックメタルとなっている。2017 年に Nuclear War Now! から再発盤がリリースされた。

Demoncy

US

Joined in Darkness

1999

Baphomet Records

1995 年にレコーディングされた音源に 1995 年 7" EP『The Dawn of Eternal Damnation』の 2 曲が収録され、Baphomet Records からリリースされた 1999 年リリースの 2nd アルバム。前作でのいかにもなノルウェージャン・プリミティヴ・ブラックメタルから一転して、猛烈な暗黒臭のするサウンドへ。メロディを排除し、徹底してドス黒さを垂れ流すギターリフ、呪文を唱えているかのように不気味な表情でやたらと邪悪に唸るヴォーカルにより、救いようがない暗黒さと不気味さに支配されている。Raw な音作りも、この真っ暗な空気を高めている。光無き邪悪な空気が地下深くでうごめいている。Necrophagia の Killjoy がプロデュースを手掛けている。

Draugar

US

Weathering the Curse

2004

Moribund Records

Twilight の 1st アルバムにも参加していた Hildof による一人ブラックメタルが、2004 年に Moribund Records からリリースした 2nd アルバム。デスメタルっぽいジャケット・アートだが、デプレッシヴ・ブラックメタルである。陰湿なメロディが印象的だが、ノイズに覆われたリフが実に印象的でそこから発せられる不穏な空気がまた強烈。エフェクトをかけてハーシュ・ヴォイスをさらに狂わせた様な叫び声により、病んだ空気を形成する。随所で聴こえてくるアトモスフェリックなキーボードによる鬱屈した感覚も絶妙で、いわゆる Burzum スタイルやスイサイダル系デプレッシヴ・ブラックメタルとは異なる手法で、陰鬱で病的なサウンドを生み出している。

Grand Belial's Key

US

Mocking the Philanthropist

1997

Wood-Nymph Records

デスメタル・バンド Arghoslent でも活動する Gelal Necrosodomy により 1992 年に結成された NSBM/ アンチクライスト・ブラックメタルが、ベルギーの Wood-Nymph Records から 1997 年にリリースした 1st アルバム。Der Stürmer（ベース）、Lilith（キーボード）、Crucifier のメンバーでもある The Black Lourde of Crucifixion（ヴォーカル / ドラム）がメンバーで参加し、制作された。正統メタルに通じるメロディを擁したギターリフと、ドスが効き、醜悪なオーラを撒き散らしながらガナるヴォーカルにより独特のブラックメタル・サウンドを形成する。1980 年代の暗黒スラッシュメタルやマイナー正統メタルの成分が強いものの、プリミティヴな 1990 年代初頭ブラックメタルの空気感も持ち合わせており、北欧スタイルとは全く違う。

Happy Days

US

Happiness Stops Here... 2009

Self Mutilation Services

Hanging Garden や Nostalgie、Deep-Pression 等にも参加している A. Morbid によるデプレッシヴ・ブラックメタルの 3rd アルバム。A. Morbid 1 人のバンドだったが、今作ではドラムに Wedard や Managarm でも活動してきた Karmageddon がメンバーとして加入し、参加している。これまでよりも明瞭となった絶望的なメロディがループし、人間が持つネガティブさの全てが込められたかの様なヴォーカル、そしてミドル・テンポの展開でジワジワと鬱屈した空気を滲ませる、これぞデプレッシヴなブラックメタルの真髄と言える。オリジナルは Self Mutilation Services からのリリースだが、2013 年に Maa Productions からジャケット・アート違いの再発盤がリリースされている。

Havohej

US

Dethrone the Son of God 1993

Candlelight Records

Profanatica の他、Incantation の初期メンバーでもあった Paul Ledney による US アンダーグラウンド・ブラックメタルのパイオニアの一つ。バンド名は「Jehovah（エホバ）」を逆から記述したもの。80 年代暗黒スラッシュメタルからの流れをそのまま受け継いだリフと、邪悪さと冒涜さを強烈に撒き散らすヴォーカルによる US カルト・アンダーグラウンドの真髄をえぐったかの様だ。ブラスト / ミドルをバランス良く配合した曲展開や Raw なサウンド・プロダクションだが、音圧もある音作り。当然ながら初期 US ブラックメタル名作の一つ。2009 年にリリースされた 2nd アルバムでは、ダーク・アンビエント要素を取り込んだ暗黒リチュアル・ブラックメタルへと変化していく。

Hemlock

US

Funeral Mask 1998

Head Not Found

ジャーマン・スラッシュメタル Exumer の現メンバー His Eminence the Wicked、後にカルト・デス / スラッシュメタル Villains の Desecrator、Ceremonium のメンバーだった Laconist らにより 1992 年に結成されたブラックメタル。Ceremonium の Azalin と Brutal Truth/Nuclear Assault の Dan Lilker が Balth の名で加入し、US パワー・ヴァイオレンスの Black Army Jacket との Split を 1997 年にリリースした後、1998 年にノルウェーの Head Not Found からリリースされた 1st アルバム。グラインドコアやデスメタルの成分もあるブルータルかつプリミティヴなブラックメタルである。

I Shalt Become

US

Wanderings 1998

Independent

S. Holliman により 1995 年から活動する一人ブラックメタルが 1998 年にリリースした 1st アルバム。Forgotten Woods らと並んでデプレッシヴ・ブラックメタルの元祖的存在に挙げられる。沈鬱感が浸み込んだメロディがループしながら絶望感と厭世観を高めて行くトレモロリフや、病んだムードを感じさせるガナり絶叫するヴォーカルから、Burzum の影響が多分に感じられる。Raw な音作りにより陰鬱さをダイレクトに感じさせ、ミドル・テンポの展開でひたすら絶望的な世界を創出する手法は、後のデプレッシヴ・ブラックメタルの常套手段となっていく。元々はデモとしてレコーディングされ、オリジナルはカセット・リリースだったが、Burzum と Judas Iscariot のカバーを追加した再発盤が 2006 年に Moribund Records からリリースされている。

Krohm

US

The Haunting Presence 2007

Debemur Morti Productions

フューネラル・ドゥームメタルのパイオニアの一つ Evoken や US 初期デスメタルの Infester のメンバーとして活動し、Meat Shits にも一時期在籍していた Numinas（Dario J. Derna）による一人デプレッシヴ・ブラックメタル。本作は 2007 年にフランスの Debemur Morti Productions からリリースされた 2nd アルバム。冷えきった陰鬱なメロディを奏でるギターのアルペジオを主体に、深淵な悲しみを感じさせるガナり声ヴォーカルによる、厭世観に溢れたデプレッシヴ・サウンドを展開。全体的に霧がかかった様な音作りと、ミドル / スロー・パートでひたすら病的な寂寞感を漂わせる。Evoken のフューネラルな空気感と通じる所もあるが、こちらの方が絶望感や悲観的世界観は上を行く。

Kult ov Azazel

US

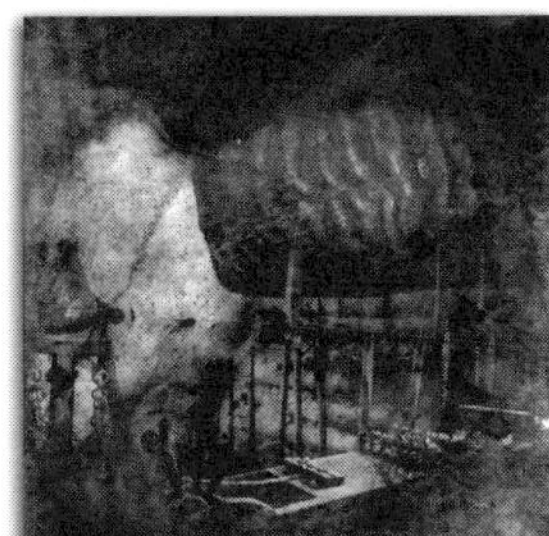

Oculus Infernum 2003

Arctic Music Group

Xul（ヴォーカル / ベース）、デスメタル・バンド Hateplow のメンバーでもある Xaphan（ギター / ヴォーカル）、Hammer（ドラム）らによるフロリダのブラックメタルが、2003 年リリースした 3rd アルバム。本作には Xul、Xaphan、Hammer の他に Open Grave の Joshua Bowens がメンバーとして加わっている。薄っすらとコールドな空気を漂わせるトレモロ・リフに、やや迫力に欠けるものの邪悪な空気を放ちながら攻撃的にガナり叫ぶヴォーカル、そしてガシャガシャと叩き込んでくる Raw なドラムによる北欧スタイルに近い。メロウな要素も多いが、メロディックまでは行かないギターやファスト / ミドル・パートを巧みに配し、センスの良いメロウ・プリミティヴ・ブラックメタルを展開している。

Leviathan

US

The Tenth Sub Level of Suicide 2003

Moribund Records

Krieg や Twilight にも参加し、Lurker Of Chalice としても活動していた Wrest によるプリミティヴ・ブラックメタル。後にアンビエント色やプログレッシヴな要素を強めていくサウンドとなっていくが、この頃は完全に地下へ篭ったアンダーグラウンド・ブラックメタルの 2003 年の 1st アルバム。ジャリジャリとしたノイジーなリフから滲み出る陰鬱なメロディに、エフェクトが掛かり病みまくった絶叫を吐き出し続ける壮絶なヴォーカルにより、強烈な暗黒さと鬱屈した雰囲気に覆われている。Raw なサウンド・プロダクションが余計に不穏感が強調されており、只ならぬ陰湿さに覆われている。一筋縄ではいかない曲展開の Leviathan に通じる要素が多分にある。2016 年には Hammerheart Records から再発盤がリリースされた。

Leviathan

US

Tentacles of Whorror 2004

Moribund Records

Judas Iscariot や Krieg に続き、Nachtmystium や Xasthur らとともに US アンダーグラウンド・ブラックメタルの代表的存在になった Leviathan が 2004 年に Moribund Records からリリースした 2nd アルバム。相変わらずエフェクトが掛かって鬼気迫る絶叫、ノイジーなリフから冷え切り陰湿なメロディを湧き立たせながら、強烈さに満ち溢れている。前作よりも幾分サウンド・プロダクションが向上してはいるが、地下臭さは前作に引けを取らない。曲展開の妙技がさらに昇華され、より一筋縄ではいかない展開が多いものの、猛然と襲い掛かるドス黒い空気感はより顕著になってきた。US 地下ブラックメタルの名作。こちらも 2006 年に Hammerheart Records から再発盤がリリースされている。

Nachtmystium

US

Reign of the Malicious　2002

Regimental Records

Azentrius こと Blake Judd により 2000 年から活動しているブラックメタル・バンドが 2002 年にリリースした 1st アルバム。ウォー・ブラッケンド・デスメタル Kommandant のメンバー等でも活動する Pat McCormick がドラムを担当している。シャリシャリした感触のノイジーなリフから湧き出る陰鬱なメロディと、Raw でドカドカと叩き込むドラム、そしてガナり叫ぶヴォーカルによるデプレッシヴなサウンド。Lo-Fi なサウンド・プロダクションにより、異様に地下臭いプリミティヴ・ブラックメタルを追究している。Burzum のカバーとライヴ音源が 1 曲収録されている。2003 年には Unholy Records から、2008 年には Candlelight Records から再発盤がリリースされている。

Nachtmystium

US

Demise　2004

Autopsy Kitchen Records

2003 年にリリースされた EP『Nachtmystium』を挟み、2004 年に Autopsy Kitchen Records からリリースされた 2nd アルバム。Cult of Daath の Wargoat Obscurum がドラムを叩き、セッション参加で Dawnbringer 等の Chris Black と Gazulmaug なる人物がベースを弾いている。相変わらず厚みのないサウンド・プロダクションだが、ギターのノイジーさとデプレッシヴなメロディが双方において強調される音創りとなっている。そして何かに取り憑かれた様に叫び、ガナるヴォーカルの凄味も増している。厭世的な感情を誘うトレモロリフのメロディは Nargaroth、そして時折 Burzum の影響を感じさせる所もあり、これまで以上に陰鬱さが強く出ている。2008 年には Candlelight Records からアートワーク違いの再発盤がリリースされた。

Nachtmystium

US

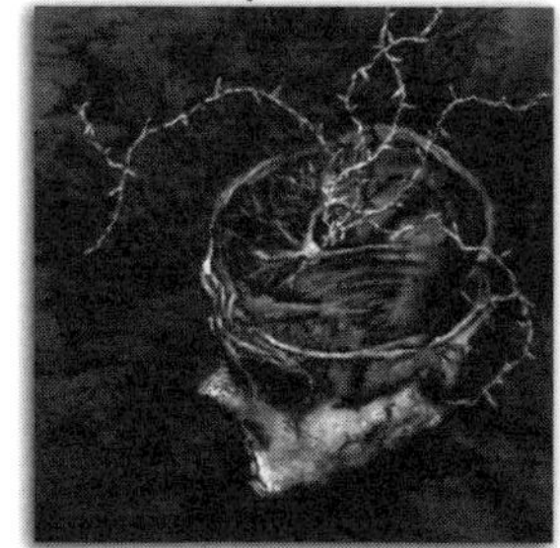

Instinct: Decay　2006

Battle Kommand Records

Azentrius（ヴォーカル / ギター）と Wargoat Obscurum（ドラム）、そして Sinic（ギター）と Krieg の Imperial（ベース）により制作された 3rd アルバム。前作に続き Chris Black がゲスト参加。Chris はプロデュース / エンジニアリング / ミキシングも手掛け、Pig Destroyer/Agoraphobic Nosebleed の Scott Hull がマスタリングを担当している。前作となる EP『Eulogy IV』で若干顔を覗かせたサイケデリックさが、本作では大胆に増大されている。曇った Raw なサウンド・プロダクションで、彼等特有の鬱屈したメロディや、狂気を強力に押し出すヴォーカルと、プリミティヴなブラックメタルがベースにあるが、曲展開からメロディに至るまでサイケ要素が浸み込んでいる。さらにそれが暗黒芸術の域まで達しており、頭一つ抜きん出た存在となった。

Poison Blood

US

Poison Blood　2017

Relapse Records

Krieg の主宰者 N. Imperial と、Horseback の Jenks Miller によるノース・カロライナのブラックメタルが、2017 年に Relapse Records からリリースした EP。Hellhammer/Celtic Frost や Samael 直系リフ主体の 1980 年代オールドスタイルのブラックメタルがベース。そこに浮遊感のあるキーボードが妖しい響きを鳴らし、ディレイの掛かった不協和音やファズの効きまくったギターがトリップ感を強力に放出。そしてドス黒く邪悪な空気を発するガナり声ヴォーカルにより、サイケデリックなブラックメタルを作り出している。Horseback のエクスペリメンタルなサイケ感と、Krieg のアンダーグラウンドなブラックメタルが絶妙に融合しているが、プリミティヴな感覚で地下臭さがより強調されている。

Sarcophagus

US

Requiem to the Death of Passion 1998

Nightfall Records

Judas Iscariot の Akhenaten と、後に Kommandant のメンバーになる Marcus Matthew Kolar により、1991 年に活動を始めたシカゴのアーリー・ブラックメタル。当初はデスメタル・バンドとしてスタートしたが、ブラックメタル要素を強めて行き、その過渡期的なサウンドだった 1996 年の 1st アルバム『For We... Who are Consumed by the Darkness』に続き、1998 年にリリースされた 2nd アルバムが本作。ドラムは Dying Fetus や Broken Hope 等にも参加する Cryptic Winter。リフの端々にデスメタルっぽさが若干残ってはいるものの、ファストなブラックメタルとなった。キーボードやトレモロ・リフから滲み出るコールドなメロディは Judas Iscariot を彷彿させる。

Thornspawn

US

Wrath of War 2002

Osmose Productions

Blackthorn（ヴォーカル / ドラム）により US ブラックメタルとしては早い時期の 1993 年から活動している Thornspawn が 2002 年に Osmose Productions からリリースした 2nd アルバム。ギターは初期からのメンバーである Lord Necron と Swornghoul で、ベースは Swarmlord ～ Black Forest の Hellbeast がセッション参加している。ブラスト全開のファスト・パートを主体に、荒々しくノイジーなギターリフと、邪気を発するガナリ声ヴォーカルにより、ブルータルさとベスチャルな要素も内包されたブラックメタルである。Slayer 辺りを彷彿させるギターソロがあったり、ミドル・パートにより曲展開にアクセントを付けたりもしているが、全体的には Raw な不穏感を撒き散らしながら攻撃的かつファストに突き進む。

Vintage Flesh

US

Hour of the Night Gaunts 2011

Depressive Illusions Records

後に Mystic Forest のメンバーにもなる Raypissed らにより 2007 年に結成されたニュー・ハンプシャーのブラックメタル。2011 年には Inverticrux へと改名している。本作は改名直前の 2010 年夏にレコーディングされており、2011 年にカセットでリリースされた 2nd アルバム。2014 年に日本の Hidden Marly Production が再発盤をリリースしている。陰鬱なメロディを奏でるリフによりデプレッシヴなブラックメタル。苦し気に叫び、ガナりながら時折オペラティクな高音ヴォイスも取り入れたりして、カルトでシアトリカルな空気を発するヴォーカルが特徴的。しかしながら、フレンチ・ブラックメタルに通じる暗黒美を感じさせ、鬱屈したメロディが卓抜している。

Weakling

US

Dead as Dreams 2000

tUMULt

フューネラル・ドゥームメタル Asunder の John Gossard や、Drag City に所属するインスト・バンド The Fucking Champs にも参加した Joshua M. Smith、暗黒ネオクラシカル・ユニット Amber Asylum のメンバーにもなった女性ドラマー Sarah Weiner らにより、1997 年から 1999 年に活動したブラックメタル。本作は 2000 年に tUMULt からリリースされた唯一のアルバム（レコーディングは 1998 年）。10 ～ 20 分の長尺 5 曲による構成で、退廃的な空気に覆われ、寂寞感を強く感じさせる悲哀感の強いリフ・メロディや、不穏感を煽りアトモスフェリックな空間を形成するキーボード、そしてプログレッシヴな展開で進行していく暗黒芸術。ブラックメタル・シーン以外のメンバーだからこそ、なり得たと言えるブラックメタル史上に残る傑作。

Weltmacht

US

The Call to Battle

2001

Elegy Records

Judas Iscariot/Sarcophagus の Akhenaten、Krieg の Imperial、Dying Fetus や Broken Hope、Divine Empire 等にも参加してきたドラマー Cryptic Winter によるプリミティヴ・ブラックメタルが、2001 年に Elegy Records からリリースした 1st アルバム。Judas Iscariot や Krieg とも違う初期の原始的ブラックメタルをベースとしている。Bathory や Hellhammer から初期 Darkthrone や初期 Gorgoroth の流れを汲むギターリフが主体だが、ややチープさのあるキーボードによる荘厳さまでいかない妖しい空気があったり、猛烈にブラストで押しまくる攻撃的な場面があったりもする。Imperial の鬼気迫るヴォーカルが印象的。

Xasthur

US

Nocturnal Poisoning

2002

Blood, Fire, Death

Sunn O))) や Twilight への参加でもその名を広めていく Malefic こと Scott Conner による独りブラックメタルが 2002 年に Krieg の Imperial が運営した Blood, Fire, Death からリリースした 1st アルバム。ひたすら陰鬱で、絶望しか感じさせない内省的なメロディを奏でるトレモロ・リフと、ヤバさを生々しく感じさせる絶叫ガナリ声ヴォーカルにより、ジャケット・アート通りの鬱屈し病んだ世界を繰り広げる。あまりにも悲痛な世界からは、なぜかある種の美しさすら感じさせる。Raw な音作りにより、その陰鬱さが直接的に伝わってくる。曲展開も実は練られて、ディプレッションを絶妙に引き出している。15 分にも及んで徹底した鬱世界を展開する 7 曲目は、精神を削がれる。4 曲目は Mütiilation のカバー。

Xasthur

US

The Funeral of Being

2003

Blood, Fire, Death

2003 年に Bestial Onslaught Productions からリリースされた EP『Suicide in Dark Serenity』を挟み、同年 2003 年に Blood, Fire, Death からリリースされた 2nd アルバム。曲によって音質やサウンド・プロダクションがバラバラなのは、2001 年から 2003 年にかけてレコーディングされた曲を集めたためである。ノイズの中から湧き出る様な鬱屈したメロディと、病的なヴォーカルによるデプレッシヴなスタイルで、音質も Raw。そしてキーボードによるミステリアスで不穏な空気も透逸である。これまでスロー / ミドル・テンポによる展開に徹していたのに対して、本作はブラスト・パートもある。しかし徹底して陰鬱な世界を描いている点は変わりなし。

Xasthur

US

Telepathic with the Deceased

2004

Moribund Records

2004 年に Moribund Records からリリースされた 3rd アルバム。これまで通り Malefic が 1 人でレコーディングをしているが、マスタリングだけは Blood Cult や Azrael 等も手掛けた Kevin Nettleingham が担当している。相変わらず耳障りの悪いノイジーなリフから溢れ出る鬱屈したメロディと、悲痛な感情を剥き出しにした壮絶な絶叫&ガナり声により暗鬱な世界を描く。前作同様、ブラスト・パートを織り交ぜ、ミドル / スロー・パートによりジワジワと精神を痛めつける。音質が若干クリアになってはいるが、基本的には Raw な音作りは変わらず。それによりアンダーグラウンド臭を強烈に感じさせると同時に、陰鬱さもより深まったものとなっている。

Xasthur

US

To Violate the Oblivious 2004

Total Holocaust Records

前作アルバムから間を置かずに 2004 年にスウェーデンの Total Holocaust Records からリリースされた 4h アルバム。翌 2005 年には Moribund Records からもリリースされている。これまで通りザラついたノイズから滲み出る悲愴感たっぷりのトレモロ・リフと、エフェクトが掛かりながら壮絶な病的絶叫を吐き出すヴォーカルによる鬱屈したスタイルは変わらず。スロー / ミドル・テンポ主体の曲展開も、曇った音質による地下臭さも変わりはないが、薄っすらとした冷気と霧が掛かった様なアトモスフェリックさを創出するキーボードが、より多くフィーチャーされている。それと同時に絶望的なメロディもよりダイレクトに突き刺さっており、より厭世観が強まっている。

Xasthur

A Gate Through Bloodstained Mirrors 2008

Hydra Head Records

2008 年に Hydra Head Records からリリースされた初期デモ音源集。2001 年のデモ『A Gate Through Bloodstained Mirrors』から「Summon the End of Time」が削られて「Storms of Red Revenge」と Mütiilation のカバー「Eternal Empire of Majesty Death」とアウトロを加え、さらに Total Holocaust Records から 2004 年にリリースされたリミックス盤をプラス。さらに 2008 年に Hydra Head Records から（日本盤は Daymare Recordings から）2001 年のプロモ EP『A Darkened Winter』に 1997 年 6 月のリハーサル音源を 1 曲加えて 2 枚組 CD としてリリースされた。リミックスが施されているとは言え、初期の Xasthur らしい Raw な陰鬱さを封じ込めたプリミティヴ・サウンドが詰まっている。

Akitsa

Canada

Goétie 2001

Heavy Distortion

ハーシュ・ノイズ・ユニットの Âmes Sanglantes 等でも活動する O.T. こと Pierre-Marc Tremblay と、ノイズ / ダーク・アンビエントの Uno Actu でも活動する Néant によるケベック / モントリオールのブラックメタルによる 2001 年 1st アルバム。ブラックメタル・フィールド外で活動するアーティスト 2 人によるユニットながら、強烈なプリミティヴ・ブラックメタル。ノイズ成分が強くひび割れしたリフと、そこから薄っすらと滲み出るコールドなメロディ、Ildjarn を想起させる Lo-Fi さ、そして奇声に近い病的さを強烈に発する絶叫ヴォイスが衝撃的。オリジナルはカセット・リリースだが、2007 年には Hospital Productions から、2016 年には Tour de Garde から再発盤がリリースされている。

Blackwind

Canada

Demain, L'apocalypse 2008

Mankind's Demise Records

nYarK と、Monarque にも参加した Nebularaven によるケベックのブラックメタルが 2008 年にリリースした 1st アルバム。凍て付いた荒涼としたメロディを奏でるトレモロリフによる北欧スタイルに近いコールドな轟音。Monarque と同類の陰鬱さを若干感じさせながら、ミサントロピックな空気に覆われたブラックメタルである。寂寞感の強いメロディが傑出しており、そして凍りつく様な冷気を強烈に漂わせる。ガナり立てるヴォーカルにより、ブラックメタル本来の暴虐性をしっかりと出し、さらにミドル / スロー・パートが主体のよく練られた曲展開により、Raw でプリミティヴな空気感が強く、クオリティの高いコールド・メロウなサウンドが詰まっている。

Délétère

Canada

De Horae Leprae 2018

Sepulchral Productions

シンフォニック・ペイガン・ブラックメタル Valknacht のメンバーだった Thorleïf（ヴォーカル / ドラム / キーボード）、Monarque のメンバーでもある Atheos（ギター / ベース）を中心とした、2009 年から活動するケベック出身のブラックメタル。Monarque のメンバーでブルータル・デスメタル Soiled by Blood やチリのスピードメタルの Demona の元メンバーの Kaedes（ドラム）、Monarque の Anhidar（ギター）、Forteresse のライヴ・メンバーだった G.（ギター）が加わっての 2nd アルバム。薄っすらとアトモスフェリックなキーボードが被さり、悲哀メロディが洪水の如く溢れるリフが主体のメロウな響き。音作りが Raw なので、プリミティヴな空間も形成されている。暗黒度が高いが涙腺決壊メロディが透逸。

Ether

Canada

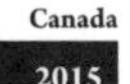

Hymns of Failures 2015

Sepulchral Productions

ブラッケンド・デスメタルの Nefastüs Diès のメンバーでもある Scythrawl により 2004 年から活動している独りデプレッシヴ・ブラックメタルが 2015 年に Sepulchral Productions からリリースした 2nd アルバム。前作 1st アルバム『Depraved, Repressed, Feelings』では陰鬱度の高いデプレッシヴ・ブラックメタルだったが、本作ではブラスト・パートを主体としたスタイルに変化。これまでの陰鬱さも若干残しつつ、凍てついたメロディに彩られたブラックメタルとなっている。Raw な音ではあるが、異様にタイトなドラムとコールド・メロディのキレの良さ、そして 6 曲収録ながら 2 枚組という長尺曲ばかりではあるものの、まったく飽きさせることのない曲展開の構成力も見事。プリミティヴ・メロウ・ブラックメタルとしては最上級である。

Gris

Canada

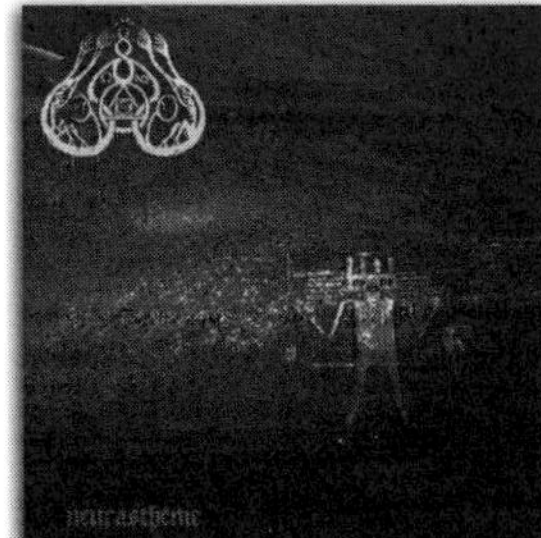

Neurasthénie 2006

Sepulchral Productions

Neptune と Icare により 2004 年から活動した Niflheim が 2006 年に改名したケベック出身のデプレッシヴ・ブラックメタル。元々は 2006 年に Niflheim 名義でリリースされた 1st アルバムで、Gris となってからジャケット・アートを変更して再リリースされた。次作 2007 年 2nd アルバム『Il Était Une Forêt...』はサウンド・プロダクション、沈鬱なメロディが際立ち、デプレッシヴ・ブラックメタル・ファンの間では名作中の名作と讃えられる。しかし本作は Raw な感触の強いサウンドである。厚みのないジリジリとしたノイジーなリフとそこから溢れ出すメロディの陰鬱指数は高く、さらにエフェクトがかかりまくったヴォーカルにより、鬱屈さが生々しく伝わってくる。プリミティヴ感触に溢れたデプレッシヴ・ブラックメタルとしては最高峰に位置する。

Malvery

Canada

Mortal Entrenchment in Requiem 1999

Frowz Productions

1993 年から活動したケベック出身のブラックメタルが 1999 年に Frowz Productions からリリースした唯一のアルバム。スウェーデンの Silencer、デンマークの Sortsind と並んでスイサイダル・ブラックメタルの最高峰と位置されるが、その音楽性は上記 2 バンドとは大きく異なる。ミドル / スロー・パートにより鬱屈したメロディをリフレインしていくスタイルではなく、ブラスト・パートからスロー・パートまでを忙しなく一筋縄でいかない、捻くれた展開で病的な世界を繰り広げる。音質は Raw だが演奏力レベルは驚くほど高い。そして完全に一線を越えた絶叫から不気味な唸り、嗚咽まで、あらゆるネガティブ感情を限界まで吐き出したヴォーカルに圧倒される。本作のレコーディング直後にヴォーカルの Amer Le Chatier が自殺してしまい、バンドは解散してしまう。

Monarque

Canada

Ad Nauseam

2009

Sepulchral Productions

Sui Caedere や Blackwind、Carrion Wraith 等にもメンバーとして参加し、アンビエント・ブラックメタルの Sanctuaire としても活動する Monarque により 2003 年から活動するケベックのブラックメタル。2005 年の同タイトル 1st デモのリレコーディングと新曲 4 曲を収録し、2009 年に Sepulchral Productions からリリースされた 2nd アルバム。Raw で荒々しい音作りではあるものの、厚みがあるサウンド・プロダクション。そしてブラスト・パートを主体としながらミドル・パートでも緩急差を付けつつ、ザラザラとしたノイジーな轟音トレモロ・リフから冷気を伴ったメロディが滲み出る。前作 1st アルバム『Fier hérétique』はデプレッシヴなサウンドであったが、本作はより高品質で普遍的なブラックメタルとなっている。

Pagan Hellfire

Canada

At the Resting Depths Eternal

2018

Tour de Garde

ベラルーシのペイガン・ブラックメタル Folkvang にも参加していた Incarnatus が 1995 年から活動する一人ブラックメタル。前作『On the Path to Triumph』から 5 年振りのフルレンスとなった 6th アルバム。篭った Raw な音と喚き散らすヴォーカル、バタバタとしたドラムによるプリミティヴなブラックメタル。凍てついた荒涼とした叙情メロディがノイジーなリフから溢れ出る北欧、特にフィンランド勢に通じる良質なメロウ・プリミティヴ・ブラックメタル。オーセンティックなスタイルではあるが、厭世感と言い退廃的空気と言い、プリミティヴなサウンドだからこそ、メロディの良さが伝わってくることが確認できる。

Sombres Forêts

Canada

Quintessence

2006

Sepulchral Productions

Annatar によるケベックのブラックメタルで、Gris と並んでカナディアン・デプレッシヴ・ブラックメタルの最高峰に位置するバンドと言える Sombres Forêts（フランス語で Dark Forests の意味）の 2006 年 Sepulchral Productions からリリースされた 1st アルバム。後に Gris の Neptune と Icare をメンバーに迎え入れるが、この時はまだ Annatar が独りで全てをこなしている。サウンド・プロダクションは Raw で、ジリジリとしたノイジーなリフからこぼれるように陰鬱なメロディが滲み出ている。ミドル / スロー・パート主体でジワジワと展開していく辺りはデプレッシヴ・ブラックメタルの典型ではあるが、絶望的なメロディが印象的である。アトモスフェリックというよりは幽玄で神秘的な空間を作り出すキーボードがデプレッシヴさを絶妙に拡充させている。

Sorcier des Glaces

Canada

Ritual of the End

2014

Obscure Abhorrence Productions

フォーキッシュ・プログレッシヴメタル Moonlyght やドゥームメタル Passage のメンバーでもある Sébastien Robitaille と Luc Gaulin によるケベックのブラックメタルが、2014 年にリリースした 4th アルバム（1st アルバムのリレコーディングだった前作を入れると 5 枚目のアルバム）。前作までのアトモスフェリックでメロウなスタイルから一転して暗黒な空気が立ちこめ、どこかリチュアルな雰囲気を感じさせるサウンドへと変化。ファスト / ミドル・パートを組み合わせながら変化に富んだ展開により、その世界観へと引き込む。これまでの彼等の特色であるメロウな要素が随所に散りばめられており、変化というよりは進化という表現の方が適正かもしれない。しかしながら次作『North』では再度アトモスフェリックなメロウ路線へと戻るので、本作だけが異色な存在となってしまった。

Sui Caedere

Canada

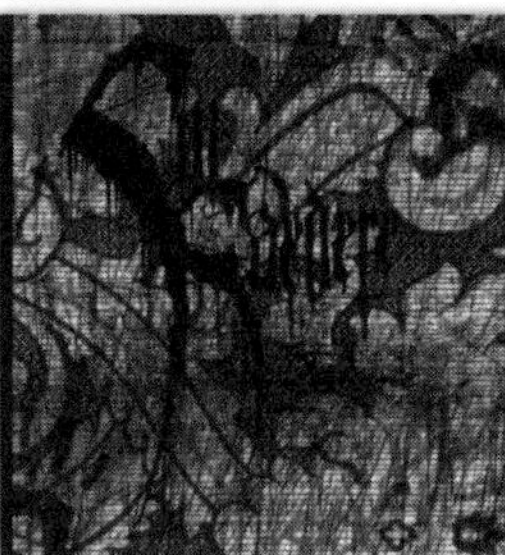

Thrène 2009

Sepulchral Productions

Monarqueを率い、BlackwindやCarrion Wraith等にも参加したMonarque、フューネラル・ドゥームメタルLonging For DawnのメンバーでもあるÉtienne Lepage、Ciel Nordiqueなるブラックメタルでも活動したMorpheeによるブラックメタルが2009年にSepulchral Productionsからリリースした唯一のアルバム。亡くなるまで40年間精神病院で過ごしたカナダの詩人エミール・ネリガンの世界観がコンセプトとなっている。アトモスフェリックな空気を醸し出すキーボードと、陰鬱さを強く感じさせるメロディによるリフが印象的。ミドル / スロー・パートによりジワジワとメランコリックな世界へと引き込んでいく。デプレッシヴ系とはまた違った鬱屈した空気を醸し出している。

Black Metal殺人事件簿

ブラックメタルの殺人事件と言えば、ノルウェーのインナーサークルが起こした2つの事件が有名である。EmperorのFaustが1992年2月にリレハンメル・オリンピック公園でゲイの男性を刺殺。さらに1993年8月にはBurzumのVarg Vikernesが、MayhemのEuronymousを彼の自宅で殺害する。これらの事件は、これまで多くの文献で詳細が触れられているので割愛させていただく。

もう一つ有名なのがNSBM最重要バンドであるドイツのAbsurdのメンバーが起こした殺人事件。JFN(Hendrik Möbus)とDark Mark Doom(Sebastian Schauseil)、Andreas Kirchnerの3人が、同級生のSandro Beyerを1993年に電気コードで絞殺。Schauseilが不倫関係にあったことやバンドの悪い噂をBeyerが周囲に言い触らしたことが殺人動機であった。3人は刑期中もバンド活動を行い(一時期In Kettenの名になっていた)、1995年のカセットEP『Thuringian Pagan Madness』のジャケットにはBeyerの墓碑の写真が使用された。

猟奇的な事件としては、オランダのNSBM、Calslagenのベース・ヴォーカルのHerr V.C.ことJoost Vastenhouwが殺害された事件が2006年10月に起きた。犯人は養父で、Vastenhouwを斧で殺害した後、遺体をバラバラにし、2日間かけて油で焼いた。その後、遺体は運河や数か所のごみ箱に捨てられた。養父は精神疾患を患っており、思想的な問題が原因ではなかった。なお養父は数日後に逮捕され、出身の中国へ送還されている。また彼は、中国では禁止されている法輪功の信者であった。

2014年1月にも衝撃的な事件が起きた。Surrender of Divinityのベーシスト・ヴォーカリストであったAvaejeeことSamong Traisatthaが殺害されたのである。犯人は自称サタニストであるPrakarn Harnphanbusakorn。彼はMaleficent Meditationのユーザー名で、Traisatthaのことを偽のサタニストであると非難し遺体をフェイスブックに投稿している。Traisatthaの妻の証言によれば、その夜、Harnphanbusakornが自宅に来て酒を飲んでおり、子供を寝かしつけた後に戻ると、30箇所以上刺されていたとのこと。バンドはこの事件により活動停止となるが、2018年に復活している。

あまりも不運な死を遂げてしまったのが、ノルウェーのブラックメタル・バンド、Evig HatのTaakedahl。彼は2011年7月にオスロとウトヤ島で発生した連続テロ事件により亡くなっている。テロ事件の犯人は、キリスト教原理主義者で極右思想を持っていたAnders Behring Breivikで、単独犯では世界最大の短時間での大量殺人と言われている。Taakedahlはウトヤ島での銃乱射に巻き込まれて落命した。当時まだ17歳であった。

ロシアではNSBM集団のBlazeBirth Hallに所属しForestやRaven Darkで活動していたUlv Gegner Irminssonが2005年10月に、酔っぱらい同士の喧嘩中に友人に刺され亡くなっている。また、BlazeBirth Hallの中心人物であったKaldrad（2001年に不法武器所持で捕まっている）は2019年4月に車にはねられ死亡した。

中南米は殺人事件に巻き込まれるケースがいくつかあった。

Euronymousとも交流があり、彼にインスピレーションを与えたと言われる南米コロンビアのParabellumの元メンバーで、Blasfemiaを結成し、シーンの中心人物であったギタリストのJhon Jairo Martínezが、1998年の2月に刺殺されている。当時の地元新聞によれば、彼のバンドであったCensuraのリハーサル後に数杯飲み、真夜中の帰宅途中に歩いているところを刺されたとのこと。彼の出身地で活動拠点としていたメデジンは、かつて麻薬カルテルの本拠地として世界的に有名であった。メキシコのブラックメタルのパイオニアであったBlack Vomitを率いていたA. Serpent Devotumが2018年4月に撲殺されている。さらに2012年9月には、ドミニカ共和国のExsanguination Throne等で活動していたAsmodeo ShivaことJosé Carlos Hernándezが、サント・ドミンゴのナイトクラブで3人の男に27箇所以上刺され、亡くなった事件が起きた。犯人グループは、知人をレイプした男と間違ってHernándezを殺してしまったとのこと。

South America!

ブラジル

軍事政権から民主化を遂げた 1980 年代中盤よりブラジルでは多くのメタル・バンドが出現したが、そのほとんどはベスチャルなスラッシュメタルであり、世界中のアンダーグラウンド・ファンから大きな注目を集めるようになる。その中でも Sarcófago や初期 Sepultura、Vulcano、Chakal らはデスメタルやブラックメタルに多大なる影響を与えた。

その流れを汲んで 1980 年代末期には Impurity や Mystifier が結成され、よりサタニックなブラックメタルがブラジルからも登場する。さらに 1990 年代前半には Goatpenis や Amen Corner、Ocultan、Evil、Spell Forest 等が活動を開始。ベスチャルなスタイルのバンドが多く、プリミティヴなブラックメタルは実はそれほど多くはなかった。その後もメロディック・ブラックメタルの Miasthenia や DSBM の Thy Light、アンビエント・ブラックメタルの Corubo 等多くのバンドが登場しているが 1980 年～ 1990 年代前半頃までと比べるとブラジル・シーンの重要度は低くなってきている。

なお、南米には NSBM が意外に多く、ブラジルにも NSBM はいくつかバンドがおり、その中でも 1997 年から活動する Nachtkult や 2010 年代から活動する正体不明の Wolf'sfang 等が知られた存在である。

メキシコ

1990 年代以降のメキシコのアンダーグラウンド・シーンは、ゴアグラインドやブルータル・デスメタルが牽引し、世界有数のデス / グラインドコア国となっていくが、ブラックメタルに関しては完全に後進国であった。そんな中でも Xibalba（後に Xibalba Itzaes へ改名）や Avzhia、Ereshkigal 等いくつかのバンドが 1990 年代初頭に活動を開始している。1990 年代末期から Moonlight が、2000 年代になってから Black Hate や Forest of Doom、Lupus Nocturnus、Nostalgie 等が結成され、活動を開始した。意外にも北欧スタイルやデプレッシヴ・ブラックメタルが多く出現した。また、2000 年代からメキシコ国内外の多くのバンドが所属した Azermedoth Records や DSBM 専門として有名な Self Mutilation Service と言ったブラックメタル・ファンにはお馴染みのレーベルが活動し、シーンを支えた。

また、メキシコには実は NSBM が多く存在し、中には Nican Tlaca 等が提唱するメソアメリカやマヤの古代文明をコンセプトとするバンドもいくつかいるが、いずれも知名度はほぼない。メキシコの NSBM のほとんどが O.N.S.P. からのリリースである。

コロンビア

長く続いた内戦や麻薬戦争により治安が悪かった 1980 年代のコロンビアだが、そんな中で後のブラックメタルへ影響を与える重要バンドがいくつか誕生した。1983 年には Parabellum が、1980 年代中盤頃には Reencarnación や Nekromantie、Blasfemia が、1989 年には Inquisition や Maleficarum が活動を始めていた。そして世界中のアンダーグラウンドへアンテナを張っていた Mayhem の Euronymous も、コロンビアのシーンと親交を持っていた。1990 年代初頭にも Nebiros、Lemures、Apolion's Genocide、Witchtrap、Liturgia、Typhon、Beelzebul 等々のブラックメタルが活動を始めている。Typhon のドラム Bull Metal が運営していた Warmaster Records から Dead 自殺写真ジャケ（Euronymous から Bull Metal が写真を受け取った）で有名な Mayhem のブートレグをリリースしていた。

その後もコロンビアからは多くのブラックメタルが出現している。しかしベスチャルなバンドが多く、プリミティヴなブラックメタルの数は少ない。最近では気合の入り過ぎたコープスペイントで話題となった Thy Antichrist が注目されたりしている。

アルゼンチン

南米ではブラジルに次ぐメタル大国であるアルゼンチンだが、ブラックメタルの数は少ない。アルゼンチン最初期のブラックメタルである Infierno（1989 年結成）や Sartan（1991 年結成）、Templo Negro（1992 年結成）は比較的早くから活動を始めていた。しかしこれらのバンドがアルバムをリリースすることはなかった。1990 年代後半には Baxaxa や Astarthe、Panikos、シンフォニック・ブラックメタルの Dunkelstorm 等が結成されている。ここ日本で注目されたのは、ブラジリアン・スラッシュメタルの影響下にあり、来日ライヴも行っている Infernal Curse ぐらいである。

ペルー

ペルーは南米屈指のブラックメタル・シーンを有する。ペルー最初のブラックメタルは Hastur で、前身バンドの Veneno Maldito は 1983 年から活動している。1986 年に Hadez（Mayhem の Euronymous と親交があった）、1988 年に Satanas が結成。さらに 1992 年に Anal Vomit、1993 年に Black Angel や Illapa が活動を始めた。以降も Nahual（1995 年結成）や、Goat Semen（2000 年結成）を始め、現在に至るまで続々ブラックメタルが出現している。しかしその多くはベスチャルなブラックメタルであり、プリミティヴなブラックメタルは少ない。

チリ

チリには早くからアンダーグラウンド・シーンが存在していた。1985 年には暗黒スラッシュメタルの Pentagram、デス / スラッシュメタルの Death Yell や Atomic Aggressor が活動を始め、1987 年にはチリ最初のブラックメタルである Bloody Cross

が結成された。1990年代初頭にもBewitchedやAmmit、Necropsia等が活動を始め、南米でも屈指のシーンを築き上げる。その流れでベスチャルなバンドが多く出現している。一方、プリミティヴ・ブラックメタルは少数派であるが、カルトなHetroertzenや北欧スタイルのAnimus Mortisと言ったバンドが存在する。

ウルグアイ

ウルグアイにも1990年代からブラックメタル・シーンは存在していた。1994年に結成されたI Must Fallや1995年結成のEternal、1996年から活動を始めたProfanaがシーンを形成していた。Profanaは2000年代前半まで活動を続けていたようだが、I Must FallとEternalはデモのみで短期間で消滅。以降もブラックメタルの数は少なく、2005年から活動しているOpus Diaboli（2019年にAvulsedやHaemorrhage等に参加したスペイン人ドラマーのErik Rayaが加入）、ベスチャルなデスメタル寄りのサウンドであるPheretrumが若干注目されたぐらいである。

その他中南米（ベネズエラ、コスタリカ、パラグアイ、ホンジュラス、ニカラグア、パナマ、エルサルバドル、エクアドル etc.）

近年反米姿勢を取り続けているベネズエラは、1990年代にはブラックメタルはCalvariumやLignum Crucis、Dies Fvnebris等、数えるほどしか存在しなかった。2000年代以降もバンドは出現しているが、僅かに知られているのはSelbstぐらいである。

中米のコスタリカもブラックメタルの数は非常に少ない。しかし、Mistical RitualやAlastor Sanguinary Embryo、Paganus Doctrina等が1990年代から活動しており、早くからブラックメタルに反応していた。

日系人が多いとされる南米内陸国のパラグアイは1990年代からDiabolicalやWisdomと言ったブラックメタル・バンドが少数ながら存在していた。その後もTo ArkhamやYetna Apmaskemaが僅かに知られる程度でバンド数自体が圧倒的に少ない。

中央アメリカのホンジュラスもまた、ブラックメタルはほんの僅かしか存在しない。2000年代以降に数バンドが出てきた程度だが、Wintersadを始めDSBMが多いのが特徴である。

中米に位置するニカラグアは、1980年代末期まで内戦状態であったためか、現在でもメタル・バンドの数は極端に少なく、よってブラックメタルもImperious SatanやLucifuge Rofocale等、数える程しか存在していない。

同じく中米のパナマもまたブラックメタルは非常に少なく、Equinoxioや現在はUSで活動するSorrowstorm、ウォー・ベスチャル・ブラックメタルのAbatuarが僅かに知られている。

政府がMardukの入国を拒否したことでも話題となったグアテマラは、内戦状態にあった1990年代にもAmalantraやAbaddon、Noctis Invocatと、無名ながらもブラックメタル・バンドがいくつか存在しており、この地域では最も早くからシーンがあった。

1990年代前半まで内戦状態であった中米のエルサルバドルもまたブラックメタル辺境地。エルサルバドル最初のメタル・バンドのFallen Soulsが1990年代から活動しており、ベスチャル・ブラックメタルのBlasfematorio、プリミティヴ・ブラックメタルのOdium Enthronementが存在していた。

南米のエクアドルには1993年に結成されたGrimorium Verumや1995年から活動するメロディックなブラックメタルLegión等、1990年代からブラックメタル・バンドは存在していた。

カリブ海（キューバ / ジャマイカ / プエルトリコ）

社会主義国家であるキューバは、バンドの数こそ少ないものの、メタル・シーンは存在している。キューバン・メタルのパイオニア的存在と言えばスラッシュメタルのZeus。彼等は1988年に活動を始めている。1990年代になるとデスメタル・バンドがいくつか出現するが、その中でもCombat Noiseが中心的役割を担うようになる。2000年代になるとブラックメタル・バンドもいくつか誕生し、その中でもAncestorとNarbelethが台頭。AncestorはメキシコのWitchcraft Recordsから、NarbelethはドイツのFolter Recordsからアルバムをリリースしている。さらに2015年にはSkjultが活動を始め、ロシアのSatanath Recordsからアルバムをリリース。しかし、いずれも世界的に有名な訳ではなく、ブラックメタルのバンド数は数えるほどしかいない、と言うのが現状である。ちなみに、元SlayerのDave Lombardoはキューバ出身である。

レゲエ発祥の地ジャマイカで恐らく唯一のメタル・バンドであると思われるのがブラックメタルのOrisha Shakpana。他にメタル・バンドは確認できない。また、バハマに関してはメタル・バンド自体が一つも確認できず、おそらく存在しないと思われる。

アメリカ合衆国の自治連邦区であるプエルトリコは、カリブ海の島国の中でも最もメタルが盛んな国である。とは言えバンド数少なくシーンの規模も非常に小さい。しかしながら、1980年代中盤からCardinal SinやSekel、さらに1980年代後半にはVelyalやDeathlessと言ったスラッシュメタル・バンドが存在していた。ただしこれらのバンドはいずれもデモのみリリースする完全なローカル・バンドであった。Velyalは暗黒なサウンドでブラックメタルにも通じるものがあったようだが、1989年に恐らくプエルトリコで最初のブラックメタル・バンドであろうGodlessが活動を始める。1990年代に入ってから、PerpetualやTinieblas、メロディック・ブラックメタルのSerpenterium等が結成されるが、いずれも世界的には無名な存在。2000年以降もいくつかブラックメタル・バンドが出現しているようだが、特に話題となる存在は出てきていない。

Akerbeltz

Brazil

Therion Rising 1999

Cogumelo Records

スペインにも同名バンドが存在するが、こちらは Impurity の Ron Seth らにより 1996 年から活動するブラジルのブラックメタル。Sarcófago や Sepultura、Holocausto、Sextrash 等の伝説的ブラジリアン・バンドを数多く輩出した Cogumelo Records から 1999 年にリリースされた 1st アルバム。バリバリとひび割れし、歪みまくったギター・リフと、ディレイが掛かり猛烈な邪悪さを撒き散らしながらガナり呻くヴォーカルによる、サタニックでベスチャルな音。ヤケクソ気味に猛然と突っ走るブラスト・パートは Sarcófago からの影響が大で、Cogumelo からの先達ブラジリアン・スラッシュメタルからの流れも汲んでいるが、リチュアルで妖しい空気感が全体をすっぽりと覆い尽くす暗黒カルトな世界を繰り広げる。

Amen Corner

Brazil

Jachol Ve Tehilá 1995

Cogumelo Records

1992 年から活動するブラジル南部の都市クリチバ出身のブラックメタル。1995 年に Cogumelo Records からリリースされた 2nd アルバム。Mystifier や Impurity らと並んで初期ブラジリアン・ブラックメタルの重要バンドで、Cogumelo 系や Hellhammer 等の 80 年代ブラックメタルの流れを汲んでいる。暗黒臭の染みついたシンプルなリフと、ドゥーミーな趣もあるミドル / スロー・パートにより原始的ブラックメタルが生み出されている。Mortuary Drape や初期 Rotting Christ とも共振するサウンドで、サタニック・カルトな空気感が異様に渦巻く。2016 年に Mutilation Productions から 1993 年のライヴを 3 曲追加収録した再発盤がリリースされている。

Dethroned Christ

Brazil

Roots of Ancient Evil 2010

Hammer of Damnation

後に Evil へと発展していく Bael にも参加した Hatewolf、Evil の Daemon、Bael にも参加し、NSBM の Command でも活動する Warlord らによるサン・パウロ出身のブラックメタル。元々 Ethan のバンド名でデモも制作していたが 1994 年に改名している。デモと Goat Prayers との Split をリリースしたきり 10 年以上も潜伏していたが、2010 年に Hammer of Damnation からリリースされた 1st アルバムが本作。80 年代～ 90 年代初期のブラックメタルをそのまま引き継いでいる。スラッシュメタル・ベースの暗黒臭漂うリフに、ボコボコと Raw に叩き込むドラム、そしてエコーが掛かりながらドスの効いた低音ガナり声で邪悪な空気を猛烈に発するヴォーカルにより、カルトな地下プリミティヴ・サウンドを展開している。

Evil

Brazil

Hammerstorm 2009

Werewolf Records

Ritualmurder や Dethroned Christ のメンバーで NSBM の Command としても活動する Warlord と、2008 年に亡くなった Black Goat of Darkness らによる Bael が 1994 年に発展したバンド。ペイガニズムやニーチェ哲学をコンセプトとしている様だが、The Pagan Front にも所属する純度の高い NSBM である。本作は 2009 年に Satanic Warmaster の Werwolf による Werewolf Records からリリースされた 3rd アルバム。寒々しくメロウなリフを主体としたスタイルで、音に厚みがあるサウンド・プロダクション。Raw さを残しながら適度に音質も良い。Satanic Warmaster に通じる上質なプリミティヴ・メロウ・ブラックメタルである。

Impurity

Brazil

The Lamb's Fury

1993

Cogumelo Records

ブラジル南東部の都市ベロオリゾンテで 1989 年に結成されたブラックメタル。Mystifier と並んで Sarcófago を始めとするブラジリアン・ブラック / スラッシュ・メタルの後継バンドとしてその名を馳せた。Cogumelo Records から 1993 年にリリースされた本作 1st アルバムは、1980 年代のブラジリアン暗黒ベスチャル・スラッシュメタルの流れを汲みつつ、猛烈な暗黒サタニック空気による完全地下サウンド。Sarcófago や初期 Sodom を彷彿させるバラバラな演奏とリフから滲み出す暗黒な空気感、サタニックさを強烈に発する低音吐き捨て唸り声により、カルトな世界を繰り広げる。これぞ原始的でプリミティヴなブラックメタルである。2009 年に Cogumelo Records からリマスター再発盤がリリースされている。

Infernal Inquisition

Brazil

Sob o Obsesso Ocaso Lunar

2015

Sulphur Records

イタリアのフューネラル・ドゥームメタル Monumenta Sepulcrorum のメンバーでもある Outro Evocate Mantra XI らにより 2007 年にブラジル北部の都市カンピナグランデで活動を始めたブラックメタルが 2015 年にリリースした 1st アルバム。Tenebrous（ベース）、Mortuus Inferna（ドラム）、Inferus でも活動した Aaron Darkhein(ギター)がメンバーとして参加している。Raw なサウンド・プロダクション、ファスト / ミドルを組み合わせた展開に邪悪な空気を発するガナり声ヴォーカルと、コールドなメロディを滲ませるオーセンティックな北欧スタイル寄りのブラックメタル・スタイル。しかしながらブラジル産らしく、どこか野蛮でベスチャルな雰囲気を漂わせている辺りが特徴的。

Mystifier

Brazil

Wicca

1992

Heavy Metal Maniac Records

ブラジル北東部のサルバドルで 1989 年に結成された古参ブラックメタルの 1992 年 1st アルバム。Sarcófago の後継者的な存在としても名高いが Blasphemy からの影響も強い。そしてスラッシュメタルや初期デスメタルからの流れを汲むジャキジャキと刻んだ原始的なリフと、ブラスト一歩手前のスピード・パート、ドス黒い空気を強烈に発する低音ガナり声による、サタニックでベスチャルでカルトな空気が渦巻く、究極の地下プリミティヴ空間を形成する。2014 年には Greyhaze Records からライヴ DVD 付きで、2002 年に Mutilation Productions からボーナス・トラック収録で、2015 年に Hammerheart Records から 2CD で再発盤がリリースされている。

Neblina Suicida

Brazil

Maldito Seja o Fruto em Vosso Ventre

2014

Infernal War Records

Old Throne でも活動する Fernando Count Old による一人デプレッシヴ･ブラックメタルの2014年唯一のアルバム。オリジナルはカセットのみのリリースだが、2015 年に Infernal War Records から CD もリリースされた。篭った感触の Raw なサウンド・プロダクションに、ノイジーなリフから溢れ出す絶望感たっぷりの陰鬱なメロディと、苦悶な呻き声とガナり声による病的なヴォーカル、スロー･テンポで展開による沈鬱なデプレッシヴ・サウンド。Xasthur や Happy Days 等のスイサイダルなブラックメタルからの影響も強い。いわゆるデプレッシヴ・ブラックメタルらしいスタイルではあるが、随所で散見されるメランコリックさが耳をひきつける。

Ocultan

Brazil

Bellicus Profanus 1999

Evil Horde Records

Count Imperium を中心にサンパウロで 1994 年に結成されたブラックメタルの Evil Horde Records から 1999 年にリリースされた 1st アルバム。Celtic Frost や Bathory 等の 1980 年代暗黒スラッシュメタルからの影響が大きい武骨なリフ、エコーが掛かった気色の悪いガラガラ声と、呪文のように唱えるノーマル声によりカルトな世界を形成する。サウンド・プロダクションもこの時期らしく Raw なので、アンダーグラウンドさも相当強い。Mystifier や Impurity 等からの影響も大きいが、よりプリミティヴなブラックメタルらしいサウンドとなっている。2014 年に Pazuzu Records からデモ音源を追加収録した再発盤がリリースされている。

Ritualmurder

Brazil

Ritual of Heavenly Murder 2013

Hammer of Damnation

Dethroned Christ や Evil（ブラジル）、NSBM の Command でも活動する Warlord や、Evil やデス / グラインド・バンドの Die Human Race、NSBM の Ravendark's Monarchal Canticle 等でも活動する Wargun らによるカルト・ブラックメタルが Hammer of Damnation から 2013 年リリースした 1st アルバム。メンバー全員が黒装束 / 黒頭巾を装っており、それだけでカルトな雰囲気が漂う。さらに、気色悪いガラガラ声が不気味な呪文を唱える様に唸り、暗黒空気を強烈に撒き散らすリフと、ドゥーミーとも言えるスロー・パートが、ドス黒くカルトでリチュアルな世界を繰り広げる。

Wolf'sfang

Brazil

The Hordes of Fullmoon 2016

Battlefront Distro

ブラジルの観光都市ナタール出身、ただしメンバーについては正体不明の NSBM による 2016 年にリリースされた 1st アルバム。ノイジーかつメロウなリフと憎悪を剥き出しにしたガナり声、そしてファスト / ミドル・パートをバランス良く配合しながら、構成も比較的よく練られた展開で、Raw ながら厚みのあるサウンド・プロダクション。薄っすらとアトモスフェリックや荘厳さを創出するキーボードにより奥行きのある空間が形成されている。いわゆる NSBM から感じさせる殺気だった気配は然程高くないが、ウォー・ブラックメタルに通じるストロングさは感じさせる。NSBM 抜きにしてレベルの高いメロウ・プリミティヴ・ブラックメタル。

Avzhia

Mexico

Dark Emperors 1996

Storm Productions

アンビエント・ブラックメタルの Funereal Moon のメンバーでもあった Demogorgon（ヴォーカル / ドラム）を中心に 1993 年から活動するメキシコ・シティーのブラックメタル。当初は Vomiting God と名乗っていたらしい。本作は 1996 年にリリースされた 1st アルバムで、Demogorgon の他は Gorgon（ギター）、Ialdabaoth（ギター）、Forneus（ベース）というメンバーでレコーディングされた。この時期なので、1990 年代初頭頃のアーリー・ブラックメタルの臭いを漂わせるサウンドで、Necromantia や初期 Varathron 辺りも彷彿させる。妖しい空気を終始放つキーボードや、シアトリカルでドラマティックな展開により、独特の暗黒カルトな世界を築いている。あまり知られていないかもしれないが、1990 年代ブラックメタルの名作の一つである。

Black Hate

Mexico

Los Tres Mundos 2012

Dusktone

Nostalgieでも活動し、Deep-PressionやLupus Nocturnus、Infernal Hate等にも参加してきたB.G.によるデプレッシヴ・ブラックメタルが2012年にイタリアのDusktoneからリリースした3rdアルバム。前2作はB.G.独りで制作したが、本作ではB.G.はヴォーカルのみで、J. PollackとPossessedがギターで、A.Trollがベースで、Vyseがドラムで参加している。Rawな音質でアトモスフェリックな空気を漂わせ、陰湿なメロディを奏でるトレモロリフとミドル/スロー・テンポによる展開が中心。苦悶の表情を浮かべながら病的に絶叫するヴォーカルにより、典型ながら徹底して沈鬱さに固執したデプレッシヴ・サウンドである。

Ereshkigal

Mexico

When the Demons Spit Fire 2009

Azermedoth Records

Forest of DoomやRavnkald、Black Empire等のメンバーでもあり、Azermedoth Recordsを運営するMarganor Bestial Invocatorらにより、1993年から活動するメキシカン・ブラックメタル・シーンを形成したバンドの一つ。本作はAzermedoth Recordsから2009年にリリースされた4thアルバム。Black EmpireのLord NebirosとLord of Mystic Shadowsがギターメンバーとして参加。厚みのないサウンド・プロダクションによる1990年代初期ブラックメタルを引き摺ったギターリフから、随所で薄っすらと滲ませる冷えたメロディと、ファスト/ミドル・パートを織り交ぜる曲展開により、オーセンティックかつプリミティヴなブラックメタルを創出している。

Forest of Doom

Mexico

Ancient Woods of Darkness 2007

Azermedoth Records

Ereshkigalを率い、RavnkaldやBlack Empire等のメンバーでもあるMarganor Bestial Invocatorらによって2006年から活動するブラックメタルがAzermedoth Recordsから2007年にリリースした1stアルバム。Moonlightやドゥーム/デスメタルのSorrowful、ノルウェーのDødsfallでも活動するIshtarがヴォーカル、EreshkigalやBlack EmpireのLord Xantotolがギターでメンバーとして参加し、レコーディングされている。ノイジーなリフから溢れ出すコールドなメロディと、邪悪にガナりたてるヴォーカルが主軸。ミサントロピックな雰囲気も強い。

Lupus Nocturnus

Mexico

Suicidal Thoughts Pt. I 2008

Self Mutilation Services

デプレッシヴ・ブラックメタルNahual Tliにも参加したLord Nahualと、Gnosis OccultusのメンバーでもあるLord Night Wolfによる、メキシコ・シティーのブラックメタルによる2008年の1stアルバム。Self Mutilation Servicesからリリースされ、NostalgieやDeep-Pression、Black Hate等のB.G.がメンバーとして参加。いわゆるデプレッシヴなブラックメタル・スタイルではあるが、この手のバンドにしては篭ったRawでLo-Fiな音作りである。そして喪失感をかき立たせるメロディをミニマルにループさせ、スロー・テンポの展開により絶望感をジリジリを擦り込ませていく。さらにあまりに生々しく悲痛な絶叫をひたすら繰り返すヴォーカルから、一線を越えた不穏さを強烈に感じさせる。

Moonlight

Mexico

Evocation 2008

Azermedoth Records

Forest of Doom や Sorrowful、ノルウェーの Dødsfall のメンバーでもある Ishtar らにより 1999 年から 2001 年に活動し、デモを 3 本（このデモ音源は 2016 年にブラジルの Obskure Chaos Distro からリリースされた『Darkness Within』に収録されている）を制作した後に解散。しかし Ishtar が独りで再始動させて、2008 年に Ereshkigal 等の Marganor Bestial Invocator が運営する Azermedoth Records からリリースした 1st アルバムが本作。北欧スタイルに近いコールドなメロディを奏でるリフにより、メロウな要素が強いオーセンティックなブラックメタルを展開。暴虐性や邪悪なオーラがしっかりと押し出されており、良質なメロウ・プリミティヴ・サウンドが詰まっている。

Xibalba

Mexico

Ah Dzam Poop Ek 1994

Guttural Records

現在は Xibalba Itzaes と改名しているメキシコ・シティーのブラックメタル。結成は 1992 年とメキシコの中でも最も早くから活動していたブラックメタルで、Guttural Records から 1994 年にリリースされた本作 1st アルバムも、Hellhammer や Bathory から Darkthrone 辺りの原始的なブラックメタルをベースとしている。ドカドカと叩き付けるドラムに、飾り気のない武骨なギター・リフと邪悪さを撒き散らすヴォーカルにより、ブラックメタルの根幹であるアンダーグラウンド臭の浸み込んだ暴虐サウンドを吐き出している。さらに怪しくシャーマニックな空気が漂うのが特徴的。どうやらマヤ文明をコンセプトとしており、それが絶妙にサウンドにも反映されている。

Domos

Colombia

Onset of a Gelid Eon 2017

Hidden Marly Production

Ravnkald に参加し、Naxac や Solemne Mortis としても活動している Domos Aidaou による独りブラックメタルが、2017 年に日本の Hidden Marly Production からリリースした 1st アルバム。Darkthrone 辺りのプリミティヴ・ブラックメタルがベースながら、ノイジーさの中から北欧勢にも負けていない、凍てついたメロディが大量に溢れ出すトレモロリフが主体のメロウ・ブラックメタル。ブラスト・パートとミドル・パートを組み合わせながらドラマティックに展開していく楽曲の質も、コールドなメロディが印象的で、全体を覆う厭世的な空気と、邪悪にガナるヴォーカルによりアンダーグラウンドさも強く感じさせる。メロウ・プリミティヴ・ブラックメタルとしては上出来である。

Inquisition

Colombia

Invoking the Majestic Throne of Satan 2002

War Hammer Records

Dagon を中心に 1989 年から活動を始め、Von や Beherit、Samael 等々と並んで 90 年代初期ブラックメタルの礎を築いたバンドの一つ。コロンビア出身だが後に US･シアトルへ活動拠点を移している。暗黒スラッシュメタルの要素が強かった 1st アルバム『Into the Infernal Regions of the Ancient Cult』（1998 年）から、一気にブラックメタル色が濃厚となったのが本作 2002 年の 2nd アルバム。前作での暗黒カルトな空気を継承しつつ、ノイジーなリフから放たれるドス黒い空気や、邪悪さをダイレクトにぶつけてくるガナり声により漆黒さが一気に増しており、ブラックメタルにどっぷり漬かったプリミティヴ・サウンド。2015 年に Season of Mist から再発盤がリリースされている。

Nocturnal Feelings

Colombia

Tropa De Destrucción

2014

Ah Puch Records

Akerrius、1990年代前半から活動しているLiturgiaにも参加したFalak、エピック・ブラックメタルOpvs Leviathanの前身となったLeviathanのメンバーでもあったEpitaphによる、2001年から活動しているプリミティヴ・ブラックメタルが2014年にリリースした4thアルバム。ボコボコとしたRawなブラストを猛烈に叩きつけるドラムと、喧噪的に叫びガナりまくるヴォーカル、そして北欧ブラックメタル勢に匹敵するコールドなメロディを放出するブリザードの様なトレモロ・リフによる、メロウな要素を強く押し出した系統。ただしブラックメタルの持つ暴虐性やファスト・パートにおける破壊力は強く、メロウさとアグレッションのバランスが絶妙に取れている。

Thy Antichrist

Colombia

Wicked Testimonies

2004

Tribulacion Productions

気合いの入り過ぎたコープス・ペイント（上半身全てコープス・ペイント）が話題となったAntichrist 666により1998年から活動するブラックメタルの2004年1stアルバム。Cradle of FilthのDani Filthをさらに高音にした感じで叫びまくるヴォーカルに耳を奪われるが、ファスト/ミドル・パートを織り交ぜながらドラマティックさに重点を置いた曲展開は見事。コールドな空気感があまりないメロディが北欧スタイルとも一線を画しており、南米特有の剥き出しの攻撃性とは違う、どこかシアトルな雰囲気。そして初期ブラックメタルの流れを汲んだ野太いリフにより個性的だ。WitchtrapのWitchhammerとRipperがゲスト参加。バンドは現在テキサス・ダラスに拠点を移している。

Typhon

Colombia

Unholy Trilogy

1996

Warmaster Records

1993年にコロンビア第二の都市メデリンで結成された。コロンビアの先人アンダーグラウンド・バンド、そして80年代のヘヴィメタルをベースとしながら、VenomやCeltic Frost、Samael辺りからの影響が強く、スラッシュメタルやハードコアからの影響も強いリフに、暗黒な初期デスメタルの流れを汲む。いわゆる北欧を中心とした当時のブラックメタルとは異なる音である。しかしながらこれぞブラックメタルの原風景とも言うべき異様なカルトさを漂わせ、ダークな世界を築き上げている。プリミティヴなブラックメタルのさらに原始的な姿がここにある。ドラムのBull Metal（2002年に自殺）はWarmaster Recordsを運営し、あのDead自殺写真ジャケで有名なMayhemのブートレグ・ライヴアルバム『The Dawn of the Black Hearts』をリリースしている。

Utuk-Xul

Colombia

The Goat of the Black Possession

2003

Hell Attacks Productions

Inferus Vobyscumにより元々はDies Iraeのバンド名で1994年から活動しており、1997年に改名し活動を続けるブラックメタルが2003年にリリースした1stアルバム。本作でのギターはベスチャル・ブラックメタルBlack Angelにも参加していたGigim Maskin Xul。強烈にサタニックな雰囲気を発する輪郭が不明瞭なリフ。その暗黒さをさらに急増させながら這いずり回るベース。荒々しくブラストを叩きまくって暴走するドラム、そしてやたら喧噪的に邪悪な空気を撒き散らしながら叫ぶヴォーカル。禍々しくカルトな空気が轟音の塊と化したカルトなサウンドがここにある。地下臭さという意味でもコロンビア/南米随一とも言える。暗黒サタニック・カルトな世界を徹底してブチ撒ける。

Grima Morstua

Argentina

Illustratio Per Horribilem Obscuritatem 2007

Drakkar roductions

アルゼンチンはブエノス・アイレス出身のブラックメタルが、Celestia の Noktu が運営するフランスの Drakkar Productions から 2007 年にリリースした 1st アルバム。随所で薄っすらとコールドなメロディを滲ませて不協和気味に奏でるトレモロ・リフや、暗黒臭を漂わせながらカオティックに掻き鳴らされるリフ、そして邪悪さを強烈に発するガナり声により、カルトな雰囲気による地下ブラックメタル。リフやヴォーカル、そして Raw なサウンド・プロダクションにより不穏かつ陰湿な空気を強く感じさせるが、ファスト / ミドル・パートを組み合わせた起伏に富んだ曲展開により、一本調子に陥ることなく聴き手を引き込む。ある意味南米らしくなく、初期ノルウェージャン・ブラックメタルに近い。バンドはこの後に 2 枚のアルバムをリリースし、解散している。

Ulfhethnar

Argentina

Essence of Superiority 2005

Dark Hidden Productions

ブエノスアイレスを拠点とする NSBM 系サークル Southern Elite Circle に属するバンド。同サークルの Furor や Argenraza でも活動し、Dark Hidden Productions も運営する Narok と、Nachtgeblüt や Campo De Mayo、Furor や Argenraza でも活動している Eviigne の、Southern Elite Circle 重要人物 2 人によるブラックメタルが、2005 年に Dark Hidden Productions からリリースした 1st アルバム。地下臭い Raw な音作り、シャリシャリとした厚みのないノイジーなリフ、そして邪悪さと怨念を封じ込めたかのような絶叫ヴォイスが、アンダーグラウンド臭さが強調されたプリミティヴ・ブラックメタルを形成している。

Kay Pacha

Peru

Wanka Black Metal 2011

Pentagram Records

ペルーのワンカヨという都市出身で、バンド名はインカ / アンデス世界観での地上世界を示すカイ·パチャから。そしてワンカ族の古代文化をコンセプトとしている。言わばペイガンメタルに近い世界観ではあるが、2011 年にリリースされた本作 1st アルバムは 1990 年代の初期ブラックメタルの流れを汲むサウンド・スタイル。時折正統メタルの要素が出てきたり、オブスキュアな初期デスメタルに通じる所もあったりするが、ベースは 1990 年代初頭のプリミティヴなブラックメタルである。しかもスカスカで Lo-Fi な音作りに、ギターやドラムの演奏力も稚拙さが目立つボロボロさ加減。ブラスト・パートを中心にミドル・パートも交えているが曲構成も滅茶苦茶。はっきり言ってしまえばポンコツなのだが、ブラックメタル本来の Raw な妖しさと凶悪さをきちんと継承していると言える。ある意味南米らしいサウンドである。

Nahual

Peru

Mysteries of the Cosmic Serpent 2001

Guerreros De La Muerte

1990 年代初頭に活動し、ノイズ・グラインドコアからブラックメタルへと変遷していった Mental Alteration のメンバーにより 1995 年に結成された首都リマ出身のプリミティヴ・ブラックメタル。ギターの Luis Scharack とドラム / ギターの Marbas はカルト・ブラック / デスラッシュ Hadez のメンバーでもある。隙間だらけのスカスカなサウンド・プロダクションにメロウさのないノイジーなギター、バコバコと叩く Raw なドラム、そして気色悪いガナり声で邪悪さを撒き散らすヴォーカルにより、全体的に妖しい空気を醸し出している Lo-Fi な地下ブラックメタルで、1990 年代初期の音をそのまま受け継いでいる。本作は 2001 年にリリースされた 1st アルバムで、2012 年には Pentagram Records から再発盤も出ている。

Nostalgia

Peru

A 512 Devil Music Vol.2

2011

Magistellus Infernal Productions

ペルーの港湾都市カヤオ出身のブラックメタルの 2011 年リリース 1st アルバム。バンド名からはデプレッシヴなサウンドを想起させるが、Lo-Fi なプリミティヴ・ブラックメタル。厚みのまったくない原始的なリフと Raw なドラム、そしてどこか病的な雰囲気を醸し出しながら喚き叫び散らすヴォーカルによりカビ臭いブラックメタルで、Ildjarn を彷彿させる Lo-Fi っぷりである。演奏自体はまともで、ボロボロというよりは単にサウンド・プロダクションが劣悪なだけである。ただし曲展開は結構ひねくれており、非常にアクが強い。1990 年代初期頃の Mayhem や初期 Darkthrone 等が放っていたプリミティヴさを持ち合わせつつ、妖しくカルトな雰囲気に満ち溢れている。

Adkan

Chile

Compendivm XI

2014

Hidden Marly Production

チリの首都サンティアゴ出身のプリミティヴ・ブラックメタルの、2003 年『Black Dominions』、2006 年『Infernal』、2010 年『Insanity from Your Nails』の 3 本のデモを収録し、2014 年に日本の Hidden Marly Production がリリースしたコンピレーション。現在までアルバムや EP 等のリリースはなく、この 3 本のデモしか音源は残していないようである。『Infernal』でのドラムは Execrator や Magnanimus と言ったデスメタルやブラック / スラッシュメタル Hades Archer 等でも活動してきた Hateaxes Command。90 年代初頭のオーセンティックなプリミティヴ・ブラックメタルを継承しているスタイルだが、メロウな要素もある一方で、禍々しい邪悪さや攻撃性も水準以上を誇り、まさに大穴的な良質サウンドである。

Animus Mortis

Chile

Atrabilis (Residues from Verb & Flesh)

2008

Debemur Morti Productions

1990 年代から活動を始めた Horns の現メンバーでもあり、ペイガン・ブラックメタルの Black Moon 等でも活動した Nicholas Onfray らにより、2004 年からサンティアゴで活動するブラックメタルが 2008 年に Debemur Morti Productions からリリースした 1st アルバム。荘厳な空気を滲ませながら、凍てついたメロディを奏でるリフを主体とし、ブラスト・パートとミドル・パートを組み合わせた展開による曲構築力の高さを感じさせる。一方でノイジーなリフや、ガナり立てるヴォーカルにより、暗黒な気配も強烈に発せられている。北欧ブラックメタルのコールドさとフレンチ・ブラックメタルの漆黒さを持ち合わせる、良質なプリミティヴ・サウンド。

Hetroertzen

Chile

Exaltation of Wisdom

2010

Lamech Records

Bewitched（チリ）や Horns のメンバーでも活動した kæffel による Hhahda として 1997 年にスタートし、2001 年に改名したブラックメタルが 2010 年にリリースした 4th アルバム。Kæffel（ヴォーカル / ドラム）と Hhahda からのメンバーである女性ギタリストの Åskväder（本作ではベースも担当）の 2 人で制作されている。禍々しく不穏な空気が満載のトレモロ・リフと、リチュアルさを強烈に発するガナり声による暗黒指数の高いブラックメタルで、時折呪術的なノーマル・ヴォイスから邪悪に絶叫したりする、ヴォーカルの表現力の幅の広さを見せつける。呪術的な妖しさによりカルトな空間が全体を覆い尽くすが、タイトなドラムとよく練られた曲展開。

Maledictum

Chile

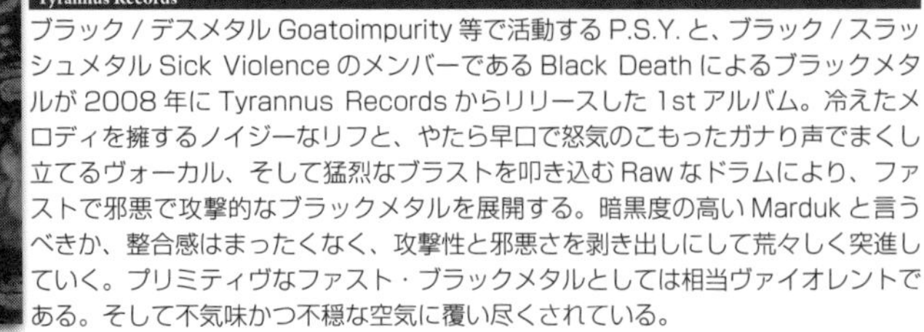

Inhumana Muerte Negra　2008

Tyrannus Records

ブラック / デスメタル Goatoimpurity 等で活動する P.S.Y. と、ブラック / スラッシュメタル Sick Violence のメンバーである Black Death によるブラックメタルが 2008 年に Tyrannus Records からリリースした 1st アルバム。冷えたメロディを擁するノイジーなリフと、やたら早口で怒気のこもったガナり声でまくし立てるヴォーカル、そして猛烈なブラストを叩き込む Raw なドラムにより、ファストで邪悪で攻撃的なブラックメタルを展開する。暗黒度の高い Marduk と言うべきか、整合感はまったくなく、攻撃性と邪悪さを剥き出しにして荒々しく突進していく。プリミティヴなファスト・ブラックメタルとしては相当ヴァイオレントである。そして不気味かつ不穏な空気に覆い尽くされている。

Selbst

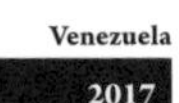

Venezuela

Selbst　2017

Sun & Moon Records

N なる人物によって 2010 年から活動するベネズエラのブラックメタル（現在はチリへ活動拠点を移している様子）。2017 年に Sun & Moon Records からリリースされた 1st アルバムで、チリの Animus Mortis で活動し、Horn のメンバーでもある Nicholas Onfray がヴォーカルで、スペインの Aversio Humanitatis 等でも活動する Mortem がドラムで参加している。ドス黒い空気を猛烈に発する低音ガナり声ヴォーカル、荘厳なメロウさを携えつつこれまた黒い空気を発し、カオティックに展開していくリフにより、全体的に漆黒かつ宗教がかった空気に覆われている。圧倒的な闇に包まれ、驚異的に構築力に長けた曲展開等、Deathspell Omega に近い印象。

Veldraveth

Venezuela

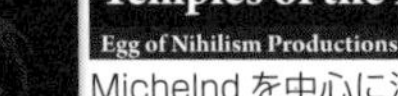

Temples of the Black Flame　2009

Egg of Nihilism Productions

Michelnd を中心に活動するブラックメタルの 2009 年リリースの 2nd アルバム。オリジナルはポルトガルの Egg of Nihilism Productions からリリースされたカセットの様だが、2010 年にメキシコの Witchcraft Records から CD もリリースされている。篭ったサウンド・プロダクションがサタニックな空気感を絶妙に醸し出す。1990 年代初頭からの原始的ブラックメタルのリフをベースとし、禍々しさを醸し出すトレモロ・リフが主体となっている。ややヤケクソ気味にブラストを叩くドラムや、攻撃一辺倒でガナりまくるヴォーカルにより、ベスチャルな雰囲気を感じさせるが、北欧ブラックメタルに近いコールドなメロディも随所で散りばめられている。次作 2016 年の 3rd アルバム『Malformations of God』は一気にデスメタルへと寄っていく。

Paganus Doctrina

Costa Rica

Omnipotence Aeternae Diabolous　2015

Ashen Productions

デスメタル・バンド Insepulto でも活動していた U.Xerxes.H により 1994 年に結成されたコスタリカのブラックメタル。1996 年にデスメタル Pseudostratiffied Epithelium との Split を残して解散したが、2006 年に復活し、2015 年にオーストリアの Ashen Productions からリリースされた 1st アルバムが本作。ブラスト・パートが大半を占めるファストなスタイルで、そのブラストをハイパーに叩き込むドラムの凄さにも圧倒されるが、攻撃的にガナり叫ぶヴォーカルも強力。リフをジャキジャキと刻みながら時折コールドなメロディも奏でる。Marduk を彷彿させるところもあったりするが、サタニックな禍々しさにも溢れている。

Ancestor

Cuba

Hell Fuckin' Metal 2008

Witchcraft Records

キューバの首都ハバナで 2005 年に結成されたブラックメタルが 2008 年にメキシコの Witchcraft Records からリリースした 1st アルバム。小さなシーンの中で活動していたとは思えない、水準以上のクオリティを誇っている。ファスト・パートを主体としたストレートに攻撃性を身上としつつ、メロウな要素も強い。スウェーデン辺りの北欧ブラックメタルからの影響を強く感じさせる。ブラストを的確に叩き込むドラムやメロディを上手く活かした曲展開とリフ構成、攻撃性と邪悪さをバランス良く吐き出すガナり声ヴォーカル等、辺境地的なボロボロさは皆無。バンドは 2013 年からアメリカのフロリダで活動をしている。

Narbeleth

Cuba

Indomitvs 2017

Folter Records

初期 Ancestor のメンバーだった Dakkar によるハバナの独りブラックメタルが 2017 年にドイツの Folter Records からリリースした 4th アルバム。キューバというメタル辺境地でありながら、Ancestor 同様レベルは高いが、ファスト・ブラックメタルの Ancestor に比べ、こちらの Narbeleth は凍てついたメロディを主体とした北欧プリミティヴ・ブラックメタルに近い。トレモロ・リフから溢れ出すコールドなメロディが耳をひきつけ、ファスト / ミドル・パートをバランス配した曲展開、邪悪さタップリのガナり声ヴォーカルや Raw な感触ながらブラスト・パートもパワフルにこなすドラム、そして篭っていながら、音圧がきちんとあるサウンド・プロダクション。

Diabolical

Paraguay

Dominus Infernal 1999

Icarus Music

Diabolical と言えばスウェーデンのブラック / デスメタルが有名だが、こちらはパラグアイのブラックメタル。1992 年という早い時期から活動を始め、当初は Morbid Decay と名乗っていたようだが、バンド名をいくつか変え、1998 年に Mysterium から Diabolical と改名。1999 年にアルゼンチンでは最も大きいメタル・レーベルである Icarus Music からリリースされた唯一のアルバム。Yetna Apmaskema の Zarthaz(ドラム)や Wisdom に参加した D.A がメンバーとして名を連ねている。寒々しいメロディを湧き出させるノイジーなリフに緩急付いた曲展開、そして一本調子ながらやや悲愴な雰囲気もある絶叫による、北欧スタイルに近いプリミティヴ・ブラックメタル。なお、現在は Diavolical とバンド名を変えている。

Wisdom

Paraguay

Sacra Privata 2009

Satanic Propaganda Records

Seldrack L.K.（ヴォーカル / ドラム）を中心に、1993 年からパラグアイの首都アスンシオンで活動するブラックメタルが 2009 年にリリースした 3rd アルバム。コールドなメロディを奏でるリフによる北欧ブラックメタルに近いスタイルではあるが、そのメロディ・センスが素晴らしく、よって聴き易いサウンドとなっている。一方でスラッシュメタル流れのリフにより暗黒臭を漂わせている。邪悪さを強力に湧き立たせるガナり声ヴォーカルにより、ブラックメタルとしての暴虐性をきちんと持ち合わせている。タイトル曲は PV も制作された。オリジナルの Satanic Propaganda Records 盤には Dissection の『The Somberlain』のカバーが、ジャケット・アート違いの Hammer of Damnation 盤には Bathory の「13 Candles」カバーと過去作からの音源が収録されている。

Yetna Apmaskema

Paraguay

Ancestral Manifest of Evil Poison 2014

Deathrash Armageddon

ブラッケンド・デス / スラッシュメタル Master of Cruelty の A.G.V（ギター）や Diabolical の Zarthaz らによる、パラグアイはアスンシオンのブラック・メタル。日本の Deathrash Armageddon から 2014 年にリリースされた 1st アルバム。Bathory や Celtic Frost の 80 年代暗黒スラッシュメタルの流れを汲みつつ、凍てついたメロディを擁するリフにより、90 年代 Mayhem を彷彿させるところも多く、ノルウェージャン・ブラックメタルに近い。主にファスト・パートにおいて南米らしいブラッケンドなデス / スラッシュ・メタルと共振する暗黒ブルータル様式。殺傷性の高い、冷え切ったメロディを滲ませるリフにより、真性なブラックメタルの感触を強く感じさせる。

Wintersad

Honduras

...In My Last Dreams 2011

Independent

Victor Umanzor と、エルサルバドル出身 / アメリカに在住し、アトモスフェリックなデプレッシヴ・ブラックメタル Ah Ciliz 等でも活動している E.（Ah Ciliz）によるホンジュラス第 2 の都市サン・ペドロ・スーラのブラックメタルが 2011 年に自主制作リリースした 1st アルバム。こちらも陰鬱なブラックメタルで、チリチリ / ザラザラとした轟音ノイズ・リフから溢れ出す寂寞感を強烈に漂わせるメロディが全体を支配し、病的にガナり叫びながら陰鬱な世界を形成するヴォーカルや、ミドル・テンポのパートによりジワジワと精神を追いつめていく。アトモスフェリックな空気感が強いが、Raw なサウンド・プロダクションにより不吉なオーラが生々しく伝わってくる。デプレッシヴ・ブラックメタルとしてはよくあるスタイルだが、陰鬱度は高い。

Lucifuge Rofocale

Nicaragua

Demonic Transfixion 2012

Depressive Illusions Records

数少ないパナマのブラックメタルが、2015 年にメキシコの Guttural Records からリリースした 3rd アルバム。90 年代初頭ブラックメタルやデスメタル、Sarcófago 等のスラッシュメタルからの影響が強いガリガリとしたノイジーなリフに、ブラスト・パート主体のファストで攻撃的なストロング・サウンド。そこにブラックメタルらしい邪悪さと暴虐性が加わる。南米らしいベスチャルな雰囲気やブラッケンドなデスメタルに通じるブルータルさも兼ね備えており、サウンド・プロダクションは荒々しく Raw。しかしメタル辺境地とは思えない、ハイレベルでクオリティの高いサウンドである。ミキシングはチリの Animus Mortis や Hrns で活動する Nicholas Onfray が担当。残念ながらバンドは 2016 年に解散している。

Equinoxio

Panama

Ritos Abominables 2015

Guttural Records

パナマの首都で、中米有数の都市であるパナマ・シティ出身のブラックメタル。2015 年にメキシコの Guttural Records からリリースした 3rd アルバム。1990 年代初頭ブラックメタルやデスメタル、Sarcófago 等のスラッシュメタルからの影響が強いガリガリとしたノイジーなリフに、ブラスト・パート主体のファストで攻撃的なストロング・サウンド。そこにブラックメタルらしい邪悪さと暴虐性が加わる。南米らしいベスチャルな雰囲気やブラッケンドなデスメタルに通じるブルータルさも兼ね備えており、サウンド・プロダクションは荒々しく Raw ではあるが、メタル辺境地とは思えないクオリティ。ミキシングはチリの Animus Mortis や Horns で活動する Nicholas Onfray が担当。バンドは 2016 年に解散した様子。

Seol

Guatemala

Whisper of the Nocturnal Wind 2015

Seol Productions

グアテマラのブラックメタル・シーンの中では恐らく最古参であろう、1991 年に結成された Amalantra の初期からのメンバーだった Diatharma Thoron（ドラマ）や、復活した Amalantraのメンバーでもある Orpheus を擁するグアテマラ・シティの Seol。本作は、同郷のアトモスフェリック・ブラックメタル Noctis Invocat との Split（2013 年）後の 2015 年にリリースした 1st アルバム。Raw なサウンド・プロダクションによりアンダーグラウンド臭は強い。スラッシュメタル～ 1990 年代初頭ブラックメタルを引き摺ったリフ、邪悪にガナるヴォーカル、ファスト / ミドル・パートを組み合わせた曲展開による、オールドスクールなスタイルがベース。加えて、アトモスフェリックな空気を発したり、妖しい音色を響かせたりするキーボードが、随所で独特の幽玄さを醸し出している。

Odium Enthronement

El Salvador

We Are Legion Part II 2017

Nebula Forest Productions

エルサルバドルの首都サンサルバドルのプリミティヴ・ブラックメタル。元々は Thy Funeral Judas と名乗って 2009 年から活動していたが、2015 年に Odium Enthronement となっている。メンバーのうち M. Funeral（ヴォーカル）と Nebiros（ベース）、T. Conqueror（ドラム）はウォー・ブラックメタルの Genocidium でも活動している。本作は 2017 年にリリースされた 1st アルバム。コールドなメロディを擁するノイジーなトレモロ・リフと、バシバシと叩くドラム、そして邪悪にガナりまくるヴォーカルによる、初期 Darkthrone 辺りをベースとした北欧スタイル寄りのブラックメタル。サウンド・プロダクションも荒々しく Raw である。特にレベルが高い訳ではないが、プリミティヴ・ブラックメタルとしてはなかなか聴き応えがある。

Godless

Puerto Rico

Church Arsonist 2006

Rusty Axe Records

プエルトリコで 1989 年から活動している古参ブラックメタルが 2006 年に US の Rusty Axe Records からリリースした 2nd アルバム。篭った Raw なサウンド・プロダクション。厚みのないリフから随所で溢れ出す寒々しく退廃的なメロディ、リズム・キープが危うく、安定感がまるでないガシャガシャとしたドラムによる、北欧ブラックメタルに近い感触。冷え切ったメロディが耳を惹くが、それ以上にエコーをかけながらただならぬ空気を孕んで邪悪極まりなく絶叫しまくるヴォーカルが凄みを発揮。演奏はボロボロで、音質も劣悪なのでアンダーグラウンドが際立っているが、そこにこのヴォーカルによる物騒さが加わることで、より一層地下臭さが増している。US の Mythic や Demonic Christ でも活動した Dana Duffey がゲスト参加している。

Orisha Shakpana

Jamaica

Caribbean Metallic Storm 2011

Legion of Death Records

レゲエの国ジャマイカにおいて恐らく唯一のメタル・バンドと思われる Orisha Shakpana。正確にはバンドではなく、バルバドスの Donrad にも参加する Lord Ifrit による一人ブラックメタルである。これまでごく少数プレスの自主制作アルバムを 3 枚リリースしており、本作は 2011 年に元 Deathspell Omega/ Annthennath の Shaxul による辺境地バンドを専門にリリースしていた Legion of Death Records からリリースされた 7" EP。ボコボコのドラムに暗黒臭の強いリフ、そして邪悪に妖しくガナるヴォーカルによる暗黒騒音。あまりに Raw なサウンド・プロダクションで地下臭さも満点。ブラックメタルの真性さはないが、90年代初頭の Blasphemer 等が起こしたブラックメタル初期衝動を想起させる。

レーベル特集

ブラックメタル専門のレーベルは世界中に数多く存在する。そのほとんどが数枚のリリースのみであることが多く、活動しているのか不明であるレーベルも多い。また、ファンジンの延長線上でレーベルを設立したり、自らの作品をリリースするために始めたりするケースも多い。つまりインディペンデントなレーベルばかりである。ここで紹介するのは比較的有名でリリース量が多いものに限った。また、多くのブラックメタル・レーベルは流通状態が悪く、他のメタル・サブジャンルの専門レーベルと比較すると、極端に入手しづらいものが多い。

No Colours Records

ドイツ

1993年にファンジン『No Colours Zine』を発行していたSteffen Zopfがレーベルへと発展させた、ドイツはミューゲルンに所在するレーベル。最初のリリースはGraveland『The Celtic Winter』（1994年デモのCD化）。同時期にForgotten Woods『As the Wolves Gather』（1994年1stアルバム）もリリース。翌1995年にはDimmu Borgirの1stアルバム『For all tid』やVeles『Night on the Bare Mountain』の1stアルバム『Night on the Bare Mountain』等をリリースする。以降、NargarothやSatanic Warmaster、Urgehal、Judas Iscariot、Pest（スウェーデン）、Abyssic Hate、Nyktalgia、Inquisition等、多くの作品を輩出している。プリミティヴ・ブラックメタルやデプレッシヴ・ブラックメタルが中心であるが、AbsurdやGraveland、Thor's HammerとNSBMも多く抱えていた。そのため、1999年10月にドイツ警察から捜査を受けている。なお、7インチとカセットを数枚リリースしたSilencelike Death Productions、フォーク/ペイガンメタル専門のFolk Produktion、デスメタル/スラッシュメタルのMetal Inquisition Recordsがサブレーベルとして存在していたが、いずれもリリースが途切れている。

Drakkar Productions

フランス

Celestiaを率いるNoktuことCyril Mendreが1994年に立ち上げたレーベル。彼がCelestiaを結成する前のことである。最初のリリースはMütiilationの1995年1stアルバム『Vampires of Black Imperial Blood』。さらにVlad TepesやTorgeist等のLes Légions NoiresのSplitやデモ再発盤をリリースしている。自身のCelestiaとMortiferaは当然ながら、Deathspell Omegaの前身Hirilornの1998年1stアルバム『Legends of Evil and Eternal Death』やAlcestの2001年デモ『Tristesse hivernale』もリリース。フランスのみならず、ノルウェーのTsjuder、スウェーデンのWatain、ウクライナのLucifugum、ポルトガルのDecayed、アメリカのGrand Belial's KeyやBlack Funeral、シンガポールのImpietyの作品もリリースしている。また、日本のシーンとの繋がりもあり、AbigailとAhpdegmaのアルバム（AbigailはEPとコンピレーションのリリースもあり）や、彷徨とHakujaのデモをリリースしている。なお、Apparitia Recordings（CelestiaやMortifera等をリリース）、Tenebrd Music（フランスのAnus MundiやWyrms、ルーマニアのWolfsgrey等をリリース）等、いくつかサブレーベルも抱えている。

Azermedoth Records

メキシコ

Ereshkigal や Black Empire、Forest of Doom、Ravnkald で 活 動 す る Marganor Bestial Invocator が 2004 年に設立したメキシコのブラックメタル専門レーベル。最初のリリースは Ereshkigal のコンピレーション『Ten Years of Blasphemy』。自身が在籍するバンドから Moonlight 等のメキシカン・ブラックメタルを中心に、ポーランドの Besatt、チェコの Maniac Butcher、ウクライナの Moloch、ルーマニアの Ordinul Negru、ギリシャの Naer Mataron、イタリアの Handful of Hate と、ヨーロッパのバンドも多くリリースしている。2016 年には北欧ブラックメタルのアーカイブ本『Unholy Black Metal - A Tribute To Northern Darkness』を出版している。

Blood, Fire, Death

アメリカ

Krieg を率いる N. Imperial が、アメリカのニュージャージーで 1998 年にスタートさせたレーベル。Krieg の 1998 年 1st アルバム『Rise of the Imperial Hordes』が最初のリリース。その後、Xasthur の 2002 年 1st アルバム『Nocturnal Poisoning』と 2003 年 2nd アルバム『The Funeral of Being』、Demoncy の 2003 年 3rd アルバム『Empire of the Fallen Angel』、Pest（フィンランド）の 2003 年コンピレーション『Hail the Black Metal Wolves of Belial』等をリリースしている。なお、ベルギーのエクスペリメンタル・ブラックメタル Lugubrum の 2005 年 7th アルバム『Heilige Dwazen』からリリースが止まっている。

Carnal Records

スウェーデン

Arckanum や Craft にヴォーカルで参加していた Björn Pettersson が運営するスウェーデンのレーベル。Arckanum の 2003 年 EP『Boka vm Kaos』と 2004 年コンピレーション『The 11 Year Anniversary Album』、2005 年 3rd アルバム『Fuck the Universe』と 2011 年 4th アルバム『Void』、Svartsyn の 2007 年 5th アルバム『Timeless Reign』と 2014 年 EP『Nightmarish Sleep』、2020 年 10th アルバム『Requiem』と、スウェディッシュ・ブラックメタル重要バンドを押さえている。さらに Craft や Avsky のメンバーらによる Omnizide や、Dark Funeral の Heljarmadr が在籍する Domgård、Dog Macabre のメンバーによるデスメタル・バンド Mordbrand 等もリリースしている。

Daemon Worship Productions

ロシア / アメリカ

2007 年にロシアで設立。ロシアのレーベルであるが、Pest（スウェーデン）の 2008 年 EP『Blasphemy Is My Throne』を皮切りに、アメリカの Nightbringer や、ギリシャの Serpent Noir、スウェーデンの Arfsynd や Likblek、ベルギーの Paragon Impure、オランダの Dimensional Psychosis、キプロスの Necrosadist 等、ロシア以外の国のバンドの作品をリリースしている。2011 年にアメリカへ拠点を移し、ロシアの Odem や Deathmoor、ノルウェーの Dødsengel、スウェーデンの Nefandus や Grafvitnir、フィンランドの Devouring Star、アイスランドの Svartidauði、オランダの Israthoum 等をリリース。ブラックメタル・マニア間では信頼のおけるレーベルとして認知されている。

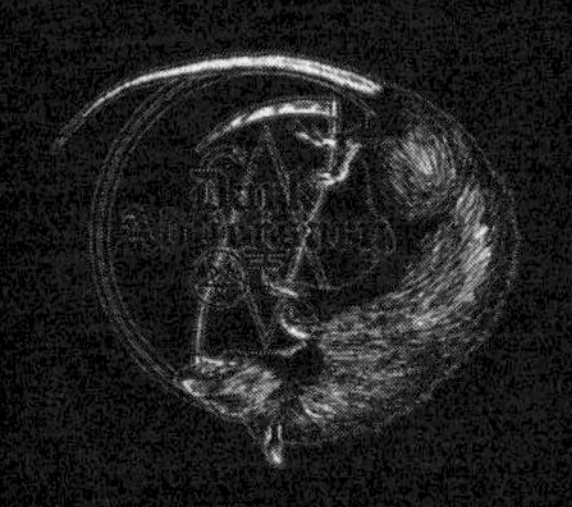

Dark Adversary Productions

オーストラリア
Drowning the Light の Azgorh が 2007 年から運営する、オーストラリアはニューサウスウェールズのブラックメタル専門レーベル。2007 年には Satanic Warmaster の Werwolf による The True Werwolf のデモ音源集『Vampyr Strigoi & Rituals』 と、Mütiilation / Satanic Warmaster / Drowning the Light の Split 12 インチをリリース。以降、Drowning the Light や Woods of Desolation、Atra、Goatblood 等のオーストラリアのバンドから、アメリカの Black Funeral や Crimson Moon、フィンランドの Vampyric Blood、Mütiilation の再発盤等、デプレッシヴ・ブラックメタルを中心にリリースしている。

Darker than Black Records

ドイツ
Absurd の Hendrik Möbus（JFN）と Ronald Möbus（Wolf）の兄弟が、1994 年に設立。オーストラリアの Nazxul のデモ『Nazxul』(1994 年)が最初のリリース。やがてドイツの Silexater の 7 インチ EP『Bleeding Depth』（1997 年）やポーランドの Thor's Hammer の 1st アルバム『Fidelity Shall Triumph』をリリース。1996 年から 1997 年にかけて、Malicious Records のサブ・レーベルとして運営されていた。Absurd を始め、Thunderbolt や Selbstmord、M8Л8TX、Aryan Art、Pantheon 等、多くの NSBM 作品も輩出しており、1999 年にドイツ警察から家宅捜査を受けた。また、2001 年から 2002 年の短期間、Ancestral Research とレーベル名を変えていた。

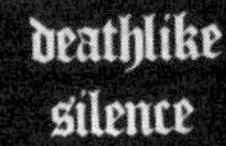

Deathlike Silence Productions

ノルウェー
1988 年に Mayhem の Euronymous によって立ち上げられた、初期ブラックメタルの最重要レーベル。最初のリリースはスウェディッシュ・デスメタルの Merciless（1st アルバム『The Awakening』）だったが、Burzum、Abruptum、Sigh、Enslaved の作品をリリース。1993 年に Euronymous が亡くなったことでレーベルも消滅した（彼の死後、しばらくレーベルは存続していたらしい）。なお、Mysticum と Monumentum のアルバムをリリースする予定だった（前者は Full Moon Records から、後者は Misanthropy Records からそれぞれリリースされた）。また、Rotting Christ や Hades、Emperor 等の作品のリリースや、コロンビアの Masacre やペルーの Hadez、イスラエルの Salem との契約も検討されていた。

Debemur Morti Productions

フランス
2003 年から営業しているフランスのブラックメタル専門レーベル。フランスの Haemoth の 2003 年 1st アルバム『Satanik Terrorism』(LP) が最初のリリースで、以降、精力的に作品を輩出し続けている。フランスの Hell Militia、フィンランドの Archgoat や Horna、Behexen、スウェーデンの Arckanum、ポーランドの Arkona、ギリシャの Nocternity、ロシアの Old Wainds、ウクライナの Blood of Kingu、アメリカの Krohm や Crimson Moon、オーストラリアの Ruins、ニュージーランドの Vassafor 等々、充実したライナップである。また、ノルウェーの Manes や In the Woods...、フランスの Blut aus Nord、オランダの Urfaust と言った個性的なバンドを多く輩出しているのも特徴。

Hammer of Damnation

ブラジル

Dethroned Christ や Command、Hammergoat、Ritualmurder 等で活動してきた Warlord がオーナーの 1995 年に設立されたレーベル。Warlord は 1990 年代後半から 2000 年代前半まで Southern Productions と言う NSBM レーベルも運営していた。当初はリリースがなく、2000 年代中頃に Evil（ブラジル）や Absurd、Besatt 等のカセット・テープをリリースしていたに過ぎなかった。2000 年代後半から活発にリリースを行い、Absurd や Evil、Graveland、Drowning the Light、ロシアの Blackdeath、ドイツの Bilskirnir、ギリシャの Nergal 等々、多くの作品を送り出している。また、NSBM 系レーベルとしての認知度も高い。

Norma Evangelium Diaboli

フランス

フランスに所在するブラックメタル最重要レーベルの一つ。設立時期は不明だが、2003 年に Funeral Mist の 1st アルバム『Salvation』が最初のリリースである。2004 年に Deathspell Omega の 3rd アルバム『Si Monumentum Requires, Circumspice』をリリースしたことで大きく注目された。さらに Watain や Teitanblood、Katharsis、Ofermod、Antaeus の作品をリリースしており、ブラックメタル・ファンの間では信頼度も抜群に高い。またサブ・レーベルとして End All Life Productions があり、こちらは Abigor や Mütiilation、S.V.E.S.T. の作品、及び、Deathspell Omega の再発やコンピレーションをリリースしている。

Elegy Records

アメリカ

Svarog なるブラックメタル等で活動していた Rob DiSiena により、1995 年から活動しているアメリカのレーベル。ブラックメタルが中心ではあるが、一部デスメタルやダーク・アンビエントのリリースもある。初期の頃は Judas Iscariot の 3rd アルバム『Of Great Eternity』やフューネラル・ドゥームメタル Evoken の『Embrace the Emptiness』等をリリース。2000 年代以降には、フランスの Ad Hominem、チェコの Maniac Butcher、スウェーデンの Grav、フランスの Merrimack 等の作品を輩出し、Hate Forest の再発盤をリリースした。マニアックなバンドが多いのが特徴。また、ポーランドの Thor's Hammer や Dark Fury と言った NSBM も手掛けていた。2019 年に営業を停止している。

Folter Records

ドイツ

1991 年と早い時期に設立されたドイツのレーベル。1990 年代前半は確認出来ないが、後半には Paragon Belial（ドイツ）の『Hordes of the Darklands』、ポーランドの Arkona の『An Eternal Curse of the Pagan Godz』、Svartsyn（スウェーデン）の『The True Legend』、Sammath（オランダ）の『Strijd』等をリリース。2000 年代になってからスウェーデンの Arckanum やポルトガルの Corpus Christii、ノルウェーの Isvind、Nocturnal Breed、Urgehal、オランダの Lugubre 等、痒いところに手が届くリリースを続けている。また、ラトビアのフォーク・ブラックメタル Skyforger や、セルビアの The Stone、キューバの Narbeleth と言ったところも世に送り出している。

Full Moon Productions

アメリカ
1991 年にアメリカのフロリダで立ち上げられた（後にコロラドへ移転する）初期ブラックメタルを支えた重要レーベル。オーナーの Jon Thorns は Katharsis の『Kruzifixxion』のカバー・アートを手掛けたりしている。最初のリリースは Burzum の 1st アルバム『Burzum』のカセット・テープだが、最初期には Vlad Tepes のデモ・カセットもリリースしていた。1997 年から活発にリリースを行い、Hades や Mysticum、Ildjarn のノルウェージャン・ブラックメタルの名作を送り出す。またアメリカの Black Funeral や Black Witchery、スウェーデンの Swordmaster、フィンランドの Diaboli 等の作品もリリース。2010 年に US アンビエント・ブラックメタル Clair Cassis のアルバムを最後にリリースが途絶え、2012 年に営業を停止した。

GoatowaRex

中国
中国、北京のブラックメタル専門レーベル。2003 年にリリースした Mortifera の EP『Complainte D'une Agonie Céleste』が第一弾。その後、フランスの Celestia やスウェーデンの Lifelover、オーストラリアの Pestilential Shadows や Austere を中心に、ポルトガルの Morte Incandescente やアメリカの Kult ov Azazel、オランダの Urfaust 等をリリース。デプレッシヴ・ブラックメタルが多い傾向にある。2015 年頃からレコードやカセット・テープへとシフト・チェンジしており、CD のリリースは少なくなってきている。サブ・レーベルとして、レコードとデジタルをリリースする Psychedelic Lotus Order と、日本のノイズ・グラインド Reek of the Unzen Gas Fumes をリリースしている Viva Angel Press がある。

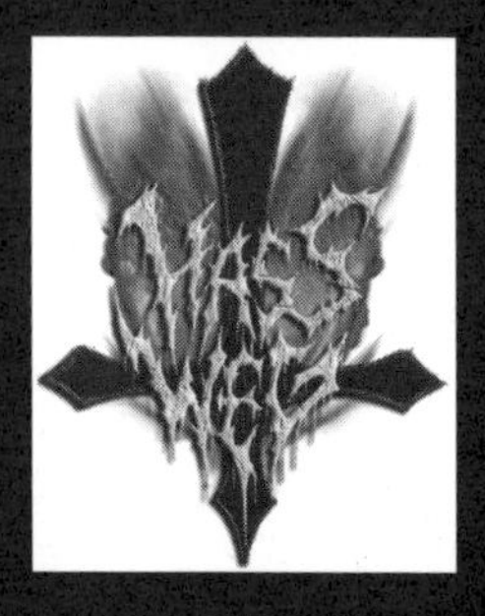

Hass Weg Productions

フランス
2009 年に設立されたフランスのブラックメタル・レーベル。2010 年のフランスのブラックメタル Chadenn の 1st アルバム『Aux Portes De La Mort』が同レーベルの最初のリリース。Mourning Forest や Svartfell、Pestiferum と言ったフランスのバンドを中心に、Sad や Eschaton、Lykaionas らのギリシャのバンドも比較的多い。シンガポールの Draconis Infernum やブルガリアの Bolg もリリースしている。有名なバンドは少なく、マニアックな印象の強いレーベルである。2010 年以降、コンスタントに多くの作品を輩出しており、知名度がなくとも選球眼の良さにより注目を集めている。メキシコの Via Dolorosa やフランスの Leibstandarte と言った NSBM のリリースもあり。

ISO666 Releases

ギリシャ
元々は 1992 年から運営している Melancholy Promotion が前身。Melancholy Promotion はリリース・タイトルが少なく、カセット・テープやレコードが中心であった。2000 年に発表された Sigh と Abigail のメンバーによる Cut Throat のアルバム『Rape Rape Rape』が第一弾。自国ギリシャの Nocternity や End、フィンランドの Azaghal、イタリアの Frostmoon Eclipse、フランスの Haemoth と、割と名の知れたバンドから、ロシア Blackdeath、リトアニアの Svartthron 等のマニアックなバンドまで幅広い。ギリシャの Legion of Doom、ポーランドの Thunderbolt や Moontower、ロシアの Forest と NSBM も比較的多い。日本の Barbatos のリリースもあり。2017 年に営業を停止している。

Malicious Records

ドイツ

1993年にドイツのテュービンゲンで設立され、ノルウェーのブラックメタル・シーンを支えた名門レーベルであった。第一弾はMortiisによるVondの『Håvard-Vond』7インチEP（1993年）、続いてStridの7インチEP『Strid』をリリース。Gorgorothの『Antichrist』（1996年）と『Under the Sign of Hell』（1997年）、Dødheimsgardの『Kronet til konge』（1995年）と『Monumental Possession』（1996年）、Aura Noirの『Black Thrash Attack』（1996年）、Borknagar『Borknagar』の（1996年）、Zyklon-Bの『Blood Must Be Shed』（1995年）と、ブラックメタル史上に残る名作を輩出している。1997年以降リリースが途絶え、営業停止となっている。

Misanthropic Art Productions

韓国

厄鬼で活動していたH. Naviにより2009年にスタートした韓国のブラックメタル・レーベル。H. NaviはDrowning the LightやNostalgie、Sabbat（日本）等数多くのカバー・アートも手掛けている。元々はThe Black 666 Productionとして活動しており、ディプレッシブ・ブラックメタルを中心に扱っていた。その方向性はMisanthropic Artになってからも引き継がれる。韓国のApparition（後にTaekauryに改名している）やSvedhous、メキシコのNostalgie、チリのThe Last Knell、フィンランドのSargeist、Dødkvlt、さらにはニカラグアのImperious Satanと、マニアックなリリース。デプレッシヴ・ブラックメタル・ファンの支持も得ていたが、2015年に閉鎖している。

Moonfog Productions

ノルウェー

SatyriconのSatyrにより1993年に立ち上げられたレーベル。元々SatyriconはNo Fashion Recordsと契約していたが、レコーディング費用が支払われなかったため、Satyrが自らレーベルを設立。よってSatyriconの1stアルバム『Dark Medieval Times』がMoonfog最初のリリースとなった。DarkthroneのFenrizによるNeptune Towers（アンビエント）やIsengard（ブラックメタル～フォーク）、SatyrとFenriz、The 3rd and the MortalのKari RueslåttenとのStormをリリースし、Darkthroneとも契約。さらにGehennaやDødheimsgard、Khold、Disiplinとも契約しこれらのバンドの作品を送り出している。しかし、2007年以降はリリースが止まっている。

Moribund Records

アメリカ

LeviathanやSargeist、Azrael等のプロデュースを手掛けているThe Old GoatことOdin Thompsonが1993年にアメリカのワシントン州ポートオーチャードで運営を開始した老舗ブラックメタル・レーベル。1990年代にはJudas Iscariotを輩出。2000年代になるとLeviathanやXasthur、I Shalt Become、Krohm、Azrael等、アメリカのバンドを中心に、フィンランドのSargeistやHorna、Behexen、スウェーデンのCraft、ポルトガルのCorpus Christii、ギリシャのDødsferd等々、ヨーロッパのバンドの作品も数多くリリースしていく。1980年代の伝説的サタニックメタル・バンドのSatan's HostはMoribund所属となっている。マニアックなバンドも相当多く輩出しており、屈指のリリース量を誇る。

Necropolis Records

アメリカ

Paul Thind により 1993 年にアメリカはカリフォルニアで設立され、1990 年代ブラックメタルを支えた重要レーベル。Archgoat の 7 インチ EP『Angelcunt (Tales of Desecration)』（1993 年）を皮切りに、The Black（Dissection の Jon Nödtveidt が在籍）、Dawn、Nifelheim、Arckanum、Triumphator、In Aeternum、Usurper を世に出したことで注目を集めるようになった。Abruptum の It と All による War や Vondur、ブラック / スラッシュ・バンド Deathwitch や Witchery とスウェディッシュ・ブラックメタルのリリースがメインであった。他にもフィニッシュ・デスメタルの名作 Demilich『Nespithe』を残しているが、2003 年に営業を終了している。

Northern Heritage Records

フィンランド

Clandestine Blaze や Deathspell Omega で活動する Mikko Aspa が 1999 年から運営するフィンランドのレーベル。Mikko はパワー・エレクトロニクスやグラインドコア・シーンでも知名度があり、Freak Animal Records（エクスペリメンタル・ノイズ）や Lolita Slavinder Records（ノイズコア、グラインドコア）等、いくつかレーベルを運営している。そして Northern Heritage はプリミティヴ・ブラックメタルにこだわったレーベル。自身の Clandestine Blaze を始め、Satanic Warmaster や Baptism、Ildjarn、Mgła、Uncreation's Dawn、Inferi 等々の、プリミティヴ・ブラックメタルの真髄を見事に突いた秀作を続々リリースしている。

Oaken Shield

フランス

Bethlehem や Forgotten Tomb のアルバムがリリースされたフランスの Adipocere Records のサブ・レーベルとして 2001 年に設立されたブラックメタル専門レーベル。フレンチ・プリミティヴ・ブラックメタルの至宝、Nehëmah の傑作『Light of a Dead Star』（2002 年）『Shadows from the Past...』（2003 年）『Requiem Tenebrae』（2004 年）を輩出。さらにフランスの Blut aus Nord や Temple of Baal、Mystic Forest、スウェーデンの Ondskapt、ウクライナの Lucifugum と Astrofaes の作品をリリース。2007 年からリリースが止まっているが、短期間ながらブラックメタルの重要作をいくつか生み出している。

Osmose Productions

フランス

Osmose Productions は、Hervé Herbaut によって 1991 年にフランスのボーランヴィルに設立された。1990 年代のアンダーグラウンド・シーンを活性させる大きな役割を果たしたレーベルである。最初のリリースは Samael の『Worship Him』。そして Immortal や Marduk、Impaled Nazarene、Enslaved、Master's Hammer、Rotting Christ、Necromantia、Blasphemy、Sadistik Exekution、Mystifier 等、シーンの牽引役となったバンドの作品を続々放っていく。2000 年代になってからも Anorexia Nervosa や Shining、Lifelover 等をリリースしている。当レーベルはブラックメタルが中心だったが、デスメタルやドゥームメタル等、幅広くシーンをサポートしている。

Pagan Records

ポーランド

ポーランドで1992年に立ち上げられたエクストリーム・メタル・レーベル。ブラックメタルが中心だが、デスメタルも多く所属し、ポーランドのシーンの発展に大きく寄与したレーベルである。Pagan Records最大の功績はBehemothを送り出したこと。最初の3年ぐらいはカセット・デモを中心としたラインナップだったが、その中にBehemothのデモがあった。そして1995年に1stアルバム『Sventevith (Storming Near the Baltic)』をリリース。続けてChrist AgonyやAzarath、Witchmaster、Moonと契約していく。2000年代になってからも、FuriaやThroneum、Massemordと言ったポーランドのバンドを中心に、ギリシャのベテランVarathron等のリリースを続けている。

Sepulchral Productions

カナダ

Frozen ShadowsのMyrkhaalが、1999年にカナダのモントリオールで設立。元々Frozen Shadowsのアルバムをリリースするために作ったレーベルである。1999年にFrozen Shadowsの1stアルバム『Dans les bras des immortels』を出すが、その後7年間リリースが止まる。しかし、2007年にForteresseのEP『Traditionalisme』を発表し、活動を再開。Sombres ForêtsやGris、Sui Caedere、Monarque、Etherと言った、ケベックのデプレッシヴ・ブラックメタルを中心に、精力的な活動を続けている。

Solistitium Records

ドイツ

1994年にCarsten Molitorによりドイツのニーダーザクセンで活動を始めた。フィンランドのアトモスフェリック・ドゥームメタルNattvindens Gråtのデモ・カセット『Där Svanar Flyger』(1995年)が最初のリリースであるが、Behemothの2ndアルバム『Grom』(1996年)、EP『Bewitching the Pomerania』(1997年)、3rdアルバム『Pandemonic Incantations』(1998年)をリリースしたことで注目度が上がった。他にもノルウェーのIsvindやHelheim、フィンランドのHorna、ギリシャのNocternity、セルビアのThe Stone等の作品を世に送り出し、ブラックメタル・ファンからも一目置かれる存在であった。しかし、2006年以降リリースがストップ。営業も終了している。

Those Opposed Records

フランス

2006年から活動しているフランスのレーベル。スウェーデンのデプレッシヴ・ブラックメタルHypothermiaの2006年2ndアルバム『Köld』を皮切りに、コンスタントにリリースを続けている。オーストラリアのフューネラル・ドゥーム・ブラックメタルNox Inferi、フランスのメロディック・ブラックメタルSühnopfer、ウクライナのペイガン・ブラックメタルUlvegr、スウェーデンのアヴァンギャルド・ブラックメタルWoods of Infinity、ベルギーのエクスペリメンタル・ブラックメタルLugubrumと、音楽的には幅が広い。しかしながら、どれもハイクラスな作品ばかりなので、ファンからの支持は高い。日本のArkha Svaのアルバムやコンピレーション、やAvsolutized...のコンピレーションもリリースしている。

Total Holocaust Records

スウェーデン

Funeral Elegy のアートワークや Avsolutized... の写真を手掛けており、日本のシーンとも関係が深い、スウェーデン人の Håkan Jonsson が 2002 年に立ち上げたレーベル。Make a Change... Kill Yourself（デンマーク）、Nortt（デンマーク）、Apati（スウェーデン）や Beatrik（イタリア）、Xasthur（US）等のデプレッシヴ・ブラックメタルやフューネラル・ドゥーム・ブラックメタルが多めである。しかし、ブルータルな Ad Hominem（フランス）やプリミティヴな IXXI（スウェーデン）、エクスペリメンタルな Lurker of Chalice の作品もリリースしており、比較的幅の広いラインナップである。ファン間ではレベルの高い作品が多いと着目されていたが、2013 年から 2014 年にかけての時期に閉鎖されている。

Undercover Records

ドイツ

1993 年にドイツのロインで活動を始めているブラックメタル専門レーベル。早い時期に設立されたものの、1990 年代末期からようやくリリースが始まり、本格的な活動は 2000 年代からである。マニア向けの作品が多いが、ポーランドの Besatt、ポルトガルの Corpus Christii、チェコの Inferno、フランスの Ad Hominem 等、名の知れたバンドの作品もいくつかある。内容の充実した作品が多いので、ブラックメタル・ファンの間では定評がある。ほぼブラックメタルのリリースではあるが、ドイツのスラッシュメタル Witchburner がラインナップに加わっていたりする。スラッシュメタルやスピードメタル中心の Evil Spell Records と、リリース数は少ないが、Undercover Records Brazil がサブ・レーベルとして存在する。

Werewolf Promotion

フィンランド

Satanic Warmaster を始め、多くのバンドやプロジェクトで活躍する Werwolf によるレーベル。元々 Black Order Productions として運営され、Satanic Warmaster や Goatpenis 等のデモをいくつかリリースした後に、Werewolf Records へ改名している。Werewolf Records の最初のリリースは Goatmoon の 2004 年 1st アルバム『Death Before Dishonour』。その後、自身の Satanic Warmaster や The True Werwolf を始め、Azazel、White Death、Vargrav とフィンランドを中心にリリース。なお、Goatmoon、ロシアの Forest、アメリカの Vothana、スイスの Eisenwinter、ブラジルの Evil と NSBM の作品も世に出している。

World Terror Committee

ドイツ

Absurd や Wolfsmond、Luror、Grand Belial's Key で活動する Unhold こと Sven Zimper がオーナーのドイツ、タンガーヒュッテのブラックメタル・レーベル。2000 年に設立されている。Unhold のバンドである Hellfucked や Wolfsmond のスタジオ作や Absurd の再発盤をリリースしている他、フィンランドの Horna と Sargeist、スウェーデンの Valkyrja、オーストリアの Amestigon、ドイツの Chaos Invocation、オランダの Weltbrand、ギリシャの Acherontas、ポルトガルの Storm Legion と Morte Incandescente 等々のリリースにより、ファンには人気の高かったレーベルであった。レーベル自体はまだ続いているようだが、2016 年からリリースが止まっている。

Oceania
Asia

オーストラリア

オーストラリアには数多くのブラックメタルが存在するが、ウォー・ベスチャル・ブラックメタルとデプレッシヴ・ブラックメタルの層が特に厚い。

1980年代からアンダーグラウンドでスラッシュメタルやハードコアのシーンが充実していたが、その中でも1986年から活動しているデスメタル・バンドのMartireやSadistik Exekution、1990年に結成されたCorpse Molestationは早くからベスチャルなブラックメタルの要素を持ち合わせていた。Corpse Molestationから発展したBestial Warlust、そこから派生したDeströyer 666が1990年代前半頃にウォー・ベスチャル・ブラックメタル・サウンドを確立。そして、Nocturnal GravesやDenouncement Pyre、Impious Baptism等、デスメタルの凶暴性とブラックメタルの背徳的な残虐性を持ち合わせたバンドが多く出現していく。

一方、デプレッシヴ・ブラックメタルは1993年に活動し始めたAbyssic Hateが、早い時期からBurzumに近い陰鬱なブラックメタルを発していた。2000年代になるとElysian Blaze、Drowning the Light、Pestilential Shadows、Woods of Desolation、Nox Inferi等が活動を始め、世界有数のデプレッシヴ・ブラックメタル・シーンを形成していく。またプリミティヴ・ブラックメタルとの親和性も高く、元Slaughter Lordや元Sadistik ExekutionのメンバーらによってI993年に結成されたNazxulや、そのNazxulのメンバーらによって1993年に活動し始めたIchorは、後にDrowning the LightやPestilential Shadowsの人脈とクロスしていく。さらにタスマニア島の一人ブラックメタルStriborgや、クリスチャン・ブラックメタルのHordeが1990年代から2000年代にかけて話題となった。

ウォー・ベスチャル、デプレッシヴ、プリミティヴ・ブラックメタル以外のブラックメタルはそれほど数は多くないが、エクスペリメンタル/アンビエント・ブラックメタルのNekrasovや、リチュアルでカオティックなブラックメタルを実践するIll Omenと言った変質的で個性的なバンドも存在し、話題となった。また、2010年以降ではAtraやDéparteと言ったポスト・ブラックメタルも、数は少ないが出現してきている。

なお、シドニーやメルボルン、ブリスベンの大都市から多くのバンドが出てきているが、先述のStriborgを始め、Thrall（タスマニア～大阪～メルボルンへ活動拠点を移した）やメロディック・ブラックメタルのRuins等、離島のタスマニア出身のバンドも多く存在する。

なお、Spear of Longinus（前身のEquimanthornは1992年から活動開始）や、Baltak（1994年結成）と言った、1990年代から活動しているNSBMも存在する。

ニュージーランド

シーン自体は小さいが、いくつか有名となったバンドが出てきているニュージーランドのブラックメタル。最初期のブラックメタルは1993年に結成されたDemoniac。このバンドは徐々にパワーメタル要素を強めていき、後にDragonForceを結成するSam TotmanとHerman Liを輩出したことで有名となった。続いてVassaforや独特なスタイルのサウンドを発したBeltane等が1990年代に活動を開始する。2000年代になってからVassaforのメンバーらにより結成されたウォー・ブラックメタルのDiocletianがニュージーランドを代表する存在となっていった。

トルコ

トルコの最古参ブラックメタルは1988年から活動しているWitchtrapだが、1996年に結成されたThe Sarcophagusが代表的存在。1990年代後半にはメロディック・ブラックメタルのMoribund Oblivionや、デスメタル寄りのRaven Woods、北欧スタイルのEpisode 13、プリミティヴ・ブラックメタルの...Aaaarrghh...等が活動を始めている。2000年代になるとZifirやベスチャルなMalefic Order等が結成されるが、バンド数自体は決して多くない。イスタンブル、もしくはアンカラ、イズミルと言った主要都市出身のバンドが多い。

イスラエル

パレスチナ問題で度々紛争/戦争が起きているが、経済的にも先進国であるためかメタル・シーンは中東随一であり、ワールドワイドで知名度のあるOrphaned Landを輩出している。ブラックメタルに関してはシンフォニックでメロディックなMeleceshやWinterhordeが有名であるが、プリミティヴ・ブラックメタルは少ない。イスラエル最初のブラックメタルは、1991年に結成され、デモのみで消滅したImpurityというバンド。1990年代にはGrimoireやDalmerot's Kingdom等が活動していたが、本格的にブラックメタルが増加したのは2000年代後半になってからである。

イラン

ホメイニー師による1979年のイラン・イスラーム革命以降、イスラム教最高指導者が国の最高権力者となっており、国教もイスラム教（シーア派）。そのためロック全般が建前上、禁じられている。しかし、比較的世界中に知られたパワー/スラッシュメタルのAhooraがいたりする。ブラックメタル以外のジャンルも多く存在している。

2016年にノルウェーで制作されたドキュメンタリー映画『Blackhearts』で、From the VastlandのSinaがフォーカスされ、イランのブラックメタル事情が話題となった。Sinaの様にヨーロッパへ活動拠点を移す例が多く、それ以外だと身を隠すように活動を続けるかしかないと言うのが現状の様である。

その他中東（イラク、シリア、レバノン、ヨルダンなど）

イラクのブラックメタルと言えば、メンバー 2 人が銃殺され、エジプトに移住し、アルバムをリリースした Xathrites が有名であるが、他にもアンビエント・ブラックメタルの Erragal や Amelnakru が存在する。

ドキュメンタリー『Syrian Metal is War』により内戦状態のシリアのメタル事情が紹介されたが、首都ダマスカスでブルータル・ブラックメタルの Abidetherein やシンフォニック・スタイルの Blackspell 等が活動している。

レバノンには Hatecrowned や、Avantgarde Music からアルバムをリリースしたアンビエント・ブラックメタルの Ayat 等が存在。

ヨルダンには、ヴォーカリストの精神状態により活動を停止したデプレッシヴ・ブラックメタルの DeathDiaries と Forgive Me が存在した。

なお、辺境地メタル専門の Legion of Death Records から 2009 年にリリースされたアフリカ / 中東オムニバス『Desert Storm of Evil』には、エジプトの Hellchasm、チュニジアの Ayyur、南アフリカの Blackcrowned、リビアの Rex Mortifier、トルコの Deggial、バーレーンの Set、サウジアラビアの Mephisophilus、イランの Ekove Efrits が収録されていた。

南アジア / 中央アジア（インド、スリランカ、キルギスなど）

インドは最古参メタル・バンドの Millennium ですら結成は 80 年代終盤であり、1990 年代までは完全にメタル後進国であった。2000 年代になるとメタル・バンドが徐々に増えてきているが、ブラックメタルは少ない。2004 年に結成されたシンフォニック / メロディック・ブラックメタルの 1833 AD がインドのブラックメタルのパイオニア的存在であるが、Demonic Resurrection が Candlelight Records からアルバムをリリースし、一躍有名となった。

人口比から見るとブラックメタル率が高いのがインド洋の島国スリランカ。Funeral in Heaven や Plecto Aliquem Capite 以外はデモのみのバンドばかりであるが、2009 年まで内戦状態であったにも関わらず、その期間中から活動しているバンドもいくつかいる。デスメタル色が強い Antim Grahan が存在するネパールや、Taarma を輩出したパキスタンもメタル・バンド数が少なく、ブラックメタルは相当な少数派。

また、中央アジアはソ連から独立した国々のためブラックメタルはどの国も少ない。キルギスからはドイツへ拠点を移し No Colours Records や Osmose Productions からアルバムをリリースしたエピック・ブラックメタルの Darkestrah が登場している。

シンガポール

東南アジアでは最もブラックメタルが栄えた国であるシンガポール。1980 年代終盤には Abhorer や Impiety の前身 Sexfago が結成され、初期ブラックメタルにいち早く反応していた。これらのバンドはアジアのみならず世界的にも 1990 年代以降ブラックメタルの先駆けとして重要な役割を担う。また 1993 年には後にフォーク・ブラックメタルとなる As Sahar や Istidraj 等も結成されている。Impiety は世界中のアンダーグラウンド・シーンで絶大なる人気を誇る存在となり、その影響下にあるベスチャルなスタイルがシンガポール・シーンの主流となるので、プリミティヴ・ブラックメタルは少数派である。

マレーシア

マレーシアは早くからブラックメタル・シーンを形成していた。1987 年から活動していた Rator はブラックメタル要素を早くから取り入れており、さらに 1990 年初頭には Nebiras、Bazzah、Conqueror、Mantak らが結成され、シーンを形成。Darkthrone の Fenriz とも交流があった。しかし、イスラム教国であるマレーシア政府により 2000 年代前半頃にブラックメタルやパンクを規制し、排除する動きがあった。実際この時期にマレーシアから新たなブラックメタル・バンドはほとんど現れていない。しかし政局が変わり、規制が緩んだ 2000 年代後半からは再びブラックメタルが出現してきている。

インドネシア

大統領が Metallica や Napalm Death ファンであることを公言し、フィンランドと並ぶ程メタルが一般社会に浸透しているインドネシア。ただしインドネシアのメタル・シーンが本格的に成長を遂げたのは 2000 年代以降と比較的新しい。ブルータル・デスメタルは世界有数の超大国振りであるが、ブラックメタルに関してはメインストリームではないのでバンドの数も少ない。1993 年から活動する Santet や 1996 年に結成された Bealiah 辺りがシーンを形成していた。傾向としてはメロディック / シンフォニック・ブラックメタルが主流である。よってプリミティヴなブラックメタルは少数派である。

タイ

タイのブラックメタルと言えば、1996 年に首都バンコクで結成された Surrender of Divinity がシーンの中心であり、タイで最も名を馳せた存在となった。シンガポールの Impiety やフィリピンの Deiphago と並んで東南アジアを代表する存在となり、日本でもライヴを行っている。しかし 2014 年に反サタニストを掲げる人物にベーシストの Avaejee が殺害されてしまい、バンドは活動休止へと追い込まれてしまう。他にもタイにブラックメタルはいくつか存在するが、Surrender of Divinity 以外は知名度のあるバンドはいない。

フィリピン

フィリピンのブラックメタルと言えば Deiphago が最も有名。1989 年に結成され、バンド名を変えながら 1991 年に Deiphago となり、1998 年に一度解散するが 2004 年に再結成。現在はコスタリカで活動しているが、日本でのライヴも行ったことがあり、アジアン・ウォー・ベスチャル・ブラックメタルの代表格である。やはりフィリピンもデスメタルが主流で、ブラックメタルは Deiphago 以外ほぼ無名。1990 年代に Incarion や Kambing、Funeral Frost、Korihor 等が活動を始めているが、Korihor 以外はアルバムのリリースはなく、ブラックメタル・シーン自体も極めて小さい。

中国

1990 年代まで中国にはメタル・バンドはほとんど存在しなかった。ブラックメタルを含むメタル・バンドが一気に増えたのは 2000 年代以降。現在ではデスメタルと並んで、中国のメタル・シーンの全体から見ればブラックメタルは質量ともに主要なサブ・ジャンルである。しかし世界一の人口比率から見たらメタル・バンド自体の数は非常に少ない。よってブラックメタルもそれほど多い訳ではない。傾向的にはデプレッシヴ・ブラックメタルやポスト・ブラックメタルが非常に多く、ファスト・ブラックメタルやオーセンティックなスタイルのバンドは意外に少ない。デプレッシヴ / ポスト・ブラックメタルレーベルとして世界的にも広く知られた Pest Productions の存在が大きく、そのレーベル・カラーがそのまま中国のシーンの特性になっている。

なお、北京や上海と言った大都市以外にも、山東省や江西省、湖北省辺りの地方都市に多く存在しているのが特徴的。Pest Productions も江西省南昌が拠点である。ちなみに Pest Productions と並んで中国のブラックメタル・シーンを支える Dying Art Productions は北京が本拠である。

台湾

台湾のブラックメタルと言えば世界的にも有名な Chthonic（閃靈）が第一人者である。彼等は Cradle of Filth に近いスタイルのシンフォニック / メロディック・ブラックメタルに、台湾伝統楽器を取り入れたサウンドを提示。彼等の影響により、暴君や神州賦と言ったメロディックなスタイルのブラックメタルが台湾の主流となった。ただし Chthonic 自体は脱ブラックメタル化し、メジャーなサウンドとなっている。プリミティヴ・ブラックメタルはやはり少数派で、Inferno Requiem と South of Heaven 以外にアルバム・リリースに至ったバンドはなく、後続バンドも出てきていない。

韓国

韓国のブラックメタルのパイオニア的存在と言えば 1990 年代に活動を始めた Sad Legend や Kalpa。特にメロディックなスタイルの Sad Legend はここ日本でも話題となった。続いてシンフォニック・ブラックメタルの Dark Mirror ov Tragedy も大きく注目された。したがってシンフォニック / メロディック路線が主流と思われがちではあるが、ペイガン・ブラックメタルの Taekaury 等、実はプリミティヴなブラックメタルも多く出現している。Raw ブラックメタルから DSBM まで多岐に渡っており、強烈なサウンドを発しているバンドも多い。

日本

日本のブラックメタルの原点は 1984 年に結成された三重の Sabbat へ遡る。Venom に続き、世界的に見ても早くからサタニックで邪悪なメタルを提示した Sabbat は、世界中のアンダーグラウンド・シーンから大きな支持を得る。そして 1990 年に結成された Sigh は Euronymous（Mayhem）による Deathlike Silence Productions から 1st アルバム『Scorn Defeat』をリリース。北欧のバンド以外で Deathlike Silence からリリースされたバンドは Sigh だけである。さらに 1990 年には神奈川の Amduscias、1991 年に大阪の Cataplexy、1992 年に東京の Abigail と徳島の Gorugoth が活動を始めている。ノルウェーで勃発したブラックメタル・ムーブメントに、日本のアンダーグラウンド・シーンは逸早く反応していたのである。さらに、1993 年には後に Holy Records からアルバムをリリースする福島のシンフォニック・ブラックメタルの Kadenzza が、1994 年には大阪の Funeral Rites と神奈川のシンフォニック・ブラックメタルの Tyrant、後に凶音へと発展していく Mortes Saltantes、1995 年に東京の Death Like Silence や大阪の Eternal Forest と Gnome が結成され、活動を始めている。

さらに 1996 年から 1999 年にかけても大阪の Hurusoma、大阪（現在は東京が活動拠点）のシンフォニック・ブラックメタル Ethereal Sin、長崎の Holokaust Winds、名古屋の Infernal Necromancy と Insanity of Slaughter と、初期日本ブラックメタルの重要バンドが続々登場。2000 年代前半にも日本最初のヴァイキングメタルである長崎の Crifotoure Satanarda、名古屋から Funeral Elegy、東京では SSORC や Manierisme、シンフォニック・ブラックメタルの Sungoddess が、大阪からインダストリアル・ノイズ・ブラックメタルの Endless Dismal Moan 等が結成されている。

2000 年代後半から Arkha Sva が大きな話題となったことで、ブラックメタル・ファンの目を日本へ向けさせた。そして、Avsolutized... や、元 Funeral Elegy の Hakuja、東京の Fenrisulf、仙台の Fatal Desolation、静岡の Svar fra Hedensk（後に Fra Hedensk Tid へ改名）や Kanashimi 等が注目されるようになった。

2010 年代にも Crucem のメンバーによる Galga Falmul、Zombie Ritual/ 凶音や Galga Falmul のメンバーによる Miasma Death が結成。2019 年には Manierisme、Kanashimi、Arkha Sva のメンバーによる Ahpdegma のアルバムがリリースされている。また Average Misanthropy や Ebola（大分）、No Point in Living（札幌）と言った新興デプレッシヴ・ブラックメタルも注目されている。

Abyssic Hate

Australia

Suicidal Emotions

2000

No Colours Records

Blood Duster 初期メンバーでもあった Shane Rout により、1993 年から活動しているブラックメタルが 2000 年にリリースした 1st アルバム。1998 年の EP『Eternal Damnation』では Absurd のカヴァーも収録しており、元々 NS 思想もあったようだ。そして本作は Shining 等が出てきて間もない時期に、Burzum を始めとするブラックメタルの陰鬱さを強調したサウンドで、デプレッシヴ・ブラックメタルの初期名盤として認知されている。しかし、実際にはブラスト・パートもあり、初期ノルウェージャン・ブラックメタル要素も大きい。ラストはスウェーデンのダーク・アンビエントの代表格 Raison D'Être によるもの。ジャケットの人物はノルウェーのフューネラル・ドゥームメタルの Einar Andre Fredriksen で、2003 年に自殺している。

Atra

Australia

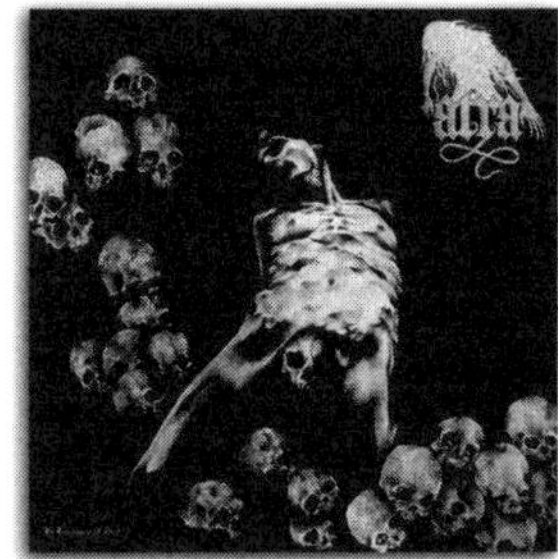

In Reverence of Decay

2011

Adverse Order Music

Drowning the Light へも参加していた Blackheart による一人プリミティヴ・ブラックメタル。本作は Adverse Order Music から 2011 年にリリースされた 2nd アルバム。ザラついた感触のノイジーなリフからは、得も言えぬ邪気が感じられるが、随所で陰鬱で寒々しいメロディを発している。さらにエコーを強めに掛けながら、強烈に暗黒で邪悪な空気を撒き散らすガナり喚くヴォーカルが、リチュアルな妖しさを漂わせる。ブラスト・パートからミドル・パートまで個性的展開を見せるが、篭ったあまり厚みのない Raw なサウンド･プロダクションにより、ニッチな世界を形成。ちなみにバンド・ロゴは Satanic Warmaster の Werwolf が手掛けたもので、Atra サウンドの特性を絶妙に表現している。

Drowning the Light

Australia

The Fallen Years

2006

GoatowaRex

Azgorh を中心としたデプレッシヴ・ブラックメタルの代表的存在である Drowning the Light。本作は 2004 年の 1st アルバム『Drowned』に、2003 年の制作された『The Haunting of the Black Aristocracy』『Howling Forests of Desolation』『Dark Winter Depression』デモを収録した 2CD コンピレーション。アトモスフェリックな空気に覆われながら、厚みのないギター・リフからこぼれる陰鬱なメロディと、時折嗚咽しかけながら病的にガナるヴォーカルによる、陰湿なプリミティヴ・サウンド。曇った音像で、しかもドラムの音が小さい。デモの方はサウンド・スタイルこそ以降と変わらないが、さらに劣悪な音質であり、物凄い地下臭を発している。

Forest Mysticism

Australia

Blood of the Woodland

2009

Ruin Productions

ポスト / デプレッシヴ・ブラックメタルの Woods of Desolation でも活動する D. による、2006 年から 2011 年まで活動していた一人ブラックメタル。2007 年にリリースされた Larmes D'Hivers との Split と 2008 年のデモ、そして未発表音源 1 曲を収録したコンピレーション。オリジナルはカセット・リリースだったが、2011 年に Dark Adversary Productions から CD もリリースされた。ノイジーなリフからこぼれる悲哀感たっぷりのメロディと、エコーが掛かったハーシュ･ヴォイスによる､Woods of Desolation に近いシューゲイザー寄り。シンセによるアトモスフェリックな空気が全体を覆っているが、さらに篭ったサウンド・プロダクションと劣化した、音質によりプリミティヴな感触も強い。

Harvest

Australia

Forgotten Vampyres of the Melancholic Night 2013

Dark Adversary Productions

Drowning the Light で活動し、Eternum やアメリカの Black Funeral のメンバー、そして Pestilential Shadows の元メンバーでもある Azgorh の一人ブラックメタル。本作は 2013 年に Azgorh が運営する Dark Adversary Productions からリリースされた 1st アルバム。Drowning the Light 程ではないものの、陰湿なメロディを滲ませるノイジーなトレモロ・リフ、ボコボコと叩き込むドラム、そしてやや気色悪いガラガラ声で絶叫し、ガナるヴォーカルによる、プリミティヴなブラックメタル。随所でキーボードを被せているものの、劣悪なサウンド・プロダクションにより、どことなくカルトな空間を形成する。残念ながら本作を最後に活動を止めてしまったようである。

Horde

Australia

Hellig Usvart 1994

Nuclear Blast

Anonymous による独りブラックメタルであるが、この Anonymous の正体は US クリスチャン・スラッシュ / スピードメタル Deliverance やオーストラリアのクリスチャン・デスメタル Mortification 等を渡り歩いてきた Jayson Sherlock。つまりクリスチャンによるブラックメタル。このミスマッチ感は凄いが、彼はブラックメタルに光を与えるために自らその中へと飛び込んで、1994 年に Nuclear Blast からリリースされた唯一のアルバムである本作を制作したとのこと。しかもサウンド・スタイルは Darkthrone や初期 Gorgoroth 等を彷彿させ、真性さを強く感じさせる完全な地下ブラックメタル。Anonymous 自身はサタニズム云々以前にブラックメタルの音楽性には敬意を払っているとのことだが、それを納得させるのに十分。

Ill Omen

Australia

Æ.Thy.Rift 2016

Nuclear War Now! Productions

Nazxul や Temple Nightside でも活動し、Pestilential Shadows や Austere のメンバーでもあった Desolate の一人ブラックメタル。2016 年に Nuclear War Now! からリリースされた 3rd アルバムが本作。ダーク・アンビエントに通じる不穏感と、キーボードによる宗教的荘厳さを醸し出す空気が、暗黒指数の異様に高いリチュアル・サウンドを形成している。カオティックでサイケデリックなリフや、フューネラルなグロウル・ヴォイスにより、陰湿で邪悪な世界を創出。ひたすら闇へと向かっていく、カルトな世界をストイックなまでに展開していく。

Moon

Australia

Caduceus Chalice 2015

Wolfsvuur Records

Miasmyr によるブラックメタルが 2010 年にリリースした 1st アルバム。後にメンバーを入れてバンド形態となっていくが、本作は Miasmyr が一人で制作している。リバーブが掛かった壮絶なハーシュ・ヴォイスや、アトモスフェリックでありながら、宗教的荘厳さも感じさせるキーボードにより漆黒な密教的世界を描く。その中で、思い切り厭世的で荒涼とした空気の漂うギターのメロディが溶け込んでいる。そして、篭った Raw な音作りによって、プリミティヴな暗黒空気を感じさせ、カルトさとディプレッションが同居する特異なサウンドを形成している。オリジナルはカセット･リリースだったが、Moribund Records から CD もリリースされた。本作でも若干感じさせる宇宙的サイケデリックさが後の作品では増幅し、プリミティヴなブラックメタルの要素が薄れると同時に、一層その暗黒世界観を強めていく。

Nazxul

Australia

Totem

1995

Vampire Records

Pestilential Shadows や Nox Inferi、Drowning the Light でも活動してきた Wraith（ベース / ギター / キーボード）とキーボード / ギターの Lachlan Mitchell により、オーストラリアでは早い時期の 1993 年に結成されたブラックメタル。1995 年にリリースされた本作 1st アルバムには、ヴォーカル / ベースで Dalibor Backovic、ギター / キーボードで Greg Morelli（2008 年バイク事故で亡くなっている）、ドラムで Mortal Sin や Slaughter Lord のメンバーでもあった Steve Hughes が、メンバーとして参加している。同時期ぐらいから活動している Bestial Warlust に比べて、こちらは薄っすらとキーボードを入れながらオーセンティックなプリミティヴ・ブラックメタルである。

Nox Inferi

Australia

Adverse Spheres

2008

Those Opposed Records

Nazxul や Pestilential Shadows、Drowning the Light 等で活動してきている Wraith、Blasphemous Crucifixion や Vrolok 等のアメリカ人ドラマー Lurker、Corpus Christii を始め、Morte Incandescente 等で活動するポルトガル人ヴォーカリスト Nocturnus Horrendus によるブラックメタルが、2008 年にリリースした 1st アルバム。陰鬱なメロディを奏でるギターによるデプレッシヴ要素が強いサウンドで、フューネラル・ドゥームメタルに通じる絶望感も強い。場面によっては暗黒シンフォニックだったり、ノイズ混じりのダーク・アンビエントだったり、ダーク・ゴシックメタルだったり、それらがネガティブな感情へとベクトルが向いている。

Paroxysmal Descent

Australia

Paradigm of Decay

2009

Total Holocaust Records

デスメタル・バンド Impetuous Ritual やブラック / デスメタル・バンド Temple Nightside のメンバーでもある Mordance の一人ブラックメタル。元々は Misanthropia として活動を始めたが、2008 年に改名している。ジリジリとしたノイジーなリフからこぼれる愁傷たっぷりのメロディ、そして憎悪と絶望感が混ざったかの様なガナり絶叫ヴォイスによる、Burzum からの影響も強く感じさせるデプレッシヴ・ブラックメタル。時折ブラスト・パートも入れているが、ミドル / スロー・パートが主体。篭った音質ではあるが、アトモスフェリックなキーボードを配することで、退廃的な雰囲気も上手く出している。プリミティヴな空気が強いものの、暗然としたメロディにより、磨き上げられたデプレッシヴ・サウンドを創出している。

Pestilential Shadows

Australia

Cursed

2006

GoatowaRex

Drowning The Light や Nazxul のメンバーとしても活動している Balam を中心に、2003 年に活動を始めたブラックメタルが 2006 年に GoatowaRex からリリースした 2nd アルバム。Drowning the Light を率い、アメリカの Black Funeral のメンバーでもある Azgorh、Ill Omen を率い Austere や Funeral Mourning でも活動していた Desolate、Nazxul を率いる Wraith と、オーストラリアン・ブラックメタル・シーンの中心的人物がメンバーとして参加している。コールドで陰鬱なメロディを奏でるトレモロリフに、ディレイを掛けながらガナり叫ぶヴォーカル、ブラストパートも多い展開で、デプレッシヴ・ブラックメタルとメロウなブラックメタルの中間を行く。もちろんこのメンバーだから一級品である。

Striborg

Australia

This Suffocating Existence 2015

Razed Soul Productions

タスマニア島で一人活動する Sin Nanna によるミサントロピック・プリミティヴ・ブラックメタル。1994 年から Kathaaria として活動を始めたが 1997 年に改名。Sin Nanna は Sunn O))) のメンバーや Attila Csihar らとのドローン / ドゥーム・プロジェクト Pentemple にも参加していたが、Striborg 自体も驚異的なペースで作品を制作し続けている。本作は 2011 年のカセット EP『Black Hatred in a Ghostly Corner』以来約 4 年振りの作品となった 2015 年 15 枚目のフルレンス作。変わらず物凄く Raw な音作りにより、厭世的な空気に覆いつくされた原始的プリミティヴ・ブラックメタルである。さらに荒涼とし絶望感も増してきたサウンドとなっている。現在は多作振りを復活させ、2017 年、2018 年、2019 年にそれぞれ 3 枚ずつアルバムをリリースしている。

Thrall

Australia

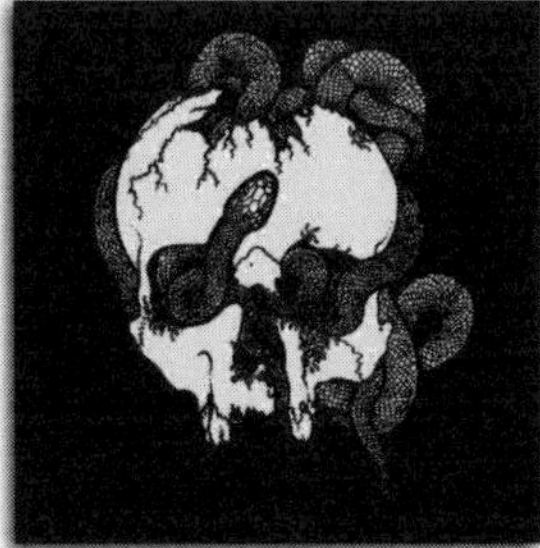

Away from the Haunts of Men 2010

Total Holocaust Records

タスマニア出身の Tom Void を中心とし、一時期大阪へ活動の拠点を移していた Thy Plagues が 2005 年に改名したブラックメタルが 2010 年に Total Holocaust Records からリリースした（同年には Moribund Records からビデオ・トラックを追加し、ジャケット・アート違いでもリリースされた）1st アルバム。Celtic Frost 等の 1980 年代暗黒サウンドから、ノルウェージャン・ブラックメタルからの影響が大きいプリミティヴなブラックメタルがベース。リフやガナり立てるヴォーカルから発せられる漆黒な空気と、コールドでメランコリックなメロディを滲ませるトレモロ・リフにより、退廃的な雰囲気が強く出ている。同郷タスマニアの Ruins の Alex Pope がゲスト参加。現在は Vermis Ultra と改名し、活動している様子。

Wolfblood

Australia

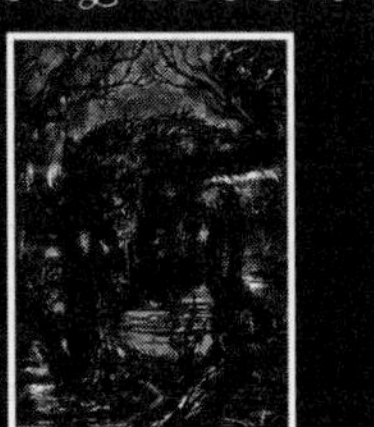

Wolfblood 2016

Darker than Black Records

Wolf と Drowning the Light を率い、アメリカの Black Funeral のメンバーでもあり、Pestilential Shadows でも活動した Azgorh が、2012 年から活動させているブラックメタル。2012 年の『A Victory to Echo Through Time』と、ドラムに Moon が加わっての 2013 年『Banner of Might』の 2 本のデモを収録し、2016 年に Absurd のメンバーが運営する Darker than Black Records からリリースされたコンピレーション。レーベルカラーである NS 思想があるのかは不明。篭った Raw なサウンド・プロダクションに、冷え切ったメロディを主体とした Satanic Warmaster からの影響が強いメロウ・プリミティヴ・ブラックメタル。

Barshasketh

New Zealand

Ophidian Henosis 2015

Blut & Eisen Productions

Belliciste やセルビアの Svartgren でも活動する Krigeist を中心とした、ニュージーランド出身 / スコットランドのエディンバラへ活動の拠点を移しているブラックメタル。イギリスのプログレッシヴ・ブラックメタル Haar でも活動する Guillaume Martin（ギター）、フォークメタル Cnoc An Tursa のメンバーでもある Bryan Hamilton（ドラム）、そしてベースの Ben Brown のイギリス人 3 人がメンバーとして参加。2015 年にドイツの Blut & Eisen Productions からリリースされた 3rd アルバムが本作。凍てついたメロディを奏でる北欧スタイルに近いスタイル。ブラスト / ミドル・パートを巧みに組み合わせた曲展開によって、メロディの良さを活かしている。

Belliciste

New Zealand

Sceadugenga
2014

Todestrieb Records

Barshasketh を率い、セルビアの Svartgren のメンバーでもある Krigeist が、ニュージーランドで活動を始め、スコットランドのエディンバラ、そして現在はスロヴァキアへ活動拠点を移しているブラックメタル。本作は Krigeist 一人でレコーディングし、2014 年にリリースした 1st アルバム。同じく彼が率いる Barshasketh と同様、コールドなメロディを主体とした北欧スタイルに近いサウンドではあるが、こちらの方がよりプリミティヴな要素は強い。1990 年代初頭のブラックメタルからの流れを汲むノイジーなリフから冷え切ったメロディ、邪悪さを押し出したガナり声、バタバタとしたドラム、そして篭ったサウンド・プロダクションと、Satanic Warmaster 辺りのフィンランド勢を彷彿させるメロウ・プリミティヴ・サウンド。

Exiled from Light

New Zealand

Descending Further into Nothingness
2009

Hypnotic Dirge Records

現在は Winter Deluge のメンバーとなり、When Mine Eyes Blacken として活動していた Mort による一人デプレッシヴ・ブラックメタルが 2009 年にカナダの Hypnotic Dirge Records からリリースした唯一のアルバム。ミドル & スロー・パートによる展開と、ノイジーなリフから溢れ出す物悲しいメロディを奏でるギター、そしてやや病的にガナるヴォーカルによるデプレッシヴ・ブラックメタル。Raw な感触のサウンド・プロダクションにより地下臭さを強く感じさせ、陰湿な雰囲気を上手く醸し出している。よくあるデプレッシヴ・ブラックメタル・スタイルではあるが、標準以上のクオリティはある。結局本作を残しただけで 2010 年に活動を停止している。

Grigori

New Zealand

Principivm et Finis
2009

Satanic Propaganda Records

Armaros（現在はシンガポールに移住しているらしい）による一人ブラックメタルが、2009 年にスウェーデンの Satanic Propaganda Records からリリースした 1st アルバム。漆黒の空気が禍々しく立ちこめる、物凄い暗黒空気に覆われている。聖歌やオルガン等により宗教的な荘厳さを醸し出す SE、ドス黒い空気を強烈に発する低音ガナり声や、突き刺す様なノイジーさとドゥーミーな深淵さも感じさせるリフから滲み出るコールドなメロディにより、Deathspell Omega に近い雰囲気を醸し出す。さらに Raw でプリミティヴな音なので、地下臭さと相まって漆黒さが際立っている。曲展開も練られており、猛然とした暗黒さの中にも神秘性とインテリジェンスを感じさせる。

Vassafor

New Zealand

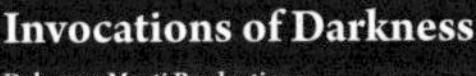

Invocations of Darkness

2015

Debemur Morti Productions

ブラック / デスメタル・バンドの Diocletian の元メンバーでもあり、Temple Nightside でも活動する V. Kusabs を中心としたブラックメタル・バンド。2010 年プロモ・デモ『Promo MMX』、2012 年 1st アルバム『Obsidian Codex』、2014 年 Sinistrous Diabolus と　の Split、2015 年 Temple Nightside との Split『Call of the Maelstrom』からの音源に、未発表音源を収録して 2015 年に Debemur Morti Productions からリリースされた 3rd コンピレーション。Beherit や Blasphemy 辺りの初期ブラックメタルからの影響が強く、暗黒デスメタルの臭いも若干感じさせる。強烈な地下臭さと、禍々しい暗黒さにすっぽりと覆われている。

When Mine Eyes Blacken

New Zealand

When Mine Eyes Blacken

2009

Self Mutilation Services

Winter Deluge のメンバーで、Exiled from Light としても活動していた Mort による一人デプレッシヴ・ブラックメタルが、2009 年に Self Mutilation Services からリリースした 1st アルバム。そして、現在は活動を停止しているので唯一の作品である。篭ったサウンド・プロダクションに、ノイジーなリフから溢れる陰鬱メロディ、嗚咽するように病的な叫びを続けるヴォーカル、そしてスロー・パートでひたすらジワジワと絶望的世界へと引き摺り込む様な、レーベル・カラー通りのデプレッシヴ・サウンド。この手の教科書的なサウンドではあるが、ハイグレードなメロディを携え、さらに Raw な音質や高揚のあまりない展開による倦怠的な感性も相まって、悲観的な感情がよりダイレクトに伝わってくる。

Winter Deluge

New Zealand

Devolution - Decay

2016

Frozen Blood Industries

Autumus と Arzryth により 2005 年から活動するブラックメタル。Exiled from Light や When Mine Eyes Blacken といったデプレッシヴ・ブラックメタルとして活動していた Mort と、UK ブラックメタル Daemonolith のメンバーであるドイツ人ヴォーカリスト Seelenfresser が加わって、2016 年にリリースされた 2nd アルバム。ノイジーなリフから溢れ出すコールドなメロディを身上とした北欧ブラックメタルに近い。タイトなファスト・パートを中心にミドル・パート等も絡めて実によく練られた曲展開、さらにテクニカルで卓越した演奏力、そしてやや Raw ながらも分離の良いサウンド・プロダクション。ブラックメタルの真性さをきちんと保ちながら、メジャー級一歩手前ぐらいのクオリティを誇っている。

...Aaaarrghh...

Turkey

Ruhlar Fısıldıyor

2004

Gece

元々はデスメタル・バンドとしてスタートした Aeon なるバンドが起源のようだが、Zebun Kesh により Sagansara へと改名。さらにその後 ...Aaaarrghh…へと変わって 2004 年にリリースされた 1st アルバム。シャリシャリとした音色のノイジーなリフと Raw なドラム、そして生々しくがなり立てながらイーヴルな空気を発するヴォーカルによるプリミティヴなブラックメタル。ファスト・パートが主体のスタイルではあるが、ブラストではなくスラッシュメタルや初期デスメタルからの流れを継ぐ疾走スピード・パートにより展開していく。リフも多分に 1980 年代の暗黒スラッシュメタル風味を随所に感じさせるので、1990 年代初期ブラックメタルの趣も強いオーセンティックなブラックメタル。

The Sarcophagus

Turkey

Towards the Eternal Chaos

2009

Osmose Productions

1996 年から活動し、トルコのブラックメタルを代表する存在と言える The Sarcophagus の 2009 年 1st アルバム。本作でヴォーカルを執っているのは Shining の Niklas Kvarforth。寒々しいメロディを奏でる叙情的なコールド・リフを主体としたノルウェージャン･ブラックメタルをベースとしたスタイルで、ファスト・パートからミドル / スロー・パートを織り交ぜながらのクオリティを誇る。ノルウェージャン・ブラックメタルの一線級と比べても遜色がないほど。そして何よりも Kvarforth のヴォーカルの存在感も相当のもので、Shining とは違ってアグレッシヴに攻めている。邪悪にガナったり、苦悶の表情で唸ったりしながら毒々しく鬼気迫る凄味出せる辺りに並みならぬ才覚を感じさせる。

Witchtrap

Turkey

Witching Black 1997

Hammer Müzik

Witchtrap と言えばコロンビアのブラッケンド・スラッシュメタルの方が有名かもしれないが、こちらはトルコ最古参と言えるブラックメタル。1988 年から活動を始め、デモを 2 本制作した後に 1997 年にリリースされた 1st アルバムが本作。元々はカセットのみでリリースされたが、2002 年にタイトルを『Witching Black』と変え、CD がリリースされている。Bathory や初期 Mayhem 辺りからの影響を感じさせるギター・リフ、そして邪悪に叫びまくる Raw なヴォーカルによるアーリー・ブラックメタル。演奏自体は意外にもまともであるが、イーヴルでカルトな空気のインパクトは強い。1980 年代末期から 90 年代にかけて、トルコにもこの様な初期ブラックメタルの衝撃を与えたバンドがいたのである。本作でバンドは解散したが、2017 年にはどうやら復活しているらしい。

Zifir

Turkey

You Must Come with Us 2007

Poem Productions

ブラック / ドゥームメタル Leviathan(トルコ)のメンバーだった Onur Önok と、メロディック・デスメタル・バンド In Spite のメンバーでもある Onur Sülen によるブラックメタルの 2007 年リリース 1st アルバム。デプレッシヴさもあるメロディを滲ませながら、スロー / ミドル・テンポを主体に陰鬱なベクトルへと向いたスタイルだ。暗黒な空気を異様に撒き散らすガナり声ヴォーカルにより、漆黒で禍々しさを強烈に感じさせる。フレンチ・ブラックメタルに似通った暗黒美にデプレッシヴ・ブラックメタルの陰湿さと絶望感が溶け込む。ジャケット・アートの苦悶に満ちた表情のイメージに近い、衝撃的なサウンドを展開。本作後 Onur Sülen は脱退したが、Witchtrap からの人脈的流れにある Episode 13 のメンバーでもあった Can Gürses が加わり、活動を続けている。

Frostgrave

Israel

Hymn of the Dead 2008

Absolute Hell Productions

Tangorodrim やブラック / スラッシュメタル Hell Darkness でも活動する Larenuf と、Orphaned Land やデスメタル・バンド Eternal Grey のメンバーでもあった Eran Asias により、イスラエル南部のアシュドッドで 2008 年から活動しているブラックメタルの 2008 年 1st アルバム。ジリジリとしたリフから湧き出る冷えたメロディ、ガシャガシャしながら力強く叩き込むドラム、そしてサウンド・プロダクションは良質ではあるものの Raw な音作りと、プリミティヴさを押し出している。スウェディッシュ・ブラックメタルに近いコールドなメロディを随所に配しながらも、ファストなパートでは、力強い攻撃性も見せつける。Dissection や Naglfar を Raw なブラックメタル寄りにした場面もあり。

Geist

Israel

Der Ungeist 2012

Totalrust Music

Mucous Scrotum でも活動する Ratimus により、2008 年から活動している一人プリミティヴ・ブラックメタルが 2012 年リリースした 1st アルバム。Geist と言えばドイツのブラックメタルが有名だが、こちらはイスラエルの方の Geist。シャリシャリした感触のノイジーなリフから湧き出すコールドなメロディと、邪悪にガナり立てるヴォーカルにより、アンダーグラウンド臭とメロウさを際立たせている。サウンド・プロダクションは決して良好ではないが、やたらトレモロリフの突き刺す様なノイジーさが目立つ。一方で北欧ブラックメタル直系とも言えるコールド・メロウさもきちんと押し出されており、その辺りの音作りには工夫の跡を感じさせる。攻撃性と耳障りの悪さとメロウさのバランス感覚が絶妙なプリミティヴ・サウンド。

Tsorer

Israel

Return to Sodom

2010

Black Hate Productions

デス／ドゥームメタルの Sonne Adam のメンバーで、ゴアグラインドの Abosranie Bogom やブラッケンド・スラッシュメタルの Hell Darkness でも活動していた Tom Davidov と、ギタリストの Avner により、2006 年にテルアビブで結成されたブラックメタル。本作はドイツの Black Hate Productions から 2010 年にリリースされた 1st アルバム。Hellhammer 等の 1980 年代スタイルをベースに、Darkthrone 辺りの 1990 年代プリミティヴ・ブラックメタルの流れを汲んでいる。原始的リフから発生される暗黒な空気と、さらにドス黒さを発するガラガラ声のガナり声により、邪悪さを創出。そして、キーボードによる妖しい空気もまた絶妙にサタニックさを醸し出している。

Mucous Scrotum

Israel

Hall of the Slain

2009

Raven Metal

Geist 等でも活動する Ratimus により、2004 年から活動する一人サタニック・ブラックメタルが Infernal Nature との Split『Calls from the Underground』（2006 年）、カセットのみリリース EP『Die Schwarze Erde』（2008 年）に続き、2009 年にリリースされた 1st アルバム。キーボードを配しながらもシンフォニックにはならず、薄っすらと荘厳さを醸し出し、さらにブルータルな要素も押し出した。邪悪さを発しながら、どこか危険な雰囲気を感じさせながらガナり叫ぶヴォーカルも特徴的。クオリティもそこそこ高く、サウンド・プロダクションも割と良好である。Infernal Nature や Dim Aura でも活動する Ferum がゲスト参加。

Necrodaemon

Israel

Prophecy of the Decadent

2005

Twilight Vertrieb

Commander Warmaster Necrodaemon とデス／グラインド・バンド Whorecore でも活動していた Dikapitator により、2001 年から活動しているブラックメタルが 2005 年にドイツの Twilight Vertrieb からリリースした 1st アルバム。イスラエル中央地区出身だが、現在はオランダへ活動の拠点を移している。ファストなパートを主体に、ミドル・パートも織り交ぜながら、ブルータルな要素を強く押し出している。Marduk や Belphegor 辺りを彷彿させるる所もある。一方でメロウなギターも取り入れたりと個性的な面もあり。サウンド・プロダクションが重厚で迫力のあるサウンドに仕上がっている。

Tangorodrim

Israel

Unholy and Unlimited

2003

Southern Lord Recordings

イギリスのブラック／スラッシュメタル O.B.E.Y. のメンバーでもある Grim Darveter と Incinerator、Frostgrave のメンバーでブラッケンド・スラッシュメタルの Hell Darkness としても活動する Larenuf らによる、イスラエル第二の都市テルアビブで 2001 年から活動するブラックメタル。2003 年にアメリカの Southern Lord Recordings からリリースされた 3rd アルバム。Hellhammer や Celtic Frost、Bathory 等の 1980 年代暗黒スラッシュメタルからの影響が大きいオールドスクールなサウンドで、リフや低音でガナり唸るヴォーカルから異様な程禍々しさを発している。ジャケット・アートそのままの 1980 年代オマージュ的な原始的サウンドではあるが、時折コールドなメロディを取り入れて 1990 年代ブラックメタル・エレメントを滲ませている。

Tartarus

United Arab Emirates

Of Grimness and Atrocity 2014

Haarbn Productions

アラブ首長国連邦のドバイで2013年から活動するブラックメタルが2014年にロシアのHaarbn ProductionsからリリースしたEP。突き刺す様な凍てついたメロディによるギター・リフを主体とした、北欧スタイルのコールドなブラックメタル。メロウな要素を強く押し出したサウンドではあるが、ファスト/ミドル・パートを組み合わせた曲展開も練られており、タイトなリズム等により、そこそこの水準に達している。特筆すべき点がある訳ではないが、噛みつく様なガナり声ヴォーカルにより暴虐性も高い。5曲入りで、ラストはEmperor「I Am the Black Wizards」の真っ当なカバーで違和感はなし。つまりそういうサウンドである。

Hatecrowned

Lebanon

Newborn Serpent 2015

Satanath Records

レバノン第二の都市トリポリでAyvaal（ヴォーカル）とDahaaka（ギター）により2011年から活動しているブラックメタルが、自主制作EP『Warpact in Black』（2013年）に続きロシアのSatanath Recordsから2015年にリリースした1stアルバム。Celestial Windsなるバンドで活動するEddy Ferekhがベースで、ブルータル・デスメタルPit of Carnage等のメンバーでもあるデンマーク人ドラマーBenjamin Lauritsenがゲストで参加。コールドなメロディが吹き荒れるノイジーなトレモロ・リフを主体とした北欧スタイルのブラックメタル・サウンドで、リフやヴォーカルから滲み出す漆黒さが特徴的。厚みのあるサウンド・プロダクションや曲展開も練られており、標準以上の出来となっている。

Deathdiaries

Jordan

Loveless 2010

Black Metal Rituals

ヨルダン第二の都市ザルカで2010年に結成されたブラックメタルが2010年にコロンビアのBlack Metal Ritualsからリリースした4曲入りEP。絶望しか感じさせない、ひたすら鬱屈したメロディ、ピアノやキーボードが生み出す悲観的な空気、そしてあまりにも悲痛な叫びを発するヴォーカルによる、スイサイダル/デプレッシヴ・ブラックメタル。その病み具合や音楽性はSilencerを彷彿させる。Bethlehemのカバーがあり、ラストの「Sterile Nails and Thunderbowels」はSilencerのトリビュート曲（Silencer同名曲を独自解釈で仕上げた曲）。Akhmaedoroth（ヴォーカル）の精神的な問題が理由で2011年に解散している。

Xathrites

Iraq

My Last Day Story 2013

Independent

2005年にイラクの首都バグダードで結成されたブラックメタル。しかしながらメンバー2人が銃殺され、2006年には一度解散するが、Saqer Vashkigalixがエジプトへ移住。さらに2007年にはLord Basherもエジプトへと渡り、カイロにて活動を再開。2013年に自主制作でリリースされた2ndアルバムが本作。サウンド・スタイルはXasthurやHappy Days等に通じるデプレッシヴなブラックメタル。悲愴感タップリのメロディを滲ませるノイジーなリフと、そこにノスタルジックなピアノ、エフェクトを掛けながら狂的に喚くヴォーカルにより、強烈な絶望感を植え付ける。Rawなサウンド・プロダクションにより、病的な雰囲気が増している。デプレッシヴ・ブラックメタルとしての深耕度は高い。Nocturnal Depressionのカバーあり。

Aras

Iran

Depressive Rebellion 2007

Independent

Beaten Victoriouses というブラックメタルのメンバーでもあった Lord Aras により、イラン南西部の都市シラーズで 2001 年から活動している一人ブラックメタル。イラン古来の伝説をコンセプトとして持っているようである。本作は 2007 年に自主制作リリースした 5th アルバム。悲哀感の強いメロディを擁するリフと、ミドル・パート主体に、ドラマティックさに重点を置いた展開で、ペイガン・ブラックメタル寄り。ガラガラした声でガナるヴォーカルが時折苦悶の表情を浮かべる。薄っすらと流れるアトモスフェリックな空気を作り出すキーボードと、郷愁性を感じさせるギターのメロディにより、厭世的な雰囲気を産み出している。Raw なサウンド・プロダクションではあるが、音の輪郭がはっきりしている。また、8 曲中 4 曲がインスト曲であるものの、メロディの良さにより全体の流れを上手く演出している。

From the Vastland

Iran

Temple of Daevas 2014

Non Serviam Records

首都テヘラン出身で、現在はノルウェーを拠点に活動している Sina による一人ブラックメタル。2014 年にオランダの Non Serviam Records からリリースされた 3rd アルバム。モコモコした Raw なサウンド・プロダクションながら、凍てついたメロディのトレモロ・リフによる北欧スタイル。強力なブラスト・パートと、メロディを活かしたミドル・パートを組み合わせて、一線級北欧ブラックメタルに肉薄するだけのポテンシャルを感じさせる、本格派真性ブラックメタルであり、2013 年にはノルウェーでの Inferno Metal Festival への出演も果たしている（Morbid Angel の Destructhor、Den Saakaldte の Tjalve、Keep of Kalessin の Vyl がバックをサポートした）。

Margg

Iran

Balkhorno Horn 2011

Margin Art Records

Tizagoth Wolk と Nanzerne により、イラン北部カスピ海に近い都市サーリーで 2010 年から活動を始めているブラックメタル。2011 年にロシアの Margin Art Records からリリースし、初音源となった EP。Bathory や Hellhammer から Darkthrone 等の 1980 年代～ 1990 年代初期ブラックメタルをベースにしている。メロウさはあまりなく武骨に掻き鳴らされるリフと、ひたすら邪悪にガナりまくるヴォーカルにより、暗黒プリミティヴさを生み出している。愛想のないリフから黒い空気が滲み出ており、『Hate Them』や『Sardonic Wrath』期辺りの Darkthrone からコールドさを抜いた様だ。本作を最後に Nanzerne は脱退、新メンバーを加えてアルバムを 4 枚リリースしており、現在はウクライナを活動拠点としている。

Silent Path

Iran

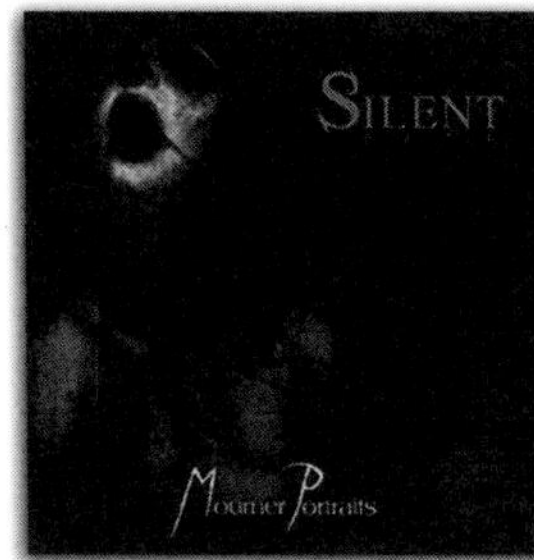

Mourner Portraits 2012

Hypnotic Dirge Records

Ekove Efrits としても活動する Count De Efrit が、2009 年に首都テヘランで始動した一人デプレッシヴ・ブラックメタル。2012 年にカナダの Hypnotic Dirge Records からリリースされた 1st アルバムが本作。アトモスフェリックで優美な芸術性を感じさせて、デプレッシヴ・ブラックメタルの範疇から超えたサウンドの Ekove Efrits に対して、こちらはプリミティヴなディプレッションを身上としたサウンド・スタイル。鬱屈感漂いまくるメロディを滲ませるノイジーなリフと、呟く様にボソボソとしたヴォーカルと病的な絶叫により、退廃的なサウンドである。アトモスフェリックな空気感があったり、フューネラルなメロディがあったりと、初期 Ekove Efrits と連動する要素もあるが、陰鬱で絶望感しか想起させない、地下デプレッシヴ・ブラックメタル。

Scolopendra Cingulata

Kazakhstan

Kuoltuu Kaikin Kohetah 2015

Narcoleptica Productions / More Hate Productions

中央アジア、カザフスタンで 2013 年にヴォーカル / ギターの SS を中心に結成されたブラックメタルが 2015 年にロシアの Narcoleptica Productions と More Hate Productions との共同リリースによる EP。薄っすらとキーボードを配しながら、ノイジーなリフから滲み出るコールドなメロディによる北欧スタイルのプリミティヴ・ブラックメタル・スタイル。Raw なサウンド・プロダクションながら凍てついたメロディを活かしている。2014 年にはオーストラリアのアンビエント・ブラックメタル Darkened Winter と、2016 年にロシアのシンフォニック・ブラックメタル Astarium とロシアン・ブラックメタル Burnt との Split をリリースしている。

Taarma

Pakistan

Remnants of a Tormenting Black Shadow 2007

Suffering Jesus Productions

アフガニスタンとの国境に近いパキスタンはジョーブという都市出身の Black Emperor Jogezai による一人ブラックメタルが 2007 年にカナダの Suffering Jesus Productions からリリースした 1st アルバム。ザラついた感触のノイジーなトレモロ・リフから溢れ出す陰鬱なメロディにより、死を感じさせる絶望感と、胸騒ぎのする不穏感をひたすら煽ってくるデプレッシヴなサウンド。病的に叫んだり嗚咽に近い呻き声だったりしながら、狂的要素の強すぎるヴォーカルや、地下臭さを強化させる Raw なサウンド・プロダクションにより退廃的な空気感も強烈。ラストは Xasthur のカバーでこれも透逸。はっきり言ってしまえば Xasthur に近いスタイルなのだが、単なるフォロワーの域を超えている。

Taarma

Pakistan

Reflecting Hateful Energy (Tribute to Xasthur) 2010

Sabbathid Records

日本の Sabbathid Records から 2010 年にリリースされた 4 曲入り EP で、全て Xasthur のカバー。本作によって、ここ日本でもパキスタン出身という驚きと共に認知度が上がった。これまで Xasthur に近いサウンド・スタイルを貫いてきたので必然的であり、当然独自解釈等と言った奇をてらった要素は一切ない。オリジナルよりもノイジーでザラザラとしたトレモロリフにより、漆黒で不穏な空気を強く感じさせ、Xasthur のあの陰鬱な絶望サウンドをさらに地下臭く退廃的にさせた。Xasthur サウンドをきちんと理解した上でのカバーであることが十分伝わってくる。したがって、カバーではあっても、デプレッシヴ・ブラックメタルとしては極上である。

Toxoid

India

Aurora Satanae 2014

Independent

インドはニュー・デリーで 2012 年から活動しているブラックメタルが、2014 年にリリースした 1st アルバム。ノイジーさの中からコールドなメロディを奏でるトレモロリフを主体としたメロウなスタイル。ブラスト・パートとミドル・パートを組み合わせながら、ドラマティックさにも重点を置いている。メロディック・ブラックメタル一歩手前でありながら、篭った Raw なサウンド・プロダクションによりプリミティヴさもしっかりと持ち合わせている。アジアに多いベスチャルなデスメタル寄りのスタイルとは無縁の、北欧ブラックメタルを踏襲。そして、悲哀感の強いメロディも上質で、メロウ・プリミティヴ・ブラックメタルとしてはレベルも高い。

近年各国からブラックメタルも出現してきている中東地域だが、その中でもアフガニスタンとの国境に近いパキスタンの村ジョーブという辺境地でデプレッシヴなプリミティヴ・サウンドを15年程前から発し続けるTaarmaのBlack TearsことJogezaiへインタビューを試みた。

Q：影響を受けた音楽は？ 2010年に日本のSabbathid Recordsからリリースされた『Reflecting Hateful Energy』はXasthurへのトリビュート・アルバムだったようですが、やはりXasthurやデプレッシヴ・ブラックメタルからの影響が最も強いのでしょうか？

A：あくまでも自分の意見だけど、全てのプロジェクトは特定のサウンドに影響を受けたものだと思う。でも、多くの人は同意しないかもしれないけど、誰もが自分のオリジナルな原点を示すことを否定しようとしているように思う。Xasthurに関しては、自分自身にいつも大きな衝撃を与えてくれるアンダーグラウンドで創られたものの中でも、最も才能があるものとしてリスペクトしている。

北欧からコールド・ブラックメタルが急増し、最初に大きなムーブとなった後、Rawでコールドな音に興味をそそられるようになっていたことが自分で分かるようになってきた。曲を書き始めた頃、死や冬の情景、絶望、落ち込んでいく感情等をTaarmaの曲のテーマとしていて、当初はドゥームメタルとブラックメタルがクロスしたような音だった。そして即席で作ったような設備でレコーディングし、質もとても悪かったTaarmaの初の曲である「A Beautiful Shadow of Sadness」にもそれは反映されていた。自分がデプレッシヴ・ブラックメタルを発見する前から、陰鬱で自己破滅的なものをプレイしたいといつも感じていた。初めて本当にスイサイダルでデプレッシヴだと感じた音はBethlehemの『Dictius Te Necare』だった。この作品は本当に好きだよ。その後にオーストラリアのAbyssic Hateを聴いたと思う。さらにShiningやLeviathan、Xasthur、そしてブラック/ドゥームメタルのNorttといった純粋に苦痛を感じるデプレッシヴでスイサイダルな音を探し続けた。だけどすでにTaarmaで最初に到達していたのは、さっき言ったようなバンドと同じブラック・フューネラル・ドゥームと言えるようなサウンドだった。だから特定のジャンルをプレイすることを自分自身に制限する考えには同意できないし、激しいブラックメタルもスローなドゥーム・サウンドも自分の耳や魂にとって常に魅力的なものなんだ。

Q：あなたはパキスタンでもアフガニスタンの国境に近いジョーブ出身のようですが、ジョーブはどのような街なのでしょうか？

A：ジョーブはバローチスターン州の小さな地区で、都市とか町でもなく、アフガニスタンとパキスタンの国境付近にある人口の非常に少ない村だよ。

Q：Taarmaを結成した経緯を教えてください。

A：バンドをやりたいと思い始めた15歳ぐらいの時からエクストリームなデスメタルをやりたいと考えていた。でも周りはみんな自分とは異なるグラムロック/メタルに興味を持っていた。いくつかのガレージ・セッションも試みたけど上手くいかなかった。数年間で自分のやりたいことをやるには自分一人で全てをやらなければならないことが分かったので、曲を創り始めると同時にレコーディング方法も模索していった。その時はまだデジタル・レコーディングの仕方も分からなかったし、そもそもそんな方法はまだ存在しなかったのかもしれない。そして1999年に間に合わせのレコーディング・ギアを使って両面カセット・プレイヤーで録音したのがTaarmaの初レコーディング音源だった。

Q：これまでのバイオグラフィを教えてください。

A：Taarmaはバローチスターンの広大な山岳地帯の出身だ。最初のデモは2003年にほんの限られた本数のカセットテープでリリースした。2ndデモをリリースした直後ぐらいには、世界中のアンダーグラウンド・レーベルからオフィシャル・リリース出来るぐらいのサポートを多少のカルトなファンから得ていた。

これまで４つのフルレンス・アルバムといくつかのEPをリリースしているけど、最も特別に感じているのはTaarmaとしては最初にリリースしたハンガリーのÁdám KovácsによるバンドのDérとのSplitだよ。個人的にも最も満足したコラボレーションとして自分の中にずっと残っているからね。
自分は年を重ねるにつれて病気により、体への負担が大きくなりモチベーションも上がらないので、以前のように頻繁に作品を創ることは難しい。でもそれは自分にとって良いものであるし、悪いものでもあることが分かってきた。良いこととは、時間の経過とともにかつては自分にとって楽しんでいたヴォーカルが体の負担となってきたんだけども、それを軽減させる時間を与えていること。悪いこととは思考が突然崩壊し、作業がゴミとなってしまうことだ。
TaarmaのプロダクションはわざとFで不快でRawなプロダクションにしているのではない……クリーンなものは自分には疎遠であるし嫌いなものなんだ。
Taarmaは死に至るまで自分の体に残っていることを望んでいる。未来は確実なものではないし、明日もどうなるのか分からないからね。
Q：Taarmaとはどのような意味なのでしょうか？
A：TaarmaとはバローチスターンにS多くある古代の民族言語のうちの、ブラーフーイー語とバローチー語で暗闇を意味するものなんだ。
Q：Taarmaはライヴ活動を行っているのでしょうか？
ダークで陰鬱な曲を書いたりレコーディングしたりした時の感情はステージ上で再現したりすることは出来ない。Taarmaは決してライヴをやることはないよ。自分の本当の感情を浸透させることが出来ないし、自然に感じることを表現したいからね。
Q：Taarmaを始める前のパキスタンではブラックメタルの音源は手に入れやすかったのですか？　またパキスタンには他にブラックメタル・バンドが存在していましたか？
A：エクストリームなメタルの音源を手に入れるのは簡単なことではなかった。インターネット時代の前は、ほんの少しだけエクストリームなメタルも扱っている地元のレコード店に頼るしかなかった。ほとんど海外から直接買っていたよ。
自分は個人的にメタル・シーンとは関係がないところにいるし、どこにも所属しないインディペンデントな人間ではあるけれども、音楽的な協力関係になくても何人かの知り合いはいるよ。パキスタンには多くのバンドがいるし、みんな進歩しようと努力しているけれども、そこにデプレッシヴ・ブラックメタルはいないし、オフィシャル・リリースもないから別の方法をとらなければならない。
Q：漠然としているかもしれませんが、あなたにとってブラックメタルとはどのような音楽だと思いますか？
A:生々しいもの、そして反社会的で非商業的でリスナーのためのジャンルであり、偽善者のためのものではない音楽だ。
Q：パキスタンはイスラム教国家ですが、あなたもイスラム教を信仰しているのでしょうか？
A：Taarmaは宗教とは関係がない。そのような議論

の余地がないということを察してほしい。
Q：ブラックメタルは反キリスト教として誕生した音楽ですが、イスラム教社会におけるブラックメタルとはどのような立場にあると思いますか？
A：どんな議論の場でも人は何かを尊重することも出来れば傷つけることも出来るし、関係を壊したり修復したりもする。ブラックメタルは自分にとって内面にある感情的な病気の出口だと感じたし、ある信念や人種を攻撃したりするものではないと思う。２つの原子爆弾を落とされた日本人が戦争の何たるかを本当の意味で知っているようにね。自分は18年以上も戦争で荒廃した地に住んでいるように感じているんだ。自分はアートと信念を混在させるような狭い考え方を信じることが出来ないからだよ。
Q：あなたは政治的なイデオロギーを持っていますか？もし持っているのならどのようなイデオロギーか教えてください。
A：自分は全ての政治家はスイートルームにいる虐殺者だと思っているので政治的見解にはまったく興味がない。ヤツらは欲ばりな嘘つきであり、飢えたロクでもないヤツらだ。だから民主主義も選挙も信じることが出来ない。日本の裏側のコミュニティ……エンタテイメントからビジネス、政治家、警察において政府機関ではないYakuzaがどういうものなのかを君に聞きたい。力のある者が常に君たちのやり方を支配するような欠陥のあるシステムに対して何を期待すると言うんだ。
Q：今後のTaarmaの活動予定を教えて下さい。
A：自分が何も出来なくなるか死ぬ日まで、Taarmaとして曲を書き続けてレコーディングをすること以外ほとんど計画はない。Taarmaの目的は常に自分の喜びや苦痛のための音楽を創り出すことだ。それは多くの人を喜ばせるためやベストセラーとなるものを創ることでは決してない。これまでで最も狂った作品であると思うニューアルバムをすでにレコーディングした。リリースするのにふさわしいレーベルが見つかったら、でも君も聴くことが出来るかもしれないよ。
Q：最後に日本のファンに向けて一言お願いします。
A：Taarmaに興味を持ってくれて“ありがとArigato”。自分は一度だけ日本に行き、大阪に１週間滞在したことがあるんだ。今でも後悔しているのは、その時に青木ヶ原を訪れることが出来なかったことだよ。その神秘的な場所にいつかは行きたいと思っている。

Funeral in Heaven

Sri Lanka

Daiwaye Haaskam Saha Paralowa Sapatha 2010

Legion of Death Records

スリランカの主要都市コロンボにて 2003 年から活動するブラックメタル。同じくコロンボのブラックメタル Plecto Aliquem Capite のメンバーでもある Visharadha Kasun Nawarathna と Chathuranga Fonseka も在籍している。本作は Manzer/ 元 Deathspell Omega の Shaxul が運営していた辺境バンド専門レーベル Legion of Death Records から 2010 年にリリースされた 2 曲入り 7" EP。1 曲目はコールドなメロディを奏でるトレモロ・リフを主体とした、本格的北欧スタイルのメロウ・プリミティヴ・ブラックメタル。そして 2 曲目はデプレッシヴな雰囲気を漂わせるメロディが印象的。両方とも秀逸な曲である。民族楽器や妖しい女性ヴォーカルを取り入れているが、そのオリエンタルさとのマッチングもまた絶妙である。

Draconis Infernum

Singapore

Rites of Desecration & Demise 2011

Hass Weg Productions

Breathing Hell（Vesania/ 元 Vader の Daray、Infernal War/ 元 Arkona の Triumphator、Bulldozer の Ghiulz Borroni とのバンド）にも参加した Serberuz Hammerfrost（ヴォーカル / ベース）らによるブラックメタルが、2011 年に Hass Weg Productions からリリースした 2nd アルバム。ブラスト・パートを主体に、ミドル・パートを織り交ぜながらファスト・ブラックメタル・スタイルで突き進む。ノイジーにガリガリ刻むリフから溢れ出るコールドなメロディは、北欧、特にスウェディッシュ・ブラックメタルに通じるものの、どこかサタニックな色合いを強く感じさせる。ラストは Bathory「Satan My Master」のカバー。

Netherealm

Singapore

The Occultist Omnibus 2004

BlackSeed Productions

Forlorn ～ Realm とバンド名を変え、1997 年から Netherealm となった Night なる人物による一人プリミティヴ・ブラックメタルが 2004 年にスペインの Blackseed Productions からリリースした 6 曲の新録音源に Realm 時代のデモ 4 曲を加えた 1st アルバム。1990 年代初頭のブラックメタルからの流れを汲むノイジーかつ冷えたメロディも滲ませるトレモロ・リフが主体。そして、薄っすらエコーを掛けながら邪悪な空気を押し出すヴォーカルや、時折リズムが危うくなりながらドカドカと叩くドラムによる、ファスト / ミドル・パートを組み合わせた展開によるオーセンティックなプリミティヴ・ブラックメタル・スタイル。サウンド・プロダクションも Raw さに重点を置いている。

Bazzah

Malaysia

Death is All I See... 1996

Nebiula Production

マレー半島の東海岸に位置するパハンにて 1993 年から活動し、マレーシアでは重鎮的存在である Bazzah が 1996 年にリリースした 1st アルバム。デス / グラインドコア・バンド Torch のメンバーであった Azzaher と Zahar、そして古参ブラックメタル Nebiras の Agathos Daemon を始め、ヴォーカル 3 人、ギター 3 人、ベース 2 人にドラムの 8 人編成（ヴォーカル / ギター兼任メンバーを含む）。ノイジーなリフによるメロウ要素の薄い、大半がブラスト・パートのファストなプリミティヴ・ブラックメタル・スタイル。さすがにベースが 2 人いるためか低音圧が強く、それによりギターのリフ音が押し負けてしまっている。Raw なサウンド・プロダクションであり、プリミティヴ・ブラックメタルとして秀でた音である。

Navrathos

Malaysia

Possessed from the Black Forest

2012

Draconian Production

クアラルンプールの南に位置するヌグリ・スンビラン出身のサタニック・ブラックメタルが、2012 年にリリースした EP。コープス・ペイントに五寸釘大量装着の完璧な出立による本格的ブラックメタル。コールドなメロディを滲ませて反復させるジリジリとしたノイジーなリフ、邪悪極まりなくガナり叫ぶヴォーカルにより、Darkthrone や初期 Immortal、初期 Gorgoroth 等の 1990 年代ノルウェージャン・ブラックメタルからの影響が大きい。いい意味での東南アジアらしさがほとんどない、完全に北欧スタイルへと傾倒している。Raw な音質で地下臭さも満載ではあるが演奏力が高く、プリミティヴ・ブラックメタルとして卓抜した音となっている。

Nebiras

Malaysia

The Great Rites…

1998

Produksi Purnama

クアラルンプールの衛星都市であるプタリン・ジャヤで 1991 年に結成されたマレーシア最古参ブラックメタルが、1998 年にリリースした EP。ヴォーカル / ギターの Agathos Daemon はかつて Fenriz とコンタクトを取っていたようで、Darkthrone の『A Blaze in the Northern Sky』に彼の名前がクレジットされている。またベースの Thylord Faridz は、マレーシア最初のデスメタルとされる Rator の流れにあり、80 年代末期から活動した Necrofist のメンバーでもあった。サウンドの方は Darkthrone や Mayhem の影響が強いノルウェージャン・ブラックメタル・スタイル。薄っすらとコールドなメロディを滲ませたノイジーなリフと、邪悪さを強烈に発するヴォーカルによる、本格的なプリミティヴ・ブラックメタル。なお今作以降バンドは音源を残していない。

Impish

Indonesia

Warkvlt

2013

Blackwinds Productions

1990 年代にはブルータル・デス / グラインドコア Victim of Rage やスラッシュメタル Beton のメンバーだった Riyan Blasphemy が中心となって、2000 年から活動しているジャワ島東部のバンドン出身ブラックメタルが 2013 年にリリースした 1st アルバム。適度のブルータルさがありながら、コールドなメロディもまき散らすリフと、攻撃的にガナり立てて邪悪な空気を撒き散らすヴォーカルによるブラスティング・ファスト・ブラックメタル・スタイル。Marduk に近いスタイルで、ハイパーに叩きまくるドラムや、適度にミドル・パートを混ぜながらファスト・パートでの爆発力もかなりのもの。本作リリース直後、アルバム名であった Warkvlt へバンド名を改名している。

Northorn

Indonesia

Inhuman Reflection

2016

Independent

セレベス島の北部に位置する北スラウェシ州出身の Northorn によるデプレッシヴ・ブラックメタルの 2016 年リリース 3rd アルバム。イスラム教徒の多いインドネシアにおいて、この地域はキリスト教徒が大半を占めているが、その反動によるサタニズムではなく、ディプレッションや自傷等をコンセプトとしている。チリチリとしたノイジーなリフに、陰鬱で時折儚くメランコリックなメロディを滲ませ、病的に叫ぶヴォーカルによる、初期 Shining 等の影響も大きいデプレッシヴ・ブラックメタル。サウンド・プロダクションも劣悪なのでアンダーグラウンド色は強い。そんな中シューゲイザー・ブラックメタルに近いメロディやアトモスフェリックさも顔を出している。

Religion Malediction

Thailand

The Rituals of Invocation Remains Child 2015

Mornahok Records

フォーク・ブラックメタルの Lotus of Darkness のメンバーでもある Anukul、Issara、Thinnarat らによる、バンコクのプリミティヴ・ブラックメタル、2015 年 1st アルバム。チリチリとしたノイジーなトレモロ・リフにバコバコと叩き込むドラム、やたら邪悪な空気を撒き散らしながら叫ぶヴォーカル、そして厚みのない Raw なサウンド・プロダクションによる地下臭いブラックメタル。寒々しいメロディを滲ませる Darkthrone 等の北欧プリミティヴ・ブラックメタルからの影響が大きい。そして、東南アジアらしいベスチャルさを若干感じさせながら、生々しい邪悪さとサタニックさが直情的に伝わってくるので、真性さも強く感じさせる。タイの深南部ではイスラム・テロが多発しており、彼らはサタニズムと合わせて、反イスラム主義を掲げている。

Surrender of Divinity

Thailand

Oriental Hell Rhythmics 2001

Psychic Scream Entertainment

Whathayakorn を中心に 1996 年に結成されたブラックメタルが 2001 年リリースした 1st アルバム。シンガポールの Impiety やフィリピンの Deiphago と共に、世界中のアンダーグラウンドで有名な東南アジアのバンドである。Impiety や Deiphago がデスメタルやスラッシュメタル色が強いベスチャルなスタイルであるのに対して、Surrender of Divinity はプリミティヴ・ブラックメタル・スタイル。チリチリとしたリフからこぼれるコールドな空気は北欧ブラックメタルに近いものがあり、やたらギャーギャー喚くヴォーカルからの邪悪な空気も強力。2007 年には日本で Deathrash Armageddon から初期デモ音源 2 曲を追加した再発盤もリリースされている。2014 年にベーシストの Avaejee が自称サタニストに殺害されてしまい、バンドは休止状態となってしまったが、2018 年に活動を再開している。

Korihor

Philippines

Bastardo 2005

Hippieshredder

ブラッケンド・スラッシュメタル Maniak でも活動する Abhor、Obispo、Necrovomit らによるブラックメタルで、1998 年にミンダナオ島のダバオで結成され、2003 年には日本の Abigail と Split『Alkoholik Metal Blasphemers』をリリースしている。本作は 2005 年にリリースされた 1st アルバムで、新曲 4 曲とライヴ 4 曲という内容。コールドなメロディによる北欧スタイル・サウンドで、プリミティヴな地下空間を形成しながらメロウさを強く押し出している。Satanic Warmaster に通じる所も多く、ハイグレードな音を提示する。2008 年に Maniak との Split『From Death...Rising!』が日本の Deathrash Armageddon からリリースされている。

Be Persecuted

China

I.I 2007

No Colours Records

ポスト・ブラックメタル Dopamine の Zhao やスラッシュメタル・バンド Explosicum の Tan Chong らによる江西省南昌出身のデプレッシヴ・ブラックメタルが、2007 年に No Colours Records からリリースした 1st アルバム。バンド名は中国語表記で「受迫害」。ザラついた感触のチリチリとしたリフから湧き上がる陰鬱で感傷的なメロディにより、ノスタルジーと絶望感を強烈に感じさせるプリミティヴなデプレッシヴ・サウンド。嗚咽に聴こえる叫びによる病的な空気、アコースティック・ギターやピアノによる厭世観、そして何よりシューゲイザーに近いメランコリックなメロディ、Raw なサウンド・プロダクションがダイレクトに感情へ訴えかける。Sortsind の様な生々しい陰鬱さに覆われているが、儚い悲哀メロディをしっかりと溶け込ませている。

Dark Fount

China

A Sapless Leave Withering in the Night Fog 2007

Pest Productions

Li Tao による山東省泰安出身プリミティヴ・ブラックメタル（バンド名は中国語で「阴暗之泉」）が Pest Productions から 2007 年にリリースした 1st アルバム。ザラザラとしたノイジーなトレモロ・リフから、突き刺す様なコールドさを伴ったメロディを滲ませるデプレッシヴ寄りのプリミティヴ・ブラックメタル。Burzum や I Shalt Become 辺りからの影響を強く感じさせる。絶望的なメロディがジリジリと神経を蝕み、救いようがない絶望的な世界へと誘い込む。篭ったサウンド･プロダクションにより、絶望感と陰湿さを一層強く感じさせる。ジャケット･アート通りの灰色な厭世的世界を繰り広げる。

Heartless

China

Anaesthetization 2011

Pest Productions

山東省泰安出身の Lu により 2002 年から活動している一人プリミティヴ・デプレッシヴ・ブラックメタルが、2011 年に Pest Productions からリリースした 2nd アルバム。イントロを除けば全て 10 分前後の長尺曲による構成。そして、ミドル / スロー・テンポによる展開と、ノイジーなトレモロ・リフから悲愴的メロディが滲み出るスイサイダル系の絶望陰鬱騒音。しゃがれた感じで叫びガナるヴォーカルが悲痛かつ陰湿な空気を絶妙に生み出し、強烈な絶望感をひたすら与え続けるメロディのループにより、退廃的で荒涼としたデプレッシヴな世界を繰り広げる。サウンド・プロダクションは Raw でアンダーグラウンド性も強いが、この手のスタイルの中でも絶望的感情表現は卓越している。

The Illusion of Dawn

China

The Illusion of Dawn 2012

Pest Productions

2004年に「園」というバンド名で結成され、2005年に The Illusion of Dawn（中国語表記では「黎明的幻象」）へ改名した湖北省武漢のブラックメタル・バンド。本作は 2012 年に Pest Productions からリリースされた 1st アルバム。2008 年のデモ『Recall the Nightmare』は初期 Burzum の影響が強いサウンドだったが、本作では Darkthrone 辺りからの影響も見え隠れし、より真性なプリミティヴ・ブラックメタルの要素が強まっている。とは言えやはり基本的には Burzum 影響下の凍てついた、陰鬱なメロディによるトレモロ・リフを主体としている。病的な雰囲気を醸し出しながら、生々しくガナり叫ぶヴォーカルもまた絶品。メロウなプリミティヴ・ブラックメタルとして高次元であり、デプレッシヴ系に通じる絶望的要素も強い。

Tomb

China

Witches Sabbath 2011

Pest Productions

Nagzul というブラックメタルでも活動している海洋による山東省の一人ブラックメタルが、2011 年に Pest Productions からリリースした 1st アルバム。中国語表記そのまま「墓」である。サウンド・スタイルとしては陰鬱なメロディを発するリフによるデプレッシヴなブラックメタルであるが、バンド名通りフューネラルな雰囲気も強く、絶望的であると同時に深い悲哀感も醸し出している。全体的にはミドル・スローパートによりジワジワと鬱屈感を浸食させていくが、一部ブラスト・パートを挿入している。ドゥーミーなリフが随所で聴こえ、いわばデプレッシヴ・ブラックメタルとフューネラル・ドゥームメタルの要素が融合した様なサウンドである。本作後、2012 年には Pest Productions から EP『鳳凰絕』をリリースしている。

深山 (Deep Mountains)

China

深山 2010

Pest Productions

Liu Qiang と、現在は脱退し、フォークメタル・バンド梦灵で活動している Wang Bao により、2009 年に結成された山東省泰安出身のブラックメタル。2010 年に Pest Productions からリリースされた彼等の 1 作目で、EP 扱いのようだが、44 分ほどの収録尺度があるのでフルレンスに近いボリューム。川のせせらぎ音とアコースティック・ギターから幕を開け、中国の自然美を思わせるアトモスフェリックな世界観が強い。しかし、ブラックメタル・パートは陰鬱だったり叙情的だったりするメロディを携えたノイジーなリフと、生々しく叫ぶヴォーカルによりプリミティヴ要素も強い。ポスト・ブラックメタルの要素もあり、一概に系統立てられるサウンド・スタイルではない。次作アルバム『忘忧湖』(2014 年) でさらにシューゲイザー / ポスト･ブラックメタル色を強め､知名度を増していく。

原罪 (Original Sin)

China

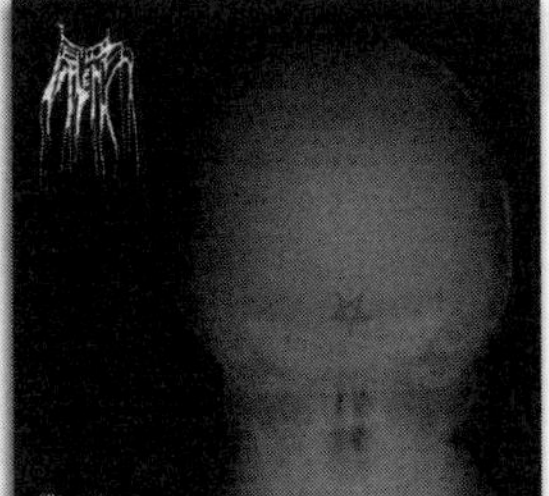

Misanthropic 2007

Funeral Moonlight Productions

2007 年に EP『Forgotten Stigma』をリリースしている Garrotte Betrayers としても活動する Evil Soul により、四川省成都で 2006 年から活動する一人デプレッシヴ・ブラックメタル。2007 年に Funeral Moonlight Productions からリリースされた 1st アルバムが本作。オリジナル・メンバーであった Wolfsclaw がゲスト・ヴォーカルで参加している。絶望感を強力に感じさせるメロディを擁するノイジーなトレモロ・リフと、病的なイカレっぷりを感じさせるヴォーカルによる、Burzum からの影響が大きい陰鬱でデプレッシヴなサウンドを展開。Raw なサウンド・プロダクションにより、そのリアルな不穏さが直接的に響いてくる。Burzum「Lost Wisdom」のカバーあり。

葬尸湖 (Zuriaake)

China

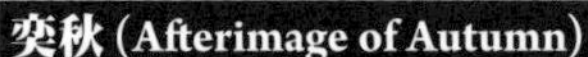

奕秋 (Afterimage of Autumn) 2007

Pest Productions

Hellward や Midwinter でも活動する Bloodfire と Bloodsea による山東省済南のブラックメタル。バンド名は英語で「Lake of Buried Corpses」の意味。中国のブラックメタルとしては最も早い時期の 1998 年から活動しており、本作は 2007 年に Pest Productions からリリースされた 1st アルバムで、Deadsphere も加わった 3 人編成で制作されている。チリチリとし突き刺す様なノイジーなトレモロ・リフから湧き出る陰鬱なメロディと、悲痛さを感じさせる絶叫ヴォーカルによるデプレッシヴなサウンド。随所でキーボードを用い、曲によってはアンビエント要素が強い。川のせせらぎや雨音等の自然情景 SE も随所で使用し、ジャケット・アートの水墨画世界に通じる雰囲気を絶妙に醸し出している。2015 年にリミックス音源を 2 曲追加収録した再発盤がリリースされている。

Inferno Requiem

Taiwan

幽冥夜怪話 2007

Hell Ambassador Records

1999 年から Fog により活動を始めている台北の一人ブラックメタル (中国語表記は「黑冥煞」) が 2007 年にリリースした 1st アルバム。薄っすらとコールドなメロディを滲ませつつ、チリチリとしたノイジーなリフを掻き鳴らし、ボコボコとした Raw なドラムと、ややディレイを掛けながら邪悪さを猛烈に撒き散らすヴォーカルによる、完全アンダーグラウンドなプリミティヴ・ブラックメタル。日本の妖怪地獄に通じるジャケット・アートの世界観はオープニングの SE で感じ取れるが、音楽的には Darkthrone や Judas Iscariot、初期 Krieg 辺りからの影響を感じさせる｡2016 年には Ghost Valley Records から英語表記タイトルとなって再発されている。なお 2011 年には活動を停止したが、2015 年より再開し、EP とアルバムをリリースしている。

South of Heaven

Taiwan

While the Sunset Bleed 2015

Goo Records

台北で 2001 年から Spike（クラスト / デスメタル Necroabbot のメンバーで、デス / グラインドコア Rampancy としても活動し、スラッシュメタル Bazöoka の元メンバー）と、Eros により 2001 年から活動している Raw ブラックメタル。2005 年に同郷の天葬との Split を中国の Dying Art Productions からリリースしており、本作は 2015 年に Goo Records なるレーベルからリリースされた 1st アルバム。凍てついたメロディを醸し出すザラザラとしたノイジーなリフと、邪悪にガナるヴォーカル、ガシャガシャと叩き込むドラムにより、Darkthrone 直系ノルウェージャン・スタイルのプリミティヴ・ブラックメタルである。Darkthrone「Quintessence」のカバーもあり。なお白ベースと黒ベースの色違いジャケットが存在するようである。

Apparition

Korea

Nemesis Divina 2013

Fallen-Angels Productions

Malakh を経てペイガン・ブラックメタルの Taekaury として活動する武神蚩尤により、1999 年から釜山で活動を始め、その後ソウルへ活動の拠点を移した一人ブラックメタル。2010 年に Zero Dimensional Records からリリースされた、日本の Fenrisulf と Svar Fra Hedensk、Juno Bloodlust、同郷の厄鬼との日韓 5 バンドによる Split に収録されたことでも知られている。本作は 2013 年にリリースされた 2nd アルバムで、コールドなメロディを滲ませせザラついた感触のリフとガシャガシャとしたドラム、邪悪にガナり立てるヴォーカルによる、1990 年代ブラックメタルからの流れを受け継いだプリミティヴな音。オーセンティックなスタイルだが、プリミティヴ・ブラックメタルとしては好内容である。

Infinite Hatred

Korea

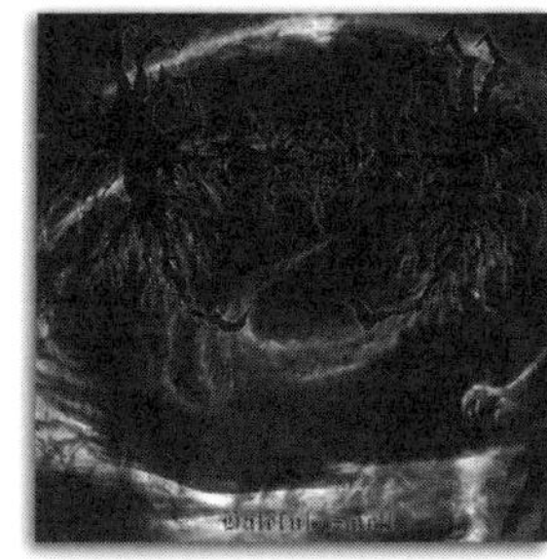

Hateful Spell 2006

Kerzakraum Records

Qrujhuk としても活動する Helnakstav による、ソウルで 2002 年から活動を始めた一人 Raw ブラックメタル。本作は Kerzakraum Records から 2006 年にリリースした 1st アルバム。ファズが効いたチリチリ・ザラザラとした耳障りの悪いノイジーさの中から、コールドなメロディを滲ませるトレモロリフに、ボコボコとしたドラム、そしてやたら不穏感を煽るようにギャーギャーと喚き叫ぶヴォーカルによるプリミティヴなブラックメタル。サウンド・プロダクションは Raw なので地下臭さと暗黒臭も満載。メロウな要素も多めで、北欧ブラックメタルをベースとしながらも、強烈な世界を構築しており、インパクトも大。なお、この 1 作で活動を停止している様子。

Kalpa

Korea

The Path of the Eternal Years 2002

Tragic Serenade

Black Candle により 1996 年にソウルで結成されたブラックメタル。初期の頃はメンバーもいたようだが、Black Candle 一人となってソウル近郊の龍仁（ヨンイン）に活動の拠点を移している。本作は 2002 年にリリースされた 1st アルバム。ジリジリとしたノイジーな中から湧き上がる、コールド・メロディによるリフを主体とした、北欧スタイルのブラックメタル。ストレートでファストなパートからドラマティックさにも重点を置いた長尺曲まで、プリミティヴ感覚ではあるがレベルの高さを提示する。随所で挿入されるキーボードも、シンフォニックさではなく幽玄な雰囲気を作り出している。当時の韓国ブラックメタルと言えば Sad Legend ぐらいしか知られていない中で、この作品は注目を集めるべきであったが、あまり話題にならなかったのが不思議議である。

Kvell

Korea

Anti-Religion 2011

Misanthropic Art Productions

Nachtarcz と Ivansnagk により、2000 年から活動を始めたソウルのプリミティヴ・ブラックメタル。2003 年『Unholy Gate to the Darkabyss』と 2003 年『Damned Journey for the Unholy War』の 2 本のデモを収録し、2011 年に Misanthropic Art Productions からリリースされたコンピレーション。結局、バンドはデモを残しただけで活動を停止しているようである。メロウさは薄く、ジリジリとしたノイジーなリフと、苦し気にガナり気色悪く病的な雰囲気も発するヴォーカル、バシバシと叩き込んでくるドラム、そしてボコボコした劣悪なサウンド・プロダクションにより、地下臭が強烈な完全プリミティヴ・サウンド。フランスの Vlad Tepes 等の Les Légions Noires 系と重なる部分も多い。

Origin of Plague

Korea

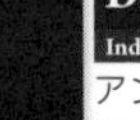

Desolate Grey Sky 2011

Independent

アンビエント / ドゥーム・ブラックメタル厄鬼としても活動し、Shadows of Black Candlelight のメンバーでもある H. Navi と、Earth Plague や Solus ～ Hamvak でも活動するハンガリー人 D によるデプレッシヴ・ブラックメタルの 2011 年 EP。オリジナルは自主制作カセットでのリリースで、2012 年に Misanthropic Art Productions から CD もリリースされた。虚無感が溢れ、ノスタルジックなメロディが湧き出すジリジリとしたノイジーなトレモロリフと、病的な退廃感を強烈に醸し出す絶叫ヴォイスによる絶望陰鬱サウンド。Raw なサウンド・プロダクションによりプリミティヴな感触も強く、Burzum や Xasthur から Mütiilation 辺りの影響も見え隠れする。CD にはフランスの Seigneur Voland のカバーが収録されている。

Qrujhuk

Korea

Triumph of the Glorious Blasphemy 2006

Kerzakraum Records

Infinite Hatred としても活動していた Helnakstav による、ソウルの一人プリミティヴ・ブラックメタルが 2016 年に Kerzakraum Records からリリースした 1st アルバム。本作 1 枚のみで活動を停止してしまっているので、唯一の作品となった。音圧のないジリジリとしたリフに、Infinite Hatred 同様、エコーを掛けてガナり叫ぶヴォーカルによる、地下臭い完全アンダーグラウンドなプリミティヴ・サウンド。1990 年代のノルウェージャン・ブラックメタルや、Les Légions Noires 辺りをベースとしながらも、ノイジーなリフから発せられるメロディが独特で、コールドさを感じさせつつもどこか軽快な感じを受ける。度が過ぎない程度ではあるが、このメロディのクセの強さが好き嫌いを分けそうではある。

Svedhous

Korea

From Despair to Suicide 2012

Self Mutilation Services

釜山出身の G.H. による一人デプレッシヴ・ブラックメタル。2007 年デモ『Despair Poetry』、2007 年 Astaroth との Split、2007 年デモ『From Despair to Suicide』の音源を収録し、2008 年にメキシコの Self Mutilation Services からリリースされたコンピレーション。奇声に近い病んだ絶叫ヴォイスと、ひたすら陰鬱さが溢れ出すメロディをループさせるリフ、そしてスローテンポによりジワジワと精神を削いでいくデプレッシヴ / スイサイダル・サウンド。Make A Change...Kill Yourself 等の救いようがない絶望陰鬱世界を繰り広げている。2012 年には 1st アルバム『Agaric Plot』をリリースするが、Todesstoß 等と同ベクトルのクセのあるアヴァンギャルド寄りのサウンドとなっている。

Absolute of Malignity

Japan

Absolute of Malignity 2008

Satanic Propaganda Records

日本の正体不明ブラックメタルが、2008 年にスウェーデンの Satanic Propaganda Records からリリースした唯一の作品であるアルバム。耳触りの悪いザラザラとした感触のノイジーなトレモロリフから、薄っすらとコールドなメロディを滲ませるギターと、邪悪さと狂気を感じさせるガナり声ヴォーカルが強烈。さらに Raw な音像でドカドカとファストからミドル・リズムを叩き込むドラムが特徴的。主にギターとヴォーカルから発せられる漆黒で不穏な空気感が全体をすっぽりと覆いつくしており、フランス勢や Norma Evangelium Diaboli 系に通じるカルトな暗黒さを強く感じさせる。一方で楽曲レベルも高いので、プリミティヴ・ブラックメタルとしては一級品である。2012 年に Zero Dimensional Records から再発盤がリリースされている。

Ahpdegma

Japan

Seolfkwyllen 2016

Astral Temple

Manierisme の Jekyll (ギター/ベース/ドラム)、Arkha Sva/Avsolutized... の U.:È.:O.:: (ヴォーカル)、Kanashimi の O. Misanthropy (キーボード)と、日本のアンダーグラウンド・ブラックメタル・シーンを代表するメンバーによる Ahpdegma が 2016 年にスウェーデンの Astral Temple から LP でリリースし、フランスの Drakkar Productions から CD リリースした 1st アルバム。Manierisme に通じる陰湿なメロディを伴ったギター・リフと、高音絶叫から低音での邪悪なガナり声等、多彩で自在な表情を見せるヴォーカル、そしてメロディをリードしながらカルトな雰囲気を様々な手法で創出するキーボードにより、退廃芸術的暗黒プリミティヴな空間を形成している。

Amduscias

Japan

Amduscias 1998

Blackend

神奈川のブラックメタルが、1994 年デモに続き、1998 年からイギリスの Blackend からリリース(Metal Blade Records からアメリカ盤もリリースされた)EP。凍てついた叙情的メロディをメインとした、北欧、特にスウェディッシュ・ブラックメタルに近い。そして、その卓越したメロディ・センスは本場のバンドにも一切引けを取っていない。一方で暴虐性も迫力も申し分ない邪悪なヴォーカルや、ブラックメタル特有の Raw なサウンド・プロダクションによりアンダーグラウンドさもしっかりと兼ね備えている。日本のみならず世界レベルでもトップ・クラスに位置しても不自然ではなかった。1990 年代の日本のブラックメタルの代表格だったが、本作を最後に沈黙している。

Arkha Sva

Japan

Gloria Satanae 2007

Aura Mystique Productions

Avsolutized... や Ahpdegma、最近では Anguis Dei にも参加した Ur Èmdr Oervn によるブラックメタルが、フランスの Aura Mystique Productions からリリースした 2007 年 1st アルバム。当初は素性が不明だったのでフランスのバンドだという噂も立っていたが、そう思われるのも当然と言える、フレンチ・ブラックメタルからの影響が強い。しかもレベルの高さは驚異的。あくまでも Raw な音像であり、漆黒な空気を強烈に発しながら冷え切ったメロディを活かした高度な展開構築力等により、Deathspell Omega と比較されていたが、それだけに留まらない特別なものを感じさせる。高音絶叫から低音ガナり声、シアトリカルな雰囲気まで創出する多彩な表現力のヴォーカル。個性がしっかりと発揮されており、ブラックメタル史上に残る大傑作。

Arkha Sva

Japan

Mikama Isaro Mada　2008

Total Holocaust Records

2005 年のデモ『Rekonquista』と『Hymne』を収録し、2008 年にスウェーデンの Total Holocaust Records からリリースされたコンピレーション。2013 年にはフランスの Those Opposed Records から再発リリースもされている。冷えきったメロディと漆黒な空気に覆われた Arkha Sva らしいサウンドは、デモの時点ですでに確立されており、演奏力や練られた曲展開、そして高音絶叫から低音呻き声やガナり声等を串したヴォーカル・スタイルもこの頃から見られる。さすがに Raw な音質であるが、その分、地下臭さ、プリミティヴさを強く感じさせる。日本のバンドでありながら、Les Légions Noires を起点とするフレンチ・ブラックメタルらしさに溢れたサウンドがいかにも彼等らしい。Mütiilation と Belketre のカバーもあり。

Arkha Sva

Japan

Odo Kikale Qaa (VI-VI-LV)　2013

Those Opposed Records

フランスの Those Opposed Records から 2013 年にリリースされた Split 音源集。2006 年に BBSA なるレーベルからリリースされた Noctifer/Impious Havoc/Wrath/Vordr/Bloodshed Nihil との 6Way Split『A Sixth Sense of Darkness』、2006 年に Fog of the Apocalypse Records からリリースされた Hypothermia との 7" Split、2006 年に Grievantee Productions からリリースされた Black Stench との 12" Split の音源を収録。いずれも 1st アルバム以前にリリースされた音源であるが、デモ期よりも数段レベル・アップし、アルバムに収録されても違和感のない程のハイクオリティな曲が聴ける。

Arkha Sva

Japan

Odo Kikale Qaa (U-I-V)　2013

Those Opposed Records

『Odo Kikale Qaa (VI-VI-LV)』と同時にリリースされた Split 音源集。2007 年 Drowning the Light と　の 7" Split『In His Name』(Zyklon-B Productions)、2009 年 Chalice of Blood との 10" Split (Sigilla Malae)、2008 年 Winter Funeral との Split『Mikalp Khis Bia Ozongon』(Zyklon-B Productions)、2009 年 Woods of Infinity との 7" Split『Old Ugly Trees』(Devoted Art Propaganda)、2009 年 Lugubrum/Sacrificia Mortuorum との 3 Way 12" Split『N.O.I.R』(Those Opposed Records) の音源を収録。こちらは、いずれも 1st アルバム『Gloria Satanae』以降にリリースされたものである。どれも地下臭と暗黒臭が強烈で、絶望的なメロディが印象的な極上の楽曲ばかりである。

Arkha Sva

Japan

Donusdogama: En Accrochant Le Mendiant Qui Tomba Du Trône De Dieu　2014

Those Opposed Records

2014 年に Those Opposed Records からリリースされた EP。新録音源としては 2010 年に 7" とカセットでのみ極少数でリリースされた EP『Skotomata』以来となった。4 曲収録だがイントロとアウトロがあるので、実質的には 2 曲。しかしながらやはり Arkha Sva らしくプリミティヴ・ブラックメタルとしてのクオリティは凄まじい。冷え切ったメロディに不穏さと陰湿さと漆黒な空気を滲ませたフレンチ・ブラックメタル系譜を継承するサウンド・スタイルは変わらず。巧みな楽曲展開の素晴らしさや、高音絶叫から低音ガナり唸り声までを器用に使い分ける (本作ではさらにクリーン・ヴォイスも挿入されている) 表現力豊かなヴォーカル、そして最大限に陰鬱さを押し出したメロディと言った「らしさ」も存分に発揮。並のブラックメタルとは別次元であることも認識させる。

Avsolutized...

Japan

Den Svarta Våndans Genealogi 2008

Neinsphere Records

正体不明ではあるが、実は Mizane がスタートさせ、Arkha Sva の Ur Èmdr Oervn が加わったブラックメタルが、2008 年にリリースした。30 分程の収録時間で 5 曲のうちイントロとアウトロで 2 曲なので、アルバムではなく EP と言った方が良さそうである。血を吐きそうな高音絶叫から、不穏な空気を忍ばせる低音ガナり唸り声までを駆使したヴォーカルは、紛れもなく Ur Èmdr Oervn そのものと言える。フレンチ・ブラックメタルに近いアプローチの Arkha Sva に対して、こちらはザラついたノイジーなリフから凍てついた叙情的メロディを湧き立たせる、スウェディッシュ・ブラックメタルと同系統。Setherial のカバーがその辺りを顕著に物語っている。とは言え、ドラマ性もありながら、曲展開の構築性は Arkha Sva をも凌ぐ程で、そのレベルの高さに目を見張る。

Bärglar

Japan

Black Sky 2015

Sadistic Creation

元々は SNACK として活動していた 2001 年に Burglar へと改名、さらにその後 Bärglar へと変わっている。最初は Darkness 一人で活動していたようだが、その後トリオ・メンバーとなっており、しかも猛烈な勢いで音源を制作し、リリースしている。本作は 2015 年に Darkness 自身のレーベル Sadistic Creation からリリースされた 1st アルバムであるが、レコーディング自体は 2002 年に行われていたものらしい（ジャケットのロゴも Burglar である）。ひび割れしたノイジーなリフに潰れまくったベース音、そして Raw ながら小気味良く叩くドラム、日本語歌詞を混ぜながら邪悪にガナりまくるヴォーカルと、アンダーグラウンド臭が際立っている。80 年代のスラッシュメタルをベースに、ノイズ・ミュージックに近いものがあったりと、実験性を感じさせる独特なサウンドである。

Cataplexy

Japan

Fields of the Unlight 2003

Independent

1991 年と、Sigh に次いで早い時期から活動している大阪のブラックメタルが、2003 年に自主制作で 500 枚限定でリリースした EP。結成から 10 年以上経ってようやくリリースされた EP ではあるが、そのレベルの高さには目を見張る。メロウ指数の高いコールドなリフは北欧直系と言えるスタイルながら、ツボを得たメロディはノルウェーやスウェーデンのブラックメタル勢と何ら劣ることはない。噛みちぎる様なガナり声ヴォーカルが邪悪な空気を強烈に撒き散らしており、パタパタした感触の Raw なドラムも、音は軽いがブラストからミドル・パートまで的確なリズムを叩き込んでくる。ブラックメタルとしてのストレートなイーヴルさに満ち溢れ、着飾った所がない原始的プリミティヴなサウンドだ。北欧主導のブラックメタル・シーンにおいて、プリミティヴで高レベルなバンドとしての存在をきっちりと示した。

Cataplexy

Japan

...Lunar Eclipse, Chaos to the Ruin... 2008

Bloodbath Records

2008 年に Bloodbath Records からリリースされた 1st アルバム。ドイツの Twilight Vertrieb からもリリースされた。1990 年代以降ブラックメタルでは Sigh と並んで早くから活動を始めていたが、独自の芸術的スタイルを追求した Sigh に対して、Cataplexy は北欧ブラックメタル（特にスウェディッシュ・ブラックメタルに近い）寄りのアプローチで真性なブラックメタルを貫いた。コールドでメロウ要素の強いトレモロ・リフにファスト・パート主体ながら、強力なリズムにより強靭さも兼ね備えており、ブラックメタルとしての旨みと資質が強烈に発揮されている。Raw なサウンド・プロダクションが絶妙にブラックメタルの地下臭さを表している。メロディのセンスの良さもまた随所で光っており、単なる北欧ブラックメタル・フォロワーとは完全に一線を引いたサウンドである。

Cataplexy

Japan

Devangelight 2012

Zero Dimensional Records

Nihilistic Familiar Spirits（ベース）が加入し、2012年にZero Dimensional Recordsからリリースされた2ndアルバム。Funeral ElegyのHakuja(ギター)がゲスト参加している。専任ベーシストが加入した影響か、Rawな感触の音像は変わらずとも、音自体に厚みが増してきた。これまで同様、凍てついた叙情的でメロウなトレモロリフを主体とした北欧ブラックメタル寄りのスタイル。そして、荒涼とし退廃的な空気を漂わせながら、深淵な悲哀感もより一層強く感じさせる。ファスト・パートを活かしたドラマティックさに重点を置いた楽曲展開は秀逸。真性プリミティヴさを強く感じさせながら、クオリティも上げてきた傑作。

Darkcell

Japan

Bone with Hatred 2009

13 Grave Society

GASTUNKのBABYやBAKIも在籍したハードコア・バンドThe ExecuteのLemmyによるブラックメタルが、13 Grave Societyから自主制作リリースした1stアルバム。ハードコア・テイストはほぼなく、Rawで暗黒度の極めて高いブラックメタルで、そこにアンビエントなキーボードが終始鳴らされている独特な作風。チリチリとしノイジーなリフと、邪悪極まりないヴォーカル、そしてRawにドカドカと叩き込むドラムによる、プリミティヴかつアンダーグラウンド臭の強いブラックメタルである。憎悪や残虐性に加え、キーボードが作り出す神秘的かつ不穏な空気が、深淵で陰鬱なある種の「闇の美」へと導くかのような特異な世界も形成されている。ハードコアとブラックメタルの融合でもなく、単なるアンビエント・ブラックメタルでもない、特異な世界観とサウンドである。

Darkcell

Japan

Nightmare Document Part 2 2013

Moribund Records

アメリカのMoribund Recordsからリリースした2ndアルバム。さらにアトモスフェリック / アンビエント色が強まっているが、核となるノイジーなリフと不穏な空気を漂わせ、狂気を感じさせる邪悪なヴォーカルと言った、ブラックメタルの要素もきちんと押さえている。アトモスフェリックさを伴った、ダークアンビエント風キーボードが鮮烈な世界を作り出しているので、そちらの方に耳が行きがちではあるが、そのブラックメタル要素も同時かそれ以上に研ぎ澄まされている。リフはノイジーではあるが叙情的なメロディが挿入されたり、ノイズやダーク・アンビエントだけに留まらない多彩な音楽的要素が見え隠れし、奥行きの深さが感じさせる。前作で聴かせたRawなプリミティヴ・ブラックメタルと暗黒美の融合を、さらに高次元で表現している。

Death Like Silence

Japan

Deathlike Silence 2016

Zero Dimensional Records

日本のニュースクール・デスメタルのパイオニア的存在Vomit RemnantsのドラマーとしてDarkness Profanationによる、90年代の日本ブラックメタル・シーン重要バンドの一つ。本作は2016年にZero Dimensional Recordsからリリースされた、過去の音源に2016年のリハーサル音源や、名曲「Black Evil Star」のリレコーディングも収録されているコンピレーション。過去音源は、1997年にカセット・リリースされていたInfernal NecromancyとのSplitに、1996年のプロモ音源、1995年デモ『Death Like Silence』。猛烈なブラストを叩き込むドラムに凍てついたメロディも擁するノイジーなリフ、そして邪悪極まりないヴォーカルにより、Rawプリミティヴ・ブラックメタルの本質要素を凝縮した音を作り出している。

Deathscythe

Japan

Anotherside Squeal Within 2006

Independent

2004年に東京で結成されたブラックメタルで、本作は2006年に自主制作リリースした 1st アルバム。本作後 2008 年には、Blasphemous Legion へと改名している。またヴォーカルの Parasugob は Fenrisulf や Fra Hedensk Tid に参加している。ザラついたノイジーなリフとメロディアスなギターを用いながら、メロディックにはならずに、あくまでも攻撃性を重視したブラックメタル。ガシャガシャとした音で猛烈なブラストを叩き込んでくるドラムや、憎悪を剥き出しにした邪悪なガナり声も特徴的。メロウな聴き易さがある一方で、ファスト・ブラックメタル寄りのブルータルさと、Raw なサウンド・プロダクションによるプリミティヴさを兼ね備えている。

Fatal Desolation

Japan

Cold, Starless, Moonless 2011

Zero Dimensional Records

仙台出身プリミティヴ・ブラックメタルが、Zero Dimensional Records から 2001 年にリリースした 1st アルバム。元々 Darkthrone のカバー・バンドとして始まったらしい。凍てついたメロディのリフやバシバシと叩き込むドラム、そして完全な地下空間を形成する Raw なサウンド・プロダクション等、Peaceville 三部作期 Darkthrone からの影響が大きい。しかしながら、本家以上に狂気に満ちたヴォーカルや、不協和な響きのリフを時折取り入れたりと、単なるフォロワーの域は完全に超えている。一方で、ラストの Darkthrone のオリジナルに忠実なカバーも秀逸。もしかしたら Darkthrone が Peaceville 三部作のスタンスを保ったまま突き進んだらこのようなサウンドになったのでは？との幻想すら抱かせる。初回限定 66 枚には、デモ音源収録のボーナス CD が付いていた。

Fenrisulf

Japan

Eternal Inheritance 2013

Zero Dimensional Records

Deathscythe ～ Blasphemous Legion や Fra Hedensk Tid でも活動してきた Syuri（ヴォーカル）や、Manierisme のメンバーで Reminiscence として活動し Ahpdegma に参加した Jekyll（ドラム）らによるプリミティヴ・ブラックメタル。2010 年のオムニバス『Oriental Abyss』に続き、2013 年に Zero Dimensional Records からリリースされた 1st アルバム。地下臭い空気を作り出す Raw なサウンド・プロダクションに、コールドで寂寞感を醸し出すメロウなリフ、そして狂気を孕みながら邪悪にガナるヴォーカルにより、Les Légions Noires 発の Mütiilation に近いカルトな空気を感じさせる。そして、プリミティヴ・ブラックメタルとしては理想的な秀作である。

Fra Hedensk Tid

Japan

回帰への祈り 2013

Zero Dimensional Records

ハードコア・バンドの Devoid やドゥーム・ブラックメタル Valkyrie にも参加する Kawana による静岡のブラックメタル。元々は Svar Fra Hedensk として活動していたが、2010 年に改名。Deathscythe ～ Blasphemous Legion/元 Fenrisulf の Syuri（ヴォーカル）が加入し、2013 年に Zero Dimensional Records からリリースした 1st アルバム。寒々しく荒涼とした空気を発する耳障りの悪いノイジーなリフ、邪気を強烈に発しながらガナるヴォーカルによるプリミティヴ·ブラックメタル。『Transilvanian Hunger』での Darkthrone に近いが、本場北欧勢にも決して劣らない、コールドな真性さが溢れている。

Svar Fra Hedensk

Japan

Erindring om Blod 2009

Death Worm Records

Devoid や Valkyrie でも活動する Kawana による Fra Hedensk Tid の改名前一人ブラックメタル。フィンランドの Death Worm Records から 2009 年に CD-R でリリースされた 1st アルバム。コールドなメロディを擁した Raw ブラックメタルで、後の Fra Hedensk Tid での荒涼とし寒々しいプリミティヴ・ブラックメタル。しかし、こちらの方がさらに Raw でシンプルかつ原始的である。あくまでもアンダーグラウンドにこだわったスタンスと真性さも含めて Darkthrone の『A Blaze in the Northern Sky』や『Under a Funeral Moon』辺りを想起させるが、もちろん単なるフォロワーの域ではないレベルの高さを感じさせる。

Funeral Elegy

Japan

Vicious and Cruel Symphony 2008

Nekrokult Nihilism

Infernal Necromancy の Psychoblaze と、後にソロ / 一人ブラックメタルでも活動する Hakuja、女性ドラマーの Shiho による名古屋のブラックメタル。2003 年『Rehearsal Demo』、2002 年『Funeral Elegy』、2001 年『Demo #1』の 3 本のデモに、2004 年 9 月 19 日のライヴ音源を収録し、2008 年に Nekrokult Nihilism からリリースされたコンピレーション。悲哀感の強いメロディを滲ませるノイジーなリフと、やや奥に引っ込んだ感じではあるが悲愴感を漂わせる叫びによるヴォーカル、独特な動きを見せるベースに、ガシャガシャと Raw に叩き込むドラムによるメロウ・プリミティヴなブラックメタル。北欧勢と言うよりはフレンチ・ブラックメタル /Les Légions Noires 系に近いサウンドである。

Gnome

Japan

Silent Scream 2012

Zero Dimensional Records

Hurusoma の Woods が 1995 年に始動させた大阪の一人自然崇拝ブラックメタル。1996 年のデモ『Under the Black Moon』と、1999 年の神奈川のドゥーム / デスメタル Nyarlathotep との Split の音源、さらに未発表音源を 1 曲収録し、2012 年に Zero Dimensional Records からリリースされたコンピレーション。幽玄な空気を漂わせるメロディによるギター・リフやキーボードと、病的な絶叫ヴォイスによる、アトモスフェリックかつプリミティヴな陰鬱ブラックメタル。当時はこのようなスタイルのバンドは珍しく、個性的な存在であった。5 曲目「Forever...」はダークアンビエントな方向性に近い曲ではあるが、荒涼とした空気を強烈に漂わせ、ユニークなサウンドを発している。

Golgoth

Japan

666 2012

Zero Dimensional Records

日本のブラックメタル創世期の重要バンドの一つ、徳島の Gorugoth の Kouzaburou Kojima によるプロジェクト。Golgoth として残された音源 3 曲に、Gorugoth のボーナス・トラック音源と、Infernal Necromancy との Split 音源を収録し、2012 年に Zero Dimensional Records からリリースされたコンピレーション。真性なプリミティヴ・ブラックメタルであった Gorugoth に対して、Golgoth はノイズやアンビエント、インダストリアルまで飲み込んでいる。しかも物凄く暗黒な空が濛々と立ちこめる完全地下ブラックメタル。Raw なサウンド・プロダクションと、発狂寸前の壮絶さを醸し出すヴォーカルもあり、狂気を感じさせるプリミティヴさが渦巻いている。

Gorugoth

Japan

Gorugoth 2011

Zero Dimensional Records

現在は Koozar や黒狂として活動している Kouzaburou Kojima による徳島の一人ブラックメタル。1992 年から活動を始め、日本ブラックメタルの創世期を象った存在としても重要な位置を占めた。本作は 1994 年デモ『Fiend』、1994 年デモ『Sator』、1996 年デモ『Storry - Torture Dungeon』、2000 年 Infernal Necromancy との Split に収録された音源に、未発表音源 1 曲を収録し、2011 年に Zero Dimensional Records からリリースしたコンピレーション。当時の国産ブラックメタルの中でも圧倒的に暗黒臭が強かった。ヒビ割れしたリフと、奥に引っ込んだ感じではあるが不穏感を強烈に煽るヴォーカルにより、カオティックな空気が渦巻く完全地下プリミティヴ・サウンド。

Gorugoth

Japan

Beginning 2011

Zero Dimensional Records

デモ /Split 音源集の『Gorugoth』から数ヶ月後に、同じく Zero Dimensional Records からリリースされたデモ音源集。こちらは『Disastrous』と『Immortal』の 1993 年デモ 2 本を収録しており、タイトル通り初期の音源集である。やはり強烈な地下臭さと暗黒カルトな空気が強烈。まだ数える程しか存在していなかった日本のブラックメタルの中では、圧倒的にプリミティヴでアンダーグラウンドなサウンドであったことは、これらのデモを聴けば明らか。1st デモの『Disastrous』は、曲もコンパクトで、Raw なリフと絶叫からグロウル・ヴォイスまでも使い分けるヴォーカルが素晴らしい。『Immortal』はヴォーカルが奥に引っ込んで、後の後期デモへと繋がるスタイルとなってきているが、当然暗黒な空気と地下臭さが強烈に渦巻いている。

Hakuja

Japan

Legacy 2007

Independent

Funeral Elegy のメンバーで Cataplexy にも参加し、Arkha Sva の Ur Èmdr Oervn らとの Anguis Dei にも参加している Hakuja のソロ・プロジェクト。元々は自主制作リリースしたデモであるが、フランスのDrakkar Productionsのサブ・レーベルApparitia Recordingsからジャケット・アート違いでCDとLPがリリースされている。Funeral Elegy のカバーが収録されているが、Funeral Elegy よりも悲哀感の強いメロディを奏でるトレモロ・リフによるプリミティヴ・ブラックメタル。ベース・ラインがメロディアスに動き回っているのが特徴的。ヴォーカルが悲痛な表情を見せながら絶叫し、メロウなギターとベースとの相性も抜群である。儚さすら感じさせる、メロウ・プリミティヴ・ブラックメタルの傑作。

Holokaust Winds

Japan

In Apokalypse 2011

Nekrokult Nihilism

東京のスラッシュメタル Terror Fector のメンバーとして活動し、日本で最初にヴァイキング・ブラックメタル・スタイルを築いたと言える Crifotoure Satanarda のメンバーにもなった Torment K.K Poseidon による、長崎のプリミティヴ・ブラックメタル。1997 年のデモ『In Apokalypse』と 1997 年デモ『Whispering Blackness Sea』を収録し、Nekrokult Nihilism から 2011 年にリリースされたコンピレーション。叙情的なメロディを滲ませるチリチリとしたノイジーなリフと、ビシビシと叩き込むドラム、そして邪悪にガナり合ってるヴォーカルによる、地下臭いプリミティヴ・ブラックメタル。Raw なサウンド・プロダクションで、アンダーグラウンド臭が強烈ではあるが、悲観的メロディも光っている。

Hurusoma

Japan

Sombre Iconoclasm 2006

Sabbathid Records

Gnome として活動していた Woods による大阪の一人ブラックメタル。バンド名は四国に伝わる怪音現象「古杣（ふるそま）」から取られたらしい。1998 年カセットテープ·アルバム『Welcome to Hurusoma World』と 2000 年プロモテープ、12 インチ盤に追加された音源を収録し、2006 年に Sabbathid Records からリリースされたコンピレーション。ノイジーでザラついたギター・リフに、邪悪にガナり絶叫するヴォーカル、ドカドカ・バシバシ叩き込むドラムによる、Raw プリミティヴ・サウンド。SE 等で和的な要素を取り入れつつも、Ildjarn をメロウにした様な Lo-Fi なプリミティヴさが渦巻く。2015 年には Zero Dimensional Records から Burzum「War」のカバーを追加収録し、ジャケット・アートを変更した再発盤がリリースされている。

Infernal Necromancy

Japan

Infernal Necromancy 2008

Nekrokult Nihilism

Funeral Elegy のメンバーでもあった Psychoblaze を中心とした名古屋ブラックメタルの大御所。元々は Psychoblaze として 1996 年から活動していたが Infernal Necromancy へと改名、多くのデモや 7" EP、Death Like Silence、Gorugoth、彷徨との Split をリリースした後に、2008 年に Nekrokult Nihilism からリリースされた 1st アルバム。北欧ブラックメタルに近いコールドさとフレンチ・ブラックメタルに通じる退廃的な耽美性が交差しながら、日本的とも言えるロマンチックなメロディが融合されている。悲痛感を漂わせる絶叫 / ガナり声ヴォーカル、メロディアスに動くベースと、Raw にドカドカと叩き込むドラムによる、絶品なメロウ・ブラックメタルである。

Infernal Necromancy

Japan

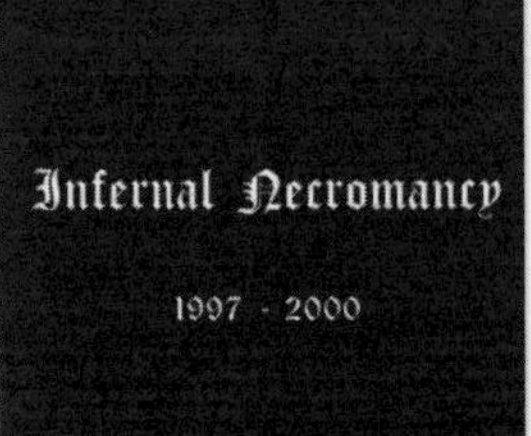

1997-2000 2011

Zero Dimensional Records

未発表デモ音源（恐らく Psychoblaze の一人ブラックメタルであった Psychoblaze 時の音源かと思われる）、1997 年に Death Like Silence とのカセット Split に収録された音源、リハーサル音源、2000 年に Cosmic Garden Productions からカセットでリリースされた Gorugoth との Split『Primitive Art』、2000 年にフランスの Forgotten Wisdom Productions からカセットでリリースされたデモ『Melancholic Art』、さらに未発表音源も収録し、2011 年に Zero Dimensional Records からリリースされたコンピレーション。初期の音源集であり、地下精神を如何なく発揮した Raw な音質で、凍てついたメロディが突き刺す様に襲いかかってくる。北欧ブラックメタルのコールドさと、Les Légions Noires 系フレンチ・ブラックメタルのアンダーグラウンドさが至高の融合を果たしており、見事としか言いようがない。

Infernal Necromancy

Japan

2001-2002 2011

Zero Dimensional Records

『1997-2000』『2002-2006』と同時に Zero Dimensional Records からリリースされたコンピレーション。2001 年のリハーサル・デモ『Rehearsal .H13』、2002 年のリハーサル・デモ、2002 年プロモ・デモの音源を収録。後に 1st アルバム『Infernal Necromancy』にも収録される「Black Wolf War」や「Forgotten Wisdom」もすでに作られていることが確認出来る。北欧ブラックメタルの凍てついたメロディと Les Légions Noires 系フレンチ・ブラックメタルの Raw プリミティヴさの絶妙な融合という、初期の彼等の旨味が一切失われていない。アンダーグラウンドにこだわり、プリミティヴさとコールドなメロディを身上とした真性なサウンドが詰まった逸品である。

Infernal Necromancy

Japan

2002-2006

2011

Zero Dimensional Records

結成以来 20 年以上にも渡ってアンダーグラウンドへこだわった活動を続ける名古屋の大御所ブラックメタルのデモ /Split/ 未発表音源等を収録し、2011 年に Zero Dimensional Records がリリースしたコンピレーション 3 作目。本作は 2002 年から 2006 年にかけての音源集で、Frozn との未発表 Split 音源、2004 年のライヴ・デモ音源、2006 年のデモ『Forgotten Wisdom』、2006 年に自主制作カセットでリリースされた彷徨との Split 音源を収録。いずれもプレス数が少なく、一般的にはほぼ入手が出来ないレベルのマテリアルばかり。『1997-2000』『2001-2002』と併せて 1st アルバム『Infernal Necromancy』までの音源がほぼ網羅出来ている。

Insanity of Slaughter

Japan

1998-2000

2016

Zero Dimensional Records

1998 年から 2004 年にかけて活動していた伝説の名古屋のブラックメタル。2016 年に復活し、本作はその復活した際に Zero Dimensional Records からリリースされた初期音源集。1998 年『Demo #1』、1998 年デモ『Demo #2』、1999 年デモ『Demo # 3』、1999 年『Demo # 4』、2000 年デモ『Demo # 5』、2000 年のリハーサル音源、2001 年にドイツの Pagan Winter との Split に収録された 1999 年の東京でのライヴ音源による 2 枚組。初期の頃は暗黒スラッシュメタルからの影響が強いが、Darkthrone に通じるコールドなプリミティヴ・ブラックメタルへと変化していることが分かる貴重な音源集。当時は知られざる存在ではあったが、埋もれさせてはならないバンドである。

Insanity of Slaughter

Japan

Be at a Loss

2016

Zero Dimensional Records

1999 年代後半から 2000 年代初頭にかけて活動していたが、知られざる存在であった名古屋のブラックメタル。2016 年に復活。それに伴って Zero Dimensional Records から初期音源集『1998-2000』と併せてリリースされた未発表音源集。未発表となっていた 2001 年 EP『Be at a Loss』と 2002 年の未発表ライヴ音源（Black Metal Tour でのライヴ）を収録。『Be at a Loss』は初期のスラッシュ・メタルの影響が強いスタイルから、凍てついたメロディを擁した Darkthrone や初期 Gorgoroth 等に通じる北欧プリミティヴ・ブラックメタル・スタイルに近いサウンドとなっており、コールド・メロウ・プリミティヴ・ブラックメタルとしては相当なクオリティであることが確認出来る。

Kanashimi

Japan

Romantik Suicide

2009

Nekrokult Nihilism

Samayoi（彷徨）で活動していた Misanthropy が 2007 年に一人で始めた静岡のブラックメタル。日本のカルト・レーベル Nekrokult Nihilism から 2009 年にリリースした 1st アルバム。ノイジーな中から寂寞感が漂うメロウさが沸き上がるギター・リフ、強烈にガナり叫ぶヴォーカルによるデプレッシヴ / スイサイダル・ブラックメタル。Xasthur 等の陰鬱なブラックメタルがベースだが、その枠には囚われない。幽玄さを絶妙に醸し出すことに一役も二役も買っているキーボードやピアノも絶妙に導入。ファスト・パートの比重が大きいが、劇的な要素も含んだ曲展開によりバンド名通りの深い悲しみを描いた音を発している。どこか儚く温かみのある感触ではあるが、本作から放出される哀しみには独特の深淵さがある。

Manierisme

Japan

Manierisme 2006

Nekrokult Nihilism

Ahpdegma や Reminiscence でも活動し、Fenrisulf にも参加していた Jekyll によるブラックメタルの 2004 年デモ『Cursed Palace - Memory of Roses Faded Away』と 2003 年デモ『Cursed Palace - No One in the Room』を収録し、2006 年にカルト・レーベル Nekrokult Nihilism から 666 枚限定でリリースされた初期デモ音源集。ボコボコにひび割れしたノイジーなリフから強烈に溢れ出す悲哀メロディを擁する、Raw プリミティヴ・ブラックメタル。判別は難しいものの、日本語歌詞を交えながら和的怨念や呪いと言った不穏な感情を強烈に発する。Mütiilation から Vlad Tepes 等の Les Légions Noires 系サウンドからの影響を強く感じさせるが、それ以上にメロディの哀しさと絶望感が染み入る。

Manierisme

Japan

過去と悲哀 (The Past and Sorrow) 2010

Nekrokult Nihilism

2010 年に Nekrokult Nihilism から 666 枚限定でリリースされた 1st アルバム。バリバリとひび割れながら絶望感を強く感じさせるメロディを奏でるギター・リフ、ガシャガシャと Raw に叩き込むドラムによるプリミティヴなブラックメタル。そして、病的に泣き叫ぶ発狂ヴォイスや、不穏な空気を発しながらガナったり、妖しさを発しながら日本語で呪文を唱えるかのようなノーマル・ヴォイスまで、負のオーラを最大限に発するヴォーカルが強烈な個性を発揮している。Les Légions Noires 系の影響が強く、切なさを感じさせる鬱屈したメロディと、異様な地下臭さは初期の Mütiilation を想起させる。そこに和的怨念や恐怖と言ったネガティブさが加わり、暗黒和洋折衷を狂った次元で融合させている。全編に渡って不穏で陰湿な空気に覆われている。衝撃度は高い。

Manierisme

Japan

Everyone Has Two Sides 2012

Independent

2012 年に自主制作 CD-R でリリースされた 2nd アルバム。ノスタルジーを感じさせる悲哀メロディが変わらず見事なリフ、Raw にボコボコと叩き込むドラムと、モコモコした感じで這いずり回るベース、そして憎悪を剥き出しにガナり唸るヴォーカルにより、鬱屈しドロドロした暗黒さに覆われた佳作。前作同様、耽美的なメロディにあり、Mütiilation を始めとする Les Légions Noires 系からの影響を多々感じさせるが、どこか昭和レトロな悲哀感と言った Manierisme らしさもきちんと踏襲されている。その昭和レトロ感は前作よりもやや抑えめな印象ではあるが、恐怖や不穏さ、そして絶望といった退廃的な感覚を強く刺激させる。音像は荒々しく Raw であるが、ドラマティックな展開等で、独特の世界観を見事に演出している。

Mortes Saltantes

Japan

黄泉還り (Yomi Kafeli) 2013

Zero Dimensional Records

1994 年から東京を中心に活動し、凶音へと発展していく、日本ブラックメタル創世期の重要バンドの一つ。1998 年デモ『Call from Yomi』、1996 年『黄泉人舞』、1995 年デモ『Demo #1』、1997 年に R.J.Revolution からリリースされたハードコア・バンド中心のコンピレーション『Thrash Corps of the Storm』からの曲を収録し、2013 年に Zero Dimensional Records からリリースされた全音源集。「黄泉人舞」には Funeral Rites の Kentaro が神荒として、「Call from Yomi」には Amduscias の Ryuichi が碧血として参加している。初期の頃はキーボードも取り入れた Raw なブラックメタル・サウンドであったが、徐々に和的要素を強めていき、独自のブラックメタル・スタイルを築き上げていた。

Reminiscence

Japan

Nostalgia in Melancholy 2012

Independent

Manierisme の Jekyll が別プロジェクトとして 2012 年に自主制作 CD-R でリリース。極少数でのリリースだったようで、すぐに入手困難となってしまった代物。Manierisme 同様、Mütiilation を始めとする Les Légions Noires 系からの影響が大きいが、Manierisme の和的レトロ感はなく、こちらはストレートかつファストなスタイル。耽美的で悲哀感の強いメロディを惜しげもなく注ぎ込むリフが、Raw な音像により突き刺す様な殺傷性を伴っている。全編ほぼブラストをガシャガシャと叩き込むドラム、そして Manierisme 同様に怨念と憎悪を強烈に感じさせるヴォーカルにより最高級のプリミティヴ・ブラックメタルである。サウンド・プロダクションが非常に Lo-Fi なので、メロディがヒビ割れているところもあるが、その分狂気が剥き出しとなっており、やはり只者ではない空気を漂わせている。

Sigh

Japan

Scorn Defeat 1993

Deathlike Silence Productions

1990 年と、ブラックメタルとしては早い時期から活動を始め、Wild Rags Records からリリースされた 7" EP『Requiem for Fools』(1992 年) に続き、Mayhem の Euronymous が運営していた Deathlike Silence Productions から 1993 年にリリースされた 1st アルバム。同レーベルからリリースされた北欧以外のバンドは Sigh だけである。Venom や Bathory と言った 1980 年代暗黒スラッシュメタルをベースに、アヴァンギャルドな展開要素が多く見受けられ、キーボードやピアノが多彩な場面を作り出したり、オカルティックが強かったりと、早くも独特な個性が光っている。そして只者ではない空気が漂っている。次作以降は前衛的要素をさらに強めていく。

SSORC

Japan

Infidel Eternal 2005

Armageddon

Die You Bastard! の Ironfist from Inferno (ドラム)、Zombie Ritual/ 凶音の Mutilation Under the Moonlight (ヴォーカル)、ノルウェーの血を引く Hnickkar (Will: ギター) らにより結成されたブラックメタルが 2005 年に Armageddon からリリースした 1st アルバム。バンド名は「Cross」を逆から呼んだもの。冷気と陰湿な狂気を多分に含んだギターに、暴虐性を猛烈に撒き散らしながらガナり叫ぶヴォーカル、そして大半を占めるブラストを驚異的に叩き込んでくるドラムにより、1990 年代ノルウェー勢と比べても全く遜色のない。Raw なサウンド・プロダクションによりプリミティヴ性が強く、真性ブラックメタルとしては、世界的に見ても最高水準を誇っている。

身殺 (Misogi)

Japan

遠ツ神 笑ミ給へ (Tofotukami Wemitamafe) 2010

Sabbathid Records

凶音にも参加していた東虎を中心に、元 Mortes Saltantes ~凶音~ Zombie Ritual の Nugoto、ブルータル・デスメタル・バンド Detritum のメンバーとして活動している Michaux により、2001 年に結成。2 本のデモを残しただけで解散状態となっていたが、2006 年に再始動している。本作は、東虎と元 Mortes Saltantes/ 凶音の Yomituti とで制作され、2010 年に Sabbathid Records からリリースした 1st アルバム。1980 年代の暗黒なスラッシュメタルや、初期のブラックメタルを継承しながら、コールドで Raw なサウンドがベースとなっている。そこに「和」の音階を用いたメロディや笛等を大胆に用いている。それにより、神道に由来した日本古代の世界観を投影させたブラックメタルを高次元で完成させている。

索引

あとがき

筆者がメタルを聴き始めた1980年代後半には、ブラックメタルもデスメタルもジャンルとして存在していなかった。当時、最も過激な音楽はスラッシュメタルとハードコアであった。まだインターネットがない時代。アンダーグラウンド・シーンの情報を得る機会はレコード店か海外ファンジンしかなかった。メジャーなメタルから本格的に音楽に興味を持った高校生にとって、そのハードルは相当高かった。怖がりながらスラッシュメタルを聴いていくうちにBathoryに出会って衝撃を受け、Celtic FrostやVenomを知り、感銘を受けた。無意識にサタニック成分が自分の中に取り込まれていたのである。その間にNapalm Deathがグラインドコアを生み出し、さらにデスメタルやブラックメタルが誕生した。しかし、その動きをリアル・タイムで知ることはなかった。デスメタルはレコード店に多く並ぶようになったので、すぐに自然と存在を知ることが出来たのだが、ブラックメタルは全くと言っていいほど認識していなかった。そして、1993年のKerrang!誌でブラックメタルという、ヤバい連中がいると知ったのが最初の出会いであった。そこから最初は興味本位ではあったもののの、BurzumやEmperor、Darkthrone等を聴き漁り、海外ファンジンを片っ端から読んで必死に情報を得ようとした。Mayhemの『De Mysteriis Dom Sathanas』がリリースされた時は、本気で畏怖の念を抱いたものだった。

その後も絶えずブラックメタルを追っていたものの、1990年代前半頃と比べると、膨大な数のブラックメタル・バンドが世に出ている。そして様々な国地域に存在し、サブジャンルが細分化されており、まったく違う風景となっている。当時は思いも寄らなかったが、今やブラックメタルは一つのジャンルとして完全に確立され、多くのファンの支持を得ているのである。改めて25年程の年月を経たシーンの発展を振り返ると感慨深い気持ちが湧いてくる。新陳代謝と温故知新により、ブラックメタル・シーンは着実に成長を遂げているのである。そしてこれからも発展していくだろう。

レコードショップ店員やバイヤーの仕事をしているので多くのブラックメタル作品に触れる機会が多く、湯水の如く新しいバンドやアーティストが出てきていることは分かっていた。いざレビュー・タイトルの選出作業を始めてみたら、その認識を軽く越えるバンド数の多さに驚いた。もちろん知らないバンドや作品も数多く出てきた。改めて探求心を刺激され、まだまだ勉強不足であることも感じた。

本書の作業を進めていく上で、アーティストへのインタビューが困難な壁となった。バイヤー仕事の経験上、自主制作リリースするようなマイナーな海外バンドからのレスポンスが悪いのは分かっていた。ブラックメタルは尚更その傾向が強いことも認識していた。それにしても返信率が低かった。その中でも、メディアに出ていないDarkthrone（Fenriz）やパキスタンのTaarma（Black Emperor Jogezai）の貴重なインタビューを掲載できたのは嬉しい限りである。

2010年に仕事として『Shadows of Evil』というブラックメタル・ガイドブックを出版した。この時は2人で執筆、ページ数も少なく、編集（と言えるレベルでもなかった）を自ら手探りで行い、結果、素人感丸出しの本となってしまった。しかし、今回は初の単著、そして本格的に編集していただき立派な書籍となった。遅筆でも迷惑をかけたが、雑でメチャクチャな文章のために、修正に膨大な時間と手間をかけてしまった。最後まで様々なアドバイスをいただき、そして機会を与えてくれた濱崎氏には感謝の気持ちでいっぱいである。そして、Fenrizのインタビューを仲介していただいたSighの川嶋未来氏、インタビューに協力してくれたFenriz、Attila Csihar、Noctu、Ash、Barbarud Hrom、Shadow、Black Emperor Jogezai、そして本書を手に取っていただいた方に、この場を借りて謝意を表したい。

世界過激音楽 Vol.6

東欧ブラックメタルガイドブック

ポーランド・チェコ・スロヴァキア・ハンガリーの暗黒音楽

岡田早由著

反キリスト教・反共主義・白人至上主義・反近代文明。ペイガンフォーク・NSBM・アトモスフェリック・ポストブラックメタルは東欧が震源地。ポーランドに住み着いてしまった女性 Metal Mania Sayuki が丹念に紐解く

A5 判並製 248 ページ　2200 円＋税

世界過激音楽 Vol.9

東欧ブラックメタルガイドブック２

ウクライナ・ベラルーシ・バルト・バルカンの暗黒音楽

岡田早由著

第２弾は旧ソ連構成国「新東欧」とバルカン。ブラックメタルは更に過激化！　ウクライナ侵略で民族主義が先鋭化！　闇に包まれた究極のシーンをポーランド拠点に現地人脈豊富な Metal Mania Sayuki が徹底調査

A5 判並製 328 ページ　2400 円＋税

世界過激音楽 Vol.10

オールドスクール・デスメタル・ガイドブック 上巻

アメリカ・オセアニア・アジア編

村田恭基著

ホラーな世界観・混沌としたプロダクション
荒々しい演奏…ニュースクールに相対する
ものとして再発見され、リバイバルした
オールドスクール・デスメタル！

A5 判並製 224 ページ　2400 円＋税

世界過激音楽 Vol.11

オールドスクール・デスメタル・ガイドブック 下巻

ヨーロッパ編

村田恭基著

シリーズ第２弾はヨーロッパ
HM-2 なスウェディッシュデス
グルーミーなフィニッシュデス
ドゥーム＆アヴァンギャルドなダッチデス

A5 判並製 232 ページ　2400 円＋税

田村直昭 Naoaki Tamura

1971 年生まれ、埼玉在住。Bon Jovi と Europe からメタルに入った普通の高校生だったが、スラッシュメタル、デスメタルと進み深みにハマっていく。ノルウェーのインナーサークルに衝撃を受けブラックメタルを追求するようになった。
2010 年にブラックメタルのディスクガイド『Shadows of Evil』を執筆 / 編集。disk union 勤務。

Twitter：@jyahh666
Facebook：https://www.facebook.com/jyahh

世界過激音楽 Vol.13

プリミティヴ・ブラクックメタル・ガイドブック
True, Lo-Fi, Raw

2020 年 12 月 1 日　初版第 1 刷発行
著者：田村直昭
装幀 & デザイン：合同会社パブリブ
発行人：濱崎誉史朗
発行所：合同会社パブリブ
〒 103-0004
東京都中央区東日本橋 2 丁目 28 番 4 号
日本橋 CET ビル 2 階
03-6383-1810
office@publibjp.com
印刷 & 製本：シナノ印刷株式会社